Manifestaciones
de su amor

Manifestaciones de su Amor

Leticia Aguirre de De los Santos

Pacific Press® Publishing Association
Nampa, Idaho
Oshawa, Ontario, Canada
www.pacificpress.com

Título de la obra original:
Manifestaciones de su amor

Dirección editorial:
Alejandro Medina Villarreal

Redacción:
Alvin Maya Aguilera

Diagramación y diseño de la portada:
Ideyo Alomía

ISBN 13: 978-0-8163-9325-1
ISBN 10: 0-8163-9325-7

PUBLICACIONES
ADVENTISTAS DEL 7ª DIA

Editado por:
GEMA EDITORES
Ediciones Enfoque, A. R.
Dirección Editorial
Uxmal 431-2, Col. Narvarte C. P. 03020
Del. Benito Juárez
México, D. F.
ventas@gemaeditores.com.mx

A menos que se indique, todos los textos bíblicos
son de la Santa Biblia Nueva Versión Internacional,
publicada por la Sociedad Bíblica Internacional 1999.

Primera edición: mayo de 2008.

Impreso en México
Printed in Mexico

Presentación

TIENES EN TUS MANOS UN LIBRO devocional que lleva plasmadas vivencias espirituales de más de cien mujeres. Todas diferentes pero con un solo propósito: invitarte a fortalecer tu propia experiencia con Dios. Y es que solo a través de una vida de devoción, manteniendo una estrecha amistad con Jesús, acrecentando la fe, reconociendo los milagros que Dios hace, mostrando amor a los que nos rodean, fortaleciendo nuestra esperanza, creyendo que su ángel está a nuestro lado, practicando la oración, otorgando perdón al que nos ofende, manteniendo paz en la adversidad, mostrando bondad por el que sufre y permitiendo que de nuestro corazón brote gratitud a nuestro Dios, es como lograremos tener una vivencia diaria con él. Te animo a experimentarlo.

Agradezco a cada colaboradora que dedicó tiempo para escribir y compartir su experiencia espiritual. Gracias a mi secretaria por su apoyo en la recopilación; a mis hijos por su comprensión, por el tiempo que tuve que dedicar a este proyecto. Gracias a mi esposo por sus observaciones oportunas y, sobre todo, gracias a Dios por permitirnos esta gran oportunidad de compartir la verdad a través de la palabra escrita.

¡El Señor te bendiga!

Con aprecio,

Leticia Aguirre de De los Santos

¿Cuál es?

El día más bello: hoy.
La cosa más fácil: equivocarse.
El obstáculo más grande: el miedo.
El error mayor: abandonarse.
La raíz de todos los males: el egoísmo.
La distracción más bella: el trabajo.
La peor derrota: el desaliento.
Los mejores maestros: los niños.
La primera necesidad: comunicarse.
Lo que más feliz hace: ser útil a los demás.
El misterio más grande: la muerte.
El peor defecto: el malhumor.
La persona más peligrosa: la mentirosa.
El peor sentimiento: el rencor.
Lo más imprescindible: el hogar.
El regalo más bello: el perdón.
La ruta más rápida: el camino correcto.
La más linda sensación: la paz interior.
El resguardo más eficaz: la sonrisa.
El mejor remedio: el optimismo.
La fuerza más potente del mundo: la fe.
Las personas más necesarias: los padres.
La cosa más bella de todas: el amor.

Teresa de Calcuta

El punto de partida de un nuevo año

El Señor te bendiga y te guarde; el Señor te mire con agrado y te extienda su amor; el Señor te muestre su favor y te conceda la paz (Números 6: 24-26).

ERA 31 DE DICIEMBRE. Regresabamos de la Ciudad de México a la Universidad de Montemorelos. Pasamos unos días de vacaciones en familia. Mi esposo daría una clase en los programas de extensiones. Teníamos que llegar a casa temprano para preparar sus maletas con suficiente tiempo. Pero a los pocos kilómetros la caja de cambios del automóvil comenzó a fallar. Unos 200 kilómetros más adelante el vehículo se detuvo totalmente y se negó a marchar. Muchas horas después la grúa nos dejó frente a la agencia de reparaciones. Mi esposo y dos de mis hijos viajaron en autobús para tratar de alcanzar el avión al día siguiente. Adrián, nuestro segundo hijo, y yo nos quedamos en San Luis Potosí a esperar que abriera la agencia de reparaciones, el 2 de enero.

Caminé por las calles de una ciudad desconocida, así inicié el año 2001. Tuve tiempo de reflexionar mientras pasaban las primeras horas del año; conté las bendiciones y las maneras tan maravillosas de cómo Dios protege. Sentí su paz en medio de los contratiempos.

Hoy iniciamos un año. Tal vez te encuentras bien y pienses que las crisis no tocarán a tu puerta. Tal vez estés en medio de un imprevisto y te preguntes, ¿por qué? De cualquier manera, estás en las manos de Dios, en el hueco de su mano. Tienes su protección, bendición, paz. Desde allí verás el rostro de Dios y resplandecerás ante otros, aunque afuera haya tormentas.

Lee nuevamente el texto de hoy. Es la bendición que Dios le dio a Israel por medio de Moisés. Una bendición para ti. Dios te cuide y resplandezca tu rostro.

¡Comienza el año con el cuidado, la paz y la luz de Dios!

Raquel de Korniejczuk

Proponte ser feliz

Estén siempre alegres (1 Tesalonicenses 5: 16).

EN ESTA MAÑANA quiero compartir contigo diez consejos para ser feliz en este año 2009 y el resto de tu vida. Las mujeres cristianas debemos ponderar el gran privilegio de ser creyentes y las abundantes bendiciones que esto conlleva, entre otras, la decisión de ser felices.

Diez consejos para ser feliz:

1. Sé feliz con el don de la vida: agradece a Dios por ello. Vive intensamente y aprovecha bien cada etapa de tu existencia.

2. Sé feliz por las bendiciones recibidas a diario: te alegrará saber que tienes más de lo que necesitas.

3. Sé feliz porque tu familia es única: te fue dada por Dios; consérvala, ámala y apóyala.

4. Sé feliz por tus hijos, si los tienes: son un regalo de Dios. Si no tienes, ama a los niños de la iglesia como si fueran tuyos.

5. Sé feliz porque tu esposo tiene un trabajo: tienes asegurado el sustento de tu familia.

6. Sé feliz porque tienes un hogar. ¡Cuántos hay en este mundo que no tienen una familia que los quiera!

7. Sé feliz por la salud que tienes. Sin salud es más difícil disfrutar las bendiciones del cielo. Si eres frágil en cuestiones de salud es responsabilidad tuya ser más cuidadosa. Busca ayuda profesional.

8. Sé feliz por las metas alcanzadas; sin embargo, proponte nuevos desafíos, y lucha por alcanzar nuevas alturas de superación en todos los aspectos de tu vida.

9. Sé feliz porque tienes una familia espiritual a quien puedes ayudar y de quien puedes recibir ayuda.

10. Sé feliz porque eres hija de Dios. ¡Eres muy amada por el cielo!

Que nuestra oración sea: «Señor, ¡cuántas cosas me das para ser feliz! Gracias te doy por ello. Mantenme siempre con una actitud positiva y que pueda ser un instrumento en tus manos para hacer felices a los que me rodean. Amén».

Noemí Gil de Barceló

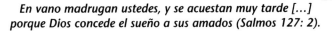

Medicina efectiva

En vano madrugan ustedes, y se acuestan muy tarde [...]
porque Dios concede el sueño a sus amados (Salmos 127: 2).

¿HAS TENIDO FALTA DE SUEÑO? Yo también. Por eso quiero compartir contigo un consejo que encontré en la Biblia y que me ayuda a vivir con menos estrés y más descansada. Sí, dormir más. Posiblemente muchas no estarán de acuerdo conmigo, dado que es difícil descansar cuando estamos estresadas. Como madres nos preocupamos y nos presionamos por tantas cosas que debemos cumplir. El esposo, los hijos, el hogar, las responsabilidades en la iglesia, el trabajo, la escuela, etcétera. Mi marido me dijo en una ocasión que aun cuando el día tuviera treinta horas, no me alcanzarían para terminar mis tareas, pues acostumbro a desvelarme muy seguido al tratar de avanzar en mil cosas.

Cuentan que a un piadoso maestro de la Biblia le pidieron compartir «el ingrediente clave en su vida para andar en el Espíritu». Él estudiaba la Biblia y oraba regularmente, y su respuesta fue: «Duermo ocho horas cada noche». Pero a la luz del remedio inicial de Dios para el estrés y la depresión de Elías (1 R. 19: 1-18), la respuesta del erudito de la Biblia no es sorprendente. Dios alimentó a Elías dos veces y le dio un sueño sin interrupciones antes de confrontarlo amablemente en el monte Horeb por su error.

El sueño no es el remedio completo para el estrés, pero las personas que descansan bien pueden mirar con claridad otras posibles soluciones. ¿Verdad que el descanso, el buen dormir, sí es una medicina efectiva? El Salmo 4: 8 nos dice: «En paz me acuesto y me duermo, porque solo tú, Señor, me haces vivir confiado».

No hay que olvidar que podemos dormir en paz cuando recordamos que, mientras nosotras dormimos, Dios se mantiene despierto.

Elizabeth Domínguez Hernández

Señor, vuelvo a casa

Busquen al Señor mientras se deje encontrar, llámenlo mientras esté cercano (Isaías 55: 6).

SIN DARME cuenta, me alejé de la iglesia unos años. Únicamente asistía de vez en cuando, por supuesto, decía que era adventista del séptimo día. Pronto empecé a involucrarme en actividades que estaban mal. Mi indiferencia hacia las cosas espirituales se empezó a notar cada vez más; pero Dios usaba una y otra forma para invitarme a volver a la iglesia. Yo me resistía, creía que no le hacía mal a nadie. «Después iré a reunirme», decía con frecuencia, «primero tengo que arreglar mi vida para ir a la iglesia».

Pero un día llegó lo que nunca esperé: la muerte. Sí, murió mi hermano. «Dios, esto no puede pasar. ¡No puede ser! ¡Por qué mi hermano! ¡Él es pastor! ¡Por qué lo permitiste!» Vinieron a mi mente infinidad de interrogantes, escenas de mi vida pasada. Dios guardó silencio. Según yo, él no me respondía.

Solo sé que por ese gran dolor de perder a mi hermano, regresé de una vez por todas a la iglesia. Jesús me abrazó tiernamente y pude escuchar su dulce voz. «Hija […] con amor eterno te he amado por eso te sigo con fidelidad» (Jer. 31: 3). Si yo hubiese muerto en un accidente, ¿qué habría sido de mí? Seguramente me habría perdido para siempre; no velaba ni oraba, no estaba lista. Sé que Dios perdonó todos mis pecados y restauró mi vida, por eso lo alabo.

Sé que me falta mucho por cambiar pero para Dios nada es imposible. Él terminará lo que empezó en mi vida; y también en la tuya si te vuelves a él porque no hay mañana para decidir. En este momento ríndete a él, no endurezcas tu corazón. El Señor quiere salvarte.

Canta conmigo:

De Dios vagaba lejos yo, vuelvo hoy a ti;
por sendas donde el mal reinó, vuelvo hoy a ti.
Ya no más, oh Señor, voy errando así;
a los brazos de tu amor, Cristo, vuelvo, oh sí.
Cansada del pecar estoy, vuelvo hoy a ti;
que puedes tú limpiarme sé, vuelvo hoy a ti.

Graciela Aguirre Tamayo

Firme decisión

Podemos comer del fruto de todos los árboles (Génesis 3: 2).

FALTABA un mes para que mi hijo Ezequiel cumpliera 4 años. Ese sábado comeríamos en casa de mi madre, quien había preparado hamburguesas de carne de res; yo había preparado flautas de papa para mi esposo que no come carne. En varias ocasiones mi hijo me había preguntado por qué su papito no comía carne, al principio no sabía qué responder; le contestaba que a su papá no le gustaba comerse a los animalitos porque ése no había sido el plan de Dios. Nunca imaginé el efecto que mis palabras tendrían en la mente de mi hijo.

Por fin llegó el día de ir a la casa de mamá para celebrar el cumpleaños de mi pequeño. Al momento de servir los alimentos, mi hermana Linda le preguntó a Ezequiel si quería una hamburguesa. Para sorpresa de todos, el niño respondió que no volvería a comer carne, ya no se iba a comer a los animalitos. Me pidió que le sirviera flautitas. Ese día yo también me solidaricé con mi marido y mi hijo. No comí carne, pensé que pronto se olvidaría; pero no, aún continúa su firme decisión, lo cual me da mucho gusto porque ahora comemos sanamente.

A lo largo de nuestra vida tomamos decisiones, y tal vez no todas son las adecuadas. Cada día que decidas algo toma en cuenta el versículo de hoy, porque únicamente Cristo puede ayudarnos a decidir bien. Él sabe qué es lo mejor para cada una. Recuerda que «la mejor forma para decidir y corregir un hábito es decirlo».

Espero que en este año hayas tomado decisiones firmes para ser una mejor cristiana, y cuando sientas que flaqueas, apóyate en Cristo, él venció todo por ti y por mí. Que Dios te dé fortaleza.

Lilia Gardea de Granados

Cristo es la solución

Encomienda al Señor tus afanes, y él te sostendrá (Salmos 55: 22).

TODO SER HUMANO ha experimentado en algún momento derrotas, tristezas y frustraciones. En circunstancias tales el equilibrio emocional se tambalea, especialmente cuando se pierde un ser querido. El apóstol Pablo conocía cuánta incertidumbre podía acumularse en el corazón doliente: «Hermanos, no queremos que ignoren lo que va a pasar con los que ya han muerto, para que no se entristezcan como esos otros que no tienen esperanza» (1 Ts. 4: 13). El salmista David dice: «Encomienda al Señor afanes, y él te sostendrá» (Sal. 55: 22). Jesús entiende a los que sufren: mostró gran compasión hacia la mujer que tocó el borde de su vestido, hacia el lunático perdido entre los sepulcros, a María Magdalena, a la viuda de Naín cuyo hijo había muerto.

Cuando le pedimos a un sastre que nos haga un traje le llevamos la tela del color que deseamos, pero no le decimos cómo cocerlo o cuánto tiempo tiene que emplear en su trabajo. A nosotros nos interesa el producto terminado, y por eso pagamos. Cuando Jesús toma nuestros problemas no tenemos que suplir los materiales o indicar el modo en el que debe resolverlos. Debemos someternos enteramente a sus decisiones. Él resolverá nuestro problema, a su tiempo y a su modo.

Los problemas pueden darnos grandes enseñanzas. Estos eventos ocupan un lugar en nuestra preparación y rumbo a la tierra prometida. Al enfrentar adversidades nuestros caracteres son pulidos a través del dolor y las pruebas. En su misericordia, Dios nos permite enfrentar la crisis.

Permitamos que Dios manifieste su mano poderosa cuando nos toque enfrentar circunstancias adversas. No nos desesperemos. Él cumplirá su promesa de sostenernos en medio de las dificultades.

Ana Luz Alejo de Gómez

¡Seamos parte del guiso!

Ustedes son la sal de la tierra (S. Mateo 5: 13).

JESÚS UTILIZABA situaciones ordinarias para ilustrar realidades espirituales. Al enseñar a sus discípulos cuál era su trabajo como agentes del reino, se refirió a la sal: «Ustedes son la sal de la tierra». La sal es común, accesible y se usa en todo el mundo. Se usa principalmente para preservar algunos alimentos y otros productos. Es un condimento importante en la cocina.

Al comparar la sal con los seres humanos, Jesús espera que en su pueblo se reproduzcan algunas características de esta sustancia. Por ejemplo, la virtud de ser diferentes del resto de la población. Así como la presencia y la ausencia de la sal es muy evidente, la mujer cristiana debe ser una figura relevante en los núcleos sociales. De la misma manera que la sal tiene la propiedad de aumentar el sabor, la influencia de una dama en las manos de Dios puede transformar la vida de su hogar y su entorno en un atractivo ambiente.

En un tiempo la sal también se usó como abono. Todavía a mediados del siglo XX los agricultores ingleses añadían sal a sus campos para aumentar la producción. Nosotras debemos contribuir para que aumente lo que es bueno, no importa el lugar donde vivimos. Sin embargo, Jesús advirtió que la sal puede perder su sabor. La sal pura, como la conocemos, hecha de cloruro de sodio, no puede perder su sabor. Pero en el antiguo Israel, los agricultores extraían la sal de las costas del Mar Muerto. Aunque se llamaba sal y parecía sal, estaba mezclada con otras sustancias. Los agricultores apilaban el material salado en un campo, pero cuando caían las lluvias, a veces la sal pura se perdía. Lo que quedaba parecía sal, pero había perdido su propiedad. La sal que se deja guardada sobre un estante no cumple su función. De la misma forma, necesitamos trabajar activamente y compartir la verdad de Dios. ¡Las cristianas estamos llamadas para ayudar a cambiar vidas!

En vez de limitarnos a criticar la corrupción de nuestra cultura contemporánea y la monotonía de la vida que tantas personas soportan, ¡seamos parte del guiso! Démosle sabor a la vida, porque nosotras somos la sal de la tierra. Cuando cumplimos nuestra misión, podemos causar en los demás sed de Jesús, quien es el Agua de Vida.

Elizabeth Domínguez Hernández

Cantar en medio de pruebas

Sin duda, el Señor consolará a Sión; consolará todas sus ruinas. Convertirá en un huerto del Señor sus tierras secas (Isaías 51: 3).

MI ESPOSO regresaba de un viaje, acompañado por tres miembros de la iglesia, cuando vio un accidente automovilístico. Todos los carros fueron obligados a formar una gran fila a la orilla de la carretera que avanzaba con lentitud. De pronto, una camioneta venía a gran velocidad no se percató del accidente y chocó contra el automóvil que manejaba mi esposo, el cual se volcó aparatosamente. Gracias a Dios, ninguno de los tripulantes resultó herido de gravedad.

Este accidente resultó en una experiencia única para los que viajaban en aquella camioneta. Unos minutos antes del percance, mi esposo y los hermanos cantaban alabanzas. Algo extraño, porque no es muy común ver a los hombres cantar por iniciativa propia y menos a los de la sierra del norte de México. Pero recordé una promesa que registra Ellen G. White: «La melodía de la alabanza es la atmósfera del cielo; y cuando el cielo se pone en contacto con la tierra, se oye música y alabanza, "alegría y gozo, alabanza y voces de canto"» (*La educación*, p. 161).

Solo imaginar el gozo que se disfruta en el cielo cuando se alaba a Dios, se reconforta y cambia el estado de ánimo, cuánto más si tienes preocupaciones, problemas o tristezas. Recuerda que si quieres experimentar un reflejo pálido de la alegría celestial, alaba a Dios con tu canto, llenará de gozo tu vida y tu corazón. ¡No lo harás sola, estarás acompañada por miles de ángeles que se unirán a tu voz para alabar el nombre de Dios!

Joana Gómez de Ávila

No salgas sola

Estaré contigo; no te dejaré ni te abandonaré (Josué 1: 5).

SEIS DE LA MAÑANA. Ya tengo media hora de retraso. «Cinco minutos más, solo cinco minutos más». Claro que esos cinco minutos ya no son posibles. Debo ponerme en pie, tomar una ducha, levantar a mis hijas, arreglarlas para ir a la escuela, servir el desayuno, apresurar a mi hija mayor que tarda mucho en alistarse, preparar el almuerzo para la hora del recreo y salir deprisa a medio peinar y conducir como un «cafre» para llegar a tiempo a mi trabajo.

Llego a tiempo a la escuela, soy maestra, pero me doy cuenta con desagrado que olvidé poner en mi portafolios los materiales que usaría ese día en la clase. Me siento muy molesta. Las cosas empeoran cuando, al levantarme de la silla en que estaba meditando sobre mis olvidos, me percato que hay un chicle pegado a mi falda. «Hoy no debí levantarme», pienso en silencio. Regresar a casa por mis materiales y cambiar mi falda me llevarán por lo menos unos 40 minutos, pero no hay opción, tengo que hacerlo. Salgo como loca. Trato de esforzarme para entrar a tiempo a mis primeras clases. Agradezco no encontrar en el camino un conductor «desesperado» que conduzca con una precaución equivalente a la mía. Llego a casa. ¡Es el colmo! ¡Había dejado la estufa encendida, y mi querida adolescente dejó conectada la plancha!

Mi estado de ánimo ha cambiado. Ahora agradezco los «contratiempos» que evitaron una tragedia. Pero de vuelta al colegio medito: «Hoy salí de casa sola, olvidé encomendar mi día al Señor, las prisas de la vida me alejaron ese día de la dirección divina, pero a pesar de haber salido "sola" mi Dios iba conmigo». «No te dejaré, ni te desampararé», dice el Señor.

¡Gracias Padre! A pesar de mi descuidada relación contigo, insistes en llamar mi atención para decirme que estás conmigo. No salgas hoy de casa ni empieces cualquier actividad sin ponerte en sus divinas manos. Si las prisas de la vida te alejan de él, recuerda, él nunca se alejará de ti.

Rosario Castro de Hernández

15

Centinelas del desierto

Hijo de hombre, a ti te he puesto como centinela del pueblo de Israel.
Por tanto, cuando oigas mi palabra, adviértele de mi parte
(Ezequiel 3: 17).

SIN DUDA no imaginas a quién se le llama centinela del desierto. Se trata de un animalito que no es muy conocido, vive en África. Es juguetón y cariñoso. Me refiero al suricato. De él podemos aprender enseñanzas útiles. En la manada de suricatos siempre hay un vigía, de quien depende la seguridad del grupo. Él busca el lugar más alto para observar si se acerca un águila o un coyote; en caso de peligro, lanza gritos de alerta y los demás corren a la madriguera.

Así como estos animalitos, debemos estar vigilantes para enfrentar los peligros y tentaciones que nos asechan en la vida espiritual. No debemos conformarnos con una rápida y monótona lectura bíblica o una oración corta y repetitiva, pues no equivaldría a estar en el lugar más alto como vigías, para advertir a otros del enemigo que busca a quien devorar. Acudamos a nuestro refugio invencible y clamemos: «El Señor es mi roca, mi amparo, mi libertador; es mi Dios, el peñasco en que me refugio. Es mi escudo, el poder que me salva, ¡mi más alto escondite!» (Sal. 18: 2).

Al amanecer lo primero que hacen los suricatos es calentarse del viento helado, parándose graciosamente para recibir de frente el sol; al declinar el día se colocan juntos para recibir los últimos rayos. Cristo nos invita para que al amanecer vayamos al encuentro con el Sol de Justicia y nos caliente de las frialdades de la vida, como el desánimo, la apatía o el espíritu de queja.

Al iniciar el día, busca un tiempo especial con tu amigo Jesús, verás que ese día será diferente; porque seguimos en el desierto de maldad y sufrimiento, únicamente Cristo puede hacer la diferencia en nuestra vida. Recordemos que el Señor debe ocupar el primer, el último y sobre todo el mejor lugar de nuestro corazón. Al profeta Ezequiel se le encomendó una difícil tarea, la de ser centinela para su pueblo. Nosotras también debemos aceptar el llamado de Dios para ser mensajeras de las buenas de salvación en este mundo.

Vanessa Alfaro Díaz

Cicatrices del alma

***Sean, pues, aceptables ante ti mis palabras y mis pensamientos,
oh Señor, roca mía y redentor mío (Salmos 19: 14).***

¿TE HAS PREGUNTADO cuántas cicatrices tienes en tu cuerpo? Sin duda debes de tener por los menos una. Yo tengo dos cicatrices en la frente. Una es el producto de una herida cuando tenía 7 años. Mientras jugaba con una pelota, me caí y me golpeé la frente con la puerta, quedándome una cicatriz. Tres años después, competí con mi hermana para ver quién era la primera en tocar el timbre, me caí y me herí de nuevo la frente con un juguete metálico que traía en la mano. Hasta la fecha, cada vez que me paro frente al espejo veo mis cicatrices, y recuerdo lo que pasó. Pienso que cuando veamos cara a cara a Jesús observaremos sus cicatrices, las cuales son producto de su infinito amor.

Las cicatrices que más nos lastiman son aquellas que revelan aquellos momentos cuando desobedecemos a Dios, ya sea con palabras o acciones. Pero si nos arrepentimos genuinamente, Dios nos perdonará y sanará las heridas que hay en nuestro ser. Cuando hablamos mal de nuestro prójimo lastimamos sus sentimientos, y una vez dichas las palabras ya no se pueden recoger. Algunos dicen: «Palos y piedras pueden romper mis huesos, pero las palabras nunca me herirán». La realidad es que las palabras desgarran los sentimientos de alguna manera. La Biblia dice que las palabras pueden herir como una espada, y pueden cortar como un cuchillo.

Dios conoce cada uno de nuestros pensamientos, escucha nuestras palabras y observa nuestro comportamiento. Que nuestros actos y palabras agraden a Dios. Si has cometido una falta o te sientes mal por lo que has dicho, arrodíllate, ábrele tu corazón a Jesús y pídele perdón. Él te recibirá con los brazos abiertos y tus cicatrices del alma desaparecerán.

Patricia Parias de Montiel

Diálogo con Jesús

Quiero alabarte, Señor, con todo el corazón, y contar todas tus maravillas (Salmos 9: 1).

CIERTO DÍA imagine cómo sería una conversación con Jesús si tuviéramos una cita. Si saliéramos a tomar un té, un helado. Él esperaría, su rostro reflejaría paciencia y alegría por verme llegar. Platicaría tanto con él, por ejemplo, qué planes tiene para mí y en qué puedo servirle. Bueno pero esto es lo que imagino por ahora y quiero compartirlo contigo.

—Señor, yo te amo. Mi anhelo es llegar a las mansiones celestiales y vivir contigo para siempre. ¿Cómo lo puedo lograr? ¿Qué debo hacer?

—Hija, yo te amo más allá de lo que puedes entender. Eres preciosa para mí. Yo planeé tu llegada a este mundo, elegí tu género y tengo un plan para tu vida.

—Gracias Señor, te entrego todo mi ser. ¡Abre mis ojos, deseo contemplarte! Dirige mi mente para comprender tus mandatos y tu plan para mi vida. Limpia mis labios para poder alabarte y glorificar tu santo nombre. ¡Abre mis oídos para escucharte, que mis manos trabajen para ti! Guía mis pasos, quiero seguirte.

—Hija, yo te quiero mucho. Habla conmigo al empezar tus quehaceres. Medita conmigo. Llámame en las noches cuando no puedas dormir. Siempre estaré allí para escucharte. Te bendeciré y te daré una vida victoriosa.

—Gracias Señor. ¿Qué más puedo hacer para servirte?

—Hija, cada día y en cada oportunidad, cuenta a otras personas cuánto te amo y lo que he hecho por ti. Diles lo que represento para ti y los profundos deseos que tengo de ayudarlos. Además, incluye sus nombres en tus oraciones.

—Lo haré Señor con tu ayuda, tu poder y tu gran misericordia por lo cual te alabo y te doy toda la honra y la gloria. ¿Me ayudarás?

—¡Claro que te ayudaré! Verás que al compartir el evangelio te acercarás más a mí y descubrirás nuevas dimensiones de mi carácter. ¡Tú serás la más bendecida!

«Los mensajeros (de Jesús) [...] obtendrán una rica recompensa. En las coronas de su regocijo, aquellos a quienes hayan rescatado y salvado finalmente resplandecerán, para siempre como estrellas» (*Primeros escritos*, p. 61). Recuerda que un alma ganada para el reino de los cielos significa una estrella en tu corona. Hermana, ¿cuántas estrellas quieres tener en tu corona?

Martha Ayala de Castillo

El mejor legado

Éstos son los mandamientos, preceptos y normas que el Señor tu Dios mandó que yo te enseñara, para que los pongas en práctica [...] para que durante toda tu vida tú y tus hijos y tus nietos honren al Señor tu Dios cumpliendo todos los preceptos y mandamientos que te doy, y para que disfrutes de larga vida (Deuteronomio 6: 1 y 2).

HAY DOS recuerdos de mi niñez que han impactado mi vida hasta el día de hoy. El primero son los décimo tercer sábados, eran una fiesta para toda la familia y también para la iglesia. En ese sábado todos los versículos de la lección de Escuela Sabática eran memorizados. Los cantos para el programa estaban listos, la ropa era especial. Mis hermanos y yo estrenábamos ropa y calzado. Mis padres siempre se esforzaron por hacer de ese día algo muy especial para toda la familia. También recuerdo las recepciones de sábado en casa del abuelo. Cada viernes a la puesta del sol, toda la familia, unos treinta integrantes, se reunían en casa del abuelo para recibir el sábado. Cantábamos himnos, participábamos de lecturas antifonales, los nietos ejecutábamos cantos, orábamos y, por supuesto, nunca faltaba la repetición del **Padre nuestro**, «todos juntos y parejitos», decía el abuelo. Al terminar el abuelo se sentaba a la mesa y nos repartía dulces y chocolates. La abuela mostraba sus dotes de excelente cocinera, presentándonos una exquisita cena para todos. Al terminar todos juntos íbamos a la iglesia. ¡Qué recuerdos tan maravillosos!

Han pasado muchos años desde que salí del hogar de mis padres, pero esas imágenes siguen presentes en mi corazón. Un día sé que llegaré a casa y ya no los encontraré, pero doy gracias a Dios porque cumplieron una obra que permanecerá para siempre. A través de sus vidas, de los cultos familiares y de sus incansables esfuerzos por mostrarnos el buen camino, mis padres y abuelos me enseñaron a cantar, a orar, pero sobre todo amar a Dios; y con esto me dieron la bendita esperanza de trascender a una vida mejor: la vida eterna.

¿Qué mejor herencia pudieron legarme, sino su conocimiento del evangelio eterno? Querida madre, recuerda que los hijos aprenden por el ejemplo. No te canses de celebrar los cultos familiares con tus hijos. No pienses que no es trascendental lo que haces. En su momento, la muralla protectora de la educación cristiana los protegerá en sus luchas futuras para que su fe no falte. Eso les ayudará a ganar la victoria en Cristo Jesús y les permitirá gozar de las glorias eternas. Vive tu vida de tal manera que dejes huella en la mente de tus hijos.

Thelma Park de Reyna

Imitar al modelo perfecto

Por tanto, imiten a Dios, como hijos muy amados (Efesios 5: 1).

HACE TIEMPO escuché una historia que me dejó una gran enseñanza. Se cuenta que Jenny era una niña que se deleitaba en escuchar los trinos de una ave que llegaba con frecuencia a su ventana. Conforme pasaba el tiempo, la niña imitaba las notas agudas que daba el pajarillo, como si éste entendiera que ella quería cantar tan lindo como él. Jenny se preparó con entusiasmo, tomó clases de canto y llegó a ser una cantante de ópera muy famosa en todo el mundo.

Cuando terminé de escuchar la historia, pensé que si esta niña tomó tan en serio imitar a una avecilla, ¡cuánto más nosotros, como hijos de Dios, deberíamos imitar el carácter de nuestro buen Jesús! Muchas veces se nos olvida que tenemos el modelo perfecto para imitar en cuanto a carácter y acciones. Su bondad, su misericordia, su nobleza.

En S. Mateo 15: 32 leemos que no dejó ir sin comer a la multitud que lo escuchaba desde hacía tres días. Fue bondadoso con ellos. En S. Juan 8: 11 perdonó a la mujer adúltera; tuvo misericordia de ella. En S. Lucas 4: 35 reprendió a un demonio y libró a un hombre del poder de las tinieblas. No terminaríamos de describir cuánto hizo por nosotros nuestro amante Salvador.

Querida amiga, te invito a que cada vez que quieras convertirte en juez de tu prójimo, no te olvides del hambre del necesitado. No pretendas desobedecer la voluntad de nuestro buen Dios. Entra en tu recámara y a solas pídele a Dios que dirija tu vida. Recuerda imitar el carácter de Jesús. Disfruta desde ahora sus maravillosas enseñanzas al leer su santa Palabra.

Lucy Sánchez de Escalante

Comer para vivir

Y ésta es la vida eterna: que te conozcan a ti, el único Dios verdadero, y a Jesucristo, a quien tú has enviado (S. Juan 17: 3).

CIERTO VERANO, un amigo fue a visitarme a la universidad. Mientras platicábamos, un animalito pasó frente a él. Por un acto de reflejo, estiró la mano y le dio un manotazo. Para nuestra sorpresa, se trataba de un colibrí recién nacido. Mi amigo se puso pálido, y yo me horroricé; tomé al pajarito, me propuse atenderlo hasta que sanara. Al ver a la pequeña ave, mis amigos me dijeron que sería imposible, porque los colibríes comen todo el día. Necesitaba alimentarse mucho y constantemente para poder sobrevivir.

¡Miel! Ésa fue la respuesta, buena fuente de energía. Durante tres días logré alimentarlo. Llevaba conmigo un frasco de miel y un mondadientes como cuchara. Lo alimentaba a toda hora, incluso me desvelaba para que no se quedara sin comer. Le pedí a Dios que le permitiera vivir, y al tercer día el Señor hizo el milagro: el colibrí levantó el vuelo y se fue a buscar su hogar.

Nosotros también somos como pequeños colibríes en las manos del Señor. Él nos alimenta con la miel de las Sagradas Escrituras. Como una inofensiva ave, necesitamos de su Palabra, el alimento espiritual que nos ayudará a tener vida, una muy especial, ¡la vida eterna!

El estudio constante de su Palabra nos fortalecerá para superar las circunstancias de la vida. Transformará nuestro carácter a la semejanza de nuestro Salvador, para que cuando él regrese estemos listas para entrar a nuestro verdadero hogar: el reino celestial. Hoy, querida hermana, quiero invitarte a que tú también te alimentes del pan de vida. Comienza este día con la miel espiritual de las Sagradas Escrituras para que cuando venga el Señor puedas emprender el vuelo hacia la ciudad celestial.

Jennifer Britton de Miranda

En la luz de la Ley

La Ley de su Dios está en su corazón (Salmos 37: 31).

D ESDE HACE más de diez años trabajo en el Servicio de Administración Tributaria de mi país, específicamente en Auditoría Fiscal Federal. Mi trabajo consiste en detectar a las personas o empresas que no pagan sus impuestos o no pagan correctamente. Tenemos muchos recursos tecnológicos para hacer esto. En mi experiencia he encontrado a diferentes tipos de personas en relación con el hecho de pagar impuestos: algunas piensan que *está bien no pagarlos,* porque a fin de cuentas no se hace buen uso de esos recursos o porque ellos necesitan más ese dinero que el gobierno.

Otras piensan que *está bien mientras no los descubran,* es como un juego de las escondidas, saben que algún día perderán. Algunas más piensan que *está bien pagarlos,* pero bajo sus propios términos y condiciones. Pero lo cierto es que la Ley Fiscal es precisa y las personas físicas o morales, sean ciudadanos, residentes o extranjeros, tienen la obligación de pagar impuestos sobre los ingresos que obtengan. No hay nada que inventar o negociar, lo único que hay que hacer es pagarlos como la ley lo indica. Si no se hace, entonces hay sanciones económicas, embargos y clausuras, hasta la más severa, que es la pena corporal o cárcel.

Esto me ha hecho pensar muchas veces en otra Ley. Su Autor no desea que esté escrita en Códigos o Prontuarios, sino en el corazón de todos aquellos que la aman. Dios no tiene un Departamento de Auditoría para buscar a los que no la cumplen y así castigarlos, únicamente tiene un corazón lleno de amor invitándonos cada día a cumplir su Ley, porque sabe que es la forma de disfrutar la existencia que nos ha dado.

Y así como en los Tribunales Fiscales se aplican las leyes de la materia para resolver los medios de defensa interpuestos por los contribuyentes, un día en los Tribunales Celestiales también será aplicada esta Ley para decidir nuestros destinos. Pero la diferencia más maravillosa y hermosa es que Jesús presentará su sacrificio en el Calvario como pago por nuestras faltas.

Te invito para que cada día de tu vida camines en la luz de esta Ley maravillosa, que la lleves en tu corazón y vivas el gozo inefable de saber que los preceptos divinos sirven para revelar el carácter de Dios a sus hijos y protegerlos de infinidad de peligros.

Nidia Santos Vidales

Música agradable para el Señor

*Y después del fuego vino un suave murmullo. Cuando Elías lo oyó,
se cubrió el rostro con el manto y, saliendo, se puso a la entrada
de la cueva. Entonces oyó una voz que le dijo: ¿Qué haces aquí, Elías?
(1 Reyes 19: 12 y 13).*

¿TE HAS PREGUNTADO qué música le agrada al Señor? En la Palabra de Dios encontramos respuestas a varias interrogantes al respecto, veamos algunas:

- *¿Prefiere la música estridente o la música suave?* «Y después del fuego vino un suave murmullo» (1 R. 19: 12).
- *¿Cómo se debe cantar a Dios?* «Canten salmos, himnos y canciones espirituales a Dios, con gratitud de corazón» (Col. 3: 16); «Cantaré al Señor toda mi vida; cantaré salmos a mi Dios mientras tenga aliento» (Sal. 104: 33).
- *¿Cómo tiene que ser la naturaleza de las canciones?* «Canten alegres a Dios, nuestra fortaleza; ¡aclamen con regocijo al Dios de Jacob!» (Sal. 81: 1).
- *¿Crees que al Señor le gustan los himnos?* «Después de cantar los salmos, salieron al monte de los Olivos» (S. Mr. 14: 26).
- *¿Agradará a Dios que cantes sobre su poder y gloria?* «¡Cántenle, cántenle salmos! ¡Hablen de sus maravillosas obras!» (1 Cr. 16: 9).
- *¿Le parecerá bien a Dios que cantes sobre los grandes milagros que ha realizado en tu vida recientemente?* «Canten al Señor un cántico nuevo, alábenlo en la comunidad de los fieles» (Sal. 149: 1).
- *¿Debemos de ser conscientes de la manera que cantamos a Dios?* «¿Qué debo hacer entonces? Pues orar con el espíritu, pero también con el entendimiento; cantar con el espíritu, pero también con el entendimiento» (1 Co. 14: 15).

Según la Biblia, la música es parte de la naturaleza de Dios. El Señor es músico y canta. Sofonías 3: 17 dice: «Porque el Señor tu Dios está en medio de ti como guerrero victorioso. Se deleitará en ti con gozo, te renovará con su amor, se alegrará en ti con cantos». ¡Él es el músico por excelencia! ¡Es el músico perfecto! ¡Menuda tarea tenemos todos aquellos que queremos alabar y adorar a nuestro Señor por medio de la música, pero vale la pena recorrer sus caminos!

Hermana, te invito a que llenes tu hogar con música que glorifique y alabe el nombre de Dios y edifique a tu familia. Recuerda, Elías encontró a Dios en una apacible brisa.

Dulce Nayeli Lozada Alcántara

El Rey de tu vida

Pilato mandó que se pusiera sobre la cruz un letrero en el que estuviera escrito: «Jesús de Nazaret, Rey de los judíos» (S. Juan 19: 19).

NUESTRA DEVOCIÓN personal depende en gran parte de la importancia que tenga Cristo para cada una de nosotras. Si crees que de él mana la vida, te gozarás al apartar un tiempo especial para conocerle mejor. De lo contrario nunca habrá tiempo disponible para acercarte a él. Pienso en ese viernes cuando Jesús fue crucificado y los soldados colocaron en aquella cruz la inscripción: «Jesús de Nazaret, Rey de los judíos». Fue escrito en tres idiomas para que todos supieran su contenido. Dios utilizó a Pilato para dar un mensaje divino. Los líderes prefirieron declarar que César era su rey, y no el Mesías. Jesús no era importante para ellos, de ahí su actitud despectiva.

La inscripción manifestaba lo que debía ser el Hijo de Dios para el pueblo judío: su Rey. Hoy esa inscripción reclama nuestra atención, se mantiene el mismo deseo divino: su Hijo debería ser nuestro Rey, nuestro Salvador. Cristo Jesús desea ser el Soberano que gobierne tu vida. En honor a su muerte deberíamos colgarnos esa inscripción en nuestro corazón, que forme parte de nuestra existencia, de manera que todo el mundo lea y vea: «Jesús de Nazaret, Rey de (di tu nombre)».

Te imaginas ver cada día esa inscripción. Nos recordaría a cada momento su amor. Durante las horas del día sabríamos que está a nuestro lado y al anochecer le alabaríamos por su misericordia y sus bendiciones. Si Cristo es el Rey y el centro de tu vida, seguro le darás tu tiempo, tus dones y tus esfuerzos; sin duda tu corazón le alabará, le contemplará y le servirá. Que tu oración sea: «Jesús, sé el centro de mi vida, eres lo mejor y más importante para mí. Rindo mi ser a ti, mi Rey, mi Salvador».

Lorena P. de Fernández

Quiero ser una semilla de amor

El campo es el mundo, y la buena semilla representa a los hijos del reino (S. Mateo 13: 38).

EN UN CAMPORÍ de Aventureros mis hijos aprendieron un canto que quisiera compartir contigo.

Quiero ser una semilla de amor
y crecer bajo el cuidado del Señor.
Florecer por medio de la fe en él
y compartir con otros su poder.
Yo quiero crecer en Cristo
arraigándome en él.
Me dará el sol de justicia
y la lluvia celestial.
Yo quiero crecer en Cristo
y confiar en su poder;
yo quiero ser una semilla de amor.

Las semillas son mi admiración; las hay pequeñas y grandes. Las flores son la maquinaria viviente que producen las semillas; de su desempeño depende la próxima generación y la supervivencia de los seres vivos.

Las semillas son literalmente paquetes de vida. Cada semilla es una promesa de una nueva generación, porque asegura la satisfacción de las necesidades de alimento y vestido. Las semillas viajan en búsqueda del ambiente y el espacio propicio para su crecimiento.

«Dios mira el interior de la diminuta semilla que él mismo formó, y ve en ella la hermosa flor, el arbusto o el altivo y copudo árbol. Así también ve las posibilidades de cada ser humano. Estamos en este mundo con algún fin. Dios nos ha comunicado su plan para nuestra vida, y desea que alcancemos el más alto nivel de desarrollo. [...] Desea que crezcamos continuamente en santidad, en felicidad y en utilidad» (*El ministerio de curación*, p. 309).

Te invito a nutrirte cada día con el agua de la Palabra de Dios, con la oración, con la testificación, con la asistencia a la iglesia y la participación en sus actividades para ser paquetes de vida esparcidos en el mundo y asegurar la próxima generación de Cristo.

María Lourdes Pérez Moreno

No dejes de brillar

El corazón tranquilo da vida al cuerpo, pero la envidia corroe los huesos (Proverbios 14: 30).

CUENTA una leyenda que una vez una serpiente empezó a perseguir a una luciérnaga la cual huía rápidamente y con miedo de la feroz depredadora. La luciérnaga logró huir la primera vez, pero la serpiente no pensaba desistir de su intento por atraparla. Dos días pasaron y nada cambiaba. Al tercer día, ya sin fuerzas, la luciérnaga se detuvo y le dijo a la serpiente:

—¿Puedo hacerte tres preguntas?

—No acostumbro a dar oportunidades a nadie, pero como igual te voy a devorar, puedes preguntar lo que quieras —respondió la serpiente.

—¿Pertenezco a tu cadena alimenticia?

—No –contestó el reptil.

—¿Te he causado algún mal?

—No –volvió a responder.

—Entonces, ¿por qué quieres acabar conmigo?

—¡Porque no soporto verte brillar! —dijo la víbora.

Es posible que muchas de nosotras nos hayamos visto envueltas en situaciones donde nos hemos preguntado: «¿Por qué me pasa esto si yo no he hecho nada malo?» Sencillo, hay quienes no soportan verte brillar. La envidia es uno de los peores sentimientos que podemos abrigar. Es así como tus logros, éxitos, alegrías y avances son motivo de resentimientos y rivalidades.

Cuando esto pase, no dejes de brillar. Sé tu misma, da lo mejor de ti, haz lo mejor. No permitas que te lastimen ni dejes que te hieran. Brilla, porque tu luz seguirá intacta; tu esencia permanecerá, pase lo que pase.

Evelyn Omaña

Y yo, ¿camino con Dios?

*Y como anduvo fielmente con Dios, un día desapareció
porque Dios se lo llevó (Génesis 5: 24).*

NOS HA TOCADO vivir en una época llena de tentaciones e impedimentos para vivir en armonía con Dios. Hoy la maldad se ha desbordado por todas partes. Pero nuestros antepasados también vivieron en un mundo de tentaciones. Ellen G. White dice que Enoc «tuvo que luchar con las mismas tentaciones que nosotros». Estaba en el mundo, pero no era del mundo. Pero no se dejó enlodar con la maldad que lo rodeaba (*Review and Herald*, 23-8-1881).

Una palabra clave en la vida de Enoc es *devoción*. El *Diccionario de la Real Academia Española* la define como «amor, veneración y fervor religiosos», en general, «costumbre buena, prontitud con que se está dispuesto a dar culto a Dios y hacer su santa voluntad».

Enoc estuvo dispuesto a caminar con Dios y cumplir «la voluntad divina», por eso su entrega fue total y permanente. De modo que de acuerdo con la entrega que tengamos hacia el Señor será la devoción con que nos presentemos en sus atrios. Para eso se requiere de una preparación como la de Enoc. He aquí algunas sugerencias.

- *Controla tus pensamientos*. Evita los chismes, las conversaciones que no edifican, la crítica destructiva.
- *Cultiva tu mente*. Estudia tu Biblia todos los días. Lee libros que te ayuden a mejorar tu situación espiritual y a comprender al prójimo.
- *Practica la oración diaria*. Intégrate al bando de oración. También hazlo en casa.
- *Asiste a la iglesia, piensa que vas a un encuentro con Dios*. Evita ser supervisora de los demás. Concéntrate en aquello que te beneficie y ayude a crecer en la fe.
- *Acepta a Jesús como tu consejero*. Considera la Palabra del Señor como la principal influencia en tus decisiones.

El tiempo y los acontecimientos sociales no deben ser un impedimento para tener una sólida relación con Dios, como en el caso de Enoc. Decide hoy sobreponerte a cualquier obstáculo que te impida mantenerte fiel al Señor.

Elizabeth Suárez de Aragón

Renovación

*Crea en mí, oh Dios, un corazón limpio, y renueva la firmeza de mi espíritu
(Salmos 51: 10).*

EL ÁGUILA es el ave de mayor longevidad de la especie. Llega a vivir 70 años; pero para llegar a esa edad, a los 40 debe tomar una seria y difícil decisión. A esa edad sus uñas están apretadas y flexibles, sin conseguir tomar a sus presas de las cuales se alimenta. Su pico, largo y puntiagudo, se curva y apunta contra su pecho; sus alas están envejecidas y pesadas; y sus plumas gruesas. ¡Volar se ha vuelto un problema! Entonces el águila tiene solamente dos alternativas: morir o enfrentar un doloroso proceso de renovación que dura 150 días.

Ese proceso consiste en volar hacia lo alto de una montaña y quedarse allí en un nido cercano a un paredón, en donde no tenga la necesidad de volar. Después de encontrar ese lugar, el águila comienza a golpear con su pico el risco hasta conseguir desprender una parte. Después espera el crecimiento de un pico nuevo con el que desprenderá una a una sus uñas. Cuando las nuevas uñas comienzan a nacer, comenzará a quitarse las plumas viejas. Después de cinco meses, emprende el famoso vuelo de renovación y se alista para vivir 30 años más.

Los seres humanos estamos sujetos a errores y anhelamos en lo más profundo de nuestro corazón «otra oportunidad». Dejar atrás el pasado con sus equivocaciones. Pero a veces parece que la segunda oportunidad no llegará. No te quedes parada viendo cómo se te va la vida. ¡Decide cambiar! Tú también puedes ser como el águila, elévate a las alturas a través de la oración ferviente y la misericordia. La gracia del divino Salvador renovará tu vida completamente, así lograrás enfrentar el presente y el futuro con la seguridad de su presencia permanente.

Ana Laura Estrella

El carácter

Engañoso es el encanto y pasajera la belleza; la mujer que teme al Señor es digna de alabanza (Proverbios 31: 30).

EN UN MUNDO tan sofisticado como el nuestro, la belleza es cada día más fácil de conseguir. La cirugía plástica y las avanzadas técnicas aplicadas a la industria cosmética permiten resolver casi cualquier «defecto»: arreglar el cabello, mejorar la piel, cambiar el color de los ojos, modificar la apariencia del rostro, entre otras cosas. Ser bella en nuestra sociedad se ha convertido en uno de los principales valores para muchas personas.

Esta continua búsqueda de la belleza se ha visto favorecida con la ayuda que brindan algunas instituciones financieras, ofreciendo créditos a mujeres trabajadoras para poder hacerse cualquier «arreglito» y pagarlo en cómodas mensualidades. Sin embargo, en la medida que aumenta la preocupación por mejorar la apariencia, disminuye el cuidado de aquello que origina la esencia del buen ver: los atributos internos. Hoy hay gran disposición de hacer cualquier sacrificio por mejorar el exterior, el *parecer*, pero muy poco esfuerzo por mejorar el interior, el *ser*.

La belleza que se encuentra en las virtudes cristianas del dominio propio, la prudencia en el hablar, la sencillez, la abnegación, la fortaleza interna y la generosidad no tienen fecha de caducidad, como los arreglos exteriores, ni tienen precio. Jesús quiere brindárnoslos gratuitamente y en abundancia, el problema es que no siempre son parte de nuestras prioridades.

Por eso, mi querida hermana, hoy te invito a que así como cuidas con esmero tu cutis, tu cabello y tus uñas, también tengas cuidado de tu crecimiento en la gracia y belleza interna. Vigila tu interior, si hablas sin pensar, o te sientes egoísta y pretenciosa, dobla tus rodillas y ora con un nuevo ímpetu para que el Padre celestial te conceda la victoria sobre esos defectos de carácter. Él te perfeccionará, como ha prometido, hasta el día de su venida.

Sahily Alcocer

El carácter de una hija de Dios

Por esta razón, y a causa de los ángeles, la mujer debe llevar sobre la cabeza señal de autoridad (1 Corintios 11: 10).

¿ES LA SUMISIÓN una señal de anulación o acatamiento de tu personalidad? ¿Acaso convierte a la mujer en un robot que únicamente sabe obedecer órdenes sin tener iniciativa propia? Muchos escritores acusan a la Palabra de Dios de obsoleta y extemporánea, justamente por entender mal este principio. La mujer cristiana tiene amplias posibilidades de realización, sin perder su sello distintivo, que es la sumisión a la autoridad que Dios puso sobre ella. La sumisión es el rasgo central, pero ésta va adornada de otras muchas y preciosas virtudes. La Biblia dice que esas virtudes se encarnaron en algunas de las mujeres ejemplares de Dios.

Rut era una mujer muy resuelta. No se quedó en Moab, sino que se fue a Israel junto con su suegra, persuadida de que allí gozaría del favor de Dios. Luego, su trabajo en los campos de Booz como espigadora da cuenta de una diligencia ejemplar. Su recato y sabiduría atrajeron rápidamente el respeto de la gente y la admiración de Booz. No era una mujer tímida, antes bien, dio muestras de osadía y resolución cuando debió acudir a dormir a la era, conforme a la tradición judía, para exigir el cumplimiento de una ley que la favorecía. El Señor premió la fe, la constancia, la determinación de esta joven viuda, y le proveyó un marido, con quien llegaría a integrar la genealogía de Jesucristo.

La mujer sunamita (2 R. 4: 8-37) vio pasar a un hombre por el lugar donde ella vivía y reconoció que era un profeta de Dios. Entonces, pidió a su marido que preparasen un pequeño aposento para recibir al profeta cada vez que pasara por allí. Desde entonces, Eliseo tuvo dónde hospedarse dignamente. Más adelante, Dios le concedió el hijo que ella deseaba. La decisión de ayudar trajo bendición a toda su casa.

Una mujer cristiana puede satisfacer todas sus necesidades humanas como creyente. La fidelidad a Dios no destruye su ser femenino ni limita sus virtudes y alcances. Dios no nos creó para luego bloquear nuestro desarrollo humano. Al contrario, la fe es el principal detonante que impulsa a una mujer a ser mejor. En este día recuerda que la fe en Dios es tu gran tesoro para realizarte como mujer.

Larissa Serrano

Antes que el maná se derrita

Todas las mañanas cada uno recogía la cantidad que necesitaba, porque se derretía en cuanto calentaba el sol (Éxodo 16: 21).

TODOS CONOCEMOS la historia del pueblo de Israel mientras viajaba por el desierto rumbo a la tierra prometida. Durante cuarenta años el pueblo salió a recoger el maná, el pan del cielo, y tenía que hacerlo muy de mañana. No debían hacerlo a mediodía y mucho menos en la tarde, la orden era explícita: debía ser por la mañana. ¿Pero por qué tan temprano? ¿Por qué no podían dormir un poco más? La respuesta nos la da el texto de hoy: porque cuando salía el sol el maná se derretía.

En algunos países orientales, mucha gente desafía las lluvias torrenciales del verano y las crueles heladas del invierno con tal de ir a adorar un ídolo, que ni ve ni oye ni le puede ayudar en sus problemas. En cambio, nosotras creemos y adoramos al Dios verdadero, ¿pero cuántos deseos tenemos de buscarlo cada mañana? ¿Por qué no podemos desafiar el deseo de dormir un poquito más y levantarnos más temprano que de costumbre para saciar nuestras almas con el alimento que nos dará las fuerzas necesarias para enfrentar cada situación?

Creo que así como nos preocupamos porque cada miembro de nuestra familia se alimente correctamente, con mayor razón deberíamos preocuparnos porque tanto nosotras como cada uno de los nuestros reciba los nutrientes espirituales necesarios para cada día. Amiga querida, es tiempo de salir cada mañana a recoger el maná celestial, antes de que salga el sol y lo derrita; antes de que las preocupaciones y los afanes de este mundo asfixien el interés por escuchar la Palabra de Dios.

Salgamos a recoger el maná celestial antes de que el sol de los problemas lo derritan, y que a través de ese pan celestial recibamos la fuerza necesaria para poder enfrentar las dificultades de la vida. No dejemos ese privilegio para la noche, cuando ya estamos agotadas por tantos afanes y cuando nuestra mente no tendrá la misma disposición para recibir esa bendición tan especial que nuestro Dios nos quiere dar. Te invito a salir de la cama antes que el maná se derrita y recibamos nuevas fuerzas por medio de la comunión con Dios, el estudio de la Biblia y la oración.

Aracely Ocaña

¿Cómo está tu relación con Dios?

Pero si a ustedes les parece mal servir al Señor, elijan ustedes mismos a quiénes van a servir [...] Por mi parte, mi familia y yo serviremos al Señor (Josué 24: 15).

HUBO UN MAESTRO alemán que era famoso por la riqueza de su vida espiritual. Ya anciano, era un ejemplo entre sus colegas y estudiantes, quienes trataban de describir cuál era el secreto de su vida tan llena de bondad, compresión y amor. Un día, algunos de los estudiantes decidieron que uno de ellos debería esconderse en el apartamento del profesor y ver cómo vivía: era el único lugar donde no lo habían observado. El maestro llegó tarde esa noche. El día había sido largo y agotador. Puso sus libros sobre una mesa, se quitó el abrigo y se sentó. Después tomó su Biblia y leyó durante casi una hora. Luego inclinó la cabeza y unió sus manos sobre la Escritura en actitud de oración; así estuvo por largo rato. Entonces cerró la Biblia y se puso de pie y con los ojos elevados al cielo dijo: «Querido Jesús, ¡tú y yo siempre seremos amigos!»

Sin duda que si practicamos una vida de devoción sometidas a Dios otros notarán la diferencia. Como mujeres cristianas necesitamos experimentar una vida de devoción con nuestro Dios. Mientras más cercano sea el contacto con Dios nuestra vida ejercerá poder sobre los que nos rodean cada día. Ellen G. White dice que si investigamos las Escrituras con un espíritu dócil y deseoso de aprender, nuestros esfuerzos serán bien recompensados.

Necesitamos estudiar la Palabra de Dios con oración para comprender lo que el Señor desea darnos a conocer. En este tiempo, cuando todo marca horarios y fechas, es el momento de dejar ver a otros que como cristianas estamos decididas a servir al Señor como el pueblo del Israel de antaño. No sé si te pase como a mí, que el correr de cada día muchas veces me obliga a posponer lo que debe ser primero, encontrarme con Dios. ¿Cómo podré, entonces, mostrar el amor, la bondad y la comprensión de Dios si yo misma no los he experimentado? Que Dios nos ayude para que al enfrentar este nuevo día con un encuentro con Jesús nuestros esfuerzos sean bien recompensados para honra y gloria de su nombre. ¡Que Dios te bendiga!

Leticia Aguirre de De los Santos

Educación para ir al cielo

Grábate en el corazón estas palabras que hoy te mando. Incúlcaselas continuamente a tus hijos. Háblales de ellas cuando estés en tu casa y cuando vayas por el camino, cuando te acuestes y cuando te levantes (Deuteronomio 6: 6-7).

ERAN LAS 5:30 A.M. La voz melodiosa de mamá se escuchaba en la sala entonando el himno 38 del *Himnario Adventista*, «Por la mañana, oh Señor». ¡Cómo olvidarlo! Los integrantes de la familia nos reuníamos para celebrar el culto matutino; después de cantar y orar papá mencionaba el número de la lección que estudiábamos y nos preguntaba: «¿Qué número de lección?» Nosotros contestábamos soñolientos incorrectamente. Todos las mañanas estudiábamos la lección de Escuela Sabática para adultos y al caer la tarde, en el culto vespertino, mamá nos estudiaba las lecciones del *Amigo de los niños*, ilustrándolas con figuras de pellón que ella misma coloreaba.

Si bien es cierto que en la Biblia no se registran ejemplos directos del culto familiar, hay indicios de que existía algún equivalente por los resultados que se ven, por ejemplo, los padres de Moisés le inculcaron sólidamente el amor a Dios, pues sabían que tenían poco tiempo (Éx. 2: 1-10). Otro caso es el de Ana, quien enseñó a amar a Dios a Samuel en sus tiernos años (1 S. 1: 20-23); y qué decir del joven Timoteo, quien aprendió a vivir la vida cristiana en su hogar gracias a su madre y su abuela (2 Ti. 1: 5). El culto familiar puede incluir lecturas bíblicas, tiempo de reflexión, cantos, testimonios de gratitud, alabanza y oraciones. Adáptalo a la capacidad y ambiente de los niños lo más posible. Celébralo todos los días a una hora estipulada, cuando todos puedan estar presentes; por lo general, una media hora sería el tiempo máximo para tal culto. Si tienes hijos pequeños debe ser más breve. Esmérate en el culto, visita una librería cristiana para conseguir material atractivo para este momento tan especial.

Somos responsables del cuidado y enseñanza de cada hijo que Dios nos da. Los tenemos en el hogar solamente por un corto tiempo, hasta que ellos algún día formen sus propias familias. ¡Aprovechemos el tiempo que estamos con nuestros hijos! Si en tu hogar no se practica el culto familiar, este día considera que es un buen momento para iniciarlo.

Clara Lilia Campos Madrigal

¿Asistes a la iglesia?

¡En esto consiste la perseverancia de los santos, los cuales obedecen los mandamientos de Dios y se mantienen fieles a Jesús! (Apocalipsis 14: 12).

CUANDO MI HERMANO llamaba para saludarme y saber cómo me encontraba en mi vida de casada, me hacía una pregunta: «¿Asistes a la iglesia?» Yo titubeaba un poquito: «Sí, a veces, cuando puedo». Un día agregué a mi respuesta: «Si no voy, me reúno aquí en el pueblo con los de la Iglesia de Dios del Séptimo Día, es parecida a la nuestra». Él era un pastor, y convencido de la verdad me respondió con firmeza: «Tú debes ir a tu iglesia, reunirte con tus hermanos en Cristo y llevar a mi sobrino a su Escuela Sabática».

A pesar de la insistencia de mi hermano, yo argumentaba muchas dificultades para llegar al lugar donde había un templo adventista del séptimo día: viajar en terrecería durante tres horas junto con mi hijo pequeño, el polvo y las incomodidades. Creí conveniente reunirme con personas que se reunían también en sábado y, según yo, con creencias muy parecidas a las nuestras. Pero me sentía muy triste, ésa no era mi iglesia, yo lo sabía así que decidí no asistir más.

Querida hermana, quizá vives en un lugar donde no hay un templo adventista o queda algo retirado, pero te invito a que no te desanimes. Recuerda que Jesús dijo que donde estén dos o tres congregados en su nombre ahí estará él en medio de ellos. Fortalece tu fe en Jesús, obedece sus mandamientos, conságrate con tu familia, lee la Palabra de Dios, canta alabanzas a su nombre, practica la oración, y claro, no dejes de asistir a la iglesia.

La Biblia describe a la verdadera iglesia. Tenemos la certeza de la verdad. Somos los que esperamos su pronto retorno a este mundo. Hoy mi hermano, el pastor, descansa en el sueño de la muerte. Quiero estar lista para verlo y contarle todo lo que Dios, en su misericordia, me ha concedido. Permanezcamos firmes en la fe con el poder de su Santo Espíritu y no dejemos de reunirnos como algunos tienen por costumbre.

Que Dios te bendiga y te conserve fiel.

Graciela Aguirre Tamayo

Jesús en primer lugar

Ni den cabida al diablo (Efesios 4: 27).

EN CIERTA OCASIÓN leía frases célebres y encontré una que me pareció formidable: «Si no quieres que se sepa, no lo hagas». Es un proverbio chino muy acertado. Como mujeres, sabemos que a veces el versículo de este día se cumple en algunos momentos de nuestra vida, pues le damos más cabida al diablo que a la presencia de nuestro Señor Jesús.

Donde quiera que vayas, lo que hagas y lo que digas, debe ser siempre sancionado con la voluntad de Dios. El Señor es crucificado cada vez que el enemigo nos toma en sus manos, se goza en hacer de nuestras vidas lo que él desea si no estamos en comunión con Dios. He visto hermanas que se dejan manipular por el enemigo cuando se inmiscuyen en la vida de otras personas, perjudicándolas con chismes que lo único que hacen es dividir las familias y la iglesia. No permitas que el enemigo te utilice.

Otra de las trampas que el enemigo pone a las mujeres de la iglesia es la fornicación y el adulterio. Querida hermana, solo a nuestro Señor y a tu esposo revela tus situaciones personales, nadie más debe enterarse qué problemas tienes. Muchas damas han caído en la trampa del enemigo por falta de comunicación con nuestro Dios. Pero cuando Cristo mora en tu corazón lo llena completamente, el enemigo huye delante de su presencia. Lo más importante de todo esto es que cada mañana dediques tiempo para estar en la presencia de nuestro Dios; dile que guíe tus pasos, no dejes que la influencia de este mundo te atrape, ni que tus pensamientos se alejen de lo bueno. Cuando estés en una situación incómoda, haz lo que hizo José «El soñador», huye del enemigo y busca a Jesús. Él está a la puerta cada día y espera que lo invites a entrar. Es el único que debe ocupar la sala de tu alma, la cocina de tus pensamientos y la recámara de tu tranquilidad. Con él todo es seguro.

«Ni den cabida al diablo». Porque él se enseñoreará de toda tu vida y cuando recapacites puede ser demasiado tarde. Busca a Jesús querida hermana, hazlo parte de tu vida, entrégale tu corazón, pídele perdón si le has fallado y él se encargará de acogerte en su regazo de amor. Que en el día del Señor tú y yo estemos frente al Cordero de Dios y él nos diga: «Vengan hijas mías entren al lugar que les tengo preparado».

Beatriz Hernández de Paz

¡Señor, ayúdame!

Porque somos hechura de Dios, creados en Cristo Jesús para buenas obras, las cuales Dios dispuso de antemano a fin de que las pongamos en práctica (Efesios 2: 10).

INICIEMOS cada mañana con una plegaria al Hacedor de la vida: «Señor, ayúdame a ejecutar el instrumento del amor, que las buenas obras se prolonguen hasta el fin del día. Ayúdame a ser feliz y a desterrar todo pensamiento triste, a no quejarme. A tener dominio en mí misma para trabajar con alegría y no pensar en los fracasos. A no criticar a las personas sino elogiar sus virtudes. A evitar conversaciones desagradables y vanas. Ayúdame, por favor, a eliminar las dos plagas que impiden mi éxito: la prisa y la indecisión. Quiero ser prudente y paciente, quiero aprender a no tener miedo y a depender de tu confianza, porque tú eres quien ayuda a los que luchan y trabajan. Ayúdame este día, por favor. Del ayer, no me quiero acordar. Del mañana, todavía no es mío; el hoy me pertenece y asumiré mis responsabilidades. Ayúdame a liberarme de los dardos del desánimo y a continuar la obra que me ha tocado hacer. Y cuando concluya este día pueda comprobar que Dios me ha premiado con felicidad, paz y bienestar a pesar de las pruebas que son las llamaradas purificadoras de mi carácter».

Teresa de Calcuta, una mujer que demostró amor al prójimo, escribió en uno de sus libros: «Todos anhelamos el cielo donde está Dios, pero tenemos en nuestro poder estar en el cielo con él, pero ser feliz con él ahora significa:

amar como él ama,
ayudar como él ayuda,
dar como él da,
servir como él sirve,
rescatar como él rescata,
estar con él durante las veinticuatro horas».

Isabel Zemleduch de Alvarado

Devoción familiar

En los días de su vida mortal, Jesús ofreció oraciones y súplicas con fuerte clamor y lágrimas al que podía salvarlo de la muerte, y fue escuchado por su reverente sumisión (Hebreos 5: 7).

SI HUBO UN TIEMPO en el que cada casa debiera ser una casa de oración, es ahora. Predominan la incredulidad y el escepticismo. Abunda la inmoralidad. La corrupción penetra hasta el fondo de las almas y la rebelión contra Dios se manifiesta en la vida de los hombres. Cautivas del pecado, las fuerzas morales quedan sometidas a la tiranía de Satanás. Juguete de sus tentaciones, el hombre va donde lo lleva el jefe de la rebelión, a menos que un brazo poderoso lo socorra.

Sin embargo, en esta época tan peligrosa, algunos de los que se llaman cristianos no celebran el culto familiar. No honran a Dios en su casa, no enseñan a sus hijos a amarle y temerle. Mediante oraciones sinceras y fervientes, los padres deberían construir una barrera defensiva alrededor de sus hijos. Necesitan orar con fe intensa para que Dios habite en ellos y que los santos ángeles los preserven junto con sus hijos de la potencia cruel de Satanás. Cada familia debería tener una hora fija para el culto matutino y vespertino. ¿No conviene a los padres reunir en derredor suyo a sus hijos antes del desayuno para agradecer al Padre celestial por su protección durante la noche, y para pedirle su ayuda y cuidado durante el día? ¿No es propio también, cuando llega el anochecer, que los padres y los hijos se reúnan una vez más delante de Dios para agradecerle las bendiciones recibidas durante el día que termina?

La vida de Abrahán, el amigo de Dios, fue una vida de oración. Dondequiera que levantase su tienda, construía un altar sobre el cual ofrecía sacrificios, mañana y noche. Cuando él se iba, el altar permanecía. Y al pasar cerca de dicho altar el nómada cananeo, sabía quién había posado allí. Después de haber levantado también su tienda, reparaba el altar y adoraba al Dios vivo. Así es como el hogar cristiano debe ser: una luz en el mundo. De él, mañana y noche, la oración debe elevarse hacia Dios como el humo del incienso. En recompensa, la misericordia y las bendiciones divinas descenderán como el rocío matutino sobre los que las imploran (*Testimonios para la iglesia*, 7:44-45).

Ellen G. White

¿Por qué somos amigas?

Porque juntas hemos descubierto muchas cosas que no sabíamos.

Porque con nuestras palabras nos damos tranquilidad y aliento
para seguir adelante cuando alguna de las dos está desanimada.

Porque cuando tropezamos o caemos siempre estamos ahí
para levantarnos y darnos ánimo.

Porque podemos contar la una con la otra siempre.

Porque con nuestra risa, muchas veces calmamos nuestro enojo y dolor.

Porque cuando escuchamos nuestra voz en el teléfono
nos alegramos mucho.

Porque nuestros consejos nos hacen reflexionar y nos transmiten paz.

Porque tal vez no podamos solucionar todos nuestros problemas,
pero nos escuchamos.

Porque cada una aprecia el tiempo que nos dedicamos cuando hablamos.

Porque aunque parezca una locura, disfrutamos el tiempo que pasamos
juntas riéndonos de las cosas que nos pasan.

Porque estamos seguras que aunque no nos escribamos todos los días,
siempre podemos encontrar en cada una la amiga que nos lleva cerca
de su corazón.

Eso es ser verdaderamente amigas; gracias por tu amistad.

Anónimo

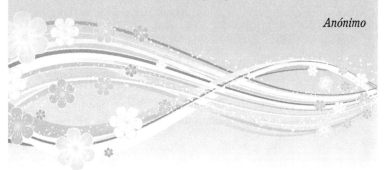

Que el mundo sea mejor porque tú has vivido allí

Porque ninguno de nosotros vive para sí mismo, ni tampoco muere para sí (Romanos 14: 7).

IBA A VIAJAR y tenía que dejar por lo menos el jardín regado para que las plantas no sufrieran durante mi ausencia. Ya era tarde, quería descansar, pero no podía irme a la cama sin realizar ese trabajo. Rápidamente me puse a regar cuando en eso llegó una vecina con quien nunca había hablado, es más, no la había visto, yo estaba recién llegada a esa colonia. Me preguntó sobre un reporte que le habían hecho y creía que probablemente mi esposo o yo la habíamos denunciado. Hablamos un rato y se dio cuenta que era cristiana y luego me dijo:

— Es muy feliz al ser cristiana, ¿verdad?

— Sí, sí lo soy, aunque no quiere decir que no vamos a tener problemas; sí los tenemos, pero se solucionan mejor cuando Dios está con nosotros.

Yo quería terminar de regar el jardín, cuando vi venir a otra de mis vecinas. A ella sí la conocía, pues habíamos hablado en otras ocasiones. Me saludó y se puso a platicar conmigo un buen rato. Mientras conversábamos me hizo un comentario de lo más revelador: «Vecina, cuando hablo contigo siento mucha paz».

Se me había hecho más tarde de lo esperado, pero esas palabras que dijo mi vecina habían valido la pena.

Al entrar en la casa le comenté a mi esposo lo que me acababan de decir, y me contestó: «¡Cuánto podemos hacer por los vecinos sin esfuerzo! Unas palabras, un saludo, un panecito o galletitas o una flor, podemos hacerles el mundo diferente».

La influencia es poderosa, para bien o para mal. Como mujeres cristianas, debemos dejar sentir una influencia positiva en cualquier lugar donde nos encontremos. Nosotras podemos hacer la diferencia. Hoy pide al Señor que te ayude a ser una bendición para la gente que te rodea. Que te dé sabiduría para pensar, hablar y actuar correctamente y que se pueda sentir tu influencia positiva en el medio donde te desenvuelves. Que el mundo sea mejor porque tú, mujer cristiana, vives por y para él.

Noemí Gil de Barceló

Una amiga sincera

Les recomiendo a nuestra hermana [...] Les pido que la reciban
dignamente en el Señor, como conviene hacerlo entre hermanos
en la fe; préstenle toda la ayuda que necesite...
(Romanos 16: 1-2).

ENTREGUÉ mi vida a Jesús en una pequeña congregación y tuve la fortuna de conocer a una hermana adulta mayor que vivía sola. Pronto empezamos a pasar tiempo juntas. Ambas nos demostrábamos un mutuo cariño, íbamos juntas al templo a todos los servicios que había en la semana. También salíamos a recolectar, participar de la obra misionera, en fin, éramos un buen dúo.

Ella no sabía leer ni escribir antes de conocer la iglesia, pero poco a poco empezó a aprender por su deseo de leer la Palabra de Dios. Esa motivación la impulsó tanto que lo logró, de tal forma que pudo desarrollar el don de la poesía que tanto le gustaba. Cada vez que llegaba el día de mi cumpleaños, ella tocaba la puerta de mi casa muy temprano para ser la primera en felicitarme, con una flor en su mano y me repetía una de sus poesías favoritas:

Cultivo una rosa blanca
en julio como en enero
para una amiga sincera
que me da su mano franca.

Mi amiga falleció hace tiempo; pero en el último cumpleaños sucedió algo diferente. Cuando le abrí la puerta me di cuenta de que traía dos flores en su mano, una natural como era su costumbre y la otra artificial. Me dijo que la flor artificial permanecería siempre conmigo cuando ella ya no estuviera más. He conservado esa flor como un regalo muy querido.

Si conoces a una hermanita que se encuentra sola bríndale tu amistad, interés y corazón. Esas personas se sienten muy solas y anhelan grata compañía. Abre un espacio para ellas en tu corazón y tu vida será enriquecida por sus experiencias. Creo que cuando estemos en el cielo sabremos el impacto que causamos en la vida de los adultos mayores por brindarles un poco de atención.

Cruz López de Plascencia

El amigo más querido

*En todo el tiempo ama el amigo; para ayudar en la adversidad
nació el hermano (Proverbios 17: 17).*

MUCHAS DE NOSOTRAS hemos escuchado en algún momento de nuestras vidas el himno *¡Oh, qué amigo nos es Cristo!* (349 del *Himnario Adventista*); quizás conocemos la melodía o tal vez toda la letra de memoria, pero pocas sabemos quién lo escribió. Su nombre es Joseph Scriven. Tuvo una vida de muchos sufrimientos. Todo comenzó justo dos días antes de su boda, su prometida murió. Esta tragedia lo arrastró a un estado de tristeza que lo acompañó el resto de su vida.

A pesar de su temperamento melancólico, el poder y la presencia de Dios fueron evidentes en la vida de Joseph. La gente sabía que era un filántropo y un cristiano devoto, lo identificaban como el hombre que cortaba madera para las viudas pobres y los enfermos que no podían pagar. Otras personas decían que era el amigo que ellos habían encontrado en Jesús.

Joseph escribió este himno para confortar a su madre en tiempos de tristezas. Nunca fue su intención que alguien más lo viera, pero el manuscrito fue descubierto por un vecino. Y cuando se le preguntó si él lo había escrito, dijo: «El Señor y yo lo hicimos juntos».

Querida amiga, en esta mañana te invito para que al igual que Joseph encuentres en medio de tus tristezas y aflicciones a tu mejor amigo, Jesús.

Cristo se dio a sí mismo para que tú y él lleguen a ser amigos: los amigos siempre están allí para ayudarse el uno al otro. No camines sola en medio de las dificultades. No cargues con tus problemas. Comparte con él esos momentos en que te sientes sola y débil. Abre tu corazón hoy con esta alabanza:

¡Oh, que amigo nos es Cristo!
él sintió nuestra aflicción
y nos manda que llevemos
todo a Dios en oración.
¿Vive el hombre desprovisto
de consuelo y protección?
Es porque no tiene dicho
todo a Dios en oración.

Cristel Sánchez de López

AMISTAD

Peregrinos y extranjeros

Todos ellos vivieron por la fe, y murieron sin haber recibido las cosas prometidas; más bien, las reconocieron a lo lejos, y confesaron que eran extranjeros y peregrinos en la tierra (Hebreos 11: 13).

HACE OCHO AÑOS aproximadamente llegué a vivir a México, procedente de Colombia. Mi vida cambió radicalmente de un día para otro. Estaba recién casada, vivía en un país diferente al mío: la comida, la gente, las expresiones idiomáticas, todo era nuevo y extraño para mí. Además de esto, había dejado atrás a mi madre, mis hermanos, mi hogar, la tierra que me había visto nacer, ¡pero por sobre todo a mis amigos! Me costó mucho trabajo acostumbrarme al nuevo estilo de vida.

Seguramente tú lo has experimentado en algún momento, la soledad tocó a mi puerta; y sin que yo quisiera, pasó a mi casa y se quedó conmigo. Al principio te resistes a ella, la empujas, la rechazas, le das la espalda; pero ella sigue allí: parca, inmóvil, como si todos tus esfuerzos fueran inútiles. Entonces pasas a la fase de discutir con ella, de aceptar que no se irá, pero le muestras lo incómoda que te sientes con su presencia. Y por último, no te queda más remedio que soportarla, incluso te acostumbras a su presencia. Fue en ese punto cuando Dios trajo a mi vida personas maravillosas que tornaron mi soledad y silencio en compañía y alegría. ¡Había encontrado amigos! Como dice un canto cristiano:

No son muchos pero Dios los puso ahí,
un poquito más cercanos, me los regaló a mí;
para hacerme comprender un poco más
el calibre del amor de mi Padre Celestial.
No son muchos pero Dios los puso aquí,
peregrinos incansables, forasteros con nostalgia del hogar;
son amigos y no tengo que dar nombres y apellidos,
porque ellos lo saben y se dan por aludidos.

Hoy quiero invitarte a agradecer a Dios por los amigos. Esos ángeles que Dios pone en nuestro camino para que el transitar por esta vida sea más llevadero y soportable. En esta tierra todos somos peregrinos y extranjeros, pero pronto llegaremos al hogar donde el mejor Amigo del mundo nos espera, y al llegar a casa nos dirá complacido: «Ha sido larga la espera, el camino arduo y penoso; la soledad terminó, ¡bienvenida a casa!»

Libny Raquel Bocanegra Velásquez

¡Ese cofre!

Aun en la vejez, cuando ya peinen canas, yo seré el mismo,
yo los sostendré (Isaías 46: 4).

COMIENZA UN NUEVO DÍA. Los rayos del sol iluminan el cielo. La grama verde tachonada con flores se extiende como alfombra para hacerle camino al corcel de tu carroza. Una mano varonil se levanta, y con paciencia detiene el paso alocado del carruaje: «Una venia al saludarte, mi gentil princesa. Tu hermano, el príncipe Emmanuel, pide hacer un alto en el camino y revisar tu equipaje. Hay algo que falta. Revisemos ese objeto rosado decorado de encajes y delicados tules. Sí, es el cofre de la amistad. ¿Ves ese espacio? Algo falta allí».

¿En qué he fallado como amiga? ¿Qué puede faltarme en ese cofre? Pensemos por un momento. ¿Qué hacemos con nuestras amistades además de hablar o «chismear» con ellas? La Biblia recomienda que oremos los unos por los otros. ¿Recordamos a nuestra amiga de la infancia y colocamos ese nombre sobre el altar de la oración? ¿Practicamos la oración intercesora por aquella amiga alocada, irreverente o incrédula de nuestra juventud? ¿Le obsequiamos una flor, una sonrisa, una frase o un pensamiento alentador a nuestra amiga de hoy?

¡Guardamos en ese cofre tantos detalles! Una palabra, un canto, algún poema; ¡detalles tan sencillos pero tan valiosos! En el lienzo del tiempo se estampan tantos recuerdos de amigos, memorias dulces y hermosas, pero también remembranzas dolorosas y tal vez hirientes. Quiero hacer énfasis en este punto. ¿Dejamos recuerdos desagradables en ese cofre? ¡Cuántas veces lastimamos a otros con una acción o una palabra descuidada y aun por ser indiferentes!

Espero que seamos más cuidadosas con nuestras acciones o palabras. Y si alguien te ha lastimado, no te aflijas, revisa tu cofre, llena esos vacíos con una oración intercesora y aprópiate de la promesa que Dios te hace hoy. Él es el único amigo que no falla.

Fanny Velásquez Pinilla

El poder de la amistad

Hay amigos que llevan a la ruina, y hay amigos más fieles que un hermano (Proverbios 18: 24).

HABLAR DE LA AMISTAD es un tema que a todas nos interesa. Sin duda la mayoría de las mujeres hemos experimentado la alegría de contar con una amiga. Hace poco recibí un correo electrónico que habla precisamente de la amistad y de cómo hay amigas diferentes. Por ejemplo, está la que te llama todos los días, la intelectual, la que te abraza en silencio, la que hace todo lo que le pides, la que te escucha, la idealista, la que únicamente te llama el día de tu cumpleaños, la que parece tu mamá porque te da consejos, la que te produce un enorme afecto, la que pide a Dios por ti en sus oraciones, y la lista sigue.

Por un momento pensé con cuál de ellas me identifico y de qué forma expreso mi amistad hacia otras personas. Realmente la amistad es una bendición y nos ayuda a experimentar el amor de diferentes formas. Ciertos estudios indican que cuando la mujer se involucra en entablar o cuidar amistades libera una hormona llamada oxitocina, la cual contrarresta el estrés y produce un efecto calmante.

Las amistades también nos ayudan a vivir mejor. Un famoso estudio de enfermeras de la Universidad de Harvard reveló que mientras más amistades tenían las mujeres, menores eran sus probabilidades de desarrollar padecimientos conforme envejecían, y tenían más probabilidades de disfrutar de una vida gozosa. Los resultados fueron tan significativos que los investigadores concluyeron que el no tener amistades cercanas o confidentes era tan dañino para la salud como lo es el consumo de tabaco o el sobrepeso.

Me gusta pensar en que Jesús experimentó la alegría de tener amigos con los que convivía y disfrutaba. Sin duda, al llegar a casa de su amigo Lázaro podía sentirse tranquilo y se relajaba al conversar todas sus actividades, y de cómo deseaba servir a su pueblo. Con frecuencia nos hace falta tomar unos momentos para hablar con nuestras amigas, pues es muy importante mostrar una actitud amistosa; así lo declara la Biblia.

Quiero invitarte hoy a exhibir una actitud constructiva hacia tus amistades, no solo por los beneficios que la amistad trae en sí misma, sino porque al practicarla serás una mejor cristiana y experimentarás la alegría y el gozo de vivir.

Leticia Aguirre de De los Santos

Amistades fatales 1

La necedad del hombre le hace perder el rumbo,
y para colmo se irrita contra el Señor (Proverbios 19: 3).

JACOB FUE UN HOMBRE con una vida llena de altibajos. Engañó miserablemente a su padre, le robó la primogenitura a su hermano y para rematar practicó la poligamia. Uno de sus momentos más angustiosos ocurrió en el tiempo previo al reencuentro con su hermano Esaú, y aunque Génesis 33: 18 dice que Jacob «llegó sano y salvo a la ciudad de Siquén, en Canaán», no salió del mismo modo. Desafortunadamente sus hijos resultaron afectados por todos los problemas familiares y existenciales que el propio Jacob había ocasionado. Y una de las personas más dañadas fue una de las más queridas para él: Dina, su única hija.

La tragedia de Dina empezó en su propia casa: su padre no supo enfrentar sus conflictos. Jacob contagió a su hija de sus angustias y desdichas; pero la joven no iba a enfrentar la situación igual que su padre, más bien, lo hizo al estilo juvenil: con las diversiones. La joven decidió establecer amistad con las muchachas de aquel país cananeo y participar de sus festividades. Fue en este marco que «la vio Siquem, hijo de Hamor heveo, príncipe de aquella tierra» (Gn. 34: 2. NRV 2000).

¿Pero qué tiene de malo conocer en una fiesta a un *príncipe*? ¡Un verdadero príncipe! ¿Sería de sangre azul? El problema es que un incrédulo, por muy príncipe que sea, nunca corresponde con lo que una mujer cristiana espera de un hombre cristiano. «La agarró por la fuerza, se acostó con ella y la violó» (Gn. 34: 2). La cosa terminó mal: una violación, indignación de parte de una familia y la masacre de un pueblo.

Dios tenía un plan para Dina y sus hermanos. Ella era la hija de un patriarca con una misión que cumplir: «De ti nacerá una nación y una comunidad de naciones, y habrá reyes entre tus vástagos» (Gn. 35: 11). De este linaje, además, habría de venir el Mesías, el Salvador del mundo, el Hijo de Dios. Pero por haber escogido malas amistades, por haber querido ser como las cananeas, el propósito de Dios en su vida se truncó y, además, puso en riesgo el futuro del pueblo de Dios. Las malas amistades afectan más de lo que te imaginas. Por ello, nunca debemos consentir con aquellos que abiertamente se oponen a Dios.

Claudia Gabriela Hernández Salazar

Amistades fatales 2

¿No saben que la amistad con el mundo es enemistad con Dios?
Si alguien quiere ser amigo del mundo se vuelve enemigo de Dios
(Santiago 4: 4).

SODOMA y Gomorra eran ciudades donde sus habitantes se jactaban de muchas perversiones y maldades. Ahí los matrimonios compuestos por un hombre y una mujer eran muy raros. Uno pensaría que un hijo de Dios se establecería lo más lejos posible de un lugar así, para que su familia no se viera afectada por la mala influencia de estos sitios, pero Lot hizo exactamente lo contrario, es decir, se fue a meter a «la boca del lobo».

En Génesis 19: 14 se menciona que las hijas de Lot tenían novios y no «novias». Hasta aquí todo parece ir bien. Parece ser que Lot y su esposa supieron inculcarles los principios de Dios a sus hijas, a pesar de haberlas expuesto deliberadamente a un ambiente donde el pecado era un estilo de vida aceptado por la sociedad. Sin embargo, Dios decidió no tolerar más la maldad de estas ciudades junto con su negativa influencia, y prometió a Abrahán no destruirlas si encontraba diez justos. ¡Pero no los había! Entonces se cumplió la sentencia del juicio divino.

Por una descabellada decisión, Lot se quedó sin riquezas, sin posesiones y sin esposa. Ahora estaba solo con sus dos hijas. En este punto, la Biblia nos deja oír un terrible diálogo entre las hijas de Lot por medio del cual se percibe lo que en realidad guardaban en su corazón, un pecado latente que, cuando tuvieron la oportunidad, llevaron a cabo: el incesto. ¿Dónde aprendieron semejantes perversiones? En Sodoma y Gomorra, la ciudad donde sus propios padres las llevaron a vivir. Ellas sabían que su padre no estaría de acuerdo con ello por ser un pecado y porque, en realidad, ¡sí había más hombres en la tierra! Así que lo embriagaron. La Biblia va más allá y señala que los descendientes de estas dos mujeres serían los moabitas y los amonitas, pueblos idólatras que se convertirían en incansables enemigos del pueblo de Dios.

Las hijas de Lot decidieron ser amigas del mundo y erigirse en enemigas de Dios. Pero nosotras tenemos la oportunidad de revivir, fortalecer y celebrar nuestra amistad con Dios y el mismo Jesús nos dice cómo: «Ustedes son mis amigos si hacen lo que yo les mando» (S. Jn. 15: 14). Y lo que Dios manda es que nunca pongas a tus hijos en un ambiente que ponga en riesgo su salvación.

Claudia Gabriela Hernández Salazar

Amistades de vida para vida 1

¡No insistas en que te abandone o en que me separe de ti! [...]
Tu pueblo será mi pueblo, y tu Dios será mi Dios (Rut 1: 16).

SE DICE que una de las relaciones más difíciles de sostener es la que se da entre la suegra y la nuera, pero entre cristianas, no tiene por qué ser así porque contamos con un arma poderosa: la Palabra de Dios. En la cual encontramos bellas lecciones de vida que nos ayudan a convivir en armonía con las personas que nos rodean.

El libro de Rut es precisamente un tratado sobre «la relación más difícil entre mujeres». Al principio describe la terrible experiencia de una mujer que pierde a su marido y sus dos hijos en un país extranjero. Lo único que le queda a esta mujer, llamada Noemí, es su fe y dos nueras. En medio de su desgracia, invita a las jóvenes viudas a rehacer sus vidas y volver a su tierra, su familia, sus creencias y sus costumbres. Orfa decide atender el consejo de su suegra y, entre lágrimas y besos, se va. Por el contrario, Rut desatiende la recomendación de su suegra y se queda. ¡Pero no la desobedece por rebeldía sino por amor! Noemí ha sabido reflejar y transmitir el amor de Dios a su nuera y ella termina por quererla, respetarla y aceptar sus creencias.

Fue el trato diario y el haber salido adelante de las terribles experiencias que vivieron juntas, lo que hizo surgir entre ellas una amistad sólida y genuina, la cual queda sellada e inmortalizada en las poéticas palabras de Rut registradas en el Libro que lleva su nombre: «¡No insistas en que te abandone o en que me separe de ti! Porque iré adonde tú vayas, y viviré donde tú vivas. Tu pueblo será mi pueblo, y tu Dios será mi Dios. Moriré donde tú mueras, y allí seré sepultada. ¡Que me castigue el Señor con toda severidad si me separa de ti algo que no sea la muerte!» (Rt. 1: 16 y 17).

Ojalá que nuestras relaciones amistosas estén basadas en el verdadero amor, de tal modo que podamos expresarlas en poderosas palabras tan inspiradoras que sean dignas de repetirse en futuras generaciones. Pero sobre todo, exprésale a Dios tu gratitud con cantos y oraciones. Háblale en todo momento y en todo lugar. Fortalece tu amistad con él.

Claudia Gabriela Hernández Salazar

Amistades de vida para vida 2

Jesús amaba a Marta, a su hermana y a Lázaro (S. Juan 11: 5).

EN CUESTIONES SOCIALES, la actitud del mundo actual puede acomodarse al siguiente dicho: «Dime *a quién conoces* y te diré quién eres» o bien «tantas gentes importantes *conoces*, tanto vales». Tristemente la gente que presume de contar con la amistad de ciertos personajes populares, pueden ser políticos, artistas, empresarios, etcétera; piensa que así eleva su valor como seres humanos y se le abre un abanico de posibilidades. No saben que el único y verdadero Amigo, en el que pueden confiar plenamente, es Jesús y está a la espera de que acepten su amistad la cual les garantiza la felicidad y la vida eterna.

Conocer a Dios es el gran privilegio de la raza humana. El Señor no nos pide nada. Por el contrario, él toma siempre la iniciativa y nos asegura: «Ustedes son mis amigos […] No me escogieron ustedes a mí, sino que yo los escogí a ustedes…» (S. Jn. 15: 14, 16). A veces los cristianos complicamos el evangelio, pero la relación con Dios es muy sencilla: él nos acepta como somos.

María había pasado por momentos muy difíciles en la vida de una mujer. Incluso una parte de su vida se dedicó a la prostitución. Había tocado fondo, pero fue en ese momento que sus oídos escucharon las palabras mas hermosas de toda su vida: «Tampoco yo te condeno. Ahora vete, y no vuelvas a pecar» (S. Jn. 8: 11). Desde ese momento lo único que le importaba era estar con Cristo, quien la había perdonado; no había nadie más importante que Jesús. Él la aceptaba tal como era. Marta, su hermana, había sido más cuidadosa con su vida y era una dama respetada de la aldea de Betania. Su nombre estaba limpio en la sociedad. Y también ella gozaba de la amistad con Jesús.

Un día Jesús visitó su hogar. De inmediato Marta se dispuso a atender al Señor como lo merecía: la mesa, la comida, la bebida, ¡cuántas cosas! Jesús la miró, le sonrió, y le recordó que en la vida hay cosas más importantes y mucho más relevantes: estar con Cristo.

Amiga, es posible que en tu vida haya mil actividades y tú digas: «Es que no tengo tiempo para sentarme a leer mi Biblia». ¡Cuidado! Tu amistad con Dios es lo más importante. No es que descuides tu hogar y a los tuyos, sino que coloques cada cosa en su lugar y te organices mejor. Esta mañana pide al Señor que te ayude a fortalecer tu amistad con él. Te aseguro que ese apego le dará un nuevo sentido de valor a tu existencia.

Claudia Gabriela Hernández Salazar

Amarás al Señor tu Dios

Nadie tiene amor más grande que el dar la vida por sus amigos (S. Juan 15: 13).

CRISTO nos ha dado ejemplo de amor puro y desinteresado. Todavía no se han dado cuenta ustedes de su deficiencia en este aspecto. La gran necesidad que tienen de alcanzar este ideal celestial, sin el cual todos los buenos propósitos, todo el celo, aunque fuera de tal naturaleza que los indujera a dar sus bienes para alimentar a los pobres, y sus cuerpos para ser quemados, nada sería. Necesitan esa caridad que todo lo sufre, que no se irrita, que todo lo soporta, que todo lo cree, que todo lo espera. Sin el espíritu de amor, nadie puede ser semejante a Cristo. Si este principio viviente reside en el alma, nadie puede ser semejante al mundo.

La conducta de los cristianos es como la de su Señor. Él enarboló el estandarte, y a nosotros nos corresponde decidir si nos vamos a reunir en torno a ese estandarte o no. Nuestro Señor y Salvador dejó a un lado su dominio, sus riquezas y su gloria, y vino a buscarnos, para poder salvarnos de la miseria y hacer de nosotros seres semejantes a él. Se humilló a sí mismo y tomó nuestra naturaleza para que pudiéramos aprender de él y, al imitar su vida de generosidad y abnegación, pudiéramos seguirlo paso a paso hasta el Cielo. No podemos ser iguales al Modelo, pero podemos parecernos a él, y de acuerdo con nuestra capacidad trabajar de la misma manera. «Amarás al Señor tu Dios con todo tu corazón, y con toda tu alma, y con todas tus fuerzas, y con toda tu mente [...] Amarás a tu prójimo como a ti mismo» (S. Mt. 22: 37-39). Debería manifestarse tal amor en el corazón de ustedes como para que estuvieran listos para entregar todos los tesoros y honores de este mundo, si de esa manera pudieran ejercer influencia sobre un alma para que se dedique al servicio de Cristo.

Dios nos invita para que con una mano, la de la fe, se aferren de su brazo poderoso, y con la otra mano, la del amor, almacenen a las almas que perecen. Cristo es el camino, la verdad y la vida. Síganlo (*Testimonios para la Iglesia*, 2:153-154).

Ellen G. White

Un secreto del arca

*Más valen dos que uno, porque obtienen más fruto de su esfuerzo.
Si caen, el uno levanta al otro. ¡Ay del que cae y no tiene
quien lo levante! (Eclesiastés 4: 9 y 10).*

DISFRUTO MUCHO LA NATURALEZA. Nuestro Dios, en su sabiduría, creó todo lo que necesitamos para disfrutar de completa salud física, mental y espiritual. Existe tanta belleza a nuestro alrededor; las bellas montañas, el majestuoso mar, los frondosos árboles, las hermosas flores, la gran variedad de animales y tantas cosas más. Todo es creación de un Padre lleno de amor para sus hijos.

En el versículo de hoy encontramos una de las sugerencias de este Creador para nuestro bienestar: cultivar la amistad sincera. No sé si conoces la flor de campana, pero es una de mis favoritas. ¡Qué flor tan especial! Exhala un aroma dulce y delicado que se puede percibir a lo lejos. Cuando llego a mi casa, todavía no estoy cerca de su flor, cuando ya puedo sentir su exquisito aroma. Ese aroma me lleva a pensar en mi Dios, cuya fragancia nos alcanza desde lejos. El agradable olor que emana me lleva a descansar en su amor. Otra peculiaridad interesante de esta flor es que exhala su aroma solamente en la noche. Esto me hace pensar en la importancia de la amistad, y cómo debemos compartir nuestra fragancia, ese bálsamo que necesitan nuestros amigos en los momentos oscuros de su vida. Una fragancia que los lleve a la luz de Cristo.

Oremos para que la fragancia del amor, sinceridad, bondad y desinterés pueda emanar de nuestra vida en el hogar, trabajo, iglesia y dondequiera que vayamos, de tal forma que puedan decir de nosotros como dijeron de los discípulos, «ciertamente con Dios han estado».

Pidamos: «Señor, ayúdame a ser como tú. Ayúdame a exhalar ese perfume grato de tu amor y de tu gracia hacia todos los que me rodean. Conviérteme en esa amiga que otras necesitan, para que juntas lleguemos a morar contigo por la eternidad. Amén».

Dinorah Rivera

La amistad que calcina

Le encanta hacer amistad con los malhechores
y andar en compañía de los malvados (Job 34: 8).

CUANDO LLEGUÉ a la casa de una hermana en la fe se sentía un ambiente muy especial. Ella estaba desecha. Uno de sus hijos estaba muerto. Lloraba profundamente y no podía contenerse. Él había sido un joven fiel en la iglesia, querido y aceptado por todos, trabajador y amoroso con su familia. En busca de un buen trabajo donde le permitiera descansar el sábado, se fue de su ciudad natal e inició una nueva vida.

Por razones que desconozco, el muchacho regresó a su casa, abandonó su trabajo. Poco a poco se alejó de la iglesia debido a ciertas amistades. Ya no era el mismo joven. Un día desapareció y no volvió a casa. Lo encontraron calcinado. Nadie sabe qué pasó, quién hizo eso o por qué. Lo que sí sabemos es que sus amistades lo alejaron de Jesús y tristemente su vida terminó lejos de él.

Cuando educamos a nuestros hijos somos responsables de enseñarles cuáles amistades les convienen y cuáles no. Hay que abrirles los ojos y mostrarles las apropiadas; porque, nos guste o no, nuestras amistades determinan hacia dónde vamos. No solamente se debe orientar a niños y jóvenes a seleccionar sus amistades. Los adultos también debemos aprender a seleccionarlas. A cualquier edad nuestras amistades tienen un fuerte poder para desviarnos de nuestra fe.

«¡Oh gente adúltera! ¿No saben que la amistad con el mundo es enemistad con Dios? Si alguien quiere ser amigo del mundo se vuelve enemigo de Dios» (Stg. 4: 4). Una buena amistad es la que te hace cambiar para bien en todos los aspectos de la vida. Cambios físicos, mentales y espirituales. Hay una que siempre está dispuesta a estar contigo para hacerte feliz y que no desees las del mundo. Esa amistad es la de Jesús. Sin ella tu cuerpo quedará calcinado, pero con esa amistad tu vida estará garantizada eternamente.

Elizabeth Suárez de Aragón

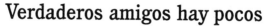

Verdaderos amigos hay pocos

Jonatán, por su parte, entabló con David una amistad entrañable y llegó a quererlo como a sí mismo (1 Samuel 18: 2).

DESDE MUY PEQUEÑA mi mamá me ha dicho que los verdaderos amigos se pueden contar con los dedos de una mano y los que te sobran son bastantes. Personas que se dicen ser tus amigos lo demuestran cuando las cosas marchan bien o cuando a cambio de su amistad tú les puedes ofrecer algo. Pero los verdaderos amigos son los que aparecen después de que te has quedado sola, cuando todos te han abandonado.

Los amigos genuinos son quienes ríen contigo y se alegran por tus logros, los que sufren y lloran cuando saben que te va mal, los que te aceptan con tus defectos y virtudes, los que te brindan consejos sabios y no te apartan de Dios. Los grandes amigos te quieren por lo que tú eres, y no tanto por lo que tú les puedas ofrecer.

Hace menos de un año empecé a tener problemas con una de mis mejores amigas. Al comenzar el curso escolar yo era una de las mejores estudiantes del grupo, en cambio, ella tenía el hábito de copiar las tareas a otros compañeros. El problema fue que empecé a imitar algunas de sus peores destrezas. Pronto dejé de cumplir con mis tareas y le perdí el gusto al estudio. Al darse cuenta de que yo empezaba a imitarla cada vez más, mi amiga dejó de hablarme. Al principio no entendía qué le pasaba, pero pronto descubrí que yo ya no le era útil, pues ya no podía copiar mis tareas ni mis exámenes.

Una de las historias de la Biblia que más me impacta es la de David y Jonatán. En aquel tiempo Saúl era el rey de Israel, así que Jonatán su hijo era el heredero al trono. Pero Dios tenía otros planes y deseaba que David fuera el siguiente monarca hebreo. A pesar de que no le convenía, Jonatán ayudó a David a huir, aun en contra de la voluntad de su padre. Nada le costaba matar a su amigo y asegurar su posición en el trono de Israel. Pero Jonatán combinó dos grandes virtudes: la fe en Dios y la lealtad a los amigos. Creo que es un gran ejemplo para todas nosotras.

Angie V. Olmedo

Ciencia y amor

Yo les ruego, mujeres de Jerusalén, que si encuentran a mi amado, ¡le digan que estoy enferma de amor! (Cantares 5: 8).

¿ALGUIEN CONOCE cómo funciona el amor? ¿Cómo es que aceptamos a los seres que amamos, aun con sus «imperfecciones»? ¿Por qué queremos estar cerca de ellos?

Durante el enamoramiento, al estar cerca del ser amado, aumenta la actividad cerebral en zonas como el núcleo caudado, el cual, cuenta con abundantes receptores de dopamina que causa, entre otras cosas, energía intensa, taquicardia y aumento de la presión arterial; por eso, un enamorado se siente con tanta energía, ¡la tiene en realidad!

Es como una euforia inducida por drogas. En la esquizofrenia (enfermedad mental) hay un aumento excesivo en los niveles de este neurotransmisor. Asimismo, la Dra. Marazziti, siquiatra italiana, midió los niveles de serotonina en sangre de personas que se habían enamorado en los últimos seis meses y descubrió que eran 40% más bajos que los de otros individuos, pero el perfil químico era muy similar al del trastorno mental obsesivo-compulsivo, ¡esto hace más difícil la diferenciación química entre la enfermedad mental y el enamoramiento! Salomón había escrito de la «enfermedad de amor» muchos años antes en el libro de Cantares.

Pero la química del enamoramiento cambia en un promedio de 18 a 24 meses, caracterizándose después por la secreción de otras sustancias como la oxitocina, que estimula los sentimientos de ternura y afecto. Algunos la han llamado «molécula de la monogamia» y «molécula de la confianza». Liberamos, estimulamos y mantenemos la producción de esta hormona al abrazarnos, tocarnos, después del orgasmo y después de un masaje; también, las madres liberan gran cantidad al amamantar a sus hijos. De este modo fortalecemos nuestro afecto y nos sentimos más unidos a nuestros seres queridos. En cambio, hay deficiencia de oxitocina en los trastornos autistas, caracterizados por incapacidad profunda para formar y mantener contactos sociales.

Como nuestro Creador, Dios conoce perfectamente cómo funcionan nuestra mente y cuerpo. Nos ha dejado indicaciones respecto a lo que tenemos que hacer para que nuestro bienestar sea completo. Generalmente, no nos dice el porqué o el cómo, pero aunque no sepamos todas las razones, si seguimos sus indicaciones, aseguramos nuestro bienestar.

Lilia Guízar de De la Fuente

Abrazos saludables

Ahora que se han purificado obedeciendo a la verdad y tienen un amor sincero por sus hermanos, ámense de todo corazón los unos a los otros (1 S. Pedro 1: 22).

KATHLEEN KEATING, en su libro *La terapia del abrazo*, dice: «Un abrazo es algo necesario para nuestro bienestar psicológico, emocional y corporal. Una forma muy especial de tocar, que nos hace aceptarnos a nosotros mismos y aceptar a los demás». Hace algún tiempo Juan Mann inició en Sydney, Australia, una campaña que creó revuelo a nivel mundial llamada «Abrazos Gratis» (*Free Hugs Campaign*). El joven iba por las calles dando abrazos a quien se lo permitía.

Se dice que cuatro abrazos al día son necesarios para sobrevivir, ocho para mantenerse y doce para crecer. Pero aún así hay abrazos más revitalizantes que los humanos. Dios te puede abrazar si tú se lo permites. Su Palabra está llena de hermosas promesas que son como tiernos y cálidos abrazos en los buenos y malos momentos de tu vida. Busca ahí esas promesas. Siente los abrazos de Dios.

EN TUS BRAZOS
Señor: Quiero como un niño,
que me rodees con tus brazos
y quedarme ahí dormida.
Pero el tiempo no puede adelantarse,
y ese día no ha llegado todavía.
Por la fe Señor,
por la fe me siento protegida,
por la fe me siento cálidamente rodeada,
por la fe me siento consolada y tranquila.
Tus promesas, Señor,
como suave frazada me rodean,
mientras llega ese día
que en tus brazos esté
eternamente protegida.

Si los abrazos humanos son saludables, ¿te imaginas lo que un abrazo divino hará por ti?

Irma Guízar de Pallás

Seis décadas juntos

Sométanse unos a otros, por reverencia a Cristo (Efesios 5: 21).

EN MEDIO de una sociedad cambiante donde el matrimonio ha sido atacado cruelmente, en un mundo donde hay cada vez más hogares divididos y parejas con un historial de compromisos rotos, resultaría extraño ver a una pareja que celebre 60 años de matrimonio. Sí, 60 años. Es el tiempo que mis padres llevan juntos. Ha pasado ya mucho tiempo, pero alabo al Señor porque a pesar de todos los problemas y dificultades que han enfrentado a través de los años, han permanecido juntos y fieles a sus votos matrimoniales.

El hecho de que mis padres sigan queriéndose es para mí una gran inspiración, y a la vez un gran desafío. En los tiempos que vivimos el enemigo se ha encargado de atacar arduamente los hogares, especialmente los matrimonios cristianos. Hoy parece que cualquier pretexto es bueno para separarse, a esto se incluyen las llamadas «presiones» de la vida matrimonial. Hace algunos años se llamaba «incompatibilidad de caracteres» y actualmente se le conoce como «diferencias irreconciliables». No obstante, quedan huellas imborrables en sus vidas y en las de los hijos que hayan procreado.

Querida amiga, debemos orar mucho por la solidez de nuestro hogar, por la consolidación diaria y permanente de nuestro matrimonio y nuestra relación de pareja. Hay detalles que parecieran insignificantes pero que forman parte importante en el desarrollo de matrimonios fuertes, saludables y exitosos para la gloria del Señor. Esto no significa que no haya luchas terribles que enfrentar como el acoplamiento de la pareja, los embarazos, los desafíos laborales, las enfermedades, la escasez de recursos, dificultades a la hora de impartir disciplina, diferencias con los familiares, la muerte de un ser querido, la adolescencia, la educación superior de los hijos, en fin, la lista puede hacerse interminable. En cada lucha podemos permanecer firmes en el Señor y recordar «que el que cree estar firme, mire que no caiga». Gracias a Dios por el ejemplo de mis padres en sus 60 años de vida matrimonial. Gracias a Dios por mi esposo. Deseo que juntos podamos caminar y servir al Señor en rumbo a la patria celestial.

Diana Blé Fuentes

Las lechuzas también aman

Pero Dios demuestra su amor por nosotros en esto: en que cuando todavía éramos pecadores, Cristo murió por nosotros (Romanos 5: 8).

EN CIERTA OCASIÓN me tocó soportar la furia de un huracán. En el jardín de la casa tenía sembradas unas inmensas palmeras que se doblaban ante los fuertes vientos. Cuando todo pasó, observamos en el patio de nuestra casa un nido de lechuzas que se había caído. Tres lechuzas párvulas se miraban desconcertadas. Mi esposo rápidamente las metió en una caja de madera y las cubrió con las mismas hojas de la palmera que se habían desprendido.

Preocupada por darles de comer les acerqué alimento pero no se lo comieron. Por la noche mi marido les quitó las hojas de las palmeras y quedaron al descubierto; luego escuchamos aleteos de aves. A la mañana siguiente fuimos a verlas y había algunas plumas de pájaro. Descubrimos que sus progenitores les habían llevado comida.

Es increíble cómo los animales dan evidencias del amor por sus crías sin importar lo que se atraviese. Aman y protegen a sus criaturas.

Esta experiencia me ha dejado algunas lecciones que a la fecha reflexiono.

1. No importa lo que suceda, Dios no nos va a abandonar. De una forma o de otra él satisfacerá nuestras necesidades.
2. Permite ser ayudada, no rechaces las bondades que otros te puedan brindar.
3. Por dura que sea la vida con nosotras o estemos atravesando el problema que sea, terrenalmente, siempre habrá quien nos tienda la mano.
4. Si tú puedes ser ese medio de auxilio para otros, hazlo con gozo.
5. Cuando tus hijos crezcan déjalos volar para que busquen su propio alimento.
6. Sé agradecida con quien te dio amor y vuelve: brinda amor a quien te lo dio.

Elizabeth Suárez de Aragón

La frustración

*No seas sabio en tu propia opinión; más bien, teme al Señor
y huye del mal (Proverbios 3: 7).*

DEBERÍAMOS aprender a lidiar con la frustración de una manera positiva. Hoy trataré de ayudarte a estar alerta ante esas cosas que disparan nuestra frustración y que resultan en comportamientos negativos. El estudio de la Palabra y la confesión nos pueden ayudar a dirigir nuestros actos en la dirección correcta. Todas hemos sentido frustración cuando las cosas no han salido como esperamos.

Durante un tiempo vivimos en Honduras, pero un día mi esposo decidió que era tiempo de regresar a México. Eso me hizo sentir frustrada porque mi vida laboral se detendría, y no solo eso, sino todo cuanto conocía y gustaba. Lloré y me molesté y, por supuesto, obtuve mi lección. Hoy he descubierto el propósito por el que el Señor no me dejó trabajar: mis hijos. Le agradezco a Dios porque a través de mi actitud me pudo enseñar que mi labor en este momento era para con mis hermosos hijos.

Con suma frecuencia nos vemos en esta situación que a veces no afecta a otros, pero hay ocasiones en que otros pagan las consecuencias de lo que nos sucede. He visto el efecto de la frustración en un niño y es triste ver cómo se puede consternar un corazón. Ayudemos a nuestros pequeños a sobrellevar las cargas difíciles, pero para eso debemos aprender nosotras primero, así que agradezcamos a Dios hoy por el poder de su paciencia para con nosotras.

Larissa Serrano

Amiga en todo tiempo

Hay caminos que al hombre le parecen rectos, pero acaban
por ser caminos de muerte (Proverbios 16: 25).

HACE ALGÚN tiempo leí una fábula que fue escrita hace 2,500 años por Esopo, un antiguo griego, escritor de fábulas. Cuenta Esopo que dos hombres viajaban por un bosque, y de pronto se les apareció en medio del camino un feroz y hambriento oso. De inmediato, uno de los viajeros corrió y trepó a un árbol. Al otro, a causa del susto, no le dio tiempo de escapar y se arrojó al suelo boca abajo, se quedó quieto conteniendo la respiración, de manera que parecía como si estuviera muerto. El oso se le acercó y lo olió por todas partes, puso su boca en una de las orejas del hombre y exhaló un fuerte bufido. Le hizo muchas cosquillas en la oreja, pero no se movió. Después la fiera se marchó porque, según cuenta Esopo, los osos no comen carne muerta.

Tan pronto como el oso desapareció, el que estaba en el árbol bajó, y preguntó a su amigo, que todavía no se había recuperado del susto: «¿Qué te dijo el oso cuando te habló a la oreja?» «Me dijo que nunca me fíe de un amigo que me abandona en tiempo de necesidad», respondió el hombre.

Si vamos a ser amigas tenemos que serlo siempre, en los días buenos y en los malos. Porque uno que se dice amigo debe ser leal y fiel en todo tiempo. Esto me recuerda otro pasaje de las Sagradas Escrituras, que dice: «Nadie tiene amor más grande que el dar la vida por sus amigos» (S. Jn. 15: 13), y el mayor ejemplo de ello lo tenemos en nuestro Señor Jesús; pues dio su vida por nosotros. Él es el mejor de los amigos. ¿Quieres tener buenas amigas? Te aconsejo lo siguiente:

1. Nunca hables mal de tus amigas.
2. Ten la disposición de perdonar a la amiga que te ofendió.
3. Ora por ella.
4. Acepta a tus amigas tal y como son, ya que de esta manera lograrás más que si la trataras de cambiar.

¿Estás dispuesta a cumplir con estas condiciones? La amistad es un don precioso que podemos y necesitamos experimentar en nuestras vidas.

Vicky Zamorano de Medrano

Descubriendo el propósito de Dios para mí

Doy gracias al que me fortalece, Cristo Jesús nuestro Señor,
pues me consideró digno de confianza al ponerme a su servicio
(1 Timoteo 1: 12).

TENÍA POCO TIEMPO de asistir a la Iglesia Central del Valle de McAllen, EE. UU., cuando me invitaron para ir a cantar a un asilo de ancianos los sábados por la tarde. Uno de esos sábados me pidieron que también fuera a verlos entre semana; acepté y llegué a la hora indicada. Ese día un joven violinista se presentó para tocar ante los ancianos. Sin embargo el asilo estaba cerrado.

El hermano Elías, que era un hombre incansable para la obra misionera, pidió hablar con el dueño de un restaurante de hamburguesas, quien accedió a escucharnos juntamente con su esposa. Nos sentamos y el hermano dijo: «Hermana Nancy comparta con nosotros el mensaje de Dios». La verdad es que yo esperaba que él lo hiciera. No sabía qué decir, me vinieron muchos pensamientos a mi cabeza, en silencio le pedí a Dios que enviara su Espíritu para ayudarme. Inicié dirigiéndome a la señora: «Si yo le preguntara si su comida es buena ¿qué me diría? Sin duda contestaría que sí es buena, es más, que es la mejor porque usted misma la prepara y la prueba. Pues bien, esta mañana yo le vengo a hablar de mi Jesús porque ha cambiado mi vida, me ha perdonado, y no solo eso, ha dado su vida por mí y está preparándome un lugar en el cielo. Él quiere que lo conozcan, los ama y los acepta como sus hijos; anhela su salvación y los llama esta mañana a aceptarlo como su Salvador personal».

Ese día fue para mí el comienzo de una nueva etapa en mi vida cristiana. Ya no puedo estar callada, cada día es una oportunidad que Dios me da para testificar. Hablo sin temor del gran amor de Dios para con nosotros y me gozo en ver a las almas aceptar a Jesús. Hoy día ministro dos grupos de mujeres que desean conocer de Jesús. El hermano Elías ya descansa en el Señor y yo voy sábado tras sábado a cantar al asilo de ancianos, dándoles esperanza y consuelo en el Señor. Dios tiene un momento y un propósito para cada uno, anímate y habla a otros lo que Dios ha hecho contigo. Prepárate y ayuda a otros a prepararse para encontrarnos pronto con nuestro Dios.

Nancy Eréndira Bazaldúa Alcázar

Una vida con propósito

**Dichosos los que de ahora en adelante mueren en el Señor [...]
pues sus obras los acompañan (Apocalipsis 14: 13).**

¿HAS OBSERVADO el epitafio de una persona fallecida? Tiene su nombre, el año que nació y el año que falleció, ambas fechas separadas por un guión. A veces la inscripción también incluye unas palabras que reflejan sus valores, el amor de sus seres queridos, así como algunos símbolos que identifican los gustos del difunto.

Hoy quiero compartir contigo lo que para mí representa el guión entre las dos fechas. Esa pequeña línea simboliza las huellas que esa persona dejó con nosotros en este mundo. ¿Qué hizo esa persona para dejar en ti un vivo recuerdo? ¿Cómo influyó en ti su ejemplo? Qué lindo sería que las personas nos recuerden con una buen imagen y se lleven un buen concepto de nosotras y no que digan: «En el fondo era buena, sí pero en el fondo del mar».

Mi madre, Dámaris Pupo, falleció repentinamente en un trágico accidente automovilístico en junio del 2003. Yo me quedé con algunas pertenencias sentimentalmente valiosas, como su Biblia de estudio. No hace mucho me puse a leer algunas notas que ella escribió, algunas eran poesías. Me llamó la atención un papel pegado en las primeras hojas de su Biblia. Parece que en la iglesia hicieron un ejercicio en el cual le escribes a cierta persona lo que piensas de ella. Varias personas escribieron que mi madre era una persona consagrada y servicial.

Pasé treinta años junto a mamá y testifico que fue una mujer muy consagrada a Dios, servicial y cariñosa con todos, aun sin conocer a las personas. Además, fue una madre ejemplar. Se mantuvo fiel al orar por sus seres queridos y por su iglesia hasta su muerte. Ella entraba en las habitaciones de mi hermano y mía mientras dormíamos y oraba por nosotros y papá. Eso lo tengo bien grabado en mi mente.

Agradezco a mi madre que me guió hasta los pies de Jesús y me enseñó de su amor. También le agradezco a Dios por la madre que me dio en esta tierra. Soy afortunada porque no solo tuve una madre maravillosa, sino que ahora tengo otra madre igual de extraordinaria, consagrada y servicial: Betel Calixto de Violante, mi suegra, mi madre, mi amiga. Si quieres vivir una vida con propósito únete al propósito de esparcir las buenas nuevas de que Cristo viene pronto.

Patsy Violante

Un llamado de amistad

El Señor le dijo a Abram: «Deja tu tierra, tus parientes y la casa de tu padre, y vete a la tierra que te mostraré. Haré de ti una nación grande, y te bendeciré; haré famoso tu nombre, y serás una bendición» (Génesis 12: 1 y 2).

CUANDO TENÍA 24 AÑOS Dios me hizo un llamado semejante al de Abrahán, pues a esa edad no había cursado la preparatoria y Dios me daba la oportunidad para ir a la Universidad de Montemorelos. No tenía suficiente dinero. ¿Con quién voy a llegar? ¿Será que Dios irá conmigo? Muchas preguntas vinieron a mi mente. El permiso de mis padres era importante para mí. En otro momento no habían permitido ninguna salida, ¿lo permitirían ahora? Sin más demora hablé con ellos y me dieron permiso. Todo estaba resuelto, había que salir para ir a un lugar desconocido y confiar en el Señor. La despedida fue dolorosa: mi gente, mis hermanos, mi tierra, nunca había salido de casa. Pero deseaba prepararme para servir mejor a Dios.

Ellen White comenta: «Nunca alcanzaréis una norma más elevada que la que vosotros mismos os fijéis. Fijaos, pues, un blanco alto y ascended todo el largo de la escalera del progreso, paso a paso, aunque represente penoso esfuerzo, abnegación y sacrificio. Que nada os estorbe» (*Mensajes para los jóvenes*, p. 98).

Estar en la universidad ha sido la forma más maravillosa de ver la mano de Dios guiar mi vida, ¡cómo podría dudar de sus promesas! Nunca hubiera experimentado los milagros que he vivido en este lugar. El Señor me ha bendecido abundantemente. Ahora ya casi estoy por terminar mis estudios de licenciatura en Educación Primaria. Dios no me ha dejado sola en ningún momento. He vivido estos años por fe, sin recursos financieros. Dios ha cubierto cada necesidad, para él no hay imposibles. Dios me ha dado todo, no me canso de alabarlo.

La promesa dada a Abrahán ha sido también para mí y Dios puede hacer lo mismo por ti. Ten la disposición de hacer lo que te pide y las bendiciones sobreabundarán. Su promesa es: «Te bendeciré; haré famoso tu nombre, y serás una bendición».

Marbella Alvarado Díaz

Lucy

Ustedes son mis amigos si hacen lo que yo les mando
(S. Juan 15: 14).

¿RECUERDAS A ALGUNA amiguita de tu infancia? ¿Verdad que resulta muy placentero evocar esos recuerdos? Me gustaría contarte de Lucy, una niña morenita de cabellos crespos. Con ella jugábamos en la tierra, hacíamos casitas con mucho ingenio y creatividad. Recuerdo que nos divertíamos con las muñequitas de papel y era tan agradable que podíamos pasar horas en el juego. Parece mentira, pero la simple amistad de unas niñas puede resultar en una gran bendición.

Lucy pertenecía a la Iglesia Adventista del Séptimo Día y cuando había conferencias en su iglesia me invitaba. Yo la acompañaba con entusiasmo y empecé a conocer a Dios en mi tierno corazón. Me fascinó sentir el placer de ese gozo y seguí acompañándola los sábados, que disfrutaba mucho, porque siempre aprendía cosas nuevas.

Cuando cumplí 12 años me bauticé en la Iglesia Adventista y me sentí feliz. Lucy me había dado lo mejor de sí misma: su amor por Jesucristo. Su amistad abrió las puertas del reino de los cielos. Cuando cumplí 15 años, las dos, Lucy y yo, tomamos la decisión de ir juntas a la Universidad de Montemorelos a estudiar.

Lucy ha sido como mi hermana en todos estos años. Alabo a Dios por su amistad. Se dice que tener amigas alarga la vida y yo creo que sí, porque conocí a Jesús por ser amiga de Lucy, no solo tendré una larga vida sino además la vida eterna. Gracias a que conozco al mejor amigo Jesús, hoy la amistad de Lucy se ha multiplicado en muchos amigos más, de los cuales he aprendido mucho y siempre que puedo les digo que los amo.

Da gracias a Dios por los amigos de tus hijos, porque no sabes qué resultados traerán.

María de Lourdes Pérez Moreno

Amistad con Dios

*Sométete a Dios; ponte en paz con él, y volverá a ti la prosperidad
(Job 22: 21).*

ENOC TENÍA 65 AÑOS cuando nació su hijo Matusalén (Gn. 5: 21). Cuatro versículos más adelante se termina de contar la impactante historia de Enoc: concluye con su desaparición, porque Dios se lo llevó. Esta es una de las historias más breves de la Biblia y una de las que más ha impactado mi vida. No sé la razón por la que no se nos cuenta más de este gran hombre. Pero sin duda lo más importante está escrito: Dios se llevó a su amigo. ¿Por qué digo que era su amigo? Porque su relación no era como la de un siervo y un capataz o la de un esclavo y un amo. No. Era diferente. «El andar de Enoc con Dios no era en arrobamiento o en visión, sino en el cumplimiento de los deberes de su vida diaria» (*Patriarcas y profetas*, p. 45). La vida de Enoc marca una amistad especial, apego al Dios del universo; él hablaba con Dios a través de la oración: «Para él la oración era el aliento del alma. Vivía en la misma atmósfera del cielo» (*Ibíd.*, p. 46).

La comunicación es un elemento esencial para fortalecer la amistad. Cuando nos comunicamos nos conocemos mejor y entre más con conocemos más confianza se genera, y entre más confianza existe se construye una amistad más robusta. La amistad entre Enoc y Dios llegó a ser tan íntima que ya no podían separarse, así que Enoc desapareció porque el Señor se lo llevó.

Ser amigos o tener amigos no es nada fácil. Generalmente las amistades de la infancia se pierden por la ruta que cada uno decide seguir en la vida. Cuando se llega a la secundaria o preparatoria pareciera que esas amistades durarán toda la vida. En su momento, el adolescente no quiere separarse de sus amigos. Cuando ya estás en universidad obtienes nuevas amigas, muchas de ellas muy sólidas. Finalmente si te casas y vas a vivir a un lugar alejado de los tuyos formas otras amistades. La lista puede seguir.

Acuérdate que la amistad con Dios está a nuestro alcance. Como Enoc, podemos amistarnos con el Dios del universo. Esta mañana invítalo en el cumplimiento de tus deberes a estar contigo para que la amistad se fortalezca y redunde en muchas bendiciones.

Leticia Aguirre de De los Santos

No es bueno estar solas

No es bueno que el hombre esté solo (Génesis 2: 18).

TODOS LOS SERES HUMANOS necesitamos de otros semejantes. Dios nos ha creado así y nadie es totalmente independiente. Por lo tanto, nadie debe vivir para sí mismo. Dios nos creó con un sentido de contacto humano, de amistar con otros. «No es bueno que el hombre esté solo». Al pronunciar estas palabras Dios no pensaba solamente en un hombre y una mujer: en el matrimonio. Pensaba en que los seres humanos necesitamos de otras personas porque fuimos creados para la comunión y la convivencia. La vida tiene un mejor sentido cuando somos capaces de contar con amigas que nos acompañen en nuestra travesía por la vida.

Jesús no vivió sin amigos. Lázaro, María, Marta, Pedro y Juan fueron amigos cercanos del Señor. Cuando necesitaba descansar y buscaba un poco de simpatía, llegaba con toda confianza a la casa de sus amigos Lázaro, María y Marta. Jesús necesitó amigos porque vino a esta tierra para vivir como humano, aunque no por eso perdió sus atributos divinos. No dudó en manifestar sus sentimientos a sus amigos; para eso son las amistades, brindan consuelo en los momentos difíciles que pasamos, pero también nos permiten compartir con ellas nuestras alegrías y satisfacciones.

La vida es una larga sucesión de encuentros con otras personas, conversaciones y momentos de alegrías y tristezas compartidas con nuestras amigas. Pensemos por un momento: lo mejor de nuestras vidas lo vivimos acompañadas, ¿no es cierto? Si Jesús necesitó amigos, ¡cuánto más nosotras! Aislarse o creer que no necesitamos de otros es una actitud nefasta para la salud emocional. Debemos aprender a convivir con otras personas, a elegir amigas y compañeras. Cuidemos en forma especial nuestras verdaderas amistades y cultivemos cada día más nuestras buenas relaciones con ellas. Eso nos ayudará a vivir mejor.

Elizabeth Domínguez Hernández

Unidas en el amor de Dios

Pero a cada uno de nosotros se nos ha dado gracia en la medida en que Cristo ha repartido los dones (Efesios 4: 7).

NO HACE MUCHO TIEMPO, el nivel educativo en México comenzó a cambiar. Muy pocas personas se preparaban en las aulas, era una cultura diferente. En mi caso, tuve la oportunidad de estudiar solo la educación primaria, y esto gracias primeramente a Dios, y luego al interés de mi madre y al de una tía. Recuerdo que anteriormente con esos estudios bastaba para desempeñarse como instructor comunitario en las zonas donde había necesidad de enseñanza. Este fue mi caso, fui por un corto tiempo instructora comunitaria.

Trabajé en un poblado cerca de la ciudad donde vivía. Recuerdo claramente a dos hermanitos, Delia y Martín, quienes mostraban un interés diferente a los demás, a pesar de que llegar al aula implicaba un mayor esfuerzo, debido a la distancia que debían recorrer. Llegaron las vacaciones y el siguiente ciclo escolar, pero ya no volví más a la «escuelita», como nosotros la llamábamos. Después de algunos años conocí a una señora y a su familia. Nuestra amistad creció. Fue entonces cuando descubrí que esta dama, mi amiga, era la madre de esos dos hermanitos que conocí en la escuela. A esas alturas ambos habían formado ya su propio hogar. Sin embargo, había amistad entre nosotros a razón del trato con su madre. Mi amiga era miembro de la Iglesia Adventista, y por aquellos años me invitó a la iglesia. En muchas ocasiones me negué a acompañarla. De hecho tardé mucho en aceptar su invitación. Hoy, por la gracia de Dios, y por haber contado con una buena amiga, yo pertenezco al pueblo de Dios.

Como hermanas en la fe, recordamos esta anécdota, nos gozamos y nos damos cuenta de que nuestro Dios usa las relaciones humanas para trasmitir la salvación en Cristo. ¡Qué valiosas son las buenas amistades! Una amiga te puede ayudar a abrir las puertas del cielo.

María de Jesús Arámburo

AMISTAD

La amistad y el cristiano

Y hablaba el Señor con Moisés cara a cara, como quien habla con un amigo. Después de eso, Moisés regresaba al campamento; pero Josué, su joven asistente, nunca se apartaba de la Tienda de reunión (Éxodo 33: 11).

EN EL PUEBLO de Dios hay quienes no son muy sociables. Se encierran en sí mismos y no están dispuestos a prestar ayuda para beneficiar a otros mediante un amigable compañerismo, por consecuencia, pierden muchas bendiciones. Por el trato se formalizan buenas relaciones de amistad que acaban en una unidad de corazón y en una atmósfera de amor agradable a la vista del cielo. Especialmente aquellos que han gustado el amor de Cristo debieran desarrollar sus facultades sociales; pues de esta manera pueden ganar almas para el Salvador. Cristo no debiera ser ocultado en sus corazones, encerrado como tesoro codiciado, sagrado y dulce, que solo ha de ser gozado por ellos; ni tampoco debieran ellos manifestar el amor de Cristo solo hacia aquellos que les son más simpáticos.

Aquellos que han gustado el amor de Cristo deben desarrollar sus facultades sociales; pues de esta manera pueden ganar almas para el Salvador. No deben de ocultar a Cristo en sus corazones, encerrado como tesoro codiciado, sagrado y dulce que solo ha de ser gozado por ellos. Tampoco deben manifestar el amor de Cristo solamente hacia aquellos que son más simpáticos.

Cristo no rehusó alternar con otros en trato amistoso. Cuando era invitado a un banquete por un fariseo o un publicano, aceptaba la invitación. En tales ocasiones cada palabra que pronunciaba tenía sabor de vida para los oyentes, porque hacía de la hora de la comida una ocasión para impartir muchas lecciones preciosas adaptadas a sus necesidades. De este modo Cristo enseñó a sus discípulos cómo debían conducirse cuando se hallasen en compañía tanto de los que no eran religiosos así como de los que lo eran (*Mensajes para los jóvenes*, p. 403 y 404).

Ellen G. White

Se necesita valor...

Para huir de los chismes cuando los demás se deleitan en ellos.

Para defender a una persona ausente a quien se critica abusivamente.

Para ser verdaderamente hombre o mujer aferrándose a nuestros ideales, cuando estos nos hacen parecer extraños o singulares.

Para guardar silencio en ocasiones que una palabra nos limpiaría del mal que se dice de nosotros, pero perjudicaría a otra persona.

Para vestirnos según nuestros ingresos y negarnos lo que no podemos comprar.

Para vivir según nuestras convicciones.

Para ser lo que somos y no pretender ser lo que no somos.

Para decir rotunda y firmemente no; cuando los que nos rodean dicen sí.

Para vivir honradamente dentro de nuestros recursos y no deshonradamente a expensas de otros.

Para ver en los sismos de un desastre que nos mortifica y humilla los elementos de un éxito futuro.

Para negarnos a hacer una cosa que es mala, aunque otros lo hagan.

Para pasar las veladas en casa tratando de aprender.

Anónimo

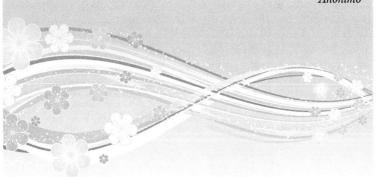

Ten fe, Dios proveerá

Si ustedes creen, recibirán todo lo que pidan en oración
(S. Mateo 21: 22).

TODAVÍA RECUERDO el día en que mi hermano menor salió de la casa de mis padres para estudiar en la Universidad de Montemorelos. Puedo ver aquella escena cuando él se despedía de mis padres. Le pregunté a mi padre por la colegiatura de mi hermano y su respuesta fue: «No se preocupen, vamos a orar. Tengan fe que Dios proveerá». Cuando mi padre respondió de tal manera, sentí algo de rabia. Me era difícil comprender cómo mi padre iba a dejar a mi hermano partir de esa manera. Sin embargo, todavía no sé cómo, pero Dios permitió a mi hermano graduarse de la carrera de Medicina.

Lo que mi padre dijo en aquella ocasión quedó grabado en mi mente. Un día me sentía desesperada, pasaba por una mala situación económica: tenía que pagar la renta del departamento, el carro, mi colegiatura, libros, en fin, muchas cosas. No tenía el dinero y la fecha para pagar había llegado. Una noche antes del pago no podía conciliar el sueño, pensaba la forma en que iba a liquidarlas. Finalmente me arrodillé y mientras oraba, las palabras que una vez dijo mi padre vinieron a mi mente: «Ten fe, Dios proveerá». Esa noche, le expuse a Dios todas mis necesidades, dejé todo en sus manos.

A la mañana siguiente fui a mi trabajo, en ese entonces trabajaba para una familia, abrí la puerta de la casa y en la mesa había un sobre con mi nombre. Adentro había US$ 1,000.00, con una nota que decía: «Yullybet, este dinero es para ti en muestra de nuestro agradecimiento, has sido una bendición para nuestra familia». Mis ojos se llenaron de lágrimas. Fue sorprendente la manera en que Dios contestó mi oración ese día.

El Señor conoce nuestras vidas y sabe las necesidades que tenemos, sean materiales, físicas o espirituales. Únicamente espera que confiemos en él. Traigámosle todas nuestras necesidades, recordemos siempre que Dios ha prometido algo maravilloso: «Pidan, y se les dará; busquen, y encontrarán; llamen, y se les abrirá» (S. Mt. 7: 7).

Yullybet De los Santos Mena

Luz verdadera

Dios lo envió como testigo para dar testimonio de la luz,
a fin de que por medio de él todos creyeran (S. Juan 1: 7).

CONFORME Ramoncita aprendía la voluntad de Dios, la ponía en práctica como una niña obediente. El día que mi tía Esperanza le habló sobre la sobriedad en el vestir y lo innecesario de usar joyas, se quitó las que traía puestas y las entregó en manos de su instructora. Al estudiar el plan de salvación, se deleitó al descubrir el profundo amor que Dios tenía por ella; al saber la verdad del sábado, estuvo dispuesta a brindar adoración al Padre celestial en el espacio que él ha indicado en su Palabra.

Además quiso conocer la iglesia, así que el siguiente sábado temprano llegó a la casa de mi tía Esperanza para que la llevara al templo. Escuchó emocionada las enseñanzas expuestas en la Escuela Sabática, mientras le agradecía a Dios por estar allí. Pero cuando llegó el tiempo del sermón, sus ojos se llenaron de lágrimas. Mi tía pensó que las palabras del predicador la habían conmovido; pero de pronto Ramoncita comenzó a decir: «¿La ves, Lanchito, ves esa luz que rodea al predicador? Es hermosa, es maravillosa, pareciera que el predicador flotara en medio de ella».

Mi tía comprendió que era el poder del Espíritu Santo, «esa luz verdadera, la que alumbra a todo ser humano...» (S. Jn. 1: 9), era el mensaje que Dios le dio mediante aquel predicador. Según Ellen G. White: «La mente y la voluntad divinas se combinan con la mente y la voluntad humanas. De ese modo, las declaraciones del hombre son la palabra de Dios» (*Mensajes Selectos*, tomo I, p. 24).

Cuando el Señor dijo a Moisés: «Anda, ponte en marcha, que yo te ayudaré a hablar y te diré lo que debas decir» (Éx. 4: 12), le estaba reafirmando que el Espíritu de Dios lo guiaría, cada palabra que pronunciara sería dirigida por el cielo. De la misma forma, cuando un cristiano pide a Dios que las palabras que pronuncie estén de acuerdo con la voluntad divina, el Señor será quien lo inspiré para dar a conocer a otros su amor y salvación.

Jennifer Britton de Miranda

FE

A su tiempo y a su manera

Bendito sea el Señor, que ha oído mi voz suplicante. El Señor es mi fuerza y mi escudo; mi corazón en él confía; de él recibo ayuda (Salmos 28: 6-7).

LA VIDA de los patriarcas me ha enseñado grandes lecciones, en especial su confianza en Dios. Sin duda, como ellos tú y yo tenemos desafíos que vencer, en muchas ocasiones nos equivocamos, lo que buscamos no llega en el momento que deseamos ni de la manera que queremos. Al pasar el tiempo nos desanimamos y enojamos con los demás y con nosotras mismas, culpamos a las circunstancias y le reclamamos a Dios por las consecuencias de nuestros actos.

¿Te has sentido fracasada cuando no consigues lo que anhela tu corazón, aun cuando crees que es para tu bien? ¿Tratas de ayudarle a Dios para obtener lo que deseas? El enemigo nubla la mente para no comprender que Cristo, nuestro Creador y Redentor, nos conoce mucho mejor y sabe realmente lo que necesitamos. Jesús comprende lo que sentimos, sus caminos y pensamientos son más altos que los nuestros.

Recuerda que a pesar de que ores, llores, y hasta ayunes, si no es el momento correcto, Dios no te concederá lo que pides, por lo tanto, pídele paciencia, fe y sabiduría para saber esperar. Te aseguro que en el momento y en el lugar menos pensado Dios te otorgará lo que necesitas. Como los patriarcas que en ocasiones no recibieron las promesas, pero las miraron por fe, sigamos su ejemplo y aferrémonos más a Cristo.

Querido Señor, te ruego que me ayudes a comprender que por más difícil que parezca todo es mejor a tu tiempo y a tu manera. Si no puedo entender lo que sucede, lo entenderé pronto, pues pasaré la eternidad contigo. Mientras tanto te alabaré.

Vanessa Alfaro Díaz

Dios es el Señor del sábado

En esto consiste el amor a Dios: en que obedezcamos
sus mandamientos. Y éstos no son difíciles de cumplir (1 S. Juan 5: 3).

PARTE DE LA VIDA de una mujer es realizarse como persona en lo que a ella le gusta. Yo tenía fuertes deseos de estudiar una carrera profesional, pero pasaba el tiempo y no llegaba la oportunidad, ya que las clases de la licenciatura que yo quería estudiar se impartían el día sábado en la Universidad Nacional Autónoma de México (UNAM).

Tradicionalmente, las clases de esa licenciatura se habían dado en sábado, pero ese año se ofrecieron los viernes. El problema era que el examen de admisión era en sábado; pero yo no me presenté, oré junto con toda la iglesia y Dios hizo un milagro. Después de hablar vía telefónica acerca del sábado con cinco autoridades académicas de la UNAM, conseguí un permiso para presentar el examen el siguiente lunes. ¡Y lo aprobé!

De manera providencial, todas las materias se dieron en viernes, a excepción de una, la cual cursé en el sistema abierto, logré buenas calificaciones. Pero ahí no acabó todo, resulta que el examen de titulación se programó en sábado. Para entonces tenía un año de testificar con mis compañeros de la escuela. Entonces pregunté al Señor: «¿Qué quieres de mí?» Otra vez los hermanos se volvieron a unir conmigo en oración. Pagué el examen, pero le dije a la coordinadora:

—No voy a poder presentar ahora el examen, pero hice todos los arreglos…

—¿Para qué lo pagas si no lo vas a presentar?

—Mira, tú haz lo que tienes qué hacer y Dios hará el resto.

Estudié y me preparé para la fecha, esperando un milagro. Para mi sorpresa, un poco antes de la fecha programada nos comunicaron que el examen se suspendería porque no había un representante de la UNAM disponible. Mis compañeros de grupo me comentaron: «Tú tienes influencias en la UNAM». La coordinadora, que también era adventista, dijo: «Sí, pero las influencias las tiene allá arriba». Te invito para que siempre seas fiel. Vale la pena, porque Dios es el Señor del sábado.

Rosa Isela Raga de Cabrera

FE

Ten fe

Tengan fe en Dios –respondió Jesús (S. Marcos 11: 22).

MI ABUELA, Carmen de Sosa, embargaba en su corazón un sentimiento de soledad. Había dejado sus costumbres, su religión, sus familiares, su tierra. Vivía en una casa aislada de toda civilización rodeada de sembradíos. Trabajaba arduamente dando de comer en su casa a los maestros que en ese entonces enseñaban en lo que hoy es la Universidad de Montemorelos. Se levantaba temprano y caminaba varios kilómetros que la separaban de los ranchos en donde se abastecía de comida. En ese entonces no existían carros, así que regresaba cargando varios bultos justo a tiempo para preparar la comida; con lo que le pagaban apenas le alcanzaba para alimentar a sus pequeños hijos.

Desde que mi abuela conoció el evangelio se aferraba mucho a su fe, oraba largamente en las noches, abría su corazón a Jesús, quien era su refugio. Una de esas noches oró con especial abatimiento en su corazón. Le contó al Señor sus tristezas, dolor y cansancio, cuando repentinamente una luz muy resplandeciente entró por la ventana; era tan intensa que a pesar de mantener los ojos cerrados y su cabeza inclinada podía sentir el calor de la luminosidad. Ella se atemorizó, pero continuó con su oración. Al fin se tranquilizó, se quedó quieta de rodillas y oyó una voz que le dijo: «Ten fe». Su corazón empezó a latir fuertemente, se mantuvo arrodillada por unos minutos más, luego se levantó y corrió al cuarto de junto para contarle lo sucedido a una señora que en ese momento vivía en su casa, y cuando regresaron al cuarto la luz se había desvanecido. Pero en su corazón había una paz, una tranquilidad que solo puedes sentir al estar en la presencia de Dios.

Jesús le dio a mi abuela una prueba de su amor. Con esas dos palabras quitó el pesar en su corazón, sanó sus heridas, fortaleció su fe. Le hizo ver que para él era muy importante, era su hija y estaba a su lado. Estoy segura que después de esa oración mi abuelita se levantó totalmente renovada. Las personas que convivieron con ella aseguran que su fe fue inquebrantable.

Edith Varela Sosa

Disfruta el paisaje

"Yo soy el camino, la verdad y la vida –le contestó Jesús–.
Nadie llega al Padre sino por mí" (S. Juan 14: 6).

DESPUÉS de casi dos años de haber recorrido la misma carretera que abarca el Distrito Federal, un día mientras viajábamos mi esposo me preguntó en una parte del camino: «¿Reconoces por dónde vamos?» Me quedé contemplando la carretera, pero no pude ubicarme, todo me parecía igual, curvas y árboles. Sin embargo, medite en que después de tanto tiempo debería de reconocer el camino, a lo cual contesté: «Por lo regular solo pongo mi vista en las líneas que marcan la carretera y sus baches, como si yo manejara, y no me percato del paisaje o del camino».

A veces así sucede en nuestras vidas: al pasar el tiempo ponemos nuestra vista en el trabajo, los compromisos, las reuniones de trabajo, los quehaceres del hogar. Pero en ese trayecto, no alzamos la mirada hacia los costados para disfrutar «del paisaje», aquellos pequeños detalles como la sonrisa de un bebé, el calor de una caricia dada a un ancianito, la alegría de los hijos «incontrolables», el aroma de una flor, en fin, nos concentramos en aquello que queremos superar, mejorar o cambiar. Sin embargo, como mujeres debemos darle la debida importancia a lo bueno de la vida que tenemos.

Esta mañana te invito a mirar a tu alrededor, disfrutar y valorar las pequeñas cosas que hacen atractiva la vida: las bendiciones que Dios disfruta en derramar sobre cada una de nosotras y en las cuales debemos regocijarnos sin perder de vista nuestra meta, que es la vida eterna en Cristo Jesús.

Joana Gómez de Ávila

FE

¿Te falta visibilidad?

Por eso te aconsejo que de mí compres oro refinado por el fuego [...]
y colirio para que te lo pongas en los ojos y recobres la vista
(Apocalipsis 3: 18).

CERCA DE LAODICEA había un templo dedicado al dios frigio Men Karou. En ese tiempo surgió una escuela de medicina muy famosa dependiente de ese templo; ahí se podía conseguir un polvo para los ojos, que por la forma del paquete en el que venía se le llamaba *coluriun*, de donde proviene la palabra colirio. Los laodicenses, por supuesto, se enorgullecían del famoso ungüento.

Es a esa iglesia a quien el testigo fiel diagnostica ceguera espiritual. Hoy al igual que en antaño, Jesús desea que contemples las realidades celestiales, para ello te aconseja esta mañana que compres de ese colirio. ¿Por qué? Porque desafortunadamente hoy no estamos mejor que los laodicenses, pues muchas veces nos enorgullecemos al declarar que somos el pueblo elegido por Dios; y al mismo tiempo no permitimos que el ungüento de su Espíritu Santo trabaje en nuestras vidas y nos transforme. El Señor insiste en que compres de ese colirio. ¿Para qué? Para que veas, y esto significa que permitas que el Espíritu de Dios te ayude a recobrar la visibilidad, pero no para ver lo malo que hay en los demás, sino para ver lo malo que hay en ti. De esa manera sabrás en qué puedes cambiar para ser una mejor cristiana.

¿Cómo puedes adquirir ese ungüento? Es necesario que vayas al Médico de médicos, nuestro Señor Jesucristo, y le pidas ese colirio, para que puedas contemplar sus maravillas. Sí, mi querida hermana, acerquémonos a él y recibiremos sanidad; no nada más una restauración del cuerpo, pidamos a Dios que mejore nuestra espiritualidad, y que cada día nos permita vivir con una oración en nuestro corazón, y el deseo de servirle y hacer su voluntad.

Si por algún motivo esta mañana al levantarte recordaste que el día de ayer no honraste a tu Dios como debías, no te preocupes, hoy puedes retomar tu relación con él. Haz esta oración: «Sáname, Señor, y seré sanada; sálvame y seré salvada, porque tú eres mi alabanza» (Jer. 17: 14). Dios te bendiga, mi querida hermana.

Vicky Zamorano de Medrano

La mejor medida de seguridad

*Instruye al niño en el camino correcto, y aun en su vejez
no lo abandonará (Proverbios 22: 6).*

POCAS DAMAS se dan cuenta que una de las mejores medidas de seguridad ante las tentaciones y la maldad del mundo es una buena educación cristiana.

Jocabed, la madre de Moisés, fue una mujer que se dio cuenta que su hijo enfrentaría un ambiente sumamente adverso para mantener su fe en Dios. Primero, tuvo el valor de exponer a su bebé a los peligros del río Nilo, creyendo que el Señor cuidaría al niño y le daría un mejor futuro. Luego, cuando la hija de Faraón le pidió que educara al bebé hasta que tuviera edad de vivir en el palacio, lo instruyó con tal esmero y dedicación, que ni las riquezas del imperio más poderoso del planeta ni las atractivas teorías de la religión egipcia ni la facilidad de acceder al poder apartaron a Moisés del Dios de Israel.

Ellen G. White describe la obra de Jocabed: «Trató de inculcarle la reverencia a Dios y el amor a la verdad y a la justicia, y oró fervorosamente que fuese preservado de toda influencia corruptora. Le mostró la insensatez y el pecado de la idolatría, y desde muy temprana edad le enseñó a postrarse y orar al Dios viviente, el único que podía oírle y ayudarle en toda emergencia» (*Patriarcas y profetas*, p. 249).

Jocabed, como toda madre, estaba preocupada por su hijo, pero su preocupación más grande fue la correcta: educar a Moisés para amar a Dios. Porque ella sabía que nuestro único refugio seguro se encuentra en el Padre celestial. Si llevamos a nuestros hijos a los pies de Jesús, y los preparamos para seguirle en todos sus caminos, entonces tendremos la seguridad de que nuestros hijos siempre estarán protegidos ante los peligros de este mundo.

Jennifer Britton de Miranda

FE

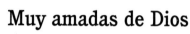

Muy amadas de Dios

Tú, Soberano Señor, has sido mi esperanza; en ti he confiado desde mi juventud (Salmos 71: 5).

EL AÑO 2006 fue de grandes bendiciones para mí, una de ellas fue terminar mi carrera. Para lograrlo pasé por dificultades y diversos obstáculos, mas mi Dios siempre estuvo conmigo permitiéndome alcanzar una meta más en la vida. La experiencia que esta mañana quiero compartir contigo, tiene que ver con lo que me tocó vivir una vez que terminé mis estudios. Le agradezco a mi Padre celestial porque me ha dado grandes privilegios y creo que soy una de sus hijas consentidas; digo esto porque no tuve que experimentar el desempleo, pues recibí muchas invitaciones de trabajo. Mi deseo era trabajar para Dios, por lo que comencé a hacer contacto con algunas Asociaciones y Misiones.

Cuando estaba terminando mis requisitos escolares, antes de graduarme, tuve la necesidad de tomar una decisión sobre qué oferta de trabajo aceptar, pues gracias a Dios fueron tres los lugares en donde solicitaban mis servicios como maestra en educación preescolar. Fue entonces cuando mi familia y yo nos unimos en oración ferviente para que Dios me mostrara su voluntad. Lo que parecía un obstáculo para mí, Dios lo arregló.

Ahora le doy gracias porque sin duda me ama y me ha permitido trabajar para él como educadora en la Asociación de Baja California. Pido a Dios que así como lo ha hecho hasta hoy, siga dirigiendo mi vida y mi camino, y que yo esté dispuesta a escuchar su voz. Te invito hoy a confiar plenamente tu vida a él y permitir ser una de sus consentidas, porque su Palabra te garantiza que así lo hará.

Irma Nohemí Caamal O.

Dios dirige tu vida

Por eso les digo: No se preocupen por su vida [...]
¿No tiene la vida más valor que la comida, y el cuerpo
más que la ropa? (S. Mateo 6: 25).

CUANDO ESTUDIABA mi segundo año de la licenciatura en Enfermería, mi novio y yo decidimos casarnos. Dios me llamó para ejercer un ministerio especial al lado de un hombre que había decidido servirle como pastor. Profundamente enamorada, acepté el desafío y me casé, sin entender las hermosas lecciones y pruebas de fe que el Señor tenía para mí.

Posteriormente, terminé mis estudios y me embaracé de mi primera hija. Sin embargo, todavía me faltaba cumplir un año de servicio social y presentar los requisitos de la titulación. Necesitaba mucho tiempo. ¿Acaso dejaría a mi hija al cuidado de otra persona? ¿Desaprovecharía el privilegio que Dios da a las madres de estar al lado de sus hijos en esos años maravillosos de crecimiento y formación?

Día tras día resonaban en mi mente esas preguntas, consciente de que si decidía no cumplir con el servicio social ese año podría perder la validez de mis estudios. Fueron momentos muy difíciles para mí, sin embargo, después de pedir a Dios su dirección por varios días, milagrosamente llegó la respuesta a mi oración.

Todavía recuerdo ese día cuando mi esposo llegó y me dio la noticia de un llamado que Dios nos hizo para servirle en otro lugar. Lejos de ponerme triste, se aclararon mis dudas y sin pensar más decidimos aceptar; dejé mis estudios sin concluir. Han pasado ocho años desde que aceptamos servir al Señor en el ministerio pastoral. Pero gracias a Dios, hoy se ha abierto una puerta para titularme: después de cumplir con ciertos requisitos la universidad me ha otorgado la oportunidad de realizar mi servicio social en mi lugar de residencia. Y todavía más, mis horarios de trabajo no interfieren con los horarios de entrada y salida de mis hijas del colegio.

Dios me ha dado más de lo que le pedí, porque él da en abundancia a los que le son fieles. Nunca dudes del amor de Dios, decide siempre seguir sus caminos. Pon en orden tus prioridades y lo demás vendrá por añadidura.

Miriam Rodríguez de Partida

FE

No pierdas tu fe

Pero yo le cantaré a tu poder, y por la mañana alabaré tu amor; porque tú eres mi protector, mi refugio en momentos de angustia (Salmos 59: 16).

EN CIERTA OCASIÓN, una hermana nos invitó a reunirnos en una casa para estudiar y orar. Al principio éramos pocos. Pero el pequeño grupo creció hasta llegar a contar con un promedio de cincuenta asistentes. Estábamos muy felices porque veíamos que Dios nos bendecía. Varias familias que formamos este grupo decidimos reunirnos también por las noches, e incluso llevamos a cabo vigilias que se alargaron hasta el amanecer. En nuestro grupo había muchos jóvenes. Sentíamos la presencia de Dios, había gozo, compañerismo y afecto cristiano.

Por supuesto que el enemigo de las almas no lo aprobó y buscó la forma de lesionar al grupo. Uno de los padres de familia nos informó muy preocupado que su hija había sufrido un accidente. Ella trabajaba en un molino de nixtamal y había metido la mano accidentalmente, lesionándose los músculos del brazo y antebrazo. Estábamos muy angustiados y temíamos que perdiera el brazo. Nos reunimos de inmediato, unidos suplicamos a Dios por esta jovencita. Pusimos nuestras vidas en las manos del Señor y ayunamos y apoyamos a la familia.

La muchacha fue intervenida quirúrgicamente y se inició la recuperación. Todo estuvo bien. Agradecimos a Dios llenos de emoción, aunque todavía estaba delicada y no había sido dada de alta. Nos citamos para agradecer todos juntos a Dios por su maravillosa respuesta, esa noche oramos y nos regocijamos junto con la accidentada. El lugar donde nos reuníamos estaba consagrado y Dios siempre escuchó la oración de esta casa; pero esa noche de acción de gracias al regresar la familia a su casa, la jovencita se resbaló y cayó lastimándose nuevamente, pues traía clavos.

Nos volvimos a reunir con más ánimo pues sabíamos que era una lucha con el enemigo, pero de nuestra parte estaba el Dios de Israel. Hermana, cuando tengas angustias, no dudes que Dios está listo para auxiliarte. No sufras sola, hay poder en la oración de grupo. No llores, levántate, así como se levantó Débora y animó a Barac e inflamó a las tribus para la batalla, conviértete en guerrera de la oración.

Alba Leonor Santos

No hay distancia en donde el Señor no nos alcance

Los israelitas deberán observar el sábado. En todas las generaciones será para ellos un pacto perpetuo, una señal eterna entre ellos y yo. En efecto, en seis días hizo el Señor los cielos y la tierra, y el séptimo día descansó (Éxodo 31: 16-17).

EN 1965 estábamos recién llegados a la Ciudad de Obregón, Sonora; entonces teníamos tres niños. Hacía aproximadamente diez años atrás habíamos conocido del mensaje de la Iglesia Adventista a través de dos damas muy consagradas y valientes: Lolita de la Huerta y Gertrudis Solano, quienes tenían mucha sabiduría e inteligencia para enseñar la doctrina del Señor nuestro Dios.

Hablaban con tanta pasión y fe del amor de nuestro Señor Jesucristo, que no nos quedó duda de que el Espíritu Santo movió nuestros corazones. Primero nos enseñaron la importancia de obedecer a Dios y conocer plenamente su voluntad en su santa Ley. No titubearon en decirnos que al Dios vivo y Creador no se le adora a través de imágenes como las que colgaban en la pared de mi sala, y al culminar con esa explicación bíblica oraron y se despidieron dejándome perpleja respecto a que la adoración de imágenes ofendía a nuestro Creador, y que el día sábado y no el domingo es el sello distintivo de Dios.

Al ver el cuadro parecía que le hubiera caído un rayo silencioso o que una mano invisible lo hubiera arrojado al piso, quedé asombrada con esa manifestación y mis prácticas arraigadas de idolatría quedaron atrás. Agradezco a Dios por esas dos damas valientes que no tuvieron miedo de llamarle a la idolatría pecado y llamarles ídolos a las imágenes. Gracias Dios.

Graciela de Sapiens

El cofre espiritual

Vigilen y oren para que no caigan en tentación. El espíritu está dispuesto, pero el cuerpo es débil (S. Marcos 14: 38).

HAY TESOROS espirituales que se deben de guardar en un cofre muy especial dentro de nuestra mente, llegado el momento, lo abriremos y extraeremos sus tesoros. Uno de los tesoros más preciados es la fe. La Biblia dice en Hebreos 11: 1, que «la fe es la garantía de lo que se espera, la certeza de lo que no se ve».

Si eres una mujer soltera o casada, cuídate de los malos pensamientos, porque se presentan cuando menos lo imaginas. Son distintos de acuerdo con la edad o género. Pero de vez en cuando algunas mujeres casadas alojan ciertas dudas sobre la fidelidad de sus esposos, porque ellos trabajan fuera de casa; y cuando la desconfianza se anida en una dama causa un terrible daño a la relación de pareja.

Recuerda que estos pensamientos son motivados por fuerzas malignas. Tal vez la puerta fue abierta para recibirlos de alguna forma u otra. ¿Por qué dedicar tiempo a estas ideas nada sanas? Si le dedicas tiempo, vendrán otras más que harán daño. Estos pensamientos llegan generalmente cuando uno de los dos está solo. No dejes que esto suceda. Llegado el momento, si te sorprendes con pensamientos dudosos para con tu pareja, lo que debes hacer es no dejar de orar y repetir versículos de memoria. Pide a Dios que destruya estos pensamientos dañinos. Confía en tu esposo.

Los celos y las dudas sobre la fidelidad de la pareja son una de las principales armas de Satanás. No tienen una base racional, se fundamentan en especulaciones ridículas, muchas veces producto de ver tanta televisión. Es importante que recuerdes que estás en una lucha «contra poderes, contra autoridades, contra potestades que dominan este mundo de tinieblas, contra fuerzas espirituales malignas en las regiones celestiales» (Ef. 6: 12). No puedes vencer sin velar y orar. Pídele a Dios que te quite cualquier tipo de idea que no ayude a tu relación de pareja. Ora por tu esposo, que no esté solo en el trabajo sin tus oraciones. No dejes de orar para que no te venza la tentación y dudes de tu marido. Con la ayuda de Dios, todo estará bien.

Lourdes Lozano Gazga

¿Cómo podré estar triste?

Ahora bien, la fe es la garantía de lo que se espera, la certeza de lo que no se ve (Hebreos 11: 1).

HACE UNOS AÑOS internamos a mi abuelita porque estaba al borde de la muerte; después de algunos estudios descubrieron que tenía cinco venas obstruidas y tuvieron que operarla del corazón. Le dio un derrame cerebral, lo cual afectó su lado derecho y dificultó su capacidad de hablar; luego perdió la vista. Para ella fue muy duro tener que aceptar su situación, pero Dios le dio fuerza para adaptarse a su nueva vida. Su difícil situación se complicó cuando hubo que amputarle la pierna izquierda. Los médicos no creían que fuera a soportar esa cirugía; pero por la gracia de Dios y las oraciones de toda la familia y hermanos en Cristo, fue un éxito. En el 2006 hubo que amputarle la otra pierna, y una vez más Dios estuvo con ella. Minutos antes de que la operaran pidió que le cantara las notas de este bello himno que dice:

> *¿Cómo podré estar triste?*
> *¿Cómo entre sombras ir?*
> *¿Cómo sentirme sola y en el dolor vivir?*
> *Si él cuida de las aves cuidará también de mí.*

El ejemplo de esta gran mujer ha sido de gran valor en mi vida porque me llena de inspiración. He aprendido a dar gracias a Dios por todo cada vez que abro los ojos en las mañanas. Al verla en esa situación y ver que Dios me tiene en pie, no puedo quedarme cruzada de brazos sin dejar de alabar al Señor. Él nos ha dado la vista, nuestros dos pies y el habla y no debemos ignorar el gran amor que tiene hacia nosotras. Hoy te insto a que cuando cantes, lo hagas con gozo. Involúcrate en las actividades de tu congregación. Si conoces a algún anciano, visítalo, no sabes cuán feliz se sienten de que los hermanos se acuerden de ellos. El día de mañana cuando nos toque estar postradas en una cama, Dios quiera que podamos tener la satisfacción de que fuimos un instrumento de fe en nuestra Iglesia. «En realidad, sin fe es imposible agradar a Dios» (Heb. 11: 6).

Amarilis Johnson Rodríguez de Tom

FE

Aun así,
yo me regocijaré en el Señor

Aunque la higuera no dé renuevos, ni haya frutos en las vides; aunque falle la cosecha del olivo, y los campos no produzcan alimentos; aunque en el aprisco no haya ovejas, ni ganado alguno en los establos; aun así, yo me regocijaré en el Señor, ¡me alegraré en Dios, mi libertador! (Habacuc 3: 17-18).

¿ALGUNA VEZ has pensado cómo se sienten las personas que tienen grandes carencias en sus vidas y no cuentan con lo necesario para vivir? Pareciera que como estamos seguros de que lo tenemos todo ni siquiera pensamos en que eso nos va a pasar a nosotros. Cuando me encontraba en la Universidad Andrews, al iniciar el curso escolar, tuve la sensación de que me faltaba dinero. Únicamente tenía hospedaje y alimentación, pero, entre otras cosas, necesitaba un automóvil, puesto que en estos lugares es muy importante.

La familia Tirado me acogió en su hogar; ellos me llevaban a la escuela y a los lugares a donde necesitaba ir. Me sentía incómoda porque para mí ya era mucha molestia que me llevaran y trajeran. Cierto día el pastor Tirado me dijo: «¿Por qué no pones un anuncio en el supermercado, *Apple Valley,* que diga que necesitas un automóvil, que eres estudiante y no tienes dinero?» Dentro de mí pensé que eso no funcionaría, porque es pedirle demasiado a la gente. Pero me insistió tanto que lo hice, pero sin esperar grandes resultados.

Una semana después de que puse ese anuncio recibí una llamada de un estudiante que me preguntó si yo era la joven que necesitaba el carro. Le dije que sí y me respondió: «Yo tengo un carro que te voy a regalar, no lo uso y creo que a ti te será más útil que a mí». ¡No lo podía creer! Dios había hecho el milagro a pesar de mi incredulidad. De ahí en adelante comprendí que no importa lo que pase a tu alrededor, inclusive no importa si lo crees o no, Dios siempre hará algo para que tu fe sea fortalecida. Por eso, querida amiga, te invito a que confíes en Dios plenamente y puedas decir: «Aun así, yo me regocijaré en el Señor».

Dana Zulibeth Magaña Monzalvo

Maravillosa fe

*Cree en el Señor Jesús; así tú y tu familia serán salvos
—le contestaron (Hechos 16: 31).*

¡CÓMO OLVIDAR la dulce sonrisa de mamá cuando me despedía para ir a la Universidad de Montemorelos! Sus palabras finales fueron: «Cuídate mucho hijita, Dios te bendiga», y mi singular padre se despedía haciéndome reír. Sus abrazos y sus expresiones de fe me daban seguridad y por medio de su fe aprendí también a confiar plenamente en Dios. Cuando nos tocó a mi esposo y a mí despedir a nuestros hijos para ir a los colegios comprendimos lo difícil que es despedirse y lo que nuestros padres sintieron también.

En mi hogar fuimos cinco hermanos, cada uno de ellos es especial y los amo mucho. Todos fuimos testigos de la fe y el amor que mi madre demostraba a cada una de las personas con las que se relacionaba como enfermera en su vida diaria; cuidaba y sanaba enfermos y heridos no solo físicamente, sino anímica y espiritualmente.

Recuerdo también aquel día cuando una buena amiga de mamá vino por mis hermanas para llevárselas a Estados Unidos para que aprendieran inglés por algún tiempo y yo, como estaba muy pequeña, no entendía lo que pasaba; pero ahora comprendo cuánto dolor sintió al verlas partir a otro país, pero ella se aferraba a su fe y le pedía al Señor protección y bendición para cada una de ellas. Se mantenía en constante oración y trabajo para poder soportar la separación.

¡Cuánta fe tuvo que ejercer mi madre al dejarnos ir por el amor que nos tenía! Ese gran amor, ese gran afecto me muestra una pincelada del gran amor de Dios, de Jesucristo y del tierno cuidado e inspiración del Espíritu Santo. Para mí la fe es como una luz que no solo ilumina mi camino sino el de los demás con visibilidad, seguridad y confianza para llegar hasta el final. Aunque el enemigo nos proyecte sombras y tinieblas, la luz de Dios es fuerte y admirable.

Cuánto anhelo aquella mañana de la resurrección para encontrarme con mis padres. Deseo que mi madre vea los frutos de su fe, no solo verá a mis hijos sino a los hijos de mis hijos y a los hijos de esos hijos, y verá una gran multitud en su descendencia, eternamente salvados, eternamente juntos. ¡Maravillosa fe en Cristo Jesús!

Reyna Ibarra de Guevara

FE

A pesar del dolor

¡Cuán precioso, oh Dios, es tu gran amor! Todo ser humano halla refugio a la sombra de tus alas [...] porque en ti está la fuente de la vida, y en tu luz podemos ver la luz (Salmos 36: 7-9).

ERA LA PRIMAVERA del 2005 cuando se nos dio la noticia de que seríamos padres por segunda vez. Así que con alegría comenzamos a hacer los preparativos y anunciar tan esperado acontecimiento.

Tres meses después ocurrió algo inesperado, comencé con síntomas de aborto. El médico me mandó reposo absoluto, el cual no cumplí. Después de un par de semanas pasó aquello que no deseaba: perdí a mi hijo. El dolor casi destruyó nuestras vidas, pero acudimos a nuestro Dios y nos aferramos a él, le suplicamos fortaleza, y de una manera inimaginable, sentimos cómo nuestro amante Salvador inundaba nuestras vidas de paz y de esperanza.

Dos años después nuestro Señor nos concedió un regalo esperado: una hermosa nena que ha venido a complementar nuestro hogar con sus risas y llanto.

Ahora vemos claramente que nada pasa sin que Dios lo permita, que las pruebas a las que nos enfrentamos nos ayudan cada día a afinar nuestro carácter, a ser más pacientes, fuertes, misericordiosos y sobre todo a confiar en él. Si estás pasando por un problema o dificultad te animo para que te acerques a la fuente de esperanza que es Cristo Jesús, el apóstol Pablo nos anima y nos asegura: «Todo lo puedo en Cristo que me fortalece» (Fil. 4: 13). Búscalo con humildad y mansedumbre de corazón diariamente y obtendrás esa agua refrescante, viva y revitalizadora para tu vida. Ellen G. White dice: «Llevad todas vuestras cargas a Jesús [...] Él os recibirá, fortalecerá y consolará. Él es el gran Sanador de toda dolencia. Su gran corazón lleno de infinito amor suspira por vosotros» (*Hijas de Dios*, p. 85). Confía en el Señor y te responderá a su debido tiempo, pues él quiere lo mejor para nosotras. Oremos las unas por las otras y obtendremos poder para estar firmes ante cualquier adversidad y así seremos vencedoras por medio de Cristo Jesús.

Rocío Díaz de Arévalo

¿Vale la pena seguir el mensaje de la reforma pro salud?

También les dijo: «Yo les doy de la tierra todas las plantas que producen semilla y todos los árboles que dan fruto con semilla» (Génesis 1: 29).

DESDE EL MOMENTO en que mi novio y yo nos casamos, decidimos seguir la reforma pro salud y por casi dos años pudimos cumplir sin ningún problema. Pero cuando me enteré que estaba embarazada de mi primer hijo, surgió la pregunta: ¿Seguiré con el régimen vegetariano o necesitaré comer carne para que mi hijo nazca saludable? Pese a todas las recomendaciones, decidimos creer en el plan original de Dios y durante todo mi embarazo no comí carne.

Gracias a Dios nuestro niño nació bien y sin ninguna complicación. Pasaron seis meses y llegó el tiempo de destetarlo e incluir en su dieta alimento más sólido, y nuevamente me asaltaron las dudas, ¿tendré que incluir pollo o pescado en la alimentación del niño? Nuestro médico familiar aumentó mis dudas al decirme que las proteínas de la carne eran necesarias para el desarrollo del niño y que de lo contrario no crecería normal y tendría problemas de aprendizaje.

Confieso que esto me motivó a tratar de darle pescado en papilla, pero el niño lo rechazaba. Era lógico, ni conocía el olor ni el sabor. Y nuevamente pese a los malos augurios de nuestro médico, decidimos creer en el plan original de Dios. Al pasar el tiempo, me he preguntado si ha valido la pena seguir el régimen de la reforma pro salud, y mi respuesta es: ¡Por supuesto que sí! Mi hijo Jasiel ha crecido muy saludable, hoy a sus doce años mide 1.67 centímetros, ¡ya me rebasó de estatura!

Y contrario a lo que el médico pronosticó, desde el Jardín de Niños hasta hoy que cursa la secundaria ha tenido siempre el primer lugar en aprovechamiento. Hoy, al mirar atrás puedo oír la voz de Moisés decir: «Si prestas atención a estas normas, y las cumples y las obedeces, entonces el Señor tu Dios cumplirá el pacto que bajo juramento hizo con tus antepasados, y te mostrará su amor fiel» (Dt. 7: 12 y 13).

Rachel L. de Romero

FE

Se me pasa el tiempo

He sido joven y ahora soy viejo, pero nunca he visto justos
en la miseria, ni que sus hijos mendiguen pan (Salmos 37: 25).

LA CRISIS del paso del tiempo nos ocurre a todas las mujeres, pero no es el fin del mundo. Hemos pasado por muchas crisis en la vida: nacimiento, adolescencia, matrimonio, maternidad, divorcio, soltería prolongada y dificultades económicas, entre muchas otras.

En el pasado las mujeres debían ser fieles, engendrar muchos hijos sin protestar y someterse al esposo. Así tenían que casarse rápido, tener hijos, sin esperar mucho tiempo entre uno y otro. Se les pasaba la vida rápido. Y ya habían vivido todo antes de comenzar a vivir.

Existe un tiempo cronológico que es la edad que tenemos, pero la Biblia habla del tiempo de la oportunidad para los que vivimos en Dios.

Dios no tiene pasado ni futuro, es un eterno presente, es el tiempo de la oportunidad. Cuando cumplimos años tenemos una oportunidad divina para emprender algo mayor. Todos los días creces, estás viva y todavía no has visto todo lo grande que Dios va a hacer en y con tu vida.

Sara pensó que a su edad no iba a vivir la experiencia de ser madre, vio solamente su edad cronológica. No vio el tiempo de la oportunidad de Dios, en la palabra que le había dicho a Abrahán, tendrían un hijo a pesar de estar cerca de los cien años. Ella decidió buscar su propio plan y entregar esa posibilidad a otra generación, dándole a Abrahán a su sierva Agar. Hermana, no entregues tus proyectos o sueños a otros. Mientras estés viva, estarás vigente para hacer lo que Dios te prometió.

Larissa Serrano

Mi vida entera

Mi vida entera está en tus manos; líbrame de mis enemigos y perseguidores (Salmos 31: 15).

SOY UNA MUJER FELIZ, reconozco las oportunidades de vida y la sensibilidad en mi corazón que Dios ha puesto en las mujeres. Pero también lucho con rasgos de personalidad, que si bien no son exclusivas de nosotras las mujeres, sí son más frecuentes. Y una de ellas es querer tener todo bajo control.

A lo largo de la vida he aprendido a ser más tolerante, a adaptarme mejor a los cambios, a perfeccionar mis métodos de organización y a tener más planes alternos en caso de que los principales no resulten. Esto me funciona bien en mi casa para tenerla ordenada, la comida lista, la ropa limpia y planchada cuando se necesita. También me ha funcionado muy bien en mi trabajo.

Pero cuando intenté aplicarlo a mi vida, me di cuenta que eso no estaba bajo mi control, y que no había manera de que organizara una lista con fechas y hacer que se cumpliera como yo quería. Me propuse estar casada a los veinticinco años pero no fue así. Dios en su infinita bondad tenía el tiempo perfecto para que mi esposo y yo nos conociéramos en el momento exacto de nuestras vidas. Me propuse tener un hijo al cumplir el primer aniversario de mi matrimonio, pero eso tampoco fue así por un fuerte problema de salud que me llevó un año de tratamiento y dos cirugías. Me propuse que en tal fecha, podríamos ampliar nuestra casa y remodelarla para que quedara perfecta y no se ha llegado ese tiempo todavía. Hice planes para otras tantas cosas más, que no salieron como yo me imaginaba.

Entonces aprendí que como lo dijo el rey David hace muchísimos años atrás, a decirle a mi Padre celestial: «En tus manos están mis tiempos, con absoluta confianza pongo mi vida en tus manos y en el momento en el que tú consideres que es el mejor, sé que actuarás de manera asombrosa como lo has hecho hasta ahora para darme lo que te he pedido si es conforme a tu voluntad para mi vida. Líbrame de mi enemiga, la duda, y de mi perseguidora, la ansiedad, y permite que cada día de mi vida, haya paz en mi corazón porque son tus manos las que la guían».

Nidia Santos Vidales

FE

Esperar con seguridad

Por lo tanto, no se angustien por el mañana, el cual tendrá sus propios afanes. Cada día tiene ya sus problemas (S. Mateo 6: 34).

¿CUÁNTAS VECES te has enfrentado a problemas complejos? Un problema nunca es igual al de otra persona porque suceden en contextos diferentes y además algunas somos más débiles o más fuertes que otras, así que el único que puede simpatizar contigo es Dios, porque él te ve como un ser único. Además, el Señor sabe todo lo que te pasa, sufre contigo y entiende perfectamente cómo te sientes.

Muchas veces se nos invita a confiar en Dios. La palabra *confiar* significa «esperar con firmeza y seguridad». Ahora bien, la confianza nace de una relación estrecha entre dos personas. La confianza exige tiempo y atención para conocer a alguien. De la confianza nace el amor genuino. Es decir, debo conocer a Dios para poder confiar en él. Hay que pasar tiempo con el Señor, hablar, escuchar y convivir con él. Hablamos con Dios cuando oramos, lo escuchamos a través de la Biblia y convivimos con él cuando trabajamos en alguna de las áreas del servicio cristiano, como por ejemplo la testificación.

La oración, el estudio de la Biblia y la testificación te ayudarán a desarrollar la confianza en Dios. Entonces podrás descargar en el Señor completamente todo: dolor, ansiedad y angustia. Dile cómo te sientes, pídele su ayuda, entrégale tu voluntad y afirma tu fe en él. Ten por seguro que hará en tu vida lo mejor para ti, porque te ama más que a nadie.

Establece una comunión diaria con Dios por lo menos de media hora y verás que tu vida será fortalecida y entonces verás que confiar en él es fácil, y te dará la paz que necesitas.

María Elena Ortiz Rocha

Canta alegre al Señor

A ti, fortaleza mía, te cantaré salmos, pues tú, oh Dios,
eres mi protector. ¡Tú eres el Dios que me ama! (Salmos 59: 17).

UNA DE LAS COSAS que puedes hacer cuando estás en problemas, angustia o depresión, es cantar. Busca himnos que te ayuden a confiar en Dios, a levantarte el ánimo; esto tendrá un doble efecto, ya que alabarás a Dios y serás fortalecida. Mi himno favorito es el número 196 del *Himnario Adventista*. Es una alabanza llena de promesas que me permite reflexionar en la maravilla del cuidado divino. Léelo y pídele al Señor guardar esta canción en tu corazón.

¡Cuán firme cimiento!

¡Cuán firme cimiento ha puesto a la fe
el Padre en su eterna Palabra de amor!
¿Qué más a su pueblo pudiera añadir
de lo que en su Libro ha dicho el Señor,
de lo que en su Libro ha dicho el Señor?

Las aguas profundas no te anegarán,
ni aun cuando cruzares el mar de aflicción;
pues siempre contigo en tu angustia andaré,
trocando tus penas en gran bendición,
trocando tus penas en gran bendición.

Si te hallas probado en ardiente crisol
mi gracia potente tu fe sostendrá;
Tan solo la escoria deseo quemar,
y el oro de tu alma más puro saldrá,
y el oro de tu alma más puro saldrá.

Al alma que busca reposo en Jesús,
jamás en sus luchas la abandonaré;
aun cuando Satán la quisiere prender,
yo nunca, no, nunca la traicionaré,
yo nunca, no, nunca la traicionaré.

María Elena Ortiz Rocha

Confianza plena

Ustedes quédense quietos, que el Señor presentará batalla por ustedes (Éxodo 14: 14).

EN LA HISTORIA del pueblo de Israel hay grandes lecciones para nuestro tiempo, porque nosotros también nos encontramos en un peregrinaje hacia la tierra prometida con muchos desafíos y problemas por delante. Ellos enfrentaron poderosas naciones, sed, hambre, conflictos personales. Pero el problema más grande fue no haber confiado en el Dios que los guiaba con una columna de nube y con una columna de fuego, a fin de que anduviesen de día y de noche.

Hay ocasiones en las que parece que lo que Dios hace no tiene sentido, por ejemplo, cuando ordenó a Moisés que el pueblo diera la vuelta y acampara frente al mar, de un lado las montañas y del otro el desierto, porque endureció el corazón de Faraón para que los siguiera. La historia registra que cuando los israelitas se vieron sin salida, aparentemente atrapados a merced del ejército egipcio, se atemorizaron en gran manera y empezaron a reclamar a Moisés por la crisis, pero lo que ellos no sabían era que Dios quería manifestar una vez más su gloria ante Faraón y todo su ejército para que reconocieran que él es el Señor.

Cuando nos encontramos ante un aparente callejón sin salida, Dios tiene diversas soluciones en espera de ser implementadas. Recordemos el caso de Job, Dios permitió que el enemigo lo probara para glorificarse en él y mostrar la fidelidad de su hijo. Al enfrentar los problemas, ¿cuál será tu actitud? ¿Te quejarás o reclamarás como lo hicieron los Israelitas, o imitarás a Moisés, invitarás al pueblo a confiar en Dios?

Querida hermana, hoy te invito a confiar plenamente en Dios. Nadie te conoce tanto como él. ¡Descansa en su Palabra! Porque el Poderoso peleará por ti, ejércitos vendrán mas a ti no llegaran, la mano del Señor te sostendrá y en los brazos del gran Rey descansarás.

Marylin Pérez de Roblero

Tú eres de gran valor

Porque el Señor tu Dios está contigo; él peleará a favor tuyo
y te dará la victoria sobre tus enemigos (Deuteronomio 20: 4).

EN EL MUNDO ANTIGUO las mujeres eran tratadas como si no tuvieran valor. Parte de sus funciones era armar y desarmar las tiendas, arrear el ganado, atender a sus hijos, entre otras cosas. Y aunque estuvieran casadas vivían en su propia tienda, pero no por comodidad, sino por discriminación. No podían vivir en la misma tienda que el hombre, por eso tenían dos características:

1. **Eran fuertes.** Para clavar esas estacas y desclavarlas tenían que tener un estado físico óptimo. La debilidad no era un rasgo de su vida ni física ni mental.

2. **Sabían atender a los demás.** Eran hospitalarias. En una sociedad seminómada, la hospitalidad era parte de la vida religiosa de los pueblos.

Jael tenía ambos rasgos de las mujeres de Medio Oriente. Un día el malvado Sísara llegó y se metió a su tienda mientras huía de una batalla. Le pidió agua, pero como dice el pasaje, era tan hospitalaria que en vez de agua le sirvió leche en el mejor recipiente. Pero esta mujer ya sabía lo que haría después porque Dios había hablado. Le brindó a Sísara la mejor atención, pero para él ella seguía siendo insignificante. Así que se quedó dormido porque subestimó su fuerza y dijo: «¿Qué me puede hacer esta pobre mujer?»

Eso es lo que el enemigo te hace creer muchas veces. Él pretende convencerte de que no sirves para nada. «¿Qué me puede hacer su oración?» «¿Qué puede hacer en mi contra?» Satanás subestima tu fuerza, tu identidad, tu valor, tus planes. Pero al final la historia será diferente. Sísara se quedó dormido y en ese momento Jael tomó una estaca y se la clavó en la cabeza. El enemigo de Israel murió.

Quiero decirte que si te propones escuchar la voz de Dios, él mismo te va a decir dónde y cómo actuar para derrotar al enemigo y contribuir a la victoria de su pueblo.

Recuerda, tú puedes ser útil para Dios, Él valora tus virtudes por insignificantes que parezcan, y quiere usarte hoy en su servicio.

Larissa Serrano

FE

No puedo, pero confío

Porque todo el que ha nacido de Dios vence al mundo.
Ésta es la victoria que vence al mundo: nuestra fe (1 S. Juan 5: 4).

ERA TAN FÁCIL para mí hablar de fe, sin embargo, cuán lejos estaba de experimentar su verdadero significado. Fe es creer lo que no hemos visto pero ansiamos ver y esperamos en ello. Fe es mantener la confianza en Dios cuando las circunstancias son contrarias. Fe es creer cuando todo el mundo piensa que no hay motivos para hacerlo. Fe es asirse de la mano de Dios en medio del dolor cuando el mundo te da la espalda. Fe es mantenerse firme aunque las fuerzas desaparezcan.

Las situaciones difíciles que vivimos a diario son un ejercicio para desarrollar los músculos de la fe. Durante los últimos dos años, mi vida se ha visto trastornada debido a un accidente donde murieron mis dos hijitos y tres amigas. Desde esa fecha no he podido caminar a pesar de varias intervenciones quirúrgicas. ¿Podría creer en Dios? Sí, porque creer es la base que me sostiene. Mi único motivo de vida es anhelar lo prometido, y contemplar aquello que no he visto, que sin duda veré. Fe es creer en un Dios que el mundo niega.

Vez tras vez le digo a Dios: «No puedo, pero confío». Confío porque mi fe no depende de las circunstancias buenas o malas, sino de la relación que mantengo con mi Padre celestial. Él no cambia ni en su boca se haya engaño; su Palabra es verdad. Humanamente es imposible encontrar motivos para confiar, pero levanto mi mirada hacia el cielo y allí encuentro a aquel que me ama sin condiciones ni reservas, allí está mi Salvador y en él puedo creer con toda certeza.

La fe me ayuda a intentar dar pasos, me da fuerzas para continuar a pesar del dolor, me motiva a sonreír y experimentar el gozo del Señor. Sobre todo me da la esperanza de creer en el cumplimiento de su promesa: la vida eterna. Mi fe me dice que con seguridad todo esto un día cambiará y mejores tiempos vendrán.

«Señor, las tormentas hoy me rodean y parece imposible ver tiempos mejores. Aumenta mi fe para saber que tú estás allí, a mi lado. Aunque no pueda más, permíteme confiar plenamente en ti y en tu Palabra».

Lorena P. de Fernández

Dos mujeres ejemplares

Todas las promesas que ha hecho Dios son «sí» en Cristo.
Así que por medio de Cristo respondemos «amén»
para la gloria de Dios (2 Corintios 1: 20).

EVA FUE LA PRIMERA mujer en deleitar el corazón de Dios como solo una hija puede hacerlo, la primera en amar a un hombre, la primera en gestar, la primera en perder un hijo, la primera en recibir promesas. Eva, la que se equivocó, se arrepintió y recibió perdón y restauración.

Sara fue una esposa fiel, dispuesta a seguir a su esposo a donde Dios lo enviara. Mujer de la que Dios tuvo misericordia, por años fue estéril y la visitó en su ancianidad dándole a Isaac, el hijo de la promesa; y así la convirtió en madre de una gran nación. Sara acompañó a su esposo a donde Dios los llevó. Esta mujer vivió en un tiempo de una gran crisis política y económica del mundo antiguo. Pero no se dejó vencer por la angustia ni la ansiedad. A pesar de que no tenía un conocimiento tan amplio decidió obedecer a Dios y apoyó a su marido. Sara, la que aprendió a creer en las promesas divinas, por más ilógicas que pareciesen.

Al igual que ellas, tú también eres hija de Dios, creada por su mano y para un propósito, quizá luchas con el desaliento o una promesa propuesta. Al igual que Eva, tú puedes ser la primera en compartir tu fe con otros, en ofrecer tu pan al hambriento, en proclamar el evangelio de salvación, en trabajar para Dios en tu iglesia, en tu hogar o en tu escuela.

Déjate guiar por la senda que Jesús te lleve, nunca es tarde para que Dios cumpla sus promesas como las cumplió con Sara. Dios siempre cumple su Palabra, ¡confía en él! ¡Nunca falla! En Jesús, todas las promesas de Dios son atractivas.

Addry Gómez

FE

¿Por qué a mí?

A los que son amados por Dios el Padre, guardados por Jesucristo y llamados a la salvación (Judas 1).

EN MUCHAS ocasiones nos preguntamos: «¿Por qué a mí, Señor?» Queremos una respuesta. Cuando aparecen los momentos difíciles y oscuros de la vida, no sabemos enfrentarlos y exigimos respuestas del cielo. Mi tía conoció el evangelio en su juventud. Su corazón se abrió a la influencia del Espíritu Santo. Disfrutaba participar en las diferentes actividades de la iglesia sin escatimar esfuerzos. En su trabajo conoció a un joven no cristiano quien empezó a cortejarla; la amistad creció al punto de pedirle que se casara con él. A pesar de los esfuerzos por desanimarla de esa unión, decidió unirse en matrimonio con él. Al poco tiempo ambos se dieron cuenta que las costumbres eran diferentes, pero el esposo impuso su autoridad y ella dejó de asistir a la iglesia y se acomodó a las tradiciones de su marido. Sin embargo, en su corazón todavía estaba encendida la llama de su amor por Jesús. Regularmente enviaba sus diezmos y ofrendas a la iglesia, a escondidas de su esposo. Un día su esposo sufrió un mortal accidente automovilístico. Mi tía quedó viuda a los 38 años con tres hijos. En su desesperación clamó a Dios: «¿Por qué a mí, Señor?» Se molestó con Dios durante varios días, finalmente se rindió, comprendió que el Señor tenía un propósito para ella y sus pequeños.

Muchas veces culpamos a Dios de lo que nos pasa, pero nosotros tomamos decisiones que repercuten a lo largo de nuestra vida. Cuando los momentos oscuros aparecen en nuestra vida es cuando más debemos afianzarnos de la mano de Dios y no cuestionarlo por lo que nos ha sucedido.

«Por la aflicción Dios nos revela los puntos infectados de nuestro carácter, para que por su gracia podamos vencer nuestros defectos. Nos son revelados capítulos desconocidos con respecto a nosotros mismos, y nos llega la prueba que nos hará aceptar o rechazar la reprensión y el consejo de Dios. Cuando somos probados, no debemos agitarnos y quejarnos. No debemos rebelarnos, ni acongojarnos hasta escapar de la mano de Cristo. Debemos humillar nuestra alma delante de Dios. Los caminos del Señor son oscuros para aquel que desee ver las cosas desde un punto de vista agradable para sí mismo. Parecen sombríos y tristes para nuestra naturaleza humana; pero los caminos de Dios son caminos de misericordia, cuyo fin es la salvación» (Ellen G. White, *El Deseado de todas las gentes*, p. 268). Que el Señor nos mantenga firmes en su verdad.

Oralia Ramírez Juárez

¿Qué debo hacer para tener fe?

Así que la fe viene como resultado de oír el mensaje, y el mensaje que se oye es la palabra de Cristo (Romanos 10: 17).

A LGUNA VEZ conocí a una hermana cuya fe era intensa. Me platicó que cierto sábado iba a la iglesia y con las prisas de bajarse en la parada correcta del camión, y cuidar que el niño no se le perdiera, olvidó su bolsa de mano. Cuando se dio cuenta el transporte colectivo ya iba demasiado lejos. Preocupada por sus pertenencias preguntó en la caseta donde todos los camiones se reportan, pero no supo dar información del número de camión o algunas señales que pudieran identificar al chofer o al vehículo. De manera que determinó esperarse a que el mismo camión diera toda la vuelta para recuperar su bolsa.

Quienes se enteraron del incidente le decían: «No espere encontrar su bolsa, va a subir mucha gente y se la van a llevar o se la entregarán vacía». Pero ella decidió esperar hasta que llegó el camión, se subió y fue a buscar su bolsa. Los de la caseta se reían y el chofer, al enterarse del suceso, le dijo: «Señora, han subido muchísimos pasajeros, no la va a encontrar». Para sorpresa de todos, la bolsa ahí estaba con las pertenencias completas. Cuando bajó le preguntaron: «¿Tiene todo?» Ella respondió que sí. La gente no cabía de su asombro y se preguntaba cómo es que esto había ocurrido. Entonces la hermana agregó: «Aquí traigo mis diezmos y Dios no iba a permitir que ese dinero fuera mal usado, por eso estaba segura de que la iba a encontrar».

¿A qué se deberá que con el paso del tiempo se pierde la fe? ¿Será que Dios se olvida de nosotros y por eso disminuye? Cuando hay una relación estrecha con Jesús y estamos en comunicación permanente con él, en lugar de que la fe se apague, crece más.

Por lo tanto, para lograr esa confianza se requiere fortalecer los vínculos con Jesús. Esto se logrará si nos damos un espacio para estudiar la Biblia y abrir el corazón a Dios como a un amigo. Por eso, el versículo de esta mañana dice: «Así que la fe viene como resultado de oír el mensaje, y el mensaje que se oye es la palabra de Cristo» (Ro. 10: 17).

Elizabeth Suárez de Aragón

FE

Mujer de fortaleza

El Señor es mi luz y mi salvación; ¿a quién temeré?
El Señor es el baluarte de mi vida; ¿quién podrá amedrentarme?
(Salmos 27: 1).

¿QUÉ CLASE DE MUJER ERES TÚ? ¿Una mujer fuerte o una mujer de fortaleza? A continuación, leerás las características y las diferencias entre una mujer que es fuerte y una mujer que posee fortaleza:

- Una mujer fuerte hace ejercicio todos los días para mantener su cuerpo en forma; mientras que una mujer de fortaleza se arrodilla a orar, para mantener su alma en forma.
- Una mujer fuerte no teme a nada; mientras una mujer de fortaleza demuestra valor en medio de su temor.
- Una mujer fuerte no permite que nadie le quite lo mejor de ella; mientras que una mujer de fortaleza da lo mejor de sí a todos.
- Una mujer fuerte comete errores y los evita en el futuro; una mujer de fortaleza se da cuenta que los errores en la vida también pueden ser bendiciones de Dios, y aprende de ellos.
- Una mujer fuerte camina con pasos seguros; mientras que una mujer de fortaleza sabe que Dios la ayudará si cae.
- Una mujer fuerte muestra en su rostro una expresión de confianza; mientras una mujer de fortaleza muestra una expresión de gracia.
- Una mujer fuerte tiene fe en que tiene fuerza suficiente para el viaje; mientras una mujer de fortaleza tiene fe que el viaje la hará más fuerte.

Permitamos que Dios nos guíe como en el pasado lo hizo con Ana, quien ante los desafíos, inclusive los «imposibles», encontró en Dios su fortaleza. Pidamos a Dios la fortaleza necesaria para vivir.

Ana Laura Estrella

¿Qué puedo hacer para no tener miedo al paso de los años?

*Ustedes, por su parte, ambicionen los mejores dones.
Ahora les voy a mostrar un camino más excelente (1 Corintios 12 : 31).*

1. *Eres demasiado mayor para tenerle miedo a algo.* No lo olvides.
2. *Si quieres, di que eres vieja.* No temas a la edad, recuerda que los momentos difíciles te habilitaron para el presente. Aprende a vivir sin miedo.
3. *Tienes que aprender a decir «aún».* «Aún estoy viva», «aún estoy fuerte», «aún tengo ganas», «aún sale el sol», «aún tengo tiempo». Es importante que no renuncies a la vida antes de tiempo, cada minuto te pertenece. Tu vida y futuro están en construcción. Debes aprender a desarrollar veinte años más de vida, si tienes 20 piensa qué harás a los 40; si tienes 60 cómo te irá a los 80. No sigas caminando sin planificar, proyecta sueños grandes y Dios hará que traspases esa edad.
4. *Debes ser tu propia fan.* Cuando te sientas por los suelos, no esperes que otros digan: «¡Qué bien lo haces! ¡Qué linda estás!» Cada mañana levanta tu propio ánimo diciendo: «Aún estoy viva, Dios me ha dado vida para hacer algo grande, conoce mis capacidades y sabe hasta dónde llegaré». Acéptate incondicionalmente, de la misma manera que lo haces con mucha gente; no olvides felicitarte cada día aunque otros no lo hagan.
5. *No estás para llenar un espacio.* No eres la actriz de reparto en la película de otra persona; eres la protagonista de tu vida: «Ya tuve hijos, tengo nietos, ahora los veo crecer y los disfruto». Disfruta todo lo que quieras, pero tu vida no se ha terminado y tienes que vivirla; no te quedes observando cómo viven los demás. Tampoco protagonices tu vida con los títulos de tus hijos o nietos, ni con los logros de tu sobrina, habla de ti misma, de lo que estás alcanzando.
6. *Confía en las promesas divinas.* Hay mujeres que cuando pasan los años dicen: «Estoy sola», «estoy envejeciendo», «no me pasa nada», «soy infeliz», «me voy a enfermar», «moriré sola», «nunca conocí el amor». Se torturan con estos pensamientos e imaginan lo peor. Si Dios te prometió algo lo cumplirá. No mires hacia atrás.

Larissa Serrano

FE

La iluminación
no está separada de la Palabra

Porque surgirán falsos Cristos y falsos profetas que harán grandes señales y milagros para engañar, de ser posible, aun a los elegidos (S. Mateo 24: 24).

EN ESTOS DÍAS de engaño, cada persona que está afirmada en la verdad tendrá que contender por la fe que una vez fue dada a los santos. Por medio de su plan misterioso, Satanás inducirá toda clase de error para engañar, si es posible, hasta a los mismos escogidos y así alejarlos de la verdad. Habrá que hacer frente a la sabiduría humana; a la sabiduría de los hombres doctos, quienes, como los fariseos, son maestros de la ley de Dios pero no la obedecen ellos mismos. Habrá que hacer frente a la ignorancia y la locura humana que se manifestarán en teorías incoherentes ataviadas con un ropaje nuevo y fantástico; teorías que serán más difíciles de enfrentar, porque no hay razón en ellas.

Habrá sueños falsos y visiones espurias, que tendrán una parte de verdad pero alejarán de la fe original. El Señor ha dado una regla para detectarlos: «¡Aténganse a la ley y al testimonio! Para quienes no se atengan a esto, no habrá un amanecer» (Is. 8: 20). Si empequeñecen la ley de Dios, si no prestan atención a su voluntad como ha sido revelada en los testimonios de su Espíritu, son engañadores. Están controlados por el impulso y las impresiones, los cuales creen que provienen del Espíritu Santo, y los consideran más dignos de confianza que la Palabra inspirada. Pretenden que todos los pensamientos y sentimientos constituyen una impresión del Espíritu; y cuando se los hace razonar conforme a las Escrituras, declaran que poseen algo más digno de confianza. Pero mientras piensan que son conducidos por el Espíritu de Dios, en realidad siguen fantasías promovidas por Satanás.

El enemigo está revestido con ropaje angélico, obrará en forma sutilísima para introducir invenciones humanas. Pero la luz de la Palabra brilla en medio de las tinieblas morales, y la Biblia nunca será reemplazada por manifestaciones milagrosas. Hay que estudiar la verdad y hay que buscarla como un tesoro escondido. No se darán inspiraciones maravillosas aparte de la Palabra, ni aquéllas tomarán el lugar de ésta. Aferraos a la Palabra y recibid la Palabra injertada que hará a los hombres sabios para la salvación (*Mensajes selectos*, t.2, pp. 112, 113 y 115).

Ellen G. White

¿Quieres ser una mujer feliz?
Actúa como si ya lo fueras

Tú dices: «Es imposible». Dios dice: «Al que cree, todo le es posible»
(S. Lucas 18: 27).

Tú dices: «Estoy muy cansada». Dios dice: «Yo te haré descansar»
(S. Mateo 11: 28-30).

Tú dices: «Nadie me quiere». Dios dice: «Yo te amo» (S. Juan 3: 16, 34).

Tú dices: «No puedo seguir adelante». Dios dice: «Bástate mi gracia»
(2 Corintios 12: 9; Salmos 91: 15).

Tú dices: «No puedo con esto». Dios dice: «Yo dirigiré tus pasos»
(Proverbios 3: 5-6).

Tú dices: «No soy capaz». Dios dice: «Yo soy capaz» (2 Corintios 9: 8).

Tú dices: «No vale la pena». Dios dice: «Valdrá la pena» (Romanos 8: 28).

Tú dices: «No puedo perdonar». Dios dice: «¡Yo te perdono!»
(1 S. Juan 1: 9; Romanos 8: 1).

Tú dices: «No puedo administrar nada». Dios dice:
«Yo te supliré todo lo que te falta» (Filipenses 4: 19).

Tú dices: «Tengo miedo». Dios dice: «No te he dado un espíritu
de temor» (2 Timoteo 1: 7).

Tú dices: «Siempre estoy preocupada y frustrada». Dios dice:
«Echa sobre mí tus cargas» (1 S. Pedro 5: 7).

Tú dices: «Me siento tan sola». Dios dice:
«Nunca te dejaré ni te desampararé» (Hebreos 13: 5).

MILAGROS

La verdad

Señor, tú eres mi Dios; te exaltaré y alabaré tu nombre porque has hecho maravillas. Desde tiempos antiguos tus planes son fieles y seguros (Isaías 25: 1).

RAMONCITA ya era una mujer de más de 90 años, sola y sin familia. Cada día que pasaba se sentía más vacía y sola. Sentía que esas frías esculturas a las que rezaba no la oían. Sabía que su muerte se acercaba y temía perder la salvación. Oraba y rogaba entre lágrimas: «Señor, muéstrame la verdad, dime cuál es tu verdad». Una noche tuvo un sueño asombroso. Un ángel estaba junto a su cama y le decía: «¿Quieres conocer la verdad? Busca a Esperanza Rosales».

A la mañana siguiente averiguó que la persona mencionada por el ángel se había casado con el señor Ibenes y mudado a la Ciudad de México, donde vivía la anciana. Decidida a encontrarla, tomó un canasto, lo llenó de alimentos y comenzó a recorrer parte de la gran ciudad.

Una mañana sintió mucha hambre, no la podía controlar. Se sentó en la banqueta, sacó su comida y sucedió lo impensable: alzó sus ojos y vio a Esperanza, que salía a sacar la basura. Dios la había hecho detenerse en ese lugar preciso. Corrió hacia donde ella estaba y le dijo: «¡Esperanza, te encontré! Mi Señor me mandó a buscarte, y aquí estoy. Él me dijo que tenías algo que decirme. Bien, aquí estoy. ¿Qué cosa es?»

Esperanza no cabía de su asombro, y en lo único que pudo pensar fue hablarle de la verdad, la fe cristiana que recientemente había hallado. Entraron a la casa y se acomodaron en la sala. Esperanza comenzó a dar estudios bíblicos a la anciana. Ramoncita no dejaba de preguntar: «¿Y qué más?» ¡Tenía hambre de la Palabra de Dios!

¿Cuántas de nosotras tenemos esa necesidad de conocer la Palabra de verdad?

Tenemos que aprender a estudiar profundamente las Escrituras cada día, a buscar la verdad, y preguntar a nuestro Dios: «¿Qué más quieres enseñarme hoy, mi Señor?» Porque únicamente mediante el estudio de la Biblia podremos conocer la salvación verdadera.

Jennifer Britton de Miranda

Auxilio en las tribulaciones

Si con la primera señal milagrosa no te creen ni te hacen caso —dijo el Señor—, tal vez te crean con la segunda (Éxodo 4: 8).

¡ES HERMOSO hacer planes para viajar! Sobre todo cuando se trata de un evento de la iglesia. En esta ocasión la reunión de Federación de Jóvenes sería en Creel, Chihuahua. El autobús se veía espléndido, los jóvenes, entre ellos mis hijas, estaban felices. Más de cuarenta personas abordamos el autobús el 15 de noviembre de 2001. Oramos, cantamos y poco a poco nos fuimos quedando dormidos. Era de madrugada.

Pero a las 4:00 a.m., ocurrió un accidente. ¿Cómo fue? No lo sé. Todo era confusión. Ruido, gritos, oscuridad. Empezamos a salir del autobús como pudimos y nos percatamos que el chofer había huido. Habíamos caído a un barranco de 50 metros de profundidad.

En ese momento Dios nos dio una lluvia de estrellas que iluminó el lugar y nos mostró su amor y protección. Entonces nos dimos cuenta de una terrible noticia: Miguelito estaba muerto. Ese joven siempre fue un ángel. A los demás, sin duda alguna, Dios nos había dado una segunda oportunidad para enmendar nuestras vidas.

Sobrevivir a un accidente de este tipo te hace reflexionar sobre tu vida espiritual. ¿Cuántos de los sobrevivientes de ese accidente tan aparatoso seguimos en la lucha rumbo a la tierra prometida? Después de ver la muerte tan cerca, cada día es una oportunidad para ser salvos. El Señor envía a sus ángeles para protegernos. Él sabe por qué suceden las tragedias y algún día disipará muchas dudas que hoy agobian nuestra mente. Ten paciencia. «Gracias Jesús por salvar mi vida, la de mi esposo e hijas y la de varios más ese día. Ayúdanos a que todos aceptemos la vida eterna. Amén».

Patricia Velasco de Aguilar

¡Dios, ayúdame!

Invócame en el día de la angustia; yo te libraré y tú me honrarás
(Salmos 50: 15).

VIVÍAMOS EN UNA ZONA RURAL. Cada mes íbamos a la ciudad a realizar nuestras compras. Tardábamos alrededor de dos horas y media para llegar a nuestro destino. Teníamos un automóvil viejo, siempre que salíamos lo poníamos bajo el cuidado y la dirección de Dios y sus ángeles.

Una noche, al regresar de la ciudad a casa, había llovido y la carretera estaba resbalosa. Íbamos sobre un camino empinado y con muchas curvas. De pronto sentimos cómo el vehículo se resbalaba en medio de la carretera; mi esposo no podía controlarlo.

A unos cuantos metros miramos que en el carril contrario se desplazaba un vehículo de carga pesada, nuestro automóvil se dirigía hacia un puente donde corría el agua con mucha presión. Mis hijos y yo nos quedamos en silencio al ver cómo mi esposo luchaba por evitar un desastre. Mis cuatro hijos recuerdan cuando su papá gritó con voz desesperada: «¡Dios, ayúdame!» De manera providencial, en un instante el carro tomó su carril y pudimos llegar a casa sanos y salvos. Mis hijos y yo una vez más comprobamos que Dios cuida de nosotros.

A veces es necesario enfrentar situaciones muy difíciles para comprobar que Dios está muy cerca de nosotras. Cuando ya hemos agotado todas las opciones humanamente aceptables, es el momento en el que Dios actúa y revela su majestuoso poder. El Señor tiene muchas formas de cuidarnos y protegernos, una de ellas es a través de sus ángeles: «Así que, aunque expuesto al poder engañoso y a la continua malicia del príncipe de las tinieblas y en conflicto con todas las fuerzas del mal, el pueblo de Dios siempre tiene asegurada la protección de los ángeles del cielo. Y esta protección no es superflua. Si Dios concedió a sus hijos su gracia y su amparo, es porque deben hacer frente a las temibles potestades del mal, potestades múltiples, audaces e incansables, cuya malignidad y poder nadie puede ignorar o despreciar impunemente» (*La verdad acerca de los ángeles*, p. 11). Si en tu vida hay situaciones que no puedas controlar, solo tienes que decir: «¡Dios, ayúdame!»

Adaías de Ojeda

Dios utiliza y envía

*Entonces los envió a predicar el reino de Dios y a sanar
a los enfermos (S. Lucas 9: 2).*

DIOS SABE CUÁNDO y cómo nos traerá a su camino. Un día, me diagnosticaron un problema en los ovarios y me advirtieron que posiblemente tendrían que someterme a una cirugía. Me recomendaron acudir a un sanatorio naturista y acepté internarme. Lo mejor de todo fue que ahí no solo recibí tratamiento médico sino también espiritual. En una de las consultas, donde la mayor parte del tiempo hablábamos de la Biblia y de Jesús, el médico me dijo que mis ovarios no sanarían completamente, quedarían deformes y con lesiones.

Alguien sugirió organizar un grupo pequeño en mi casa para estudiar el folleto *La fe de Jesús*. En una de esas reuniones asistió el pastor de la iglesia. Como si no fuera suficiente soportar las pláticas del médico y las reflexiones bíblicas del grupo pequeño, ahora tenía que soportar al pastor de la iglesia. Parecía que todos me estaban bombardeando con la Biblia. Pero controlé mis impulsos y me quedé a escuchar al ministro.

Siete meses después del diagnóstico de mi enfermedad y de escuchar constantemente al médico y al pastor, me rendí ante Dios y acepté ser bautizada. En ese momento ya no recordaba ni me preocupaba mi enfermedad. Dos meses después acudí a que me realizaran una ecografía.

—¿Para qué te haces este estudio? — preguntó el radiólogo. Le dije mi problema.

—¿Estás segura? – insistió.

—Sí, ya me han realizado otros ecos aquí y tengo estos problemas.

El radiólogo revisó mi historial clínico y dijo:

—Es cierto, pero lo sorprendente es que, a diferencia de los estudios anteriores, en éste tus ovarios están limpios, de tamaño normal y sin lesiones ni alteraciones, sin antecedentes de algún padecimiento.

Dios sabe cuándo te llevará por su camino, qué utilizará y a quiénes enviará para hacerlo. Conmigo utilizó una enfermedad, además me envió un médico y un pastor. ¿A quién te enviará a ti? Hoy te invito a que prediques su palabra de salvación y sanidad.

Addry Gómez

Milagro en la sierra

Pero Dios es mi socorro; el Señor es quien me sostiene
(Salmos 54: 4).

EN CIERTA OCASIÓN VIAJAMOS muchos kilómetros para llegar a la Universidad de Navojoa, ubicada en el Estado de Sonora. Una de nuestras hijas iba a graduarse así que nos preparamos para el largo viaje de ida y de regreso. Estábamos listos para un fin de semana de fiesta. Llegamos muy bien a las instalaciones de la universidad. Nos sentimos agradecidos con Dios por haber alcanzado, junto con nuestra hija, la finalización de sus estudios profesionales.

Al terminar la celebración nos preparamos para el viaje de regreso. Salimos al medio día de Navojoa con rumbo a Chihuahua, México. La sierra de Sonora, en Yécora, es muy bonita pero la carretera no mucho. Viajamos en caravana ese domingo con nuestra familia, la familia de mi hijo y mis hijas con su «mudanza» de fin de curso. Entrando a la sierra, después de Tesopaco, Sonora, entre tantas curvas, uno de los vehículos se descompuso de la caja de velocidades. Apenas íbamos iniciando el viaje de regreso.

Nos detuvimos y bajamos para saber cuál era el problema de la camioneta. Al poco rato teníamos atrás una camioneta de redilas y un tractor ofreciendo ayuda. Pero no había solución.

Clamamos a nuestro buen Dios en secreto para que arreglara el desperfecto del vehículo. Mientras tanto, las muchachas y los niños estuvieron explorando el lugar. Mi esposo y yo continuamos orando, no había mucho qué hacer humanamente hablando, sino esperar en nuestro Dios. De manera providencial, la caja de velocidades respondió bien y la camioneta pudo seguir el viaje. En ese momento, para nuestra familia, este detalle fue un milagro del cielo.

¿Te ha sucedido algo parecido? Estoy segura que sí y también has recibido la pronta respuesta del cielo. Ésta es solamente una de las experiencias que podemos escribir para agradecer a nuestro buen Padre celestial. Recordemos que Dios es quien nos ayuda siempre. Lo que pareciera tan difícil en medio de la carretera y alejados de la civilización, en nuestro hogar, nuestra familia o trabajo, Dios lo resuelve. Confiemos siempre y agradezcamos a él porque es quien nos ayuda siempre.

Lourdes Cuadras de Alonso

¿Algo te parece imposible?

Lo que es imposible para los hombres es posible para Dios
—aclaró Jesús (S. Lucas 18: 27).

EN OCTUBRE de 2001 vivíamos en Tototlán, Jalisco, México; cuando después de varios meses de espera, le informaron a mi esposo que le darían la base de su trabajo como médico. Pronto le indicaron el lugar donde trabajaría. Como queríamos estar juntos, tuvimos que trasladarnos a ese poblado porque era imposible ir y venir a casa el mismo día. Vivimos así durante algunos meses, en los cuales todos los viernes regresábamos a cumplir con nuestro compromiso con Dios y con la iglesia donde asistíamos, además de llevar a la iglesia a mi anciano padre, ya que no tenía a nadie para trasladarlo. Era algo muy pesado, sentíamos que no íbamos a poder con esta situación por mucho tiempo.

Orábamos cada día a Dios pidiéndole que nos ayudara para que le dieran el cambio a mi esposo, por lo menos a un lugar donde él pudiera ir y volver a casa todos los días. No imaginábamos que el Señor estaba trasformando un corazón. La doctora que laboraba en el pueblo donde pertenecíamos tomó la decisión de cambiarse de lugar, aun cuando ella había dicho lo contrario, que nunca dejaría ese lugar. No sabemos qué fue lo que sucedió, pero sí sabemos que Dios actuó y le dieron el cambio a mi esposo, ¡en el lugar donde estaba nuestro hogar!

Estamos tan felices y agradecidos con el Señor por esto y por todas las puertas que nos abrió en el transcurso de ese tiempo. Estamos maravillados al ver cómo él hace todo de una manera tan fácil, cuando a nosotros nos parece imposible.

En tu vida cuando algo te parezca imposible, recuerda que lo que es imposible para los hombres es posible para Dios.

Noemí Torres de Uribe

Grande es el poder de Dios

El Señor es mi fuerza y mi cántico; él es mi salvación. Él es mi Dios,
y lo alabaré; es el Dios de mi padre, y lo enalteceré (Éxodo 15: 2).

ERA UN VIERNES de tarde cuando mi pequeño de 5 años lloraba con la mano en el ojo. Cuando vi su ojo, me quise morir de la angustia. Un niño mayor que él le había picado el ojo con un objeto punzante. Lo llevé al servicio médico de urgencias y el médico de guardia nos informó que no podía hacer nada por él, pues necesitaba cirugía de emergencia y me indicó que lo llevara a la clínica de especialidades.

Cuando llegué al servicio de Urgencias del Hospital de Pediatría no había especialista, pues era fin de semana. Mi angustia llegó a su límite cuando vi a la doctora residente de oftalmología y ella dijo: «Pásenlo al quirófano, hay que operarlo inmediatamente, de lo contrario puede perder los dos ojos por la infección».

No puedo olvidar aquella noche fatal. Oía la voz de mi hijo que lloraba y me llamaba. ¡No pude soportar! Me regresé a casa. Los otros niños dormían, todo me parecía sombrío. Esa noche tuve una lucha tremenda. Mi esposo y un familiar se quedaron en el hospital. Empecé mi ayuno, oré toda la noche; le supliqué a Dios que guiará esas manos tan pequeñas de la residente, era una jovencita que hacía tambalear mi confianza. La intervención se inició a las 11:00 p. m., y terminó a las 5:00 a. m. ¡Me pareció una eternidad!

El lunes en la mañana llegó a verlo el especialista. Cuando le quitó el apósito estaba muy edematizado, no dio ninguna esperanza. Clamé al Señor. Llamé a las hermanas de la iglesia para que oraran por mi hijo. Fueron momentos muy angustiantes.

El siguiente miércoles me citó el especialista para examinarlo; pero antes de entrar al consultorio, entré al baño, me arrodillé con mi hijo en brazos y le pedí a Dios con todo mi corazón que sanara a mi pequeño. Entonces le quité el parche que lo cubría, luego le cubrí el otro ojo y le pregunté: ¿Ves? Y él respondió: «¡Sí, veo!» El médico le dijo que no podía creerlo. Yo sé que fue un milagro.

Alba Leonor Santos

Neblina en el camino

Así que no temas, porque yo estoy contigo; no te angusties,
porque yo soy tu Dios. Te fortaleceré y te ayudaré; te sostendré
con mi diestra victoriosa (Isaías 41: 10).

UN DÍA MI HERMANO Marco Vinicio vino a visitarme con su esposa Erica y sus dos hijos. Era la primera vez que pasarían las vacaciones conmigo. Todo estuvo muy bien: paseamos, conocimos lugares atractivos, disfrutamos mucho. Después los llevé a la Ciudad de México para que tomaran su avión de regreso a Sinaloa, donde viven.

Hicimos el viaje, los dejé en el aeropuerto y me regresé a las 4:00 a.m., para recibir a mi esposo, a quien vería después de 15 días de viaje. Todo iba muy bien hasta que de pronto entré en una zona de niebla donde era casi imposible continuar; entonces me vino un profundo sentimiento de miedo, inseguridad y desesperación. Todo esto unido a una mala visibilidad complicó las cosas.

No alcanzaba a ver carros, letreros ni luces. «¡Dios mío! ¡Ayúdame, qué hago!» De pronto se me ocurrió seguir a un camión que iba adelante. Y así fue por casi dos horas. Entonces la neblina se despejó y el camión desapareció. Ahora me encontraba perdida en una carretera que no conocía. No sabía dónde estaba. Nuevamente levanté mis ojos: «¡Dios mío, se termina la gasolina del carro! ¡Qué hago!»

Pronto vi a unas personas que me indicaron cómo regresar al primer retorno, donde le pedí ayuda a un policía federal de caminos. Con una sonrisa me dijo: «Oiga, usted anda muy lejos del camino correcto». Después de darme instrucciones tomé la ruta indicada. Sentí una gran alegría al llegar a un lugar conocido, ahora me sentía llena de confianza.

El viaje se alargó tres horas más de lo normal, pero estaba agradecida de llegar con bien y encontrarme con mi familia. Todo esto me hizo reflexionar que en esta vida, cuando tienes problemas y vives en angustia, se forma una neblina espesa de inseguridad, temor y desesperación, tanto que no ves las señales del camino correcto y dejas que te guíe alguien que lleva otro rumbo. Y cuando te das cuenta ya estás perdida, y malogras valiosos años de tu vida para volver al camino correcto.

Sofía De Lima

Milagro en la carretera

Cuando cruces las aguas, yo estaré contigo; cuando cruces los ríos, no te cubrirán sus aguas; cuando camines por el fuego, no te quemarás ni te abrasarán las llamas (Isaías 43: 2).

HABÍAN PASADO algunos meses sin ver a mis padres. La alegría de volver a casa llenaba mi corazón. Eran las tres de la tarde cuando iniciamos nuestro viaje desde Nanchital, Veracruz, a Tapachula, Chiapas. Tendríamos que viajar por lo menos unas 10 horas para llegar a nuestro destino. Todo iba muy bien. Mis niñas se durmieron pronto. Yo platicaba con mi esposo emocionada al saber que en unas cuantas horas vería a mis seres amados.

De pronto empezó a llover muy fuerte. Era tanta la lluvia que mi esposo tuvo que salir de la carretera para estacionarse porque la visibilidad era mínima. Allí permanecimos hasta que terminó la lluvia. Al continuar nuestro viaje el automóvil comenzó a fallar. Avanzaba un poco y se detenía. Ya era de noche, entonces, el miedo se apoderó de mí. Mi esposo vio a lo lejos una sencilla vivienda y fue a preguntar al dueño de la casa por un mecánico. Pero el señor dijo que no conocía a ningún mecánico, y con un arma en la mano, nos dijo que no molestáramos. Comencé a orar a Dios pidiéndole que nos protegiera, que por favor pusiera sus manos en las partes del carro que estaban fallando para que pudiésemos continuar nuestro viaje. El milagro sucedió. Dios contestó mi oración, y cuando mi esposo intentó encender el carro de nuevo, arrancó como si nada pasara. Así se reinició el viaje y continuamos sin problemas. Mi corazón se alegró y di gracias a Dios por estar siempre con nosotros.

A veces, en la vida existen temores, hay problemas que no podemos solucionar. Pero tenemos a un Dios que nos ama tanto que está pendiente de cada paso que damos y quiere lo mejor para ti. Solamente ve a él, cuéntale tus problemas y él los solucionará de acuerdo a su voluntad. ¡Confía en el Señor! Él está cerca de ti en este momento.

Araceli de Quetz

¡Sé parte de un milagro!

Recuerda que durante cuarenta años el Señor tu Dios te llevó por todo el camino del desierto, y te humilló y te puso a prueba para conocer lo que había en tu corazón y ver si cumplirías o no sus mandamientos (Deuteronomio 8: 2).

LLEGUÉ A LA UNIVERSIDAD Andrews como la mayoría de los estudiantes: sin casa, sin amigos y sin los recursos necesarios. Empecé a temer por lo que podría venir. Me fui a caminar y comencé a decirle a Dios: «Tú has prometido no cerrar una puerta sin haber abierto otra». Así que me aferré a esta promesa, pedí que se hiciera su voluntad.

Al llegar a casa, hablé con un profesor conocido, quien me comentó que había una iglesia en Eau Claire en la que necesitaban a un pianista. Él estaba seguro de que me ayudarían. También me preguntó si ya tenía un lugar dónde hospedarme y le respondí que no estaba segura. Entonces me dijo: «Pues no te preocupes, tú no estás sola. Aquí está nuestra casa si no tuvieras a dónde ir. Es pequeña pero te la ofrecemos con mucho cariño». En ese momento empecé a sentir el abrazo de Dios.

El sábado siguiente asistí a la Iglesia Hispana de Eau Claire. Los hermanos me recibieron con mucho cariño y aceptación. Me presentaron con la esposa del pastor de la iglesia y, durante el jardín de la oración, tres hermanos expresaron su agradecimiento a Dios al saber que sus oraciones habían sido contestadas porque una pianista había llegado a la iglesia. Entonces comprendí lo que significa ser parte de un milagro. Al terminar el culto me invitaron a comer, me proveyeron de sustento para el resto de la semana y también me promovieron como maestra de piano. En ese momento 12 jóvenes estuvieron dispuestos a comenzar clases de música. ¡Dios hizo el milagro para la iglesia y para mí!

Te invito a que dediques tus talentos a Dios para que él te use y puedas ser parte de un milagro. Si te dejas dirigir por él, sus planes se cumplirán en tu vida. «Porque yo sé muy bien los planes que tengo para ustedes —afirma el Señor–, planes de bienestar y no de calamidad, a fin de darles un futuro y una esperanza» (Jer. 29: 11).

Dana Zulibeth Magaña Monzalvo

Mi Dios proveerá

Así que mi Dios les proveerá de todo lo que necesiten, conforme a las gloriosas riquezas que tiene en Cristo Jesús (Filipenses 4: 19).

MI HIJA PEQUEÑA se quejaba de un dolor. La llevé al médico: la revisó y la remitió con un especialista. Éste llamó a otros médicos, la internaron, le hicieron muchos estudios y por fin llegó el diagnóstico: la niña estaba muy mal y no existían medicamentos para su enfermedad. Nuestra única esperanza: Dios, y a él nos aferramos. Para este tiempo había muchas personas que oraban por ella. Tenía dolores muy fuertes y los analgésicos no la aliviaban.

Un día un médico interesado en el caso investigó por su cuenta y nos compartió una información. En Estados Unidos acababan de descubrir un medicamento para su problema. Había que traerlo a México pero tenía que autorizarlo la Secretaría de Salud, y además era sumamente caro. Un mes de sueldo de mi esposo no alcanzaba ni siquiera para una sola ampolleta y necesitaba muchas.

Oramos, escribimos cartas, hicimos llamadas telefónicas, íbamos de un lugar a otro y hablamos con muchas personas. Dios eliminó todos los obstáculos. El medicamento fue aprobado, traído a México y, a pesar de su elevadísimo costo, mi hija comenzó a recibir tratamiento. Pronto mejoró su salud.

Han pasado muchos años y ella recibe su tratamiento sin tener que pagar por él. Mi Dios ha suplido todo lo que ha faltado para gloria de su nombre y nos ha sostenido a ella y a nosotros. Podemos decir con alegría: «Hasta aquí nos ayudó el Señor», y estoy segura, lo hará el tiempo que sea necesario. Si te encuentras en una situación difícil de salud, de necesidad, de cualquier cuestión que parezca imposible, no te desesperes, no te llenes de angustia. Únicamente aférrate de la mano de Dios y confía. Él proveerá todo lo que falte.

Susana Limón de Reyna

Cuidado con tu salud

Si escuchan mi voz y hacen lo que yo considero justo, y si cumplen mis leyes y mandamientos, no traeré sobre ustedes ninguna de las enfermedades que traje sobre los egipcios. Yo soy el Señor, que les devuelve la salud (Éxodo 15: 26).

CIERTO DÍA, uno de mis colegas me comentó que llegó a su consulta un paciente. Así que le ordenó exámenes de laboratorio, donde encontró cifras muy elevadas de colesterol, triglicéridos, glucosa, urea, etcétera. Alarmado por los resultados, mandó llamar al paciente y le explicó lo delicado de su situación. Antes de que continuara, el paciente lo interrumpió y le advirtió: «Mire doctor, yo ya sé que soy diabético, si lo que va a decirme es que cambie mi alimentación, que no coma y beba todo lo que me gusta, y que no haga todo lo que me distrae, ¡olvídelo! No lo voy a hacer». Mi compañero cambió el giro de la conversación hacia el tema que a todo hombre interesa, los automóviles. Caminó hacia la ventana y le llamó.

—Mire, —le dijo señalando hacia la calle— ¿ve aquel Gran Marquis?

—Sí — contestó el paciente.

—Es de colección. ¿Le gusta?

—Sí doctor, está muy bonito.

—Pues es mío, lo acabo de adquirir. Un amigo que tuvo que mudarse de esta ciudad me lo vendió y de inmediato lo llevé con mi mecánico de confianza. Me dijo que estaba en excelentes condiciones y, para que se conservara así, debía traerlo a revisión cada cinco mil kilómetros.

Ya para despedirse, el doctor le dijo al paciente: «¿No crees que tu cuerpo es más importante que un vehículo? El carro se puede reponer en cualquier momento, tu cuerpo no. ¿Por qué entonces no tener los mismos cuidados con tu cuerpo, y aceptar las recomendaciones que el experto te da para que tu organismo funcione bien? ¿Por qué la maquinaria de tu cuerpo, tan perfectamente hecha por tu Creador, ha de deteriorarse cada vez más por falta de cuidados? Piénsalo. Yo estaré aquí y te esperaré». El paciente se retiró en silencio y pensativo. Dos días después regresó para seguir las indicaciones que el experto le indicó.

Luz María Figueroa Zambrano

El llamado oportuno de Dios

Entonces oí la voz del Señor que decía: «¿A quién enviaré?
¿Quién irá por nosotros?» Y respondí: «Aquí estoy.
¡Envíame a mí!» (Isaías 6: 8).

CUANDO RECIBIMOS el llamado de Dios y acudimos a él, nuestra familia vivía momentos difíciles. Después de recibir estudios bíblicos decidimos entregarnos al Señor. La ceremonia bautismal fue inolvidable. Pero sucedió algo extraño después de habernos bautizado. Mi esposo, mi hija y yo no habíamos entendido plenamente la gran bendición que habíamos recibido. En lo particular, oraba poco y esporádicamente leía la Biblia. No veíamos cambios, había mucha confusión, incluso estuvimos a punto de retirarnos de la iglesia. Tristemente, muchas de las actitudes de algunos hermanos nos hacían pensar que no eran cristianos.

Sin embargo, poco a poco nuestra vida se transformó, gracias a la grandeza y misericordia de Dios. Hemos admirado la magnificencia de su creación y somos testigos de los milagros que se han manifestado en la vida de nuestros hijos; asimismo, experimentamos en nuestra familia el poder divino para devolver la salud a los enfermos. Actualmente participamos en todas las actividades que los dirigentes nos solicitan. Queremos que nuestra iglesia se reavive y se fortalezca. Nos hemos dado cuenta que el servicio cristiano es una parte muy importante del crecimiento espiritual. Hemos aprendido también a compartir el evangelio con quienes nos rodean.

Únicamente el poder del Espíritu Santo hará de nuestros templos vivientes un lugar de paz y gozo, y así nuestra casa de adoración será un refugio donde los hermanos encuentren calidez y amor. Hoy te invito a aceptar el llamado que Dios te hace para servir en su iglesia. ¡Acéptalo y tu vida cambiará!

Rebeca Corona de Ávila

Dios me ha transformado

Les daré un nuevo corazón, y les inundaré un espíritu nuevo;
les quitaré ese corazón de piedra que ahora tienen, y les pondré
un corazón de carne (Ezequiel 36: 26).

ACEPTÉ la invitación de Cristo, y no dudé en entregar mi vida a él y bautizarme. A partir de ese momento pensé que Dios comenzaría a arreglar todos mis problemas. Dios lo ha hecho de la manera perfecta y no como yo lo esperaba. Han transcurrido tres años desde que comencé a caminar con el Maestro y aún mi pensamiento lucha con el limitado entendimiento humano y la vastedad de la sabiduría espiritual. Solo a través de la oración y la lectura de la Biblia he podido entablar una incipiente comunicación con nuestro Padre celestial. Digo incipiente porque es tal la magnitud y plenitud de Dios, que en tan poco tiempo es difícil comprender y asimilar estos conceptos en su totalidad. Además, el Señor tiene su propia agenda para darnos a conocer lo que debemos saber acerca de su poder y gracia.

Gracias a las revelaciones y al poder transformador del Espíritu Santo he aprendido y me he dado cuenta que ya no soy la misma de antes. Eso me llena de gozo, fe y esperanza. Con mano firme y amorosa, el alfarero ha quebrantado las fortalezas de egoísmo, soberbia y rebeldía que habían apresado mi corazón y distorsionado mi mente en una red de mentiras. Comprendo ahora que tejer esta red fue el trabajo de Satanás y la única fuente de todos mis problemas.

Aún queda mucho por hacer y confío que «el que comenzó tan buena obra […] la irá perfeccionando hasta el día de Cristo Jesús» (Fil. 1: 6). No ha sido fácil; me ha costado dolor y muchas lágrimas pero he entendido que este sufrimiento vale la pena y doy gracias a Dios por él. Además, en su inmenso amor, Dios cumple sus promesas y me ha cuidado a lo largo de todo el proceso. Más aún, me ha regalado un hijo precioso que siempre será el recordatorio de que «tan grande es su amor por los que le temen como alto es el cielo sobre la tierra» (Sal. 103: 11).

El camino que aún debo recorrer es angosto pero voy segura en las manos del Creador. Doy muchas gracias a Dios por predestinarme para ser su hija, por buscarme hasta hacerme volver a él, por llenar mi vida terrenal de propósitos y bendiciones y porque ahora sé que lo más excelso y sublime está por venir.

Rebeca Ávila de Arizmendi

MILAGROS

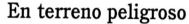

En terreno peligroso

Porque el Señor estará siempre a tu lado y te librará de caer en la trampa
(Proverbios 3: 26).

CURSÉ MI EDUCACIÓN primaria y secundaria en instituciones cristianas. Pero llegó el momento de entrar a la preparatoria, así que decidí ingresar a la Escuela Nacional Preparatoria para obtener el pase automático para la Universidad Nacional Autónoma de México.

Gracias a Dios, aprobé el examen de admisión. Sin embargo, cuando conocí mi nueva escuela me di cuenta de que estaba en terreno peligroso y no sería fácil estar allí. Mis compañeros no tenían temor de Dios y la influencia de ellos sería muy fuerte. Además, me encontraba en una etapa de mi vida compleja. En la adolescencia uno quiere experimentar nuevas cosas; tiene curiosidad, quiere comerse el mundo con la mirada, y yo estaba muy consciente de ello.

Un día me invitaron a una fiesta y acepté ir. Recuerdo que fui por simple curiosidad, pero al estar allí me sorprendió el tipo de ambiente en el que me encontraba. Había de todo. En ese momento me di cuenta que me encontraba en el mundo, pero que no pertenecía a él.

Al terminar la preparatoria le di gracias a Dios porque estuvo conmigo cuando me encontraba en terreno peligroso. Actualmente estoy en la universidad y no tengo miedo porque estoy segura que él seguirá protegiéndome de las garras del enemigo. En algún momento, como cristianos nos toca estar en terreno peligroso en el que podemos flaquear. Si te sientes débil y piensas que no puedes contra el mundo, pide hoy al Señor que te dé fuerzas cuando te encuentres en terreno peligroso y él te ayudará a vencer.

Einye Yuniva Villarreal Quintero

¿Imposible para Dios?

Porque para Dios no hay nada imposible (S. Lucas 1: 37).

ERAN LAS 10:30 P.M., del 25 de junio de 1998. Después de llevarme a la consulta médica y dejarme con mi madre, mi esposo había regresado a su trabajo. Todo iba bien, gracias a Dios. Esperaba mi primer bebé; tenía siete meses y medio de gestación cuando un alacrán venenoso picó mi mano derecha.

Traté de tomarlo con calma, pero pasaba el tiempo y comencé a sentirme mal. Mi hermana y mi mamá me llevaron de inmediato a una clínica donde me aplicaron un antihistamínico, que me hizo sentir mejor, pero tres días después disminuyeron los movimientos de mi bebé.

Regresamos a casa y mi madre leía la Biblia y oraba. Mi esposo participaba en una campaña de evangelismo sin saber lo que pasaba. Al siguiente día de inmediato localizamos al médico, quien al verme tristemente me preguntó: «¿No se dio cuenta cuando la fuente se le rompió?» Le respondí que eso no había pasado, pero sentí un gran vacío al saber que para el médico había perdido al bebé. En la clínica de especialidades ya me esperaban con oxígeno, suero y otros aparatos, donde el médico reconoció que mi bebé aún vivía, pero no reaccionaba. Localizaron a mi esposo, quien de inmediato regresó. Mientras viajaba, hablaba con el médico y le ponía el auricular en mi vientre, pues es muy importante la comunicación, y gracias a Dios comenzó a moverse. Le maduraron los pulmones y el doctor nos dijo que si anhelábamos a nuestro bebé le recibiéramos con más amor por la condición en que nacería.

Mi bebé vino al mundo. El doctor y su equipo participaron de un maravilloso milagro. Hicieron varias pruebas porque no esperaban este suceso. ¡Fue una linda niña! No presentó secuelas porque, sin lugar a dudas, Jesucristo tomó en sus brazos a mi pequeña, cuando todos pensaban que ya no tenía vida o que tendría grandes carencias. Sin embargo, Dorancy es una niña talentosa y saludable, para la gloria del Señor. Alabo a mi Dios, con quien estoy en deuda por el resto de mi vida.

Angélica González de González

El Rey hizo el milagro de amor en mí

Grandes y maravillosas son tus obras, Señor, Dios Todopoderoso. Justos y verdaderos son tus caminos, Rey de las naciones (Apocalipsis 15: 3).

SE HA PREPARADO LA CENA. Los invitados están avisados. El Señor tiene la fiesta preparada. Es seguro, entonces, que habrá una celebración y, por supuesto, habrá muchos asistentes.

El Rey ofrece la cena en honor de su Hijo. Pero los invitados no lo creen suficientemente importante como para asistir. A pesar de su ausencia, el salón se llena de asistentes. La invitación fue hecha en los caminos, donde transitaban los «perdedores», los angustiados, los huérfanos, los que no tienen esperanza, los solitarios, los rechazados, los que a nadie le importaban.

Allí en el camino me encontraba yo, una perdedora de la vida, sin saber a quién recurrir, pero tú, mi amado Señor, me encontraste. ¡Grandioso milagro! Tú mismo me hallaste y me levantaste, me diste vestiduras de lino fino, secaste mis lágrimas y pusiste gozo en mi ser. Yo acepté el llamado sin ser la más digna de sentarme en tu mesa. Te abracé y vivo el milagro de una nueva vida. Disfruto la alegría que da el ser incluida en la gran cena del Cordero, saberme hija del Rey y ser favorecida por su amor.

El toque del Señor siempre obra un milagro en nuestras vidas. ¡Qué maravilla! Ya tienes un lugar en la mesa, un vestido nuevo, su sangre te ha limpiado de todo pecado y, gracias al milagro de amor, tienes parte en la eternidad. ¿Acaso hay un milagro mayor que él haya dado su vida por ti y por mí? Gracias por el milagro de ser invitada, privilegiada, victoriosa, amada y aceptada por el Rey. Amiga, no pierdas la oportunidad de experimentar este día el poder de la Palabra.

Lorena P. de Fernández

Aviva tu luz

Hagan brillar su luz delante de todos, para que ellos puedan ver las buenas obras de ustedes y alaben al Padre que está en el cielo (S. Mateo 5: 16).

CUENTAN QUE un rey muy rico de la India tenía fama de ser indiferente a las riquezas materiales, hombre de profunda religiosidad, cosa un tanto inusual para un personaje de su categoría. Ante esta situación y movido por la curiosidad, un súbdito quiso averiguar el secreto del soberano para no dejarse deslumbrar por el oro, las joyas y los lujos excesivos que caracterizaban a la nobleza de su tiempo. Inmediatamente después de los saludos que la etiqueta y cortesía exigen, el hombre preguntó:

—Majestad, ¿cuál es su secreto para cultivar la vida espiritual en medio de tanta riqueza?

—Te lo revelaré si recorres mi palacio para comprender la magnitud de mi riqueza. Pero lleva una vela encendida. Si se apaga, te decapitaré—respondió el monarca.

Al término del paseo, el rey le preguntó:

—¿Qué piensas de mis riquezas?

—No vi nada. Únicamente me preocupé de que la llama no se apagara —contestó el hombre.

—Ése es mi secreto. Estoy tan ocupado tratando de avivar mi llama interior, que no me interesan las riquezas de fuera.

El soberano de esta historia se había propuesto que nada de este mundo le haría apartar su mirada ni su tiempo de lo que consideraba más importante: su vida espiritual.

¡Cuántas veces estamos tan ocupadas con las labores de la casa y con los múltiples compromisos que dejamos de lado el cuidado de nuestra vida espiritual!

Si eres como yo, seguramente muchas veces te habrás sentido culpable de no poder dedicarle a Dios el tiempo que deseas. Sin embargo, quiero decirte que nunca es tarde para tomar decisiones. Cuando decidas dedicarle tiempo a tu relación con Dios, las personas que te rodean, familia, amigos y conocidos, verán lo que Dios hace en ti, y como dice el versículo de hoy, «alaben al Padre que está en el cielo».

Anónimo

Fe en la adversidad

Traigan íntegro el diezmo para los fondos del templo, y así habrá alimento en mi casa. Pruébenme en esto —dice el Señor Todopoderoso—, y vean si no abro las compuertas del cielo y derramo sobre ustedes bendición hasta que sobreabunde (Malaquías 3: 10).

AL PRINCIPIO de nuestro ministerio vivimos en varios lugares de Texas, EE. UU. Estuvimos en Austin, en Granite Shoals y luego en un pueblo llamado Breckenridge. La población no excedía los 1,000 habitantes. Además, no había hospitales. Los médicos más próximos estaban en Dallas. Si había una emergencia, se necesitaba viajar dos horas para ser atendido.

Una noche, mientras cenábamos, mi esposo sintió que la corona de una de sus muelas se desprendió. Inmediatamente sintió el dolor de su muela expuesta. Como era de noche, no podíamos hacer nada. Por la mañana me dediqué a llamar a los dentistas que pudiesen atenderlo. Por fin encontré a uno que lo podía hacer ese día pero cobraba muy caro.

Pensar en los bajos recursos me llenó de preocupación. El único dinero que teníamos disponible en ese momento era el diezmo que íbamos a dar en la iglesia. Le comenté a mi esposo y le dije que era una emergencia y lo deberíamos usar. Él se negó rotundamente, y agregó: «El diezmo es algo sagrado, separado para Dios, y no lo podemos usar porque no es nuestro». Me pidió que tuviera fe, y me recordó que Dios no nos desampararía.

Ese sábado entregamos nuestro diezmo y pusimos en oración la situación. Oré para que Dios me diera fe. Después del servicio religioso, un hermano se acercó a mi esposo y le dijo: «Pastor, quiero agradecer todo su trabajo, gracias y que Dios lo bendiga siempre». Con estas palabras abrazó a mi esposo y le entregó un sobre.

Cuando llegamos a casa, me dijo: «Un hermano me dio esto, fíjate qué es». Cuando abrí el sobre mis ojos se llenaron de lágrimas. Nunca pensé que Dios me iba a enseñar una valiosa lección de fe de esta manera. Tampoco pensé que iba a contestar nuestra oración tan rápido. Dentro del sobre estaba exactamente el dinero que necesitábamos para pagar los servicios odontológicos de mi esposo.

Jessica G. Veloza Molina

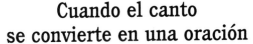

Cuando el canto
se convierte en una oración

A eso de la medianoche, Pablo y Silas se pusieron a orar y a cantar himnos a Dios, y los otros presos los escuchaban (Hechos 16: 25).

SI HAY ALGO de la naturaleza que satisface mi alma son las montañas. Actualmente Dios me ha regalado algo maravilloso, vivir entre las montañas. Aunque áridas por la región, le agradezco a Dios los hermosos paisajes que me regala cada día. Uno de los lugares que visitamos en esta región se llama Apartadero. Ya se imaginarán lo apartado que está. Se encuentra ubicado en la Sierra Queretana, entre camino sinuoso, pinos y desfiladeros, creando unos bellísimos paisajes.

Un día regresábamos de este lugar cuando el sol estaba ocultándose, lo que significaba tomar parte de la sierra a oscuras y con amenaza de una densa neblina típica de esa región. A escasos minutos de haber salido se hizo tan densa la niebla que dudábamos en continuar. De inmediato mi esposo intentó retornar, pero fue imposible, pues no podíamos ver absolutamente nada. Súbitamente empecé a sentir un temor muy grande por lo peligroso del camino, el cual expresé en voz alta con palabras negativas. Entonces él me dijo en un tono enérgico: «¡Ya deja de estar hablando! ¡Me pones nervioso! ¡Mejor ponte a cantar!»

Tomé muy en serio sus palabras y recuerdo que me empezaron a brotar un canto tras otro, cada uno de ellos con palabras que alentaban nuestra fe, no íbamos solos. En esos momentos cada canto se convirtió en una oración: «¿Cómo podré estar triste, cómo entre sombras ir [...] si él cuida de las aves, cuidará también de mí»; «Nunca desmayes que en el afán Dios cuidará de ti»; «Si en valles de peligros yo tengo que pasar [...] A cualquiera parte iré con Jesús, doquiera que esté del cielo tendré la santa luz»; «Si la fe me abandonare, él me sostendrá»; «Salvo en los tiernos brazos de mi Jesús seré»; «Jesús me guía esto sé». Algo curioso es que éstos y otros cantos los recordé perfectamente; sin duda el Espíritu Santo fue quien me los recordó porque en ese momento los necesitaba.

Te invito a utilizar el canto como una oración. Si le funcionó a Pablo y Silas en prisión, creo que nos puede funcionar en cualquier dificultad por la que tengamos que pasar, porque cuando cantes a Dios en medio de las tribulaciones de la vida, él se manifestará y al instante se abrirán todas las puertas, y las cadenas de todos serán destruidas (Hch 16: 26).

Marilú Elizabeth Velásquez de Rascón

Las estrategias de Dios

Ahora bien, sabemos que Dios dispone todas
las cosas para el bien de quienes lo aman (Romanos 8: 28).

CUANDO era niña un compañero de la escuela me lanzó algo que me lastimó la nariz. Por muchos años padecí de hemorragias nasales, y con el paso del tiempo me di cuenta que mi nariz se modificaba. Un médico adventista atendió mis hemorragias; otro médico descubrió el problema, me realizó una cirugía y ahí sané totalmente.

Conozco la historia de una mujer que padeció una situación mucho peor a la mía. Ella recibió una pedrada en el rostro, esto provocó que su nariz se fracturara; su cara se desfiguró tanto que ni su padre la reconoció. Ellen Gould Harmon es su nombre. De la mano de Dios se convirtió en una reconocida escritora con más de dos mil artículos para la *Review and Herald*, dos mil escritos para *Signs of the Times* y quinientos para otras publicaciones. Su trabajo literario, de cerca de cien mil páginas de manuscritos, fue hecho a mano.

Muchos años después de aquel accidente de su infancia, confesó: «Esta desgracia, que por algún tiempo pareció tan amarga y difícil de sobrellevar terminó siendo una bendición disfrazada. El golpe cruel que arruinara los motivos de alegría terrenal fue lo que me hizo volver los ojos al cielo. Si la tristeza que nublara mis años juveniles no me hubiera llevado a buscar consuelo en Jesús, quizá nunca lo habría conocido» (*Review and Herald*, 25 de noviembre de 1884).

Dios usa estrategias algo extrañas para sus hijos, pero cuando pasa el tiempo es fácil darse cuenta del camino que trazó para nuestro bien. Solo un milagro pudo hacer de la vida de Ellen, una fuente de inspiración para su iglesia.

Probablemente te agobias por los problemas que tienes. Estás en situaciones difíciles, crees que nadie te quiere; tus hijos son rebeldes, se meten en problemas; no tienes trabajo o anhelas otro; tal vez tienes serios problemas con tu esposo o compañeros de trabajo, en fin tantas situaciones que se pueden presentar. Dios tiene un plan para ti. Él puede hacer milagros y transformar tu desgracia en bendición. Piensa que la situación que vives es parte del proceso que necesitas para algo mejor.

Ora a Dios y pídele con fe que realice un milagro en tu vida y con todos los que te rodean. Estoy segura, en algún momento, él actuará de manera milagrosa.

Elizabeth Suárez de Aragón

Respuesta a la oración

*Si ustedes creen, recibirán todo lo que pidan en oración
(S. Mateo 21: 22).*

ERAN LAS VACACIONES de verano, como la mayoría de los estudiantes, mi esposo, estudiante de Teología, saldría con el grupo de colportores. Yo acababa de superar una amenaza de aborto, así que antes de ir a Guadalajara a colportar, mi marido iría a dejarnos a casa de mis papás. Pero había un pequeño problema: no teníamos el dinero que necesitábamos para viajar.

Nuestro hijo mayor, Isaac, estaba triste porque no podríamos viajar. Así que una tarde, como a eso de las 4:00 p. m., me dijo: «Mami, no te preocupes, voy a mi cuarto a orar y Dios nos dará el dinero». Fue a su cuarto y se introdujo en un lugar especial que tiene para orar. Al salir, dijo: «Ya mami, ya le dije a Dios, y él nos va a ayudar». Al siguiente día recibimos una llamada de una amiga que radica en EE. UU.: «Paty, ayer como a las 4:00 p. m., mi esposo me dijo presentir que ustedes necesitaban dinero, les mandamos algo, espero les sirva». Cuando ella me dijo eso, junto con el monto de la cantidad que enviaban, mis lágrimas rodaron de gozo. ¡Era justo el dinero que necesitábamos para viajar! Cuando se lo dije a mi hijo su rostro se iluminó con una gran sonrisa y saltó de alegría diciéndome: «¡Te dije, te dije! ¡Dios me escuchó!» En ese momento oramos agradeciéndole a nuestro Dios, y salimos a contarle a mi esposo.

Queridas amigas, tenemos un Dios maravilloso ansioso de mostrar su poder en nuestra vida. ¡Deja que te lo muestre! Hoy te invito a que te aventures con él por medio de la oración y verás las grandes maravillas que hará en tu vida, recuerda el canto que dice: «Cuando el pueblo de Dios ora suceden cosas maravillosas». Hazlo y tu vida cambiará.

Patricia Martínez de Ortega

MILAGROS

Dios se manifiesta aun en los pequeños detalles

Pues si ustedes, aun siendo malos, saben dar cosas buenas a sus hijos, ¡cuánto más el Padre celestial dará el Espíritu Santo a quienes se lo pidan! (S. Lucas 11: 13).

PARA MUCHOS ESTUDIANTES, la vida universitaria es de tensión y apuros. No hay tiempo que perder, especialmente si no tienes los recursos económicos para la colegiatura. Hace unos días me faltaban algunos artículos personales, específicamente papel higiénico, pasta dental, jabón de baño, gel para mi cabello. Contaba con $ 14.00 M.N., pesos mexicanos, con lo que pensaba comprar lo más necesario; pero de pronto me di cuenta que todo era necesario. Decidí pasar por una amiga a su dormitorio para que me acompañara a la tienda, cerca de la universidad. Ella estaba ocupada y me preguntó: «¿Qué vas a comprar?» Sin pensar en la cantidad de dinero que traía, le leí mi lista. Se levantó de donde estaba y me dijo: «¡Resuelto! Yo tengo todo lo que tú necesitas y así no tendremos que ir a la tienda». En una bolsa colocó cuatro rollos de papel sanitario, una pasta dental, jabón para el cuerpo y para el rostro, aerosol y gel. ¡Yo estaba emocionada! ¡Ahora tenía el dinero y todo lo que necesitaba! Me dio las cosas y sin poder hablar pensé en cómo Dios suplía mis pequeños detalles. Aún sin poder hablar fui a mi cuarto, me arrodillé y agradecí a Dios por proveer para mi necesidad. Esto me recordó la historia de la viuda de Sarepta, no tenía nada, sin embargo, Dios hizo provisión para que no muriera de hambre.

Aunque no nos damos cuenta o no queremos, Dios siempre tiene cuidado de nosotros, él está al tanto de todo, aun de los pequeños detalles que nos hacen falta, y está presto para suplirlos. Ellen G. White dice: «Un profundo sentido de la necesidad y un gran deseo de recibir lo que pedimos, debe caracterizar nuestras oraciones. Sin embargo, no deberíamos cansarnos de expresar nuestras plegarias porque no recibimos una respuesta inmediata. Tenemos que humillarnos delante de Dios, confesar nuestros pecados y con fe acercarnos a él. El designio del Señor es darse a conocer mediante su providencia y su gracia» (*Review and Herald*, 9 de febrero de 1897). Estemos siempre agradecidas porque Dios está con nosotros como lo prometió: hasta el fin del mundo.

Ángela Guadalupe Millán Pérez

Yo sé que mi Redentor vive

La oración de fe sanará al enfermo y el Señor lo levantará
(Santiago 5: 15).

OCURRIÓ LA MAÑANA del sábado 7 de enero de 2006. Mi padre presentó un fuerte dolor de pecho. De inmediato lo llevamos al hospital semiconsciente. Ahí el médico nos dijo que mi padre estaba muy grave y había sufrido un infarto y una embolia, pero la sangre no le había subido al cerebro y la sacó por la boca; agregó que tenía que hacerle un cateterismo para ver qué tan dañado estaba su corazón. Los resultados fueron devastadores: de las cuatro válvulas del corazón tres estaban tapadas al 99% y una al 33%, la cual irrigaba la sangre y le daba aún vida.

Los médicos le dieron a mi padre dos opciones: si no se operaba le podía dar en cualquier momento un infarto y no soportarlo; o someterse a una operación a corazón abierto y ya no salir de ella. Mi padre decidió poner su vida en las manos de Dios y se sometió a la operación a los 81 años de edad, con diabetes e hipertensión.

Papá entró al quirófano con mucho miedo. Pero en ese momento tan difícil escuchó una voz que le decía: «No tengas miedo, todo va a estar bien, el Señor todavía tiene un plan para ti en esta tierra». Esto le trajo confianza y tranquilidad. La operación duró cinco horas. Al salir, los médicos nos informaron que todo había estado bien, pero una hora después nos avisaron que mi padre estaba desangrándose y tenían que ingresarlo nuevamente al quirófano. En ese momento todos mis hermanos y familiares nos arrodillamos y le pedimos al Señor que hiciera su voluntad.

Papá estuvo cinco días en la sala de terapia intensiva con arritmias. Algunos médicos nos daban buenos pronósticos y otros malos. Esto nos llenaba de angustia y nos desalentaba, pues no queríamos verlo sufrir. Sin embargo, se recuperó favorablemente ante la admiración de los médicos.

Querida amiga, nuestras vidas están en las manos del Señor. La oración tiene mucho poder cuando se hace con fe. Nunca lo dudes. Cuando pases por momentos en tu vida, buenos o malos, recurre siempre al Señor, él estará dispuesto a escucharte y contestar antes que se lo pidas. Juntas confiemos en su amor y en el cuidado que tiene para nosotras y nuestra familia, porque él ha prometido estar con nosotras hasta el fin de este mundo.

Sara M. Solórzano Roldán

MILAGROS

El cáncer llegó a mi vida

Tú hiciste milagros y prodigios en la tierra de Egipto, y hasta el día de hoy los sigues haciendo, tanto en Israel como en todo el mundo; así te has conquistado la fama que hoy tienes (Jeremías 32: 20)

EN EL AÑO 2005 me encontraba en una de las etapas más felices de mi vida: me sentía muy bien, tenía buena salud y alegría de vivir. Cada año acudía a hacerme una revisión médica general. Sentía un gran alivio saber que todo estaba bien en los resultados. Aunque no lo aceptaba, siempre le temía a una cosa en la vida: el cáncer. Había vivido en carne propia la muerte de mi madre y dos de mis hermanos a causa de esta terrible enfermedad.

El 12 de febrero de 2006 acudí a mi chequeo de rutina. Sentí como si la tierra se abriera bajo mis pies cuando la doctora me dijo: «Señora, siento mucho decirle que tiene cáncer de mama en estadía 4». ¿Cómo era posible? Un año antes me habían dicho que todo estaba bien. ¡No podía ser verdad! Mi mente no lo aceptaba. «Señor, no tengo miedo a la muerte ni me aferro a la vida. Solo te imploro, no permitas que viva la agonía que mi madre y hermanos vivieron». Puse mi vida en sus manos y, más tranquila, busqué las opciones para el tratamiento.

Me costaba trabajo pensar que dentro de mí algo carcomía poco a poco parte de mi cuerpo. Realizaron los estudios necesarios y me prepararon para la primera operación donde confirmarían el cáncer y el tipo. A la semana siguiente se realizaron otros estudios: detectaron unos tumores y los extirparon. Alguien que ha pasado por la quimioterapia y la radioterapia sabe lo que eso significa. Mentiría si dijese que fui positiva y paciente en un cien por ciento, pero cuando sentía que me derrumbaba acudía a mi Dios y clamaba por paciencia y confianza, y sobre todo porque mi fe se mantuviera firme.

Mi agonía aún no terminaba cuando me informaron que a una de mis hijas le habían detectado también esta terrible enfermedad. Me sentí aniquilada. Ahora mi enfermedad perdía dimensiones delante de mí, el dolor era aún más grande, saber que mi hija estaba enferma. Busqué una y otra vez a Dios. Imploré su misericordia y Dios oyó mi clamor. Fue él quien nos guió por el camino a la restauración de nuestra salud. Hoy todo ha pasado. Aunque el fantasma del cáncer ronda mis sueños, me mantengo cerca de Dios y repito constantemente: «Quiero alabarte, Señor, con todo el corazón, y contar todas tus maravillas» (Sal. 9: 1).

Roxana Valladares de Moreno

El milagro de la vida

*Cuando la hija del faraón abrió la cesta y vio allí dentro
un niño que lloraba, le tuvo compasión, pero aclaró
que se trataba de un niño hebreo (Éxodo 2: 6).*

CUANDO LESTER nació representó una experiencia inolvidable en mi vida. Mi hijo me hace sentir un apego y arraigo muy especial, como si fuera el único infante en el mundo. Entonces se abrió una puerta emocional desconocida para mí. Sin embargo, nadie habría podido convencerme de esto durante el trabajo de parto. ¡Cómo vienen a mi mente todas las historias tan graciosamente compartidas sobre el aumento titánico del peso, agruras, hinchazón de los pies, náuseas y otros efectos secundarios encantadores del embarazo!

Si alguien me hubiera dicho cuánto me iba a doler, te aseguro que me hubiera retirado del juego de inmediato. Mi trabajo de parto fue corto y muy doloroso. Estuve sola. Con una sonrisa le informé a una enfermera que estaba lista. Ella se rió y yo deseé golpearla. Difícilmente pude contenerme. Esperé tan solo dos horas y durante ese tiempo comencé a pensar en el maravilloso milagro de la vida.

Nadie en el mundo podía prepararme para las grandes emociones que sentí cuando vi a este pequeño ser humano llegar al mundo. De verdad que es indescriptible. ¡Nunca había amado a nadie tanto como a él! Cualquier inconveniencia o malestar parecía pequeño e insignificante comparados al milagro que presenciaba.

Hoy me doy cuenta que el cuerpo de la mujer es el laboratorio de la vida. El Señor nos ha llamado a cuidarlo de manera especial porque ahí se gesta la vida humana. Muchas damas son descuidadas en su salud, otras no valoran el enorme privilegio que representa pertenecer al sexo femenino. Incluso, Satanás a veces pretende convencernos de los inconvenientes temporales que conlleva el cuerpo de la mujer. Pero eso no se compara con todos los beneficios que tiene.

Dios tiene un propósito divino al dejarnos participar con él en la obra de la creación. No desperdiciemos esta oportunidad y dejemos que el Creador nos use en su maravilloso plan.

Larissa Serrano

Enfrentar las aflicciones

Así que les pido que no se desanimen a causa de lo que sufro
por ustedes, ya que estos sufrimientos míos son para ustedes
un honor (Efesios 3: 13).

HACE TRECE AÑOS recibimos la noticia más trágica de nuestras vidas: nuestro hijo tenía meningitis. Después de saberlo no teníamos idea que desde ese momento tendríamos que lidiar con los estragos de esa terrible enfermedad diariamente. Por años viví con depresión, angustia, incertidumbre y agonicé cada momento. ¿Cómo lidiar con esto? Parecía que estaba más allá de mi alcance superarlo.

Una noche de insomnio, clamé a Dios. Caí de rodillas con mis ojos llenos de lágrimas y mi corazón hecho pedazos: supliqué fortaleza, sanidad para mi corazón, paciencia, fe, sabiduría, valor y un espíritu renovado. «Padre, no puedo más, aquí te dejo mi carga, mis preocupaciones y ansiedades. Desde este momento son tuyas, cárgalas porque yo no puedo». En ese momento el Señor me fortaleció.

Han pasado los años y sufro todavía, pero el Señor cura y suaviza mi herida con su amor y cumple sus promesas en mi vida. Desde aquella noche Dios me dio una receta fabulosa:

- Vive un día a la vez. Si piensas en el mañana te afligirás.
- Evita caer en la autocompasión. No eres la única persona que sufre en esta tierra.
- Lleva tu carga con dignidad. Mientras que este mundo se llame mundo sufrirás los estragos del pecado, lo mejor es llevar la cabeza en alto y disfrutar lo positivo (2 Cor. 12: 9).
- No pierdas de vista la esperanza gloriosa y maravillosa de un mundo mejor.

Si tú como yo derramas lágrimas y sientes el dolor de una herida que hay por la enfermedad, la muerte de algún ser querido o alguien que amas está atrapado en las trampas del enemigo, escucha al apóstol Pedro: «Echa toda tu ansiedad sobre él», porque él tiene cuidado de nosotras.

Sofía Mora de De Lima

El Defensor de sus hijas

Defiéndeme, Señor, de los que me atacan;
combate a los que me combaten (Salmos 35: 1).

CADA VEZ QUE TENGO la oportunidad de escuchar los testimonios de las hijas de Dios, le agradezco y alabo por darme la oportunidad de conocer su gran poder. Una hermana me platicó que en cierta ocasión fue a una tienda y pidió lo que necesitaba al empleado del establecimiento. Mientras el joven preparaba el pedido, entró un ladrón con pistola en mano y le pidió el dinero. Ella tenía extendido su billete, pero el ladrón extrañamente le dijo: «No se preocupe señora, no es con usted». La hermana no lo podía creer. No se explicaba cómo un delincuente había tenido consideración hacia ella. Agradeció mucho al Señor porque no recibió daños físicos en aquel asalto.

Me maravillo de las grandes evidencias del poder de Dios y lo alabo día con día. Escuchar el enorme valor y la fe de mis hermanas en Cristo fortalece mi vida espiritual.

Pero hoy vivimos en «tiempos peligrosos», como dice la Biblia. La violencia está en diversos lugares y no exclusivamente en las grandes ciudades. El Señor está próximo a venir a este mundo. Por eso cada mañana debemos acercarnos al trono de Dios y pedirle que nos defienda de aquellos que pretenden lastimarnos, como lo menciona el salmista.

Él está deseoso de estar a nuestro lado. Cada mañana, antes de involucrarte en tus actividades cotidianas, busca a Dios y solicítale su compañía en tu trabajo diario, en tus entradas y salidas; es el único que conoce el principio y el fin de nuestra existencia.

Entrégate a su voluntad y deja que cada paso que des, sea acompañado de su grata presencia, y vivirás con la seguridad de que tu vida permanecerá en él.

Beatriz Hernández de Paz

MILAGROS

Milagro en la vida de mi madre

Ella se le acercó por detrás y le tocó el borde del manto,
y al instante cesó su hemorragia (S. Lucas 8: 44).

TENÍA CERCA de dos años cuando mi padre falleció. Tengo muy pocos recuerdos de él. Sin embargo, puedo recordar lo difícil que fue para mi madre continuar la vida. Lo más complicado fue una enfermedad que ni los médicos podían controlar: un fuerte flujo de sangre. Los medicamentos y la atención médica no daban resultados.

Un día tocaron a la puerta. Eran dos jóvenes que usaban corbata y mochilas en su espalda. Mi madre los invitó a pasar a la sala y empezaron a hablarle del amor de Jesús, mostrándole un pequeño libro azul. No recuerdo todo lo que le decían, pero estaba junto a mi madre, quien escuchaba atentamente. Los jóvenes le regalaron un libro y otros folletos, mi madre aceptó con gusto.

Mi madre quedó muy interesada y todos los días leía una porción del libro azul. Los jóvenes visitaban los martes a mamá y le explicaban más. Pero un día los muchachos no regresaron. Mamá los esperó en vano. Un día tocaron nuevamente a la puerta. Esta vez eran dos mujeres con un Libro negro en sus manos y pidieron un momento para platicar. Para sorpresa de mi madre, ellas también le empezaron a hablar del amor de Jesús. Se sintió un poco confundida pero sentía que el mensaje de las damas la llenaba más. Le regalaron uno de sus libros negros, la Santa Biblia. Emocionada, mamá empezó a leerla. Una gran paz inundó su corazón.

Una tarde, leyó en el libro de S. Lucas el relato de la mujer con flujo de sangre y cómo al tocar a Jesús fue sanada. ¡No lo podía creer! En ese momento cayó de rodillas pidió a Dios que hiciera un milagro también en ella y tocara su cuerpo. Como la mujer de la Biblia, «en aquel toque se concentró la fe de su vida, e instantáneamente su dolor y debilidad fueron reemplazados por el vigor de la perfecta salud» (*El Deseado de todas las gentes*, p. 311). Por increíble que parezca, ¡la enfermedad desapareció paulatinamente! La fe de mi madre se fortaleció y aceptó a Jesús como su Salvador personal.

Ahora ella también sale a compartir con otros lo que Jesús hizo en su vida.

Gretel Barrera Fernández

Poder que restaura

En él estaba la vida, y la vida era la luz de la humanidad
(S. Juan 1: 4).

CRISTO ORDENÓ al paralítico que se levantase y anduviese, «para que sepáis —dijo— que el Hijo del hombre tiene potestad en la tierra de perdonar pecados». El paralítico halló en Cristo curación, tanto para el alma como para el cuerpo. La curación espiritual fue seguida por la restauración física. Esta lección no debe ser pasada por alto. Hay miles que sufren de enfermedad física y como el paralítico, anhelan el mensaje: «Tus pecados te son perdonados». La carga de pecado, con su tranquilidad y deseos no satisfechos, es el fundamento de sus enfermedades. No pueden hallar alivio hasta que venga el médico del alma. La paz que él solo puede dar, impartiría vigor a la mente y salud al cuerpo.

Jesús vino para «deshacer las obras del diablo». «En él estaba la vida» y él dice: «Yo he venido para que tengan vida, y para que la tengan en abundancia». Él es un «espíritu vivificante». (1 S. Jn 1: 4; 3: 8; 10: 10; 1 Cor. 15: 45). Y tiene todavía el mismo poder vivificante que, mientras estaba en la tierra, sanaba a los enfermos y perdonaba al pecador. Él «perdona todas tus iniquidades», él «sana todas tus dolencias» (Sal. 103: 3).

El efecto producido sobre el pueblo por la curación del paralítico fue como si el cielo, después de abrirse, hubiese revelado la gloria de un mundo mejor. Mientras que el hombre curado pasaba por entre la multitud, bendecía a Dios a cada paso, y llevaba su carga como si hubiese sido una pluma, la gente retrocedía para darle paso, y con temerosa reverencia le miraban los circunstantes, y decían entre sí: «Hemos visto maravillas hoy». Los fariseos estaban mudos de asombro y abrumados por su derrota. Veían que no había oportunidad de inflamar a la multitud con sus celos. El prodigio realizado en el hombre, a quien ellos habían entregado a la ira de Dios, había impresionado de tal manera a la gente, que por el momento los rabinos quedaron olvidados. La enfermedad física, por maligna que fuese y arraigada que estuviera, era curada por el poder de Cristo (*El Deseado de todas las gentes*, pp. 235-236).

Ellen G. White

¡Eso es verdadero amor!

Cuando nuestros corazones están cargados, el amor nos consuela.

Cuando nuestros corazones están temerosos,
el amor nos brinda seguridad.

Cuando nuestros corazones están ansiosos,
el amor nos brinda quietud.

Cuando nuestros corazones están sin descanso, el amor nos sostiene.

Cuando nuestros corazones están en problemas, el amor nos calma.

Cuando nuestros corazones están humillados, el amor nos levanta.

El amor nunca nos falla.

El amor convierte una casa en un hogar…

La gracia convierte el hogar en un Edén.

Dios te ha dado un día más:

Para que escuches su voz.

Para que veas su rostro.

Para que disfrutes su compañía.

Para que te deleites en su compañía.

Para que descubras sus bondades.

Para que abraces su amor.

¡Qué día maravilloso será este!

Anónimo

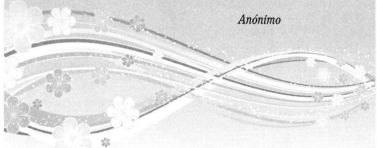

130

Camino de doble circulación

*Lo que ustedes recibieron gratis, denlo gratuitamente
(S. Mateo 10: 8).*

RECUERDO CON EMOCIÓN mis años en la Universidad de Montemorelos. Mis compañeras y yo disfrutamos mucho esa etapa, especialmente cuando llegaba el tiempo de ir a nuestras prácticas docentes. Teníamos que ir a las escuelas a dar clases durante una semana. Lo disfrutaba tanto que era como estar de vacaciones. Amaba ese contacto que tenía con los alumnos en la escuela. La semana se me iba rapidísimo.

La profesora Ruth de Grajales fue muy importante en mi vida y creo que también en la de mis compañeras. Ella nos mostraba con su ejemplo el amor que debíamos tener hacia nuestra profesión y nos recordaba que, en algún momento, tendríamos que dar cuentas a Dios por esas vidas que pasarían por nuestras manos. Ella dejó una huella profunda en mi vida.

Ahora, soy maestra y laboro en una institución adventista. Me siento muy feliz por esta oportunidad y trato de transmitir amor a mis alumnos. Dios prometió estar con nosotros y lo cumple. Si ponemos de nuestra parte él nos ayuda. En el corto tiempo que he trabajado, he tenido el privilegio de observar que si uno da amor a los niños ellos son sensibles a esas manifestaciones y están dispuestos a responder con el mismo afecto. En una ocasión fui maestra de una niña durante un corto período, ya que solo cubrí un interinato con ese grupo; luego me fui y no volví a tener contacto con ella. Meses después me dio mucho gusto saludar a sus papás y recibir la noticia de que la niña continuaba recordándome y me enviaba saludos. Lo más hermoso era que esa pequeña tenía una lista de oración en la cual me incluía entre las personas especiales para ella y por quienes oraba continuamente. Todavía sigo en esa lista. Gracias a Dios por los niños sensibles a las manifestaciones de amor.

«Los niños necesitan […]ser instruidos, ser guiados por las sendas seguras […] ser ganados por la bondad, y ser confirmados en el bien hacer» (*Conducción del niño*, p. 31).

Cada vez que tengamos la oportunidad de tener pequeñas vidas cerca de nosotros, pidamos a Dios la sabiduría y mostrémosles su amor en cada uno de nuestros actos y palabras.

L. Arely Ángeles Ríos

131

¡Sonríe siempre!

Esplendor y majestad hay en su presencia; poder y alegría hay en su santuario (1 Crónicas 16: 27).

¡ESTE DÍA SERÁ de grandes bendiciones! Imagina que recibes de mí una linda sonrisa. Para algunas personas no es fácil estar siempre gozosos o mantenerse optimistas, yo creo que a todas nos gusta disfrutar momentos felices, ¿no es verdad? Cristo es quien nos ayuda a estar felices, claro, siempre y cuando estemos día a día en comunión con él. Como mujeres cristianas debemos reflejar el carácter de Cristo, que es amor, el cual debemos brindar a nuestros semejantes con alegría mediante una linda sonrisa.

Recuerda que no podemos dar lo que no tenemos, de modo que para trasmitir ese gozo es muy importante no estar tristes o deprimidas. La depresión viene cuando acumulamos pensamientos negativos de nuestra vida y los recordamos constantemente, pero como hijas del Rey, nuestro rostro debe reflejar el amor de Cristo Jesús. De esta manera podemos honrar y glorificar el nombre de Dios, cuyo amor inmensurable nos llena de felicidad.

Años atrás pasaba por momentos difíciles, entonces se me acercó una dama y me dijo: «No te preocupes, pon tus cargas en las manos de Dios», y me brindó una hermosa sonrisa. En ese momento recordé y reflexioné que debemos siempre estar agradecidas de todo lo que nos pasa, con problemas o sin ellos, siempre debemos sonreír y trasmitir alegría. Hasta la fecha recuerdo a esa persona y doy gracias a Dios por haberla conocido y por trasmitirme esa chispa de felicidad que fue de gran bendición en mi vida.

Te invito a que siempre sonrías y puedas sentirte bien contigo misma, ésa es la base para sentirse bien en relación con lo que se hace. Es una necesidad humana fundamental. Cuando nos sentimos bien y sonreímos porque sabemos que Cristo nos ama, somos motivadas a fijarnos blancos más altos y a alcanzarlos. Procuremos encontrar satisfacción en las cosas que realicemos para la honra de nuestro Creador y serán de gran bendición para nuestra vida. Sé optimista, confía en Dios y muestra siempre una hermosa sonrisa, pídele ayuda y recuerda que todo lo puedes en Cristo que te fortalece.

Patricia Parias de Montiel

Se requiere preparación doméstica

Y todo lo que te venga a la mano, hazlo con todo empeño; porque en el sepulcro, adonde te diriges, no hay trabajo ni planes ni conocimiento ni sabiduría (Eclesiastés 9: 10).

A LAS MADRES nos interesa que nuestros hijos se desempeñen eficientemente en los deberes del hogar. A pesar de esto, algunos de nuestros hijos se resisten a ser enseñados y cumplen parcialmente lo que les pedimos.

—Hija, una señorita de tu edad (16) podría hacer mejor la limpieza de la cocina, ¿no te parece? Hay algunas tareas que has dejado pendientes.

—¡Pero, mamá!

Entonces viene el turno del jovencito.

—Hijo, a tus 13 años podrías haber lavado mejor el automóvil. Ven acá y dime qué te faltó por hacer.

—¡Pero si se ve muy limpio!

Ahora le toca al más pequeño.

—Hijito, tienes 9 años, pero podrías tener más ordenada tu recámara. Por favor, ven y coloca en su lugar lo que falta.

—¡Ay, mamá!

Nuestros hijos piensan que no vemos lo que hacen y que solo nos fijamos en lo que no hacen. No entienden que están en la etapa de la formación y que deben aprender como José, quien cumplió sus deberes con fidelidad, a pesar de ser un esclavo en la tierra de Egipto.

«Si fuera necesario, una joven podría prescindir del conocimiento del francés y de la álgebra, o hasta del piano, pero es indispensable que aprenda a hacer buen pan, vestidos que le sienten bien y desempeñar eficientemente los diversos deberes pertenecientes al hogar» (*El hogar cristiano*, p. 76). No es que los idiomas o el arte sean innecesarios, más bien, el texto se refiere a la importancia de educar a los jóvenes en los quehaceres domésticos.

Es de suma importancia que enseñemos a nuestros hijos que su participación en las tareas del hogar es fundamental, y que debido a que están en la etapa de formación deben participar con buena disposición, espíritu de servicio y alegría. Es su privilegio ayudar a aliviar las cargas de su madre. El ejemplo que el padre proporciona al involucrarse en diversas tareas del hogar juega un papel importante en la aceptación de las tareas asignadas.

Cozby García de Dzul

Un regalo de Dios

Entonces hizo este voto: «Señor Todopoderoso, si te dignas mirar la desdicha de esta sierva tuya y, si en vez de olvidarme, te acuerdas de mí y me concedes un hijo varón, yo te lo entregaré para toda su vida, y nunca se le cortará el cabello» (1 Samuel 1: 11).

DESPUÉS DE UNOS AÑOS de matrimonio, mi esposo y yo decidimos tener un bebé. Oramos a Dios para que nos cumpliera tan anhelado deseo. Pero el tiempo pasaba y no podía embarazarme. Parecía que mi petición no era escuchada. Llegué a desesperarme y le pregunté a Dios si nunca lo tendría. Estaba frustrada pero aun así oré. Así pasaron dos largos años.

En una ocasión acompañé a mi esposo a sus prácticas ministeriales en una zona alejada, tuvimos que caminar cuatro kilómetros para tomar el autobús bajo un sol quemante. Regresamos exhaustos a casa y nos acostamos a dormir rendidos. Al día siguiente empecé con un malestar que no me permitía comer. Mi esposo me recomendó que fuese al médico, pero me rehusaba, le decía que pronto pasaría. Finalmente el malestar fue insoportable. La doctora que consulté me prescribió los análisis respectivos. Cuando los recibí fue inmensa mi alegría: ¡Estaba embarazada! Rápidamente pensé en agradecerle a Dios por este milagro, porque a pesar de haber dudado de él, hoy podemos ver nuestro sueño hecho realidad de ser padres. Alabamos a nuestro Creador por gozar de una linda niña llamada Ashley Yared, cuyo segundo nombre significa *regalo de Dios*.

A menudo, cuando le hacemos una petición a Dios y no vemos pronta respuesta, tendemos a caer en la desesperación. Deberíamos detenernos a pensar que él siempre satisface nuestras necesidades, únicamente nos resta insistir en la oración con fervor y solicitar su paciencia para saber esperar. Su oído amante escuchará. Dios bendiga a todos aquellos a quienes nos ha dado la oportunidad de ser padres.

Sandy Muñoz de Cornelio

El amor de un padre

*Hijo mío, obedece el mandamiento de tu padre
y no abandones la enseñanza de tu madre (Proverbios 6: 20).*

MUCHAS DE NOSOTRAS nos hicimos la siguiente pregunta cuando éramos niñas: «¿A quién quiere más papá?» Y quizá algunas veces dudamos del amor de nuestro padre. Pero el tiempo nos ayuda a entender muchas cosas. Un proverbio chino dice: «Para comprender el amor de tus padres debes criar hijos tu mismo». Ahora que soy madre de tres hijas lo he comprendido, porque cada una de ellas es especial.

Un profesor contó a sus alumnos que él era uno de trece hermanos. Un día entró a su casa mientras su padre estaba platicando con el vecino y no se percató de su llegada. En eso, el vecino le preguntó a cuál de sus trece hijos prefería más. El maestro pegó la oreja contra la puerta, esperando ser nombrado como el hijo preferido de su padre. Pero entonces escuchó algo que no esperaba: «Es fácil —dijo el padre—, María, la que tiene un tratamiento especial para corregir su problema dental, se siente incómoda y le da pena salir a la calle; aunque pensándolo bien, Pedro, que está pasando un momento difícil por su rompimiento con su novia; pero en realidad, creo que al que amo más es al pequeño Miguel, que está luchando por integrarse a un equipo deportivo; pero por supuesto, la luz de mis ojos es Susy, que no ha logrado superar su adicción al alcohol, ¡sufro tanto por ella! En fin, creo que de todos mis muchachos —continuó mencionando cada uno de los hijos por su nombre—…» Entonces el profesor comentó que, en esa ocasión, aprendió que su padre amaba más al que más lo necesitaba en ese momento.

¡Qué hermoso es que cada hijo ocupe un lugar especial en el corazón de sus padres! Esto me hace pensar que el amor de nuestro Padre celestial es particular para cada una de sus criaturas. ¡Qué amor tan maravilloso! Su misericordia nos alcanza a todas, no importa la situación.

Edelmira Figueroa de Flores

Amor en la diversidad

Hay diversas maneras de servir, pero un mismo Señor.
Hay diversas funciones, pero es un mismo Dios el que hace
todas las cosas en todos (1 Corintios 12: 5 y 6).

RECIENTEMENTE escuché en una reunión de Ministerio Femenil la siguiente frase: «A los ojos de Dios, todas somos iguales». En ocasiones esa frase es dicha cuando alguien quiere reforzar su autoestima ante mujeres más preparadas académicamente o más agraciadas físicamente. En otras ocasiones es porque se hace una aseveración equivocada con la intención de transmitir una verdad. Pero yo le doy gracias a Dios porque todas las mujeres somos diferentes.

Cuando pienso en nuestro Creador, una de las características con las que identifico plenamente su omnipotencia es la diversidad. Empieza desde las diferencias en nuestro sistema solar, las condiciones geológicas de nuestra tierra, la maravillosa diversidad en las flores, en las aves, en el canto de los pájaros, en los peces y en todo lo que ha salido de la mano de nuestro Padre celestial. La individualidad única con que ha creado a cada ser humano y a cada una de nosotras las mujeres. Alabo a Dios por habernos dado a cada una un aspecto diferente, capacidades, habilidades, dones y sentimientos distintos. Porque en la creación perfecta de Dios todo se complementa.

Cada una de nosotras somos una combinación de características irrepetibles, formadas por nuestros antecedentes familiares, nuestra capacidad intelectual, las condiciones socioeconómicas en las cuales hemos crecido, la salud que hemos tenido, las experiencias, los viajes, las lecturas y muchas cosas más. Nunca pretendas que lo que otra mujer tiene o es te haga sentir inferior o con menos valor. Ten siempre tu vista fija en Jesús, y permite que llene tu corazón de su amor y de su humildad, para que cada día seamos mejores en cualquiera de las etapas de nuestra vida. Y si algún día empiezas a olvidar esto, busca una flor y cuando la contemples recuerda que es hermosa porque el Creador así la formó, aunque sea diferente a las otras flores.

No, no es verdad que todas somos iguales. Lo que sí es una verdad tan grande como el universo, tan infinita y eterna como Dios es que a cada una de nosotras nos ama. A fin de que un día podamos vivir eternamente con él, dio la vida de su Hijo Jesús. Como creación única de Dios, te invito a sentirte siempre feliz de tu originalidad, con el deseo ferviente de parecernos cada vez más a Jesús.

Nidia Santos Vidales

El amor que endereza

Al mismo tiempo, puso las manos sobre ella, y al instante la mujer se enderezó y empezó a alabar a Dios (S. Lucas 13: 13).

ERA SÁBADO a la hora del culto. Jesús estaba allí, enseñaba en la sinagoga. El lugar estaba repleto, y entre los asistentes se encontraba una mujer que había estado enferma por dieciocho largos años. Debido a su enfermedad andaba encorvada y no había forma de que se enderezara.

¿Puedes imaginar lo difícil que debió haber sido vivir en esa condición todo ese tiempo? No solo por el dolor físico, sino por las burlas, los apodos y el rechazo por parte de los desconocidos e incluso de sus seres queridos. Es probable que nadie quisiera abrazarla, y que fuera señalada por muchos. Su vida debió ser difícil. Pero a pesar del dolor, del rechazo y del sufrimiento, ella estaba ese sábado en la sinagoga, y Jesús la vio. Él no mira la apariencia, él mira el corazón. Y al ver su corazón, el Señor supo de inmediato cuál era la medicina adecuada para aquella mujer; y procedió a administrar el tratamiento. Jesús la llamó y le dijo: «Mujer quedas libre de tu enfermedad».

Tú y yo sabemos que solo con esas palabras pronunciadas en labios del Rabí de Galilea habría sido suficiente para quedar completamente sana. Pero Jesús sabía que ella necesitaba algo más que simplemente enderezarse; esa mujer necesitaba que alguien la tocara con amor. Y el Médico divino completó el tratamiento. Se acercó y puso sus manos amorosas sobre ella, y la mujer se enderezó inmediatamente y con un espíritu renovado y un corazón rebosante de alegría comenzó a alabar a Dios.

¿Cuántas de nosotras no nos hemos sentido como la mujer descrita en S. Lucas 13 en alguna ocasión? ¿Por cuánto tiempo has caminado encorvada, soportando el dolor físico de una enfermedad o el dolor emocional causado por el rechazo, la tristeza o el abandono? ¿Tal vez son los problemas y la preocupación que te agobian, lo que te ha hecho encorvarte?

El motivo de tu encorvadura o el tiempo que lleves con ella no son problema para Jesús. Porque él tiene lo que tú necesitas. Él te llama ahora, no importa qué día sea hoy. Él ofrece liberarte de lo que pesa y duele en tu vida. Y además, está listo para poner sus manos amorosas sobre ti y para abrazarte todo el tiempo que necesites hasta que logres enderezarte como lo hizo aquella mujer. Cuando lo logres, por favor, no olvides glorificar a Dios.

Yaqueline Tello de Velázquez

¿Qué estilo de madre soy?

Hijo mío, escucha las correcciones de tu padre y no abandones las enseñanzas de tu madre (Proverbios 1:8).

SER MADRE ES EL MAYOR privilegio que Dios pudo haberme concedido, pero también se trata de una responsabilidad y compromiso que tiene consecuencias eternas.

Todavía recuerdo el día en que nacieron mis hijos. Yo era un mar de emociones cuando los colocaron en mis brazos. Entonces me asaltaron varias preguntas: «¿Cómo voy a cuidarlos? ¿Cuál es la mejor manera de educarlos? ¿Qué debo hacer para quererlos con el amor que ellos necesitan?

Es posible que todas las que somos madres nos hayamos preguntado qué acciones, pensamientos y sentimientos debemos adquirir o cambiar para el desarrollo del carácter de nuestros hijos. Según algunos estudios de niños y sus familias, se han identificado tres estilos de crianza, donde están íntimamente relacionados el trato de la madre y la conducta de los hijos.

1. **La madre autoritaria**. Es muy controladora y exige obediencia absoluta, castiga con energía, se mantiene alejada y distante, muestra menos afecto y calidez. No permite a sus hijos tomar sus propias decisiones. Sus hijos suelen ser temerosos, malhumorados, irritables, hostiles, descontentos, retraídos, desconfiados, vulnerables al estrés y poco amistosos.

2. **La madre permisiva**. Es apoyo, no modelo; usa pocas reglas, deja que sus hijos controlen sus propias actividades y tomen sus propias decisiones, no castiga; este tipo de madre es relativamente cálida. Sus hijos suelen ser inmaduros, rebeldes, con poca confianza y autocontrol en sí mismos, impulsivos, agresivos, dominantes, poco constantes y sin objetivos.

3. **La madre con autoridad**. Respeta la individualidad, inculca valores, dirige actividades racionales; respeta los intereses, opiniones y decisiones de sus hijos; además, explica sus razones, utiliza la combinación de firmeza y amor, da apoyo y se relaciona cariñosamente. Sus hijos suelen ser resueltos, constantes, seguros, alegres, amistosos, cooperadores y personas con confianza en sí mismos.

Madres, oremos a Dios, pidámosle sabiduría, dirección y, sobre todo, humildad para aceptar y cambiar acciones, pensamientos y sentimientos peligrosos de nuestro carácter que ponen en riesgo el carácter de nuestros hijos y, por lo tanto, su entrada al reino de los cielos.

Miriam Dyck de Espinosa

Venciendo el temor

Yo traeré paz al país, y ustedes podrán dormir sin ningún temor.
Quitaré de la tierra las bestias salvajes, y no habrá guerra
en su territorio (Levítico 26: 6).

EL TEMOR es una fuerza espiritual que se opone al amor y protección de Dios. Es una de las primeras emociones que experimentamos en la infancia. La mayoría de los niños tiene miedo a la oscuridad y a las figuras transformadas en las sombras; a las culebras y a las arañas. La mayoría de los temores emergen en la noche, pero la presencia tranquilizadora de los padres ayuda al niño a perder el miedo y lograr vencerlo. Sin embargo, algunos de nosotros llegamos a la vida de adultos con algunas fobias, por ejemplo, a subir a los ascensores, claustrofobia; a los lugares altos, acrofobia, entre otras. Esto sucede porque no hemos aprendido a hacer frente a los temores. En la mayoría de los casos nos preocupamos sin reflexionar y nos olvidamos de las palabras de Pablo: «No se inquieten por nada; más bien, en toda ocasión, con oración y ruego, presenten sus peticiones a Dios y denle gracias» (Fil. 4: 6).

El temor lo manifiestan principalmente las mujeres y eso no quiere decir que los hombres no sientan temor, sino que a nosotras se nos ha educado de otra manera. Mientras que a los hombres se les reprime diciéndoles «¡No llores, los hombres no lloran!», ellos logran mostrar y superar sus temores únicamente cuando tienen un encuentro con Dios, al igual que nosotras, sin embargo, somos más sensibles al dolor que los varones. Desde la creación, Dios nos ha dado la capacidad para soportar y superar el sufrimiento.

Logramos vencer nuestros temores si confiamos plenamente en nuestro Señor. Aprovechemos la sensibilidad que nos ha dotado para poner amor en nuestro corazón y desplazar el temor, porque: «En el amor no hay temor, sino que el amor perfecto echa fuera el temor. El que teme espera el castigo, así que no ha sido perfeccionado en el amor» (1 S. Jn. 4: 18).

Claudia Medina Ramírez

Amor más allá del dolor

Fuerte es el amor, como la muerte (Cantares 8: 6).

SUCEDIÓ EN AGOSTO DE 1998. Mi primer bebé había nacido hacía unas cuantas semanas. Mi madre es enfermera y decidimos estar con ella para que nos brindara las atenciones y cuidados necesarios en estos casos. Era tarde. En casa de mi hermana Ana, quien vive frente a la casa de mi mamá, bañaron a mi bebé y por ello decidimos pasar esa noche ahí. A las tres de la mañana, después de haber alimentado a mi pequeña, escuché unos gritos terribles del vecino avisando a mi hermana y a su esposo que mi madre había sido golpeada y asesinada por unos ladrones que habían entrado a su casa. De inmediato salieron a ver lo que había pasado. Me sentí aterrada, y aunque me dijeron que no saliera porque llovía, decidí ir a verla.

Al llegar observé a los vecinos afuera de la casa y le pedí a mi hermana que me dejara entrar. Miré la cabeza y el rostro de mi madre muy lastimados. Gracias a Dios estaba viva, pero inconsciente. La habían golpeado despiadadamente con un palo grueso. Mamá había sorprendido a los hampones en su casa y ellos, al verse descubiertos, trataron de matarla. Esa noche dormía una hija y su pequeña de diez meses en su casa. Pero en su gran amor, mamá no quiso hablar ni gritar para evitar una tragedia mayor. Prefirió callar y soportar el dolor de los golpes.

Agradezco a Dios porque mi hermana despertó al oír unos golpes como de una engrapadora y al ver a mi madre pidió auxilio, expuso también su vida y la de su hijita. Agradezco al Señor porque permitió que esa noche me quedara con mi bebé en casa de mi hermana. La recámara donde me había quedado noches anteriores fue por donde entraron los ladrones.

Mi cuñado y mi hermana trasladaron a mi madre a un hospital de Cuernavaca. Mi esposo, quien es pastor, la ungió. Agradezco también a la iglesia de Yautepec, Morelos, por sus oraciones. Gracias a mi Dios ella se recuperó después de muchos cuidados. Como dice el poeta, si tienes el privilegio de tener todavía a tu querida madre, agradece a Dios por ello. Todavía tenemos la oportunidad de darle gratitud, palabras de amor y afecto a ese gran ser que nos dio la vida y que estuvo dispuesta a dar desde el momento de nuestro nacimiento.

¡Que Dios bendiga a nuestras madres!

Angélica González de González

Lenguaje de amor

*En realidad, el Señor está en este lugar, y yo no me había
dado cuenta (Génesis 28: 16).*

«TOC, TOC, TOC. ¡Nadie acude a mi llamado! La puerta está entreabierta. ¡Voy a entrar! ¿Hay alguien en casa? ¡Oh, sí, ahí está ella! Buenos días princesa, ¿qué te ocurre? ¿Por qué lloras? ¿Qué tormentas te roban la paz y la quietud del alma? ¿Se ha manchado de pecado tu blanca vestidura? ¿Te perturban los arduos problemas de la vida? ¿Acaso temes a la despiadada soledad? ¿Te han ignorado? ¿Te ahoga el desamor o te amenaza el fantasma infernal de enfermedad? ¡No temas preciosa! Aquí estoy, tu hermano, el príncipe Emmanuel. Toma mi mano extendida y déjame levantarte, recuéstate en mi hombro mientras beso tu frente y te seco las lágrimas del rostro. Escucha mis susurros y aspira el aroma de las flores que he creado para ti. Siente mi compañía y permite que mi presencia te ilumine. Y si no tienes fuerzas, hasta puedo llevarte entre mis brazos. Levanta la mirada, recibe mis besos en el aire. No dejes que las lágrimas empañen tus ojos. Deja que a tu rostro lo ilumine la candidez de una sonrisa. Procura entender el poema que recitan las fuentes cantarinas y copia el paisaje indeleble de las nubes».

Si cada una de nosotras buscara a Dios entre las cosas o lugares de rutina, podríamos gozar de su deleite santo al escuchar su voz, pues el poeta dice:

Dios nos habla a todas horas, con suavísimos acentos;
Nos habla como en murmullos, nos habla como en secretos,
Pero andamos distraídos y escucharlo no sabemos.

Lo que más nos impide hablar con Dios es la ingratitud. Tristemente muchas de nosotras nos hemos acostumbrado a criticar, quejarnos y lamentarnos por todo y con todo. Por mirar los negros nubarrones no vemos los rayos destellantes que nos dan su calor y su caricia. Cada hija de Dios debiera ser una nota de gratitud convertida en alabanza y así comprenderíamos y hablaríamos el lenguaje del amor.

Da gracias a Dios por la sonrisa de los niños y por el poder que tiene de convertir en rosas todas las espinas. Apaga con dulces cantos tus lánguidos gemidos. No te olvides que Dios está en todo lugar.

Libny Raquel Bocanegra Velásquez

Olvido

¿Puede una madre olvidar a su niño de pecho, y dejar de amar
al hijo que ha dado a luz? Aun cuando ella lo olvidara,
¡yo no te olvidaré! (Isaías 49: 15-16).

EL OLVIDO es una de las más grandes dificultades del ser humano. Posiblemente se deba a que tiene que ver con nuestra memoria y con frecuencia ésta se encuentra tan cargada de problemas y pensamientos que la capacidad de recordar se ve afectada.

Por otra parte, la capacidad de olvidar en algunas circunstancias resulta de gran beneficio. Imagínate qué sería de los seres humanos si no pudiéramos olvidar algunas de las experiencias desagradables de la vida, y las recordáramos para siempre. Si bien es cierto que la mayoría de las personas no olvidan totalmente lo que les ha sucedido, sí hay otras que por ventura llegan a borrar completamente de la memoria situaciones que les resultaron difíciles o incómodas.

Dios nos creó con la capacidad de tener hijos, y aquellas que hemos sido bendecidas con la maternidad sabemos muy bien que sería imposible que nos olvidemos de ellos. No importa la edad que los hijos tengan, siempre están presentes en nuestra mente, y son el objeto de nuestras oraciones y pensamientos. Ni siquiera la distancia puede hacer que nos olvidemos de ellos, antes bien, mientras más lejos los tenemos más los recordamos y añoramos el momento para compartir juntos nuevamente. Sin embargo, como toda regla tiene su excepción, hay mujeres que llegan a olvidar a sus hijos y hasta los abandonan. Se alejan de ellos, y viven una vida centrada en ellas mismas, sin importarles lo que pueda suceder con sus hijos.

En diversas ocasiones, los medios de comunicación han informado de madres que le quitan la vida a sus hijos, los regalan, los maltratan y abandonan, en fin toda clase de actos atroces que nos resulta difícil de concebir. Pareciera que la maldad de los seres humanos no tiene límite, y aun se anida en el corazón de una madre para con su hijo. Pero el versículo de Isaías trae una gran esperanza; si la madre se olvida de sus hijos, Dios no se olvidará. ¿No te parece maravilloso? Me agrada pensar que Dios no tiene problemas de olvido. Mi mente se agota, cansa y envejece, por lo tanto estoy propensa al olvido, pero nuestro Dios no tiene ninguno de esos problemas. ¡Gloria a Dios, él nunca nos abandonará!

Evelyn Omaña

Una madre ideal

*Un día, cuando Eliseo pasaba por Sunén, cierta mujer de buena
posición le insistió que comiera en su casa. Desde entonces,
siempre que pasaba por ese pueblo, comía allí
(2 Reyes 4: 8).*

LA BIBLIA nos presenta diferentes madres, buenas y malas, famosas por su lealtad al deber maternal o reprochadas por la mala influencia que ejercieron en sus hijos. Algunas que destacan por su excelencia son Jocabed, Ana y María, otras como Jezabel, Atalía y Herodías son señaladas por su proverbial maldad. En 2 Reyes 4: 8-37 nos presenta a una madre cuyo nombre no se menciona, únicamente se le conoce como la sunamita. Era una mujer de sensibilidad espiritual. Aunque no era del pueblo de Dios, reconocía a Eliseo como un profeta.

Algo que distinguía a la sunamita era su gentileza y consideración. Proveía al profeta para comer y además decidió construir una habitación para él cuando pasara por su hogar. Las palabras «Yo vivo segura en medio de mi pueblo» (2 R. 4: 13) revelan que ella mantenía una sana relación con sus vecinos y toda la gente. Esta conducta la preparó para su maternidad. Sabía tratar con tacto y arreglar sus diferencias, sobre todo con su familia.

Tiempo después de la visita de Eliseo a su hogar, Dios bendijo a la sunamita con un hermoso bebé. El tiempo pasó y el niño creció. A pesar de todos los esfuerzos de su madre por salvarlo, el niño murió. Entonces, esta mujer decidió buscar a Dios a través del profeta Eliseo. No se resignaba tan fácilmente a perder a su pequeño. Sabía que Dios había hecho un milagro para que ella tuviera al niño y podía hacer otro para resucitarlo. Además, ¿para qué le había dado Dios a un niño si más tarde se lo iba a quitar?

La lección principal de este relato es que una madre jamás se da por vencida. Eso se llama perseverancia. Dios recompensará tu fe y esperanza si tienes un hijo que se esfuerza para evitar las drogas, el alcohol, la rebeldía; si tu hijo o hija tiene una pareja que no comparte tu fe o si tienes un hijo enfermo, ¡no te des por vencida! Que la fe, la esperanza y la perseverancia te hagan ver un futuro glorioso. Si tu hijo o hija han sido llamados al descanso en Jesús, tienes que creer que, así como a la sunamita, Dios le devolvió a su hijo, también a ti te lo devolverá en la segunda venida de Cristo.

Sofía Mora de De Lima

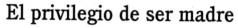

El privilegio de ser madre

Los hijos son una herencia del Señor,
los frutos del vientre son una recompensa (Salmos 127: 3).

UNO DE LOS MAYORES anhelos de una mujer al casarse es el de ser madre. ¡Cuánto amor y ternura entraña tener a un bebé en nuestros brazos! Acariciarlo, arrullarlo y sobre todo sentirlo cerca de nosotros, es tan hermoso que te hace ver en cada bebé al tuyo. Así que cuando es el momento de su llegada y todo está listo sientes que tu ser se sale de su órbita, no sabes ni qué hacer.

No dejo de agradecer al Señor el privilegio que me dio de ser madre. A pesar de que mi pequeñito haya nacido con hipoacusia, sordera y con una leve PCI espástica, parálisis cerebral que hace rígidos los músculos. ¡Es mi mayor tesoro! Sé que es un hombrecito que debo sacar adelante y que cada día, tomada de las manos de nuestro Creador, lo podré lograr. Cada mañana al despertar doy gracias a mi Dios porque ya camina, empieza a realizar actividades que otros niños ya hacen y él no podía hacer. Ya empieza a decir sus primeras palabras. ¡Cuán dulce es escucharlo decir «mamá» y «papá»! Para mí es el poder de mi Señor, y a él le pido paciencia, fuerzas, pues a veces es difícil llevarlo a sus clases especiales: hay que levantarse muy temprano para estar a tiempo, ya que las escuelas están algo lejanas. Pero eso es lo de menos al ver los resultados y escuchar cómo la maestra dice que es muy inteligente, pues por la gracia de Dios no hay ninguna afección en lo cognoscitivo y todo lo que se le enseña lo aprende, y en su corta edad lo hace muy bien.

Puedo hablar con orgullo del regalo que Dios me ha dado. Pero quiero decirles que el tener un niño especial es un gran privilegio que Cristo nos otorga, pues son joyas que deben ser cuidadas con mayor delicadeza. Cada día pide a Dios sabiduría para que te indique cómo cuidar de sus joyas. Cristo conoce las cargas de cada madre; es tu mejor amigo en cada emergencia. Su poderoso brazo te sostiene.

María de Lourdes Solórzano

Poder femenino
en los negocios de Dios

Acuérdate del sábado, para consagrarlo. Trabaja seis días,
y haz en ellos todo lo que tengas que hacer, pero el día séptimo será
un día de reposo para honrar al Señor tu Dios (Éxodo 20: 8-10).

UNA DE LAS RAZONES por las cuales las mujeres abandonan las empresas para iniciar sus propios proyectos, es que las oportunidades de crecimiento laboral no incluyen al sexo femenino. Mi caso es diferente pero tiene que ver con oportunidades de trabajo. «Todo lo que sucede es por un propósito de Dios», me dije cuando llamaba por teléfono a una empresa que anteriormente me había hablado para una entrevista de trabajo. Recuerdo que mi madre me llevó ese día a la entrevista, llevaba mi portafolio de proyectos y mi currículum; la persona encargada del departamento de Mercadotecnia estaba contenta porque decía que estaba capacitada para esa área, y que con mis estudios de Diseño podría manejar perfectamente no solo las estrategias y las investigaciones de mercado, sino también la elaboración y el concepto visual.

Las cosas marchaban bien en la entrevista y me sentía muy feliz, hasta que llegamos al tema del sábado: la empresa trabajaba de lunes a sábado y los eventos por lo general se manejaban en sábado. Quedaron en llamarme para ver qué decisión habían tomado los otros colaboradores de la empresa; nunca recibí tal contestación. Al llamar me negaron al encargado del departamento de Mercadotecnia y comprendí que era por el sábado.

Me deprimí un poco, no era la primera empresa que me hacía lo mismo, y pensé: ¿Por qué buscar entrar a una empresa y no hacer una? Todo quedó así. Empecé a trabajar por mi cuenta y a diseñar en mi casa, hasta que un día en una reunión de amigos, dos de mis compañeros de la universidad y yo platicamos sobre el trabajo; uno de ellos sabiamente dijo: «Tenemos mucho talento cada uno en su área, solo falta juntarnos». Ese día nació una agencia de Mercadotecnia y Diseño corporativo que no solamente me permite ser mi propia jefa y guardar el día del Señor, además, me ha dado la oportunidad de ser una fuente creadora de empleos que lleva el mensaje de Dios.

Cuando tengas una dificultad por causa de tu lealtad a Dios, recuerda que él nunca te dejará sola. Permite que haya situaciones complicadas en tu vida para desafiar tu creatividad y tu deseo de superación. Si eres fiel, él te bendecirá.

Luz Graciela Agundis Figueroa

Su nombre es Amor 1

Y nosotros hemos llegado a saber y creer que Dios nos ama.
Dios es amor. El que permanece en amor, permanece en Dios,
y Dios en él (1 S. Juan 4: 16).

¿CUÁL ES MI MAYOR necesidad hoy? Ver el rostro del Dios que conozco como el «Dios de amor». Verlo y amarlo. Allí en mi lugar secreto deseo contemplar y apreciar de forma clara su amor por mí. Al verlo necesito sentir que inunda mi ser con su presencia, que me da la seguridad de su Palabra y que me sostiene en sus brazos eternos.

En aquel lugar puedo ver el momento crucial de mi salvación, allí estás en el Calvario. Caminas y tus pasos parecen cargar el peso inmenso de mi dolor. Cada paso tuyo es una victoria, es una muestra de amor. Tus manos, en vez de abrazarme, cargan una cruz, cruz de dolor y a la vez cruz de amor. Esa cruz soy yo. Mi carga en tus hombros causa sufrimiento, pero tú decides llevarla. Sabes que yo no puedo, prontamente vienes en mi auxilio, no importa el precio que has de pagar. Tu espalda y cabeza sangran. ¡Sangran por mí, Señor!

Aguantas, enmudeces, soportas. No logro entender tan grande amor. Sé que sigues allí, y das un paso más por mí. Veo correr por tu rostro gotas de sangre en vez de sudor, tu cuerpo es sacudido por el pecado de la humanidad que se alejó de ti. El peso te hace caer, te levantas; pues delante está mi rostro necesitado de tu amor. Al ver tu rostro no contemplo al hombre desfigurado, sino a mi Salvador, que a pesar de la cruz extiende sus brazos para redimir, para abrazar, para amar. En el Calvario observo el rostro del Dios de amor. Su nombre es Jesús, su nombre es Salvación, su nombre es Amor. Mi Dios de amor, hoy quiero hacer algo para brindar una sonrisa a tu rostro. Hoy quiero brindarte mi vida. Todo entrego a ti por amarme y ser mi Salvador.

Lorena P. de Fernández

Su nombre es Amor 2

Él mismo los salvó; no envió un emisario ni un ángel.
En su amor y misericordia los rescató; los levantó y los llevó
en sus brazos como en los tiempos de antaño (Isaías 63: 9).

CONTEMPLO tu amor y mi alma es arrebatada ante su magnitud. Te veo caer y te levantas. Vez tras vez mi peso te oprime. Miras al cielo y me ves allí, y sabes que vale la pena morir por mí. La cruz, mi cruz, reclama manos y pies, clavos y cuerpo, y yo no estoy allí. En mi lugar estás tú, Príncipe del cielo. Tu cuerpo lacerado toma mi lugar, pues yo no puedo esa deuda pagar. Los clavos atraviesan tu piel, ¿puedes soportar, Señor? «Sí, —me dices— solamente por ti no me niego a morir. Aquí en la cruz yo te puedo redimir». Señor, Dios mío, ¿por qué tienes que morir? ¿Para que yo pueda vivir? ¿Cómo puedes soportar tanto? Es demasiado amor para la mente finita.

Mi Rey, tus manos heridas, tu costado desgarrado, tus pies sangrantes, tu cuerpo desnudo, tu rostro desfigurado, hablan a mi corazón y me dicen: «Todo esto lo soporté porque te amo y eres mi hija. Eres heredera de mi reino. Por amor a ti he llevado una corona de espinas para que obtengas una real, una celestial».

¡Qué puedo hacer sino aceptar tu amor inmerecido! ¡Amor eterno! Rendirme a ti y agradecerte por transitar el camino que me correspondía, por derramar tu sangre por mí, por venirme a salvar sin que lo tuviera que pedir. ¡Soy hija del Dios de amor! Gracias porque tu nombre es Emmanuel, Dios con nosotros. ¡Tu nombre es Amor! Ayúdame a experimentar el gozo de la salvación y la seguridad que no hay nada más hermoso que saberme tu hija en tu dulce amor.

Lorena P. de Fernández

Honrar, amar y respetar

*Den a todos el debido respeto: amen a los hermanos,
teman a Dios, respeten al rey (1 S. Pedro 2: 17).*

HONRAR ES ESTIMAR: al vecino, al amigo, al hermano, a nuestra familia, a las autoridades, a los ministros de Dios y jefes de trabajo; ¡a todo mundo! Así lo indica el apóstol Pablo; aun a los que no nos quieren. ¡A todos! Amemos de corazón a todos. William Shakespeare dijo: «Hemos venido a este mundo como hermanos, caminemos pues dándonos la mano y no uno delante del otro».

Los seres creados por un Dios de amor hemos sido redimidos por la sangre preciosa derramada en la cruz del Calvario; no somos perfectos ni divinos, pero hay algo hermoso en cada criatura: el afecto. ¿Cómo expresar nuestro aprecio a veces opacado por el amor propio egoísta o el desprecio? Creo que hay cuatro maneras de hacerlo, siguiendo el modelo de Jesús:

- Tocar: «Llevaron unos niños a Jesús para que les impusiera las manos y orara por ellos» (S. Mt. 19: 13).
- Mirar: «Jesús lo miró con amor» (S. Mr. 10: 21).
- Abrazar: «Luego tomó a un niño […] Abrazándolo, les dijo» (S. Mr. 9: 36).
- Hablar: «Yo les he dado a conocer quién eres, y seguiré haciéndolo» (S. Jn. 17: 26).

Además de desplegar felicidad a otros, uno mismo se beneficia:

- Físicamente: «Gran remedio es el corazón alegre, pero el ánimo decaído seca los huesos» (Pr. 17: 22).
- Espiritualmente: nos permite reflejar a Jesús.
- Psicológicamente: eleva nuestra estima propia.
- Reverenciemos a Dios: no tomar su nombre en vano ni olvidar nuestra conversación diaria con él; alabarle con cantos y una vida transparente y honrada.

«Amar es cambiar de cara el alma». Sembremos en el corazón de todos los hombres la semilla de la reciprocidad y el aprecio, si es nuestro deseo cosechar los frutos de la amistad. Y como el amor es un gran conquistador, démosle paso al amor.

Isabel Zemleduch de Alvarado

Hombre y mujer
como complemento

*Sin embargo, en el Señor, ni la mujer existe aparte del hombre
ni el hombre aparte de la mujer. Porque así como la mujer procede
del hombre, también el hombre nace de la mujer; pero todo proviene
de Dios (1 Corintios 11: 12 y13).*

EL MENSAJE de los versículos anteriores es muy claro: el hombre no puede vivir sin la mujer ni la mujer sin el hombre, y ante los ojos de Dios todos tenemos el mismo valor. El hombre no es más que la mujer ni la mujer es más que el hombre. Si vamos a hablar del varón y la hembra como complemento no podemos evitar hablar sobre el amor, porque sin amor no puede haber la verdadera unión como complemento.

El amor en la Biblia no se expresa al recibir sino al dar. Por eso dicha virtud es considerada como un don del Espíritu Santo (Gá. 5: 22). Pero se trata de un regalo para ser compartido con otra persona, el cónyuge. El Señor espera que al unirnos en matrimonio con una persona del sexo opuesto podamos servir como «ayuda idónea» en el desarrollo del amor en nuestra pareja.

El hombre y la mujer son un complemento mutuo. Ambos tienen elementos físicos, mentales, espirituales y sociales que se integran de una manera excepcional. Es por eso que somos diferentes. Un hombre no debe pretender ser una mujer ni una dama debe insistir en comportarse como un varón. Esa diferencia tiene un propósito: complementar a otra persona para así formar una entidad de origen celestial: el matrimonio. Eso significa que el toque femenino es necesario en este mundo, al igual que el matiz masculino. Al respecto, Ellen G. White comenta: «Con una parte del hombre Dios hizo a una mujer, a fin de que fuese ayuda idónea para el, alguien que fuese una con él, que le alegrase, le alentase y bendijese, mientras que él a su vez fuese su fuerte auxiliador» (*El hogar cristiano*, p. 84).

Sentirnos contentas con nosotras mismas es parte de las bendiciones que el Señor nos da. Dale gracias a Dios porque eres mujer y no pretendas ser un varón. Cumple tu función como hija de Dios y, si estás casada, esfuérzate por ser una verdadera «ayuda idónea»; si eres soltera pide al Señor que te permita canalizar está virtud a algún tipo de ministerio en el servicio al prójimo.

Martha de Alpírez

Aprender de la madre de Jesús

Entonces dijo María: Mi alma glorifica al Señor, y mi espíritu se regocija en Dios mi Salvador, porque se ha dignado fijarse en su humilde sierva (S. Lucas 1: 46-48).

EN S. LUCAS 1: 46-50 encontramos cinco lecciones extraordinarias que la madre de nuestro Señor Jesucristo nos enseña acerca de la actitud que todas las madres cristianas debemos tener.

- Lección 1. *Glorificar a Dios.* S. Lucas 1: 46 dice: «Mi alma glorifica al Señor». María se refiere a su estado mental, emotivo y espiritual debido al honor que se le ha conferido de ser madre del Mesías.

- Lección 2. *La salvación como prioridad y proveniente de Dios.* María reconoce que tiene la necesidad de un Salvador. S. Lucas 1: 47 afirma: «Y mi espíritu se regocija en Dios mi Salvador». La gente que tiene la certeza de la salvación es feliz. A María nunca se le ocurrió pensar que había nacido sin pecado, como algunos afirman.

- Lección 3. *Humildad.* S. Lucas 1: 48 dice: «Porque se ha dignado fijarse en su humilde sierva». ¿Qué madre lo sabe todo y no necesita mirar al cielo para pedir sabiduría?

- Lección 4. *Ser felices.* «Desde ahora me llamarán dichosa todas las naciones» (S. Lc. 1: 48). Debemos aprender a disfrutar nuestra maternidad y gozar de nuestros hijos y de los recuerdos que son de valor incomparable. La felicidad de la maternidad viene a través de haber amado y sufrido, reído y llorado. Fue la experiencia de María y por eso es llamada bienaventurada.

- Lección 5. *Milagros.* «Porque el Poderoso ha hecho grandes cosas por mí. ¡Santo es su nombre! De generación en generación se extiende su misericordia a los que le temen» (S. Lc. 1: 49-50).

¿Cuántas bendiciones hemos recibido? ¿Cuántos milagros? No olvidemos que el poder, la santidad y la misericordia de Dios nos trasforma espiritualmente. Esta es la clave del éxito de María. Magnifiquemos a Dios, aferrémonos de su salvación, seamos humildes, felices y dejémoslo hacer milagros en nuestra vida.

Sofía Mora de De Lima

AMOR

¿Por qué te preocupas?

Los lazos de la muerte me enredaron; me sorprendió la angustia del sepulcro, y caí en la ansiedad y la aflicción (Salmos 116: 3).

«¿POR QUÉ TE PREOCUPAS?» Esta frase llegó a mi mente una y otra vez en marzo de 2004, cuando sorpresivamente mi esposo perdió su empleo. «El Señor tiene el control de todo», me repetía a mí misma. «¿Pero y ahora qué vamos a hacer?», le preguntaba a mi Dios. En mi desesperación busqué en la Biblia algo que me dijera que él estaba con nosotros y que no nos abandonaría, y encontré el pasaje de S. Mateo 6: 25-34. ¡Qué maravillosas promesas encontré en él!

Los seis meses que mi esposo estuvo sin trabajo fueron, sin duda alguna, para él y para mí, los más difíciles que hasta ahora nos ha tocado vivir. Tiempo en que la mano del Señor nos sustentó y lo hace hasta el día de hoy. No pasó ni un día sin que tuviéramos qué comer. Sin esperarlo, alguien cubrió las colegiaturas de nuestros hijos en la escuela y nunca nos faltó dinero para pagar la renta de la casa. En su inmenso amor, Dios nos ayudó para que al siguiente ciclo escolar nos otorgaran una beca del 50% en las colegiaturas de nuestros hijos.

Ahora miro hacia atrás y alabo a Dios por la forma en que ha guiado nuestras vidas hasta el día de hoy. Le concedió otro empleo a mi esposo en donde puede serle fiel, pues no tiene problema alguno para guardar el día sábado, ya que sus jefes son adventistas. Si por alguna razón estás atravesando por una situación difícil, ya sea familiar, de trabajo o enfermedad, te animo hoy a recordar las promesas de nuestro Dios, quien permite que lo que nos suceda sea para nuestro bien. Que no tengamos nada que temer, al menos que nos hayamos olvidado de la forma como él nos ha conducido en el pasado. No olvides que él tiene el control de nuestras vidas, pero debemos aferrarnos a su gracia.

Verónica Bisuet

AMOR

La vida con amor

Si reparto entre los pobres todo lo que poseo, y si entrego mi cuerpo para que lo consuman las llamas, pero no tengo amor, nada gano con eso (1 Corintios 13: 3).

VENDER las posesiones para dar a los pobres, ¿no crees que es una buena forma de proceder en bien de los demás? Esta manifestación filantrópica se reconoce y se aplaude a quien lo hace. Jesús pidió al joven rico que hiciera justamente eso. «Ve, vende lo que tienes y dalo a los pobres, entonces ven y sígueme». Pero aquel distinguido caballero se retiró triste, dice el relato, porque tenía grandes posesiones.

Realmente no es fácil deshacerse de las posesiones. El apóstol Pablo no únicamente dice que esto nada vale sin amor, sino que también declara que si sometiéramos nuestro cuerpo a un gran sufrimiento, quizá hasta el punto del martirio, tampoco sería de valor. ¿Por qué crees que es así? Porque todas estas hazañas se pueden llevar a cabo con motivos egoístas. Por ejemplo, una persona puede vender sus posesiones para dar a los pobres a fin de que se le considere filántropa, para ser admirada y adquirir fama. Solo los actos motivados por amor abnegado son los que valen.

En nuestro transitar por esta vida cada día necesitamos recibir y dar amor. La vida y el amor son inseparables en la experiencia humana. La vida sin amor es como un hogar sin luz. Todo está sombrío. Se enciende la luz en el hogar y aparece el color, la alegría, las risas, el ruido, el movimiento. Así es la vida con amor. «Cuando Cristo mora en el corazón, el alma rebosa de tal manera de su amor y del gozo de su comunión, que se aferra a él; y contemplándolo se olvida de sí misma. El amor de Cristo es el móvil de sus acciones» (*El camino a Cristo*, p. 68). Que todos nuestros actos hoy sean movidos por el deseo de servir por amor, es mi deseo para ti. ¡Dios te bendiga!

Leticia Aguirre de De los Santos

Un nuevo mandamiento

Este mandamiento nuevo les doy: que se amen los unos
a los otros. Así como yo los he amado, también ustedes
deben amarse los unos a los otros (S. Juan 13: 34).

ES POSIBLE que compartamos gustos similares a pesar de no conocernos. Por ejemplo, es probable que disfrutes ir de paseo a un centro comercial, te guste ver zapatos, ropa, bolsos, arreglos para la casa o, si eres una joven, algo para tu cuarto. Aun cuando no tengamos dinero para comprar lo que nos gusta, a nosotras las mujeres nos agrada ir al centro comercial. Podemos subsistir en la vida sin muchos recursos económicos, pero existe algo sin lo cual es imposible vivir: el amor. El amor es superior a la riqueza, te da esperanza, te da valor.

Algunas encuestas revelan que cada vez más personas están eligiendo la muerte como escapatoria por no sentirse amadas. Lo más triste es que el porcentaje ha aumentado entre jóvenes de quince a veinticuatro años de edad. Es verdad que el hambre y la pobreza ha dejado verse en altos índices, pero es un hecho sorprendente que adolescentes de nivel económico estable están en riesgo del suicidio.

La necesidad de amor es una realidad. Se necesita una práctica real de este principio. El Señor Jesús nos ha dejado claro el consejo: «Que se amen los unos a los otros». Así de claro y práctico. No dice: «Haz una lista de cualidades de la persona a la debes brindar amor». Tampoco dice: «Si te ama, ¡ámala!» El mandato de Jesús marca un nuevo concepto del cariño: el amor que no espera recibir nada a cambio. Su vida de abnegación hacia los que le rodeaban revela el verdadero sentido del afecto cristiano.

En el tiempo de Moisés, amarse a sí mismo era un concepto que el pueblo podía entender. Por eso se les dijo que amaran a su prójimo como a sí mismos. Pero Jesús dice: «Que se amen los unos a los otros. Así como yo los he amado». Es necesario practicarlo como él lo demostró. Te invito esta mañana a experimentar este amor. Jesús está ahí a tu lado dispuesto a brindarte amor.

Leticia Aguirre de De los Santos

Adiós a la distancia

Y si me voy y se lo preparo, vendré para llevármelos conmigo
(S. Juan 14: 3).

«¡MAMÁ! ¡Me voy a casar!» Fueron las palabras que gustosamente le dije a mi madre. En poco tiempo toda la familia estaba enterada. Desde niña soñé en casarme de blanco y con una persona que amara a Dios. El tiempo pasó muy rápido: las invitaciones, el vestido, la cena de recepción, la iglesia, casi todo estaba listo.

Llegó el día esperado y allí estaba mi madre, callada como siempre, albergaba pensamientos y oraciones en su mente. Se miraba triste, aunque ella decía que estaba feliz porque sabía que mi novio era una buena persona. Él amaba a Dios por sobre todas las cosas.

Recuerdo el día que salimos con la mudanza de la casa rumbo a mi nuevo hogar. Allí estaba afuera la camioneta, nuestras pertenencias, Randy al volante y yo lista para despedirme de mi madre. ¡Qué dolor! Nunca pensé que casarme también traería tristeza. Mi madre estaba en la puerta, sonreía, pero sus ojos reflejaban tristeza.

Yo sabía que a partir de ese momento nada sería igual, ella también lo entendía, por eso ambas sufrimos esa separación. Durante mi niñez, adolescencia y el inicio de mi juventud, sufrimos, lloramos, reímos juntas siempre y esto hacía muy dolorosa la separación después de 25 años.

Tiempo después, platicamos y descubrimos que realmente nunca seremos completamente felices mientras sigamos en el mundo. Este mundo nos trae distancia, despedidas, dolor y sufrimiento. En la mente siempre están presentes las personas a quienes queremos.

Al recordar que Cristo también se tuvo que despedir de sus amados aquí en la tierra, pienso que también sufrió, y por eso antes de morir, hizo su oración intercesora por los discípulos y por nosotros. Sabía que las despedidas dolerían y que estaríamos envueltos en este mundo, por eso en su amor nos encomienda al Padre. Hoy brilla en nosotros la esperanza en la promesa de Jesús: «Y si me voy y se lo preparo, vendré para llevármelos conmigo».

Clarice Beltrán de Rodríguez

Atrévete a amar

*Por encima de todo, vístanse de amor, que es el vínculo perfecto
(Colosenses 3: 14).*

TRABAJO en un pequeño sanatorio. A menudo experimento un sentimiento especial por algunos pacientes. En el corto tiempo que pasan internados construimos una relación especial. Cuando se van sospecho que nunca más los volveré a ver, pero siempre siento que valió la pena la amistad. Amarlos deja un enorme sentimiento de satisfacción y bienestar. Amar desinteresadamente produce una descarga eléctrica positiva y saludable entre los involucrados. En la sociedad existe odio, egoísmo, indiferencia. Muchos viven solos, aunque rodeados de miles de personas. Son millones los que sienten que no le importan a nadie.

La condición social ha llegado a tal punto que muchos no se conmueven por el dolor ajeno ni se alarman por la muerte de otros. Multitudes languidecen por falta de amor. Muy cerca de nosotras hay alguien que necesita que la escuchemos, que le demos una mirada franca y un abrazo sincero.

El amor es uno de los grandes rasgos de la naturaleza divina, es el antídoto para superar la antipatía. El odio envenena y mata. La indiferencia congela y paraliza. Por lo tanto, hagamos el propósito de derrochar amor por doquier: en la familia, en el vecindario, en la iglesia, en el trabajo. Busquemos la manera de llenar el vacío de muchos corazones, uno a la vez. Desafiemos las fuerzas del mal y agreguemos más personas a nuestra lista de amor. No amemos en silencio. Los demás tienen que saber que los amamos. Expresemos nuestro cariño con un apretón de manos, palabras de encomio, brindemos pequeñas o grandes atenciones, y escuchemos con atención. No podemos solucionar los problemas de todos pero podemos mostrar simpatía. Amiga, tú que lees estas líneas, recibe mi abrazo fuerte y amoroso que te doy como tu hermana en Cristo. Eres especial. Recuerda: Dios te ama más que nadie.

Conny Christian

AMOR

Cuando Dios está al frente

A pesar de todo, Señor, tú eres nuestro Padre; nosotros somos el barro, y tú el alfarero. Todos somos obra de tu mano (Isaías 64: 8).

MI ESPOSO sirvió como misionero en mi país natal, Guinea Ecuatorial, en África, durante un largo período. Ahí se desempeñaba como capellán en el Colegio Adventista de Malabo, capital de Guinea Ecuatorial, en donde también impartía clases de religión e idioma extranjero; ahí fue donde nos conocimos.

Después de varios meses de amistad y noviazgo tomamos la decisión de unir nuestras vidas en sagrado matrimonio, pero realmente estábamos preocupados. Se necesitaba contar con recursos económicos que no teníamos, pero Dios iba a darnos grandes lecciones de amor. Todos los miembros de la iglesia a la que yo asistía cooperaron para que mi novio y yo pudiéramos casarnos.

Una vez casados, el tiempo en que mi esposo debía volver a México se aproximaba, así que nos preparamos para ejercer nuestro ministerio en la tierra de mi marido. Tuvimos poco tiempo para arreglar mis documentos y salir al extranjero, pero se logró en un mes antes del viaje. Dos semanas antes de nuestra partida ya teníamos el dinero que cubría el costo del boleto de avión para uno de los dos, pero todavía nos faltaba más de la mitad del costo del otro pasaje. Una vez más pusimos nuestro caso en las manos de Dios para que él hiciese conforme a su voluntad. Días antes del vuelo, y en los límites de la reservación, varios hermanos que están en nuestros corazones, nos apoyaron con una fuerte cantidad de dinero que faltaba para que mi esposo y yo pudiéramos viajar a México.

Ahora servimos como familia ministerial en la Ciudad de México y somos bendecidos con nuestra primera hija. Estamos seguros que Dios ha mostrado sus favores en incontables ocasiones. Te invito, querida hermana, a que hoy decidas confiar en el Señor, que pongas tu vida en sus manos, ya que él, como el buen Alfarero, modelará tu vida, y será una vasija para su gloria.

Rebeca Zamora de Morales

Amor de hija

Hagan todo con amor (1 Corintios 16: 14).

UNA TARDE caminaba cerca de mi casa y vi a una ancianita que yacía en una cama de hospital que habían trasladado a su hogar. Varias veces había pasado por esa ventana pero no había tomado tiempo para mirar esa escena. Llegué a casa y mi mente recordaba la imagen de lo que había visto.

Poco tiempo atrás le había pedido a Dios que me diera la oportunidad de ayudar al prójimo, así que oré preguntándole si era la respuesta a lo que había pedido. Inmediatamente fui a ver a aquella ancianita y me recibió su hija, llamada Buny. Me presenté como alguien que quería prestar ayuda, y como me había dado cuenta que tenía una mujer enferma en casa le ofrecí mis servicios. Doña Buny y yo conversamos un rato, como si nos conociéramos de mucho tiempo; me enteré que la abuelita tenía 96 años y hacía bastante tiempo estaba enferma a causa de un infarto.

Quiero decirles que generalmente se cuentan historias del amor de una madre, pero ahora quiero compartir la historia del amor que una hija tiene por su madre. Buny tiene 75 años y cuida a su hermana mayor, que está en silla de ruedas, a su hermano de 70 años, que tiene diabetes y le practica la hemodiálisis, y una hermana menor, que cumplirá 60 años que padece de sus facultades mentales, y todavía así, Buny le da todas las atenciones a su madre enferma y la trata con mucho amor.

Pienso que Dios me permitió conocer a Buny para reflexionar sobre una situación personal que enfrentaba, tenía que ver con desánimo. Oro para que Dios nos ayude como mujeres y haga una realidad en nuestras vidas el verso de esta mañana: «Hagan todo con amor». Cada vez que sientas pesada tu carga piensa que el amor lo hará más liviano; además hoy tienes la oportunidad de manifestar tu amor de hija hacia tu Padre celestial.

Nora Ortega de Caamal

El amor triunfó

Aun cuando sea yo anciano y peine canas, no me abandones,
oh Dios, hasta que anuncie tu poder a la generación venidera,
y dé a conocer tus proezas a los que aún no han nacido
(Salmos 71: 18).

EL DOLOR que esta madre experimentaba era silencioso pero le llegaba hasta lo más profundo de su corazón. Su hija había tenido un bebé como madre soltera, se lo había ido a dejar y se había ido a vagar por el mundo de nuevo; un tiempo después apareció otra vez con otro hijo, se lo dejó también y desapareció. No se supo nada de ella durante muchos años.

La muchacha se casó con un militar evangélico. Su esposo la invitaba a buscar a su mamá y le leía la Biblia. Pero su corazón parecía no ablandarse por completo. En el año 2007, la anciana llegó a nuestra iglesia y entró a nuestro grupo de oración. Ella pidió al Señor que le diera la oportunidad de ver a su hija otra vez, y a la semana de orar, el teléfono sonó en su casa. Para sorpresa de ella era su hija, y le dijo: «Quiero ir a verte, dame la oportunidad de ir».

A principios de febrero se dio el reencuentro, el cual estuvo lleno de emociones encontradas entre madre e hija, y a su vez entre esta madre y sus hijos que había dejado. Ella se quedó hasta el mes de mayo y asistió al programa del Día de las Madres que organizó la iglesia; ese día se levantó de su asiento y ofreció unas disculpas públicas a su madre llenas de sinceridad y arrepentimiento. Toda la iglesia se conmovió.

La muchacha regresó a su hogar llevándose a uno de sus hijos, pues el otro decidió quedarse a cuidar a su abuelita. Pero su vida había cambiado al experimentar el perdón de su madre y de sus hijos, y vio en ellos reflejado el amor de Dios y empezó a asistir a la Iglesia Adventista en su lugar de origen. En enero del 2008 la anciana fue a visitar a su hija, y al estar allá, el Señor la llamó al descanso. Fue triste, pero a pesar del tiempo y las heridas, el amor había ganado la batalla y esperan reunirse para siempre en el reino de los cielos.

Lila Sansores de Sosa

Un reconocimiento con amor

La religión pura y sin mancha delante de Dios nuestro Padre es ésta:
atender a los huérfanos y a las viudas en sus aflicciones, y conservarse
limpio de la corrupción del mundo (Santiago 1: 27).

MIS PADRES me cuentan que cuando mi mamá estaba embarazada de mí, hubo una personita, miembro del departamento de Dorcas, que estuvo pendiente de ella durante el embarazo y hasta el momento en que yo nací. No la conozco en persona porque cuando tenía siete meses de edad nos trasladamos a otra ciudad, pero agradezco a Dios esos actos de bondad manifestados en mi favor. Si no logro encontrarla aquí, espero saludarla en el reino de los cielos, abrazarla y darle las gracias.

¿Cuántas de nosotras hemos disfrutado las delicias que a las hermanas que son miembros de la Sociedad de Dorcas les gusta cocinar? ¿Hemos admirado las manualidades que con sus manos elaboran o esos actos de bondad hacia los menos favorecidos? Tal vez tú has sido una de esas personas que cuando estudiabas fuera de tu casa y no tenías dinero ni comida ni dónde dormir, ellas te proporcionaron todo eso, y no solo un día, sino tal vez semanas o meses para que lograras tus objetivos de estudio. Quizás te proporcionaron la ropa adecuada para que pudieras asistir a la iglesia o a la escuela o para cubrirte del frío. Por eso me gusta pensar en ellas como las «manos que hablan». «No hay límite a la utilidad del que, poniendo a un lado el yo, permite que el Espíritu Santo obre sobre su corazón y vive una vida enteramente consagrada a Dios» (*Servicio cristiano*, p. 315).

Las veo y recuerdo, dónde mi papá ha sido pastor, siempre dispuestas a servir, dar, reparar y visitar; sin recursos financieros o los escasos fondos que las iglesias les asignan, pero siempre ayudando. Es hermoso verlas reunirse para planear sus actividades. ¡Cómo pasarlas por alto cuando, bien uniformadas, cumplen con sus deberes en las reuniones de la iglesia!

Quiero agradecer a Dios por esas «manos que hablan», por ese servicio abnegado y desinteresado que realizan. Si existe en tu mente una de esas «manos que hablan» personificada, que hizo algo por ti, ¡qué alegría les daría recibir un gesto de tu gratitud! Puede ser que haya alguna que no asiste a la iglesia a causa de su edad o por algún problema. Esta es tu oportunidad de mostrarle tu amor. No las olvides.

L. Arely Ángeles Ríos

Amor incondicional

Con amor eterno te he amado (Jeremías 31: 3).

AMOR INCONDICIONAL, ¿en qué consiste? ¿Te has puesto a pensar por qué tu hijo no responde como quisieras? ¿Se ha salido de la iglesia, consume drogas, es haragán, egoísta, te falta al respeto o tal vez su preferencia sexual se ha desviado? La única respuesta que puedo encontrar es que el enemigo destruye a nuestros próximos grandes dirigentes, ¿pero cómo puedes seguir amando a un hijo así? Porque nuestro Padre celestial nos ha dado ejemplo, y esto me hace recordar la parábola del hijo pródigo, especialmente quiero llamar la atención a la actitud del padre quien proporcionó a su hijo todo lo que estuvo a su alcance, lo esperó pacientemente, celebró su regreso sin reproches, le restituyó su lugar de hijo y también de sus posesiones.

¡Es un ejemplo de amor incondicional! Podríamos imaginar la angustia que vivió este hombre durante todo el tiempo en que su hijo estuvo fuera del hogar, malgastó sus dones, sus talentos, su energía y su vida, pero con la esperanza ferviente de que algún día regresaría.

¡Por fin su anhelo se vio cumplido! Sin duda, creo que durante mucho tiempo, cuando las cosas empezaron a ir mal, el hijo, aunque desorientado, recordaba todo lo bueno que había en su casa y sobre todo el gran amor de su padre, por eso este joven decidió regresar, porque sabía que su padre continuaba amándole incondicionalmente.

Amiga, hoy te animo a que reflexiones en la actitud de este padre. Ama a tu hijo incondicionalmente y encomiéndalo al Señor, sin perder la esperanza de que algún día regresará.

Ada Sibia Landa Díaz

Amor divino

Declararé que tu amor permanece firme para siempre,
que has afirmado en el cielo tu fidelidad (Salmos 89: 2).

TODO VERDADERO cristiano debe desarrollar en esta vida las características del amor divino; ha de manifestar espíritu de tolerancia, de beneficencia, y estar libre de celos y envidia. Semejante carácter, desarrollado en palabra y en comportamiento, no repelerá y no será inaccesible, frío o indiferente a los intereses ajenos. La persona que cultiva la preciosa planta del amor será abnegada de espíritu, y no perderá el dominio propio bajo la provocación. No culpará a otros de malos motivos o intenciones, pero se lamentará profundamente cuando el pecado sea descubierto en cualquiera de los discípulos de Cristo.

El amor no se ensalza. Es humilde; nunca hace que una persona se jacte o se exalte a sí misma. El amor hacia Dios y hacia nuestro prójimo no se revelará en actos precipitados ni nos hará dominantes, criticadores o dictatoriales. El amor no se envanece. El corazón en el cual reina el amor será guiado hacia un comportamiento bondadoso, cortés y compasivo hacia los demás, sean estos o no de nuestro agrado, sea que nos respeten o que nos traten mal. El amor es un principio activo; nos hace tener presente siempre lo bueno que hay en los demás, guardándonos de esta manera de las acciones desconsideradas para que no perdamos de vista nuestro objetivo de ganar almas para Cristo. El amor no procura lo suyo. No inducirá a las personas a que busquen su propia comodidad y complacencia. Es la pleitesía que le rendimos al YO lo que a menudo nos impide crecer en amor (*Testimonios para la iglesia*, 5:115-116).

Ellen G. White

No te detengas

La piel se arruga, el pelo se vuelve blanco,

los días se convierten en años, pero lo importante no cambia.

Tu fuerza y tu convicción no tienen edad.

Detrás de cada línea de llegada, hay una partida.

Detrás de cada logro, hay otro destino.

Mientras estés vivo, siéntete vivo.

Si extrañas lo que hacías, vuelve a hacerlo.

No vivas de fotos amarillas.

Sigue, aunque todos esperen que abandones.

No dejes que se oxide el hierro que hay en ti.

Haz que en vez de lástima, te tengan respeto.

Cuando por los años no puedas correr, trota.

Cuando no puedas trotar, camina.

Cuando no puedas caminar, usa bastón.

Pero, ¡nunca te detengas!

Teresa de Calcuta

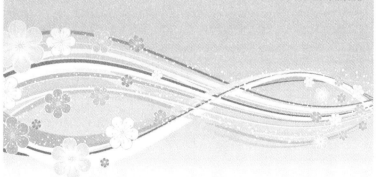

Haz todo lo posible por venir antes del invierno

Yo, por mi parte, ya estoy a punto de ser ofrecido como un sacrificio, y el tiempo de mi partida ha llegado (2 Timoteo 4: 6).

RECUERDO las noches cuando mi madre nos reunía a mis hermanos y a mí para estudiar la historia bíblica en *El Amigo de los niños*. De manera especial me encantaba escuchar las historias de los fascinantes viajes del apóstol Pablo.

El apóstol Pablo se encontraba en una prisión de Roma después de años de arduo trabajo como siervo de Dios. Tenía la seguridad de que había cumplido su misión, por eso dijo: «He peleado la buena batalla, he terminado la carrera, me he mantenido en la fe» (2 Ti. 4: 7). Entonces le escribe a Timoteo, su entrañable amigo, a quien además consideraba su hijo, para solicitarle le traiga algunas cosas y en especial pedirle que venga pronto, que procure verlo «antes del invierno».

Timoteo predicaba en la ciudad de Éfeso, lejos de Roma. El invierno se acercaba y los puertos eran cerrados a la navegación. Pablo sabía que Timoteo debía darse prisa si quería llegar a Roma para que se pudiesen encontrar por última vez, como presentía: «Yo, por mi parte, ya estoy a punto de ser ofrecido como un sacrificio, y el tiempo de mi partida ha llegado»; deseaba despedirse y, tal vez, dirigir las últimas indicaciones de un padre a su hijo, para los amigos y creyentes.

El apóstol le solicita: «Recoge a Marcos y tráelo contigo [...] trae la capa que dejé en Troas, en casa de Carpo; trae también los libros, especialmente los pergaminos» (2 Ti. 4:11-13). Pero antes de enlistarle lo que necesita que traiga, le pide: «Haz todo lo posible por venir a verme cuanto antes» (2 Ti. 4: 9) y al finalizar le insiste: «Haz todo lo posible por venir antes del invierno» (2 Ti. 4: 21).

Timoteo no pudo ver al viejo apóstol. El invierno llegó y el barco que lo trasladaba para encontrarse con su amigo no ancló a tiempo. Cuando por fin estuvo en Roma, el gran predicador de los gentiles ya descansaba en el Señor. Día tras día Jesús nos recuerda que no debemos permitir que los afanes de la vida nos hagan olvidar lo más importante. Y las palabras del apóstol Pablo resuenan hoy como una invitación de Jesucristo: «Haz todo lo posible por venir a verme cuanto antes». «Haz todo lo posible por venir antes del invierno».

Elizabeth Domínguez Hernández

Las mensajeras

¡Qué hermosos son, sobre los montes, los pies del que trae buenas nuevas; del que proclama la paz, del que anuncia buenas noticias, del que proclama la salvación, del que dice a Sión: «Tu Dios reina»! (Isaías 52: 7).

EL PROFETA Isaías habla de la bendición de ser llamados para anunciar las buenas noticias de salvación y el apóstol Pablo pregunta quién tendrá la autorización divina para predicar y quién será enviado a hacerlo (Ro. 10: 14 y 15). Las respuestas a estas dos preguntas están en Salmos 68: 11: «El Señor ha emitido la Palabra, y millares de mensajeras la proclaman». En el hebreo se utiliza la palabra *mebasseroth*. Esta palabra significa «anunciadoras», del verbo *basar*, «anunciar», «que se refiere a las mujeres que anunciaban [...] es probable que las *mebasseroth* fueran mujeres que celebraban con cantos los grandes acontecimientos, tales como el retorno de los ejércitos victoriosos» (*Comentario bíblico adventista*, 3:800).

Tras el milagroso paso de los israelitas por el Mar Rojo, María y las demás mujeres tomaron panderos y con danzas anunciaron el portento (Éx. 15: 20-21). En 1 Samuel 18: 6 y 7 las mujeres salieron con danzas y panderos a recibir al valiente David que había matado al gigante. A María Magdalena se le da la encomienda en S. Juan 20: 17-18 que vaya con los demás a dar la noticia de la resurrección de Jesús.

Dios no detiene su obra de predicar el evangelio fijándose si el agente es un hombre o una mujer. El Señor mira solamente corazones dispuestos, humildes, accesibles y sensibles a sus llamados; es entonces cuando su poder se perfecciona, cuando su voz se deja oír y cuando él puede realizar sus milagros de redención.

Así como ante Dios somos iguales y con los mismos derechos como sus hijos e hijas amados, también tenemos las mismas responsabilidades y es nuestro deber encontrar la misión que debemos cumplir. ¿Encontraste la manera de ser una mensajera eficaz para Dios?

Zobeida Ham Cuevas

Un lenguaje que entiende Dios

Solo en Dios halla descanso mi alma; de él viene mi esperanza
(Salmos 62: 5).

VOY A COMPARTIR contigo una estrofa de uno de mis cantos favoritos. Te diré que he escuchado varias versiones, sin embargo, el centro del mensaje es el mismo. En mi vida han existido situaciones en las que no he podido expresar a Dios mis sentimientos y únicamente me he limitado a llorar. Por ese motivo hoy quiero compartir contigo este canto. Las lágrimas expresan un lenguaje que solamente Dios conoce.

A veces las lágrimas te han sorprendido,
las cargas te parecen duras de llevar,
mas Cristo cercano está, él ve tus lágrimas,
son lenguaje, lo entiende él.
El llanto ve del cuitado corazón,
tu llanto ve, lo escucha al caer.

Una de esas situaciones ha sido la muerte de uno de mis tíos paternos, un hombre joven a quien Dios llamó al descanso. Pasar por este tipo de circunstancias es espinoso; me faltan palabras para describir los sentimientos que se embargan en el corazón. No obstante, sé que Dios entendió mis lágrimas en aquellos días, y sé que él estuvo a mi lado.

Cada una de nosotras pasamos o tal vez vivimos situaciones en las cuales no hay palabras para expresar a nuestro Dios lo que sentimos. No te preocupes por eso. Tú solamente llora y déjate caer en los brazos de nuestro Padre celestial. Él entenderá tus lágrimas.

Amanda Jeanette Alfaro Díaz

ESPERANZA

Centinelas del Maestro

¡Escucha! Tus centinelas alzan la voz, y juntos gritan de alegría,
porque ven con sus propios ojos que el Señor vuelve a Sión
(Isaías 52: 8).

DON JOSÉ era un hombre sociable y muy servicial. Su amor y fervor religioso lo llevó a promover la construcción de una parroquia. Este hombre organizaba ventas y rifas para reunir fondos para edificar el templo católico. Cada domingo se le escuchaba llamar a la comunidad por un alta voz para que cooperaran con el proyecto. Fue tanta su labor que finalmente lograron terminar el inmueble sagrado.

Un día en que yo pasaba a recoger una prenda a la tintorería, el dueño me informó que don José estaba muy grave pero que la familia no quería visitas, además el sacerdote no había ido a visitarlo. Entonces vi la oportunidad para llevarle el mensaje de esperanza. Por fortuna me encontré con su hija. Le pregunté por la salud de su padre y me dijo que estaba muy grave. Expresé mi interés para ir a visitarlo y me dijo que estaba bien. Así que le llevé un folleto sobre la Ley de Dios. Después de algunas visitas le propuse tomar la Santa Cena como lo estableció nuestro Señor Jesús y aceptó inmediatamente. Sus hijos nos esperaron ese día junto con algunos vecinos. Era sábado de tarde y nos acompañó un pastor para oficiar el servicio de comunión.

Días después pregunté por don José. Su hija me dijo que había fallecido, pero que antes de morir dijo que tres veces soñó que el Señor le decía que se preparara porque pronto moriría. Creo que lo veré cuando Jesús venga en gloria por segunda vez, porque don José aceptó el mensaje que le fue presentado antes de bajar al sepulcro. ¡Me siento feliz de haber sido un instrumento para compartir el mensaje de salvación! Amiga, hoy te invito a tomar tiempo para hablarle a alguien sobre el amor de Jesús. Decídete a ser una centinela del Maestro que anuncie a este mundo el pronto regreso del Señor.

Graciela de Sapiens

Una alegoría de la vida real

El Señor me escucha cuando lo llamo (Salmos 4: 3).

ESA MAÑANA desperté más temprano de lo acostumbrado. Tenía muchas preguntas en mi mente y un dolor en mi corazón. ¿Qué había pasado, en realidad? Tenía siete meses de embarazo y había ido a consultar al obstetra. Después de examinarme me indicó seriamente que las cosas no estaban bien. Me explicó de complicaciones, de mi tipo de sangre de Rh negativo, que era incompatible con el tipo de sangre de mi bebé. Fue para mí un trance terrible. Tendría que ir al hospital pero regresaría con los brazos vacíos, pues no era posible que mi bebé naciera con vida.

Al hacer todos los arreglos necesarios, fui admitida y me indujeron el parto. La bebé era preciosa, perfecta en todos los detalles, pero los pulmones no funcionaban y el corazoncito no latía. Al estar de vuelta en casa, estaba sola. Mi esposo andaba de viaje por su trabajo, y no tenía con quién hablar ni con quién llorar. Me arrodillé ante el Señor con lágrimas amargas y con un corazón deshecho. «¿Señor, estás allí? ¿Qué puedo hacer con todo este dolor?» Mi corazón palpitaba rápidamente, mis lágrimas mojaban mi ropa. Y el silencio me estaba matando. Después de varias horas sentí paz en mi corazón y medité en las palabras de Apocalipsis 21: 4: «Él les enjugará toda lágrima de los ojos. Ya no habrá muerte, ni llanto, ni lamento ni dolor, porque las primeras cosas han dejado de existir». Gracias, Señor, por tus promesas.

Abrí mi Biblia en Zacarías 8: 5 y leí: «Los niños y las niñas volverán a jugar en las calles de la ciudad». Me arrodillé de nuevo para pedirle al Señor que me diera fuerzas para seguir adelante. Puse todos mis deseos a sus pies y me entregué a él, porque es el único que sabe lo que es mejor para mi vida. Cuando Cristo venga los muertos en Cristo serán resucitados, y entonces «santos ángeles llevan niñitos a los brazos de sus madres [...] se reúnen para no separarse más, y con cantos de alegría suben juntos a la ciudad de Dios» (*El conflicto de los siglos*, p. 703).

Hermana mía, si tú has sufrido un gran dolor en tu vida, ten fe, Dios te dará el consuelo que necesitas y si te mantienes fiel, pronto, cuando Cristo venga, todo se disipará en un gozo indescriptible. Que Dios te dé fuerzas y una vida nueva.

Martha Ayala de Castillo

¿Se está quemando tu pequeña choza?

La mano del Señor no es corta para salvar, ni es sordo su oído para oír (Isaías 59: 1).

CIERTO DÍA un barco zarpó con 20 pasajeros. El viaje demoró cincuenta días. Entre los tripulantes iba un fiel cristiano de quien los demás se burlaban. Una noche sucedió algo terrible: estalló el cuarto de máquinas y se hundió el barco. El único que sobrevivió fue el fiel cristiano, quien logró llegar a una isla. Todos los días veía hacia el horizonte en busca de ayuda, pero ésta nunca llegaba. Ya cansado de tanto esperar y ver que no era rescatado, comenzó a construir una pequeña choza. Un día fue a pescar y al regresar su choza estaba incendiándose. No pudo salvar nada.

Después de perder todo, caminó por la isla, deambuló, ya sin esperanza. Estaba enojado con Dios. Lloraba y le decía: «¿Cómo pudiste hacerme esto?» A la mañana siguiente, escuchó asombrado la sirena de un buque que se acercaba a la isla. ¡Venían a rescatarlo! Al llegar sus benefactores les preguntó cómo sabían que él estaba allí. Entonces, ellos le respondieron: «Vimos las señales de humo que nos hiciste». La historia no dice qué le dijo este hombre a sus rescatadores, pero fue llevado a su hogar con los suyos y dio gracias a Dios por ello.

Es muy fácil enojarse cuando las cosas van mal, pero no debemos perder la fe en Dios, porque él trabaja en nuestras vidas. No debemos desanimarnos, pues Dios está allí para que podamos soportar las penas y los sufrimientos; está allí para darnos el crecimiento espiritual que necesitamos.

Recuerda, la próxima vez que tu pequeña choza se esté quemando, no pierdas la esperanza ni la fe en Dios. Puede ser que simplemente sea una señal de humo que surge de la gracia de Dios, por todas las cosas negativas que te pasan. Debemos confiar en que nuestro Dios siempre tiene algo positivo por cada circunstancia negativa que nos pasa. Solo recuerda que nos ama tanto que estuvo dispuesto a enviar a su único Hijo a rescatarnos; y todavía está dispuesto hoy a rescatarte de ese grave problema o necesidad que te aqueja. No lo olvides, confía en Dios.

Vicky Zamorano de Medrano

Somos como una flor

El hombre es como la hierba, sus días florecen
como la flor del campo (Salmos 103: 15).

ME ENCONTRABA en mi oficina. Aparentemente era un día normal de trabajo, pero entonces me enteré de una lamentable noticia: la muerte de un siervo de Dios. Parece que al abrir la puerta de su casa lo esperaban. Su muerte fue rápida, pues sus asesinos actuaron de manera fulminante.

La noticia nos dejó a todos consternados. Una noticia así no se puede creer. Era tan buen hombre. Hacía un excelente trabajo. Tenía una linda familia. Señor, ¿por qué? Por qué permitiste que esto sucediera? Preguntas que muchos nos habremos hecho al saber de lo acontecido. Por ahora, no tenemos la respuesta. Solo sabemos que Dios ama a sus hijos, los cuida y los protege. Pero a veces, sí a veces, permite que sucedan ciertas desgracias que no logramos entender.

¿Qué somos realmente sin Dios? ¡Qué vano es vivir en este mundo, creer que lo tenemos todo! De manera insensata nos enorgullecemos de lo que poseemos y de lo que podemos hacer. Los logros humanos son tan fugaces y efímeros que muchos ni siquiera los disfrutan.

Cuando vemos la hermosa flor en la mañana, fresca y radiante, parece como si así fuera a permanecer por mucho tiempo, pero al regresar en la tarde la vemos marchita, moribunda, sin frescura. Con cuanta frecuencia se nos olvida que nuestra vida se compara con una flor del campo, que aunque tiene su encanto y su belleza, rápidamente deja de existir al término del día.

Querida amiga, no olvides en este día lo vano que es vivir alejadas de Dios. Que puedas vivir el día de hoy delante de él como si fuera el último, pero con la esperanza de que cuando él venga y restaure tu vida, no dejarás de ser al final del día, sino que vivirás eternamente. Señor, ven pronto, quiero estar contigo por siempre.

Noemí Gil de Barceló

ESPERANZA

Mi Cristo vive

Yo sé que mi redentor vive, y que al final triunfará sobre la muerte (Job 19: 25).

CUANDO ERA NIÑA mi madre me enseñó a respetar y amar a Dios. Todas las noches antes de dormir me mostraba un cuadro en el que Jesús permanecía en una cruz y sus manos sangraban por los clavos que atravesaban su piel. Una noche le pregunté a mi madre por qué Jesús estaba ahí clavado. Ella me dijo que unos hombres lo crucificaron. Recuerdo que lloré mucho esa noche. Era tan pequeña que no podía comprender lo que le había ocurrido a ese hombre de paz. La explicación de mi madre fue corta, ella misma no sabía qué decir.

Con el tiempo mi madre conoció acerca del Señor. Ella me dijo que Jesús resucitó y venció la muerte. Eso fue un gran alivio y consuelo para mí. Mi familia entregó su vida a Cristo: todos reconocimos que Jesús vino a este mundo, murió y entregó su vida por cada uno de nosotros. Por eso hoy cada día lo reconocemos como Dios grande y creador, como el Dios vivo que nos ama profundamente.

La Biblia dice del pueblo de Dios: «Pero ustedes son linaje escogido, real sacerdocio, nación santa...» (1 P. 2: 9). Me siento tan reconfortada al pensar que somos un pueblo especial para Dios. Sé que Cristo vino y murió por cada uno de sus hijos. Ahora me queda claro que esa muerte fue transitoria. ¡Mi Cristo vive! Pronto vendrá para llevarnos a morar por siempre a su mansión celestial. Querida hermana, te exhorto a que cada mañana recuerdes a ese Cristo que vive y desea que vivamos con él por la eternidad, y que cantemos como pueblo juntos a una sola voz el cántico de victoria.

Anabel Ramos de la Cruz

Palabras de aliento

Por lo tanto, anímense unos a otros con estas palabras
(1 Tesalonicenses 4: 18).

EN CIERTA OCASIÓN mis padres decidieron visitarme, en especial papá. Gracias a Dios llegaron bien. La mañana del día 14 de octubre de 2005 platiqué con él un momento, nos despedimos y me fui al trabajo. Nunca me imaginé que sería nuestra última conversación. Un infarto le arrebató la vida. Fue algo inesperado y desgarrador. Los amigos comenzaron a llegar para estar con nosotros y consolarnos. En aquellos momentos de profundo dolor, la hija de una amiga y compañera de trabajo llegó con una cartita en su mano, me abrazó y me la dio. La guardé por un momento, y luego leí su contenido: «Sé lo que se siente, yo también perdí a mi padre, pero a mí me duró menos tiempo que a usted».

Esas palabras han estado presentes hasta el día de hoy en mi mente. No somos los únicos que sufrimos. Cuando algo nos sucede, como humanos tendemos a mostrarnos egoístas, pero alrededor de nosotros hay personas que sufren. A esas personas que sufren debemos visitarlas y orar por ellas, platicar acerca de las promesas que existen en la Palabra de Dios.

Agradezco a Dios cada día por esas personas de gran corazón que en momentos de dolor nos llamaron por teléfono, oraron por nosotros, incluso nos visitaron. Ese espíritu de consolación estuvo siempre con nosotros y nos mantuvo de pie. Ahora depende de mí si hago lo mismo con los demás. Somos una gran familia y como tal nos debemos de sostener en Cristo y con oración.

Querida hermana, si has perdido algún ser querido recuerda este precioso texto: «¿Acaso no creemos que Jesús murió y resucitó? Así también Dios resucitará con Jesús a los que han muerto en unión con él» (1 Ts. 4: 14). Falta poco tiempo para que volvamos a verlos. Ese día será grandioso. ¿No lo crees así?

Anabel Ramos de la Cruz

Una esperanza que nos une

Luego los que estemos vivos, los que hayamos quedado,
seremos arrebatados junto con ellos en las nubes para encontrarnos
con el Señor en el aire. Y así estaremos con el Señor para siempre
(1 Tesalonicenses 4: 17).

SIEMPRE que nos despedíamos de papá y mamá, en silencio derramábamos lágrimas, con la esperanza de volvernos a encontrar el próximo año. Pero esa tarde fue diferente. Todos lloramos, incluso mi padre, a quien nunca habíamos visto llorar, también derramó lágrimas. Vio a su esposa e hijas que lloraban abrazadas, sin querer separarse. Recuerdo las últimas palabras de mamá: «Hija no te preocupes, vete tranquila, tu niña estará bien, con nosotros no le faltara nada». Mi hija se quedaría con ellos y nosotros regresaríamos a Tecate, B. C., México.

Nunca pensé que ésa sería la última vez que platicaría y escucharía la voz de mi madre; la siguiente vez que la vi fue en el Hospital de San Francisco en estado de coma después de una operación del cerebro, y también encontré a mi padre en cama con cáncer terminal, preguntando: «¿Cuándo volverá Blanca? ¡Ya quiero verla!» Esa semana lo llevamos al hospital donde estaba mamá y la vio por última vez.

En esa ocasión todos unidos alrededor de la cama de mamá entonamos sus cantos preferidos, la tomamos de la mano y le dijimos: «¡Te amamos mamá! ¡Aquí está tu esposo Beto!» Oramos y volvimos a casa con mi padre. La iglesia apoyó mucho a mis padres. El pastor ungió a ambos. Mi padre murió el sábado a las 6:00 p. m., sin que mamá lo supiera; ella murió el lunes a las 6:00 p. m., sin que papá lo supiera.

Vivieron 55 años juntos, se amaron tanto que ni la muerte pudo separarlos. Ahora descansan en el Señor, listos para levantarse al llamado de Dios esa mañana de resurrección, cuando quizá, tomados de la mano buscarán a sus hijos, y una vez que nos encontremos, todos juntos como familia, ascenderemos felices y gloriosos por los aires para reunirnos con nuestro amado Salvador Jesús, y no nos separarnos nunca más.

¿Estás lista amiga mía para esa preciosa reunión con tus amados? Te invito en este momento a renovar nuestros votos de amor como hija, esposa o madre; a realizar un servicio feliz y abnegado a nuestros seres queridos y a nuestro prójimo. Abramos nuestra mente y corazón a Dios nuestro Padre y Salvador eterno.

Reyna Ibarra de Guevara

Cosa que ojo no vio

Ningún ojo ha visto, ningún oído ha escuchado,
ninguna mente humana ha concebido lo que Dios ha preparado
para quienes lo aman (1 Corintios 2: 9).

HE APRENDIDO a ver lo hermoso del desierto. Hay belleza en cada lugar que el Señor creó. Tierra aparentemente estéril, pero donde puedes apreciar el amor de Dios de una manera especial. Después de muchos años fuera de mi tierra, hoy vivo en la región que me vio nacer y me he dado cuenta que realmente no conocía bien estos lugares. Por mucho tiempo pensé que no habría nada que se pudiera cultivar en esa clase de tierra, pero durante un viaje por la carretera observé unos cultivos de espárragos, huertas de naranjos, toronjas, viñedos y olivares. ¡Esto sí que era increíble! En su gran amor, Dios había creado esta variedad de vegetales para que se cultivaran en esta tierra despoblada.

Las personas oriundas de zonas fértiles que visitan estos lugares aseguran que ni las lagartijas sobreviven, además, no tiene atractivos ante sus ojos. Pero no es así. En el dorado del pasto seco, en contraste con el verde de algunos arbustos, y en los cerros rocosos hay una belleza particular. Los amaneceres y las puestas del sol exhiben fuertes colores dorados, naranjas, rosados que cambian poco a poco las nubes, con brillantes combinaciones de colores desde la paleta del gran pintor, nuestro Creador.

Dios ha dado a cada lugar un atractivo especial. Podemos apreciar una vislumbre de la hermosa creación en cualquier lugar en que nos encontremos. Hay belleza a pesar de tantos años de pecado. Belleza que nos habla del gran amor del Señor por sus hijos. Belleza que se verá transformada por la renovada hermosura del mundo venidero porque el Señor prepara algo que supera nuestra imaginación y las escenas terrenales más atractivas a la vista. ¡Cuánto anhelo que llegue ese día! ¡Espero que sea muy pronto! Yo quiero estar lista y te invito a prepararte para que podamos contemplar la mejor belleza de todas, que será ver al Señor Jesús.

Noemí Gil de Barceló

¿Te llamará Dios a cuentas hoy?

**El Señor libra a sus siervos; no serán condenados
los que en él confían (Salmos 34: 22).**

EN UNO DE LOS DÍAS que pasamos las vacaciones en nuestro pueblo en el estado de Veracruz, mi esposo tuvo que hacer una llamada telefónica para algunos asuntos de trabajo que por alguna razón no hizo durante el día. Pero el problema no fue ese, sino que en el pueblo no hay mucha cobertura para teléfonos celulares, entonces tuvimos que ir al cerro donde está el cementerio, porque únicamente allí había mayor señal. Lo peor de todo es que estaba anocheciendo. ¡Mi esposo intentó comunicarse durante dos horas!

Por supuesto que cuando vi que ya oscurecía comencé a bajar del cerro por unas escaleras muy empinadas. Ahí esperé a mi esposo cerca de una hora. De pronto me vi sola en medio de la oscuridad. En ese momento empecé a reflexionar en las tumbas que había visto; vino a mi mente la venida de Jesús y en el momento cuando los muertos justos resucitarán.

Pensé en el momento en el que, si el Señor así lo dispone antes de su venida, yo baje a la tumba. ¿Estaré entre los redimidos? ¿Acaso estaré entre los que resuciten? Fue allí donde me entró temor, y elevé una plegaria al cielo en busca de auxilio. Vino a mi mente el pasaje que dice: «Tú, que salvas con tu diestra a los que buscan escapar de sus adversarios, dame una muestra de tu gran amor» (Sal. 17: 7). Entonces clamé: «¡Oh Señor, quiero refugiarme en tus brazos de amor para no ser condenada!»

A veces estamos tan absortas en nuestras actividades, en el ajetreo de la vida y se nos olvida que somos vulnerables a los ataques del enemigo. Tampoco tenemos la vida comprada, muchas veces no andamos en armonía con Dios; y que en cualquier momento nos puede llamar a cuenta. Entonces todo habrá terminado.

También pensé en lo que hago por las almas que se pierden. ¿Acaso muchos de los que dormirán hasta la venida de Jesús no resucitarán en la primera resurrección porque no hice nada por ellos? ¿Has pensado en esto alguna vez? Te invito a reflexionar en esto y también a creer en la promesa de esta mañana. Dios te bendiga y te guarde.

Vicky Zamorano de Medrano

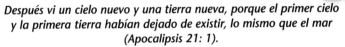

La esperanza que nos mueve

Después vi un cielo nuevo y una tierra nueva, porque el primer cielo
y la primera tierra habían dejado de existir, lo mismo que el mar
(Apocalipsis 21: 1).

LA MAÑANA pasa demasiado rápido: los chicos en la escuela, el esposo en el trabajo, cinco cargas de ropa sucia esperan ser lavadas; se acabó el gas, la casa quedó hecha un campo de batalla; pero con la mayor paciencia que solo el cielo me ha podido otorgar, me programo y comienzo a transformar esas pilas de platos sucios, camas sin arreglar y polvo sobre todo lo existente, en un verdadero hogar.

El día está por terminar: hay una generosa cantidad de ropa sucia que apareció en el cesto de la lavandería, un poco de jugo fue derramado sobre mi sofá favorito, las tareas recortables han dejado bajo la mesa muchos papelitos de colores y tres pequeños somnolientos exigen la cena para poder irse a descansar. Antes de apagar las luces, con un profundo suspiro, miro a mi alrededor. Estoy exhausta para atender los pendientes que surgieron durante la tarde.

Pienso que mañana será otro día, estoy tan cansada pero subo la escalera hasta mi recámara. Mi esposo me espera para contarme algunos problemillas que urgen y deben ser atendidos. Es una lucha titánica mantener los ojos abiertos, pero pongo lo poco que me queda de atención para opinar con una porción de conciencia. Por fin, a dormir, espero que no suene el teléfono o que algún niño se levante porque tiene algún malestar.

La noche pasa desapercibida y cuando todavía disfruto esos deliciosos minutos de discusión entre si debo levantarme ya o puedo quedarme un poco más, medito levemente en el trajín que me espera. Pero no hay problema. Hay una fuerza mayor que me mueve, que mueve al mundo, que nos permite andar y responder, actuar y decidir. Sé que Dios valora el esfuerzo que hago y que me ayuda a realizarlo de la mejor manera. ¿Qué mayor razón quiero para ponerme de pie y sonreírle a un nuevo día?

Rosario Castro de Hernández

Bendita esperanza

Él les enjugará toda lágrima de los ojos. Ya no habrá muerte,
ni llanto, ni lamento ni dolor, porque las primeras cosas
han dejado de existir (Apocalipsis 21: 4).

ERA UN 15 DE JUNIO cuando sonó el teléfono. Una amiga llamaba para darme una terrible noticia: Paty acababa de sufrir un accidente y estaba en estado de coma. ¡No lo podía creer! ¡Apenas había hablado con ella hacía pocos días! Con desesperación comencé a telefonear a amigos y conocidos, les pedí que elevaran oraciones intercesoras a favor de ella, confiaba en que un milagro era posible. Pero al día siguiente me informaron que Paty había fallecido.

Es difícil describir el dolor y la tristeza que sentí. Posiblemente más de una de ustedes ha experimentado la pérdida de un ser querido. Todavía recuerdo ese fin de semana triste y sombrío. Tenía una lucha interna entre si debía o no viajar los 150 kilómetros hasta donde estaría el cuerpo de mi amiga. Deseaba simplemente recordarla como en nuestra última conversación, pero mi corazón requería de este último encuentro doloroso pero necesario.

Tomé el autobús ese sábado después de haber asistido al culto, no deseaba llegar a mi destino porque me sentía frágil y demasiado sensible para enfrentarlo. Finalmente llegué y desde el momento en que entré a la funeraria, lloré sin importarme las miradas de los allí presentes. Me acerqué al féretro y, contrario a lo que temía fuera mi reacción, por fin recibí consuelo. Sentí la mano de su madre que me abrazaba, y con dulzura me dijo: «Querida, tu amiga solo duerme».

Quiero ahora imaginar cómo será nuestro próximo encuentro, en el cielo, en donde el Señor quitará toda lágrima de nuestros ojos y todo será hecho nuevo y no habrá más llanto ni dolor, ni clamor. Bendita esperanza la que nos permite mirar hacia delante, que consuela nuestros corazones y nos da la seguridad de que Dios tiene algo mucho mejor para nosotros.

Rosario Castro de Hernández

¡Basta ya!

Y este evangelio del reino se predicará en todo el mundo como testimonio a todas las naciones, y entonces vendrá el fin (S. Mateo 24: 14).

LAS MADRES actuales parecemos muy satisfechas con todas las actividades que nos ocupan; orgullosas porque nuestros hijos reciben clases de música, natación, inglés y computación.

No nos alcanza el tiempo para más actividades. A veces imaginamos a nuestros hijos casados y disfrutar de nuestros nietos. Esto lo comento no porque tenga algo de malo, sino más bien porque pareciera que para siempre vamos a estar en esta tierra llena de maldad, muerte, egoísmo y sobre todo sin Dios.

Después de ver la película *La última batalla*, donde nos muestra los últimos acontecimientos de este mundo, Dios me ayudó a reflexionar que ya es tiempo de dejar de vivir como lo hacemos. A pesar de estar en la iglesia, olvidamos que pronto vendrá Cristo Jesús y que debemos vivir cada día como si fuera el último. Es necesario que dejemos los afanes que nos limitan para anunciar a otros que pronto nuestro Dios viene. Él desea llevarnos al cielo donde nos tiene preparado un hogar incomparable, donde estaremos con él sin problemas, ni llanto ni dolor ni clamor. Lo más hermoso allí será ver a todas las personas con quienes compartimos el mensaje, con quienes sufrimos y oramos para que el enemigo las soltara y conocieran a nuestro gran amigo Jesús.

Dios pondrá en nuestra corona lindas estrellas brillantes que las representarán. Ojalá que sean varias. ¿Cuántas llevas tú? Cuando era niña, mi madre, una mujer de oración y espíritu misionero, me llevaba con ella a dar estudios bíblicos. Yo tenía mucha práctica en encontrar las citas bíblicas. Ella me dejó una herencia muy hermosa: el deseo de trabajar para Dios, ayudar a las personas a conocer de Jesús. Por eso quiero animarles a dejar algunas cosas que ahora consideramos prioridades y las cambiemos por las prioridades de nuestro Dios.

Querido Padre celestial, úngenos con tu Espíritu Santo. Danos el deseo de participar en esta preciosa y gran obra. Nos ponemos en tus manos para dejar las cosas que nos estorban e ir con otros a tu encuentro. Amén.

Sonia Elizabeth Martínez de González

ESPERANZA

El gozo del cielo

*Así, pues, los apóstoles salieron del Consejo, llenos de gozo
por haber sido considerados dignos de sufrir afrentas
por causa del Nombre (Hechos 5: 41).*

HACE ALGUNOS AÑOS tuve la oportunidad de visitar las Cataratas del Niágara. En la parte canadiense hay un mirador que permite ver de cerca cómo el cauce del río Niágara se interrumpe en forma semicircular y las aguas de esa afluente se precipitan muchos kilómetros hacia abajo, forman un espectáculo impresionante: la espuma blanca, el sonido del agua, la fuerza de la corriente y la fresca brisa húmeda que se siente en el rostro y en los brazos. Pero lo que recuerdo con más gusto fue el hermoso arco iris que se forma justo allí en las cataratas, y que al verlo por primera vez me robó el aliento. ¡Fue tan hermoso verlo con sus colores perfectamente definidos y su curvatura perfecta!

Mientras disfrutaba del panorama, una gran nube tapó el sol y el arco iris desapareció, luego que el nubarrón avanzó dejó que otra vez los rayos del sol nos envolvieran con su tibieza y su luz nos proporcionara nuevamente ese regalo de colores en forma de arco. Eso me hizo pensar que lo mismo sucede en nuestras vidas en muchas ocasiones. A veces, las circunstancias de nuestras vidas se tornan difíciles, parece que la oscuridad nos envuelve y nos preguntamos dónde está Dios, pero así como el día siempre sucede a la noche, la luz regresa y vuelve a salir el arco iris de las promesas de Dios en nuestro corazón.

También me hizo pensar en cuántas de estas noches oscuras las fabricamos nosotras mismas: a veces porque tomamos decisiones equivocadas. Seguimos nuestros propios impulsos o caprichos; en otras ocasiones porque fabricamos en la mente de fértil imaginación situaciones que nos llenan de angustia o porque pensamos que sabemos lo que va a pasar en el futuro; y otras más porque somos incapaces de adaptarnos a situaciones nuevas o lentas para adecuarnos a la independencia y libertad de elección de las personas que nos rodean.

Por eso nuestro Padre celestial nos invita con tierno amor a confiar en él y tener nuestra vista fija en sus caminos.

Nidia Santos Vidales

Los preciosos frutos del tiempo

Lanza tu pan sobre el agua; después de algún tiempo
volverás a encontrarlo (Eclesiastés 11: 1).

EN EL AÑO DE 1985 mi querido abuelo, Juan Cortés, fue llamado a descansar en los brazos del Señor. Fue un caballero de gran nobleza y humildad. Su vida se caracterizó por ser diligente y servicial con sus semejantes, creyentes y no creyentes. Además, fue uno de los pioneros de la obra adventista en Yautepec, Morelos. El Espíritu Santo lo iluminó para mostrar a muchas personas el gran amor de Dios y su maravilloso plan de salvación.

Recuerdo que mi abuelo compartió el mensaje con una familia de la región. Una de las hijas de este matrimonio se fue posteriormente a vivir a Poza Rica, Veracruz, donde llegado el tiempo formó su familia. Ella era una mujer muy entregada en la obra del Señor y llevó el mensaje a mucha gente. Dios le dio seis hijos, quienes abrazaron el evangelio con gran fervor. Uno de esos niños en el futuro llegaría a ser un ministro de Dios. Hace doce años, al graduar, fue llamado a servir como pastor asociado en Cuernavaca, Morelos, ocasión en la que nos conocimos y decidimos unirnos en el Señor y en su sagrado ministerio.

Con gran anhelo deseo encontrarme en la mañana de la resurrección con mi abuelito, y agradecerle a Dios y a él porque conocí a mi amado esposo. Hoy sus obras dirigidas por el Espíritu Santo, producen frutos para la gloria de Dios. Hermana, si piensas que has predicado el evangelio a mucha gente y no ves resultados, no te desanimes, con certeza cumples este noble cometido. Deja que el Espíritu Santo sea quien trabaje y traiga los resultados a su tiempo. ¡Verás grandes sorpresas para la gloria del Señor!

Angélica González de González

ESPERANZA

Fortaleza en la angustia

Todo lo puedo en Cristo que me fortalece (Filipenses 4: 13).

LA DEPRESIÓN se ha incrementando a nivel mundial a partir de la década de los ochenta y afecta principalmente a las mujeres. Este padecimiento incluye el «ataque de pánico», cuando determinadas cosas te dan miedo, por ejemplo, salir a la calle, morir o escuchar todo lo relacionado con la palabra muerte. También está la angustia, esto provoca en tu cuerpo el no poder respirar adecuadamente debido al problema que afrontas. Lo que debes hacer en ese momento es tranquilizarte y buscar primeramente la ayuda de Dios, que te da paz y serenidad. Te aseguro que acudirá en tu ayuda.

El libro de los Salmos está lleno de hermosas promesas que te pueden ayudar. He aquí algunas de ellas: «¿Por qué voy a inquietarme? ¿Por qué me voy a angustiar? En Dios pondré mi esperanza, y todavía lo alabaré» (Sal. 43: 5).

«Escucha, oh Dios, mi oración; presta oído a las palabras de mi boca [...] Pero Dios es mi socorro; el Señor es quien me sostiene» (Sal. 54: 2 y 4).

«Escucha, oh Dios, mi oración; no pases por alto mi súplica. ¡Óyeme y respóndeme, porque mis angustias me perturban!» (Sal. 55: 1 y 2).

«Cuando siento miedo, pongo en ti mi confianza. Confío en Dios y alabo su palabra; confío en Dios y no siento miedo» (Sal. 56: 3 y 4).

«Ten compasión de mí, oh Dios; ten compasión de mí, que en ti confío. A la sombra de tus alas me refugiaré, hasta que haya pasado el peligro» (Sal. 57: 1).

Te invito a que leas el libro de los Salmos y subrayes los textos que te fortalezcan. Léelos cada día hasta que se hagan una realidad en tu vida.

María Elena Ortiz Rocha

Respuestas del cielo

En mi angustia invoqué al Señor, y él me respondió (Salmos 120: 1).

CADA DÍA ENFRENTAMOS diversos problemas y cuando los llevamos a Dios desearíamos que su respuesta fuera una solución inmediata. Pero cuán difícil es aceptar, de momento, que la respuesta no es lo que esperamos. Sin embargo, este tipo de réplicas de parte del Señor nos ayudan a fortalecer nuestra fe en él y nos permiten analizar si realmente pedimos lo correcto. Hace poco llegó a mis manos este mensaje que quiero compartir contigo:

MENSAJE DE JESÚS

¿Por qué te confundes y te agitas ante los problemas de la vida? Déjame el cuidado de todas tus cosas y todo te irá mejor. Cuando te abandones en mí todo se resolverá con tranquilidad, según mis designios. No te desesperes. No me dirijas una oración agitada, como si quisieras exigirme el cumplimiento de tus deseos. Cierra los ojos del alma y dime con calma: «Jesús, yo confío en ti».

Evita las preocupaciones y angustias y los pensamientos sobre lo que pueda suceder después. No estropees mis planes queriéndome imponer tus ideas, déjame ser Dios y actuar con libertad. Abandónate confiadamente en mí. Reposa en mí y deja en mis manos tu futuro. Dime frecuentemente: «Jesús, yo confío en ti». Lo que más daño te hace es tu razonamiento y tus propias ideas y querer resolver las cosas a tu manera. Cuando me dices «Jesús, yo confío en ti», no seas como el paciente que le dice al médico que lo cure, pero le sugiere el modo de hacerlo.

Déjate llevar en mis brazos divinos. No tengas miedo. Yo te amo. Si crees que las cosas empeoran o se complican a pesar de tu oración, sigue confiando. Cierra los ojos del alma y confía. Continúa diciéndome a toda hora: «Jesús, yo confío en ti». Necesito las manos libres para poder obrar. No me ates con tus preocupaciones inútiles. Eso es lo que Satanás quiere: agitarte, angustiarte, quitarte la paz. Confía solo en mí, abandónate en mí. Así que no te preocupes, echa en mí todas tus angustias y duerme tranquilamente. Dime siempre: «Jesús, yo confío en ti», y verás grandes milagros.

María Elena Ortiz Rocha

ESPERANZA

Algo mejor

Antes bien, anhelaban una patria mejor, es decir, la celestial.
Por lo tanto, Dios no se avergonzó de ser llamado su Dios,
y les preparó una ciudad (Hebreos 11: 16).

¿QUÉ DEBE toda familia cristiana enseñar a los hijos acerca del Rey de reyes y de su reino? El profeta Daniel, dio la respuesta: «Mientras yo observaba esto, se colocaron unos tronos, y tomó asiento un venerable Anciano...» (Dan. 7: 9). Aquí se observa muy claramente que el reino y el trono del Dios Creador superarán todos los tronos terrenales. Toda madre tiene un deber sagrado: contar a los hijos del Rey de reyes del lugar que se está preparando para los santos de Dios.

Jocabed se empeñó en la instrucción de su hijo y alumno, Moisés, de manera que al ser un adulto y al estar fuera del control de su madre, su pasión fue la que le fue enseñada por esta mujer: que el reino de Dios era algo mejor a los deleites terrenales. Por eso, Moisés «renunció a ser llamado hijo de la hija del faraón [...] Consideró que el oprobio por causa del Mesías era una mayor riqueza que los tesoros de Egipto, porque tenía la mirada puesta en la recompensa» (Heb. 11: 24 y 26).

Dios nos recuerda que hay un reino mejor para nuestros hijos. El desafío de cada madre es pintar con palabras y con todo tipo de formas el cuadro de la venida de Jesús para establecer su reino. «Por el contrario, ustedes se han acercado al monte Sión, a la Jerusalén celestial, la ciudad del Dios viviente. Se han acercado a millares y millares de ángeles, a una asamblea gozosa, a la iglesia de los primogénitos inscritos en el cielo. Se han acercado a Dios, el juez de todos; a los espíritus de los justos que han llegado a la perfección; a Jesús, el mediador de un nuevo pacto; y a la sangre rociada, que habla con más fuerza que la de Abel» (Heb. 12: 22-24).

Madres, mujeres del Israel espiritual, ¡qué privilegio, qué responsabilidad y qué desafió tenemos! Oremos esta mañana: «Padre amado, en el nombre de Jesús, utiliza mi voz, mis manos, todo mi ser para que pueda seguir las pisadas de madres como Jocabed en preparar a mis hijos, a los jóvenes y otros muchos para que puedan decidir por las cosas celestiales en sus vidas».

Myrtle Penniecook

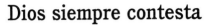

Dios siempre contesta

Jesús les contó a sus discípulos una parábola para mostrarles que debían orar siempre, sin desanimarse (S. Lucas 18: 1).

¿HAS PENSADO alguna vez que no vale la pena seguir orando por algo que Dios no te ha concedido? Debo confesar que en algunas ocasiones pensé así. Los seres humanos queremos respuestas inmediatas a nuestros pedidos. Nos hemos acostumbrado tanto a conseguir lo que queremos en un mínimo de tiempo que nos resulta difícil tener que esperar.

Dios no tiene prisa, ni tampoco nosotros lo podemos apurar con las respuestas a nuestros pedidos. Dios es Dios y él contestará nuestras peticiones en el momento que lo considere oportuno. ¿Te has dado cuenta de que muchas de las cosas que son creadas por Dios toman tiempo? Un bebé toma nueve meses para nacer, una flor toma tiempo para abrir y un árbol crece y da frutos después de algunos años. Dios tiene un tiempo determinado para todo y nosotras debemos aprender a esperar.

Cuando oramos, lo más importante es recordar que Dios nos escucha y responde. Es posible que no responda ni en el tiempo ni en la forma que deseamos, pero siempre responde. Recuerdo lo mucho que mi madre oraba por la conversión de mi padre. Día a día, durante los cultos familiares desde la sala de nuestra casa, mi madre y yo doblábamos nuestras rodillas para pedirle a Dios por mi padre y por el regreso de mi hermana que se había apartado del Señor desde su juventud. En varias ocasiones yo pensaba que no valía la pena orar, pues no veía ningún interés espiritual ni en mi padre ni en mi hermana, pero mamá no dejaba de orar. Sus súplicas ascendían al cielo con fe y confianza de que algún día Dios le contestaría.

Las oraciones de mi madre fueron respondidas en el momento oportuno. Oró más de cuarenta años por mi padre y quizá unos treinta y cinco por mi hermana, pero mi padre le entregó su corazón a Jesús con suficiente tiempo como para bajar al descanso en paz, y mi hermana regresó a la iglesia con suficiente tiempo para servirle al Señor sus últimos quince años de vida. Ahora ambos esperan el día cuando el Señor los llame de vuelta a la vida para reunirse con los redimidos de todas las edades y con nosotros. Aunque a veces pensemos que Dios se demora en responder a nuestras oraciones, no perdamos la confianza, porque la respuesta llegará cuando estemos listos para recibirla.

Evelyn Omaña

ESPERANZA

El final de Dios siempre es bueno

*Nuestra esperanza es la vida eterna, la cual Dios, que no miente,
ya había prometido antes de la creación (Tito 1: 2).*

¿QUIÉN PODRÍA vivir sin tener esperanza alguna? Nadie. No hay ningún plan en nuestras vidas en el cual no tengamos puesta alguna esperanza. Siempre existe un deseo de lograr, obtener o cumplir algo que nos satisfará como personas. Ante las penumbras de la vida, ante la violencia del mundo, ante la desesperación de habitar una tierra corrompida, la esperanza en ese Alguien superior se abre como nuestra opción de vida y el fin del sufrimiento. Ante nuestros ojos está la virtud de esperar confiadamente en que Dios cumplirá lo que ha prometido.

¿Cómo mantener la esperanza? Experimenta una continua dependencia y confianza en Cristo. Solamente en él puedes tener la seguridad de la victoria. Es él quien nos da la certeza de un mundo mejor, de un cielo y una tierra nuevos. Es a través de su vida que vemos la existencia de un mundo perfecto, que existe la resurrección y una vida eterna. Que pertenecemos a un «hogar», al cual estamos próximas a llegar. Únicamente necesitamos apropiarnos de esa «bendita esperanza», y día a día vivir conforme a ella. Mientras nuestras vidas estén lejos del ideal de Dios nos alejaremos de la certeza de su invariable amor. Vendrán dudas. Nos preguntaremos si es verdad lo que creemos y esperamos, o es un cuento más. Entonces, la vida se volverá triste y nuestra esperanza se tornará inalcanzable.

El tiempo será nuestro verdugo, las tinieblas taparán la luz, el frío se apoderará del cuerpo, el respirar parecerá acabar y el corazón poco a poco desfallecerá ante los desafíos de la vida. Pero si caminamos con Dios, él tiene el poder de inyectar vida a nuestro ser y llenar la existencia de una bendita esperanza.

Con Dios todo puede ser mejor. Cuando hay esperanza puedes hablar con él cara a cara y vislumbrar lo que está más allá de nuestros ojos. Lo crees, lo ves, lo esperas y ciertamente lo tendrás. La esperanza es vida. Es la certeza de saber que el final de Dios siempre es bueno. Esta mañana te invito a orar: «Hoy deseo que en mi corazón abunde la esperanza. Dios, tú eres mi esperanza, ¡en tus manos está mi futuro!»

Lorena P. de Fernández

Sí se puede

¡Ánimo! ¡Luchemos con valor por nuestro pueblo y por las ciudades de nuestro Dios! Y que el Señor haga lo que bien le parezca (2 Samuel 10:12).

«MILES TE HAN DE DECIR que "no se puede", y miles te hablarán de tu fracaso, y no habrá de faltar quién te enumere los peligros que asechan a tu paso. Encara siempre lo que te intimide. Si estás lista, ¿quién te impide salir adelante con un "sí puedo"?» Cuando era estudiante en la Universidad Adventista de las Antillas un día escribí este pensamiento en un libro. Pasaron muchos años y no lo había vuelto a encontrar hasta hace unos meses, cuando visité a mi hermana, ella me mostró el libro. Aunque no lo había vuelto a leer, admito que en los días de mi juventud el contenido del pensamiento fue y es una motivación para mi vida.

Con frecuencia encontramos en el camino de la vida muchas dificultades para poder alcanzar nuestros objetivos y para ver realizados nuestros planes. Algunas veces, encontramos personas que dan mensajes de derrota y de fracaso. No siempre quienes traen esos mensajes tienen mala voluntad hacia nosotros, sino que en ocasiones son personas que no han podido superar las dificultades y nos quieren advertir lo que probablemente nos espera en el camino. Algunos de esos mensajeros son tan fatalistas que se parecen a los amigos que visitaron a Job cuando estaba pasando por la terrible prueba que conocemos. No importa cuán difícil parezca el camino por el que planificamos transitar, debemos seguir adelante sin intimidación y con ánimo resuelto. Las dificultades y los inconvenientes siempre estarán en el camino, pero si nos tomamos de la mano de Dios nada será imposible, porque él es el Dios de las oportunidades. Con razón el apóstol Pablo dijo: «Si Dios con nosotros, ¿quién contra nosotros?» (Ro. 8: 32).

Miremos las oportunidades y las posibles dificultades de este día para crecer espiritual e intelectualmente. Cobremos ánimo y determinación para seguir en la lucha, porque vamos con Dios, y con él «sí podemos». «Fija tus ojos en Cristo».

Evelyn Omaña

ESPERANZA

¿Cuánto aún faltará?

Estén siempre preparados para responder a todo el que les pida razón de la esperanza que hay en ustedes (1 S. Pedro 3: 15).

«LA ESPERANZA de mi corazón es la venida del Señor». Muchos creyentes hemos entonado este canto. Es sinónimo de la creencia cristiana en la segunda venida de Jesucristo. Hace tiempo estudiábamos el tema de la segunda venida de Jesús y espontáneamente suspiré profundo y le pregunté a mi esposo:

—¿Cuánto tiempo faltará para que ya venga el Señor por nosotros?

Sin demora alguna y con un tanto sentido del humor que caracteriza a mi esposo me contestó:

—La verdad es que yo creo que el Señor va a tardar unos cien años más.

Esta respuesta me cayó como un balde de agua fría. En ese entonces mis hijos eran unos adolescentes, ni pensar nosotros en ser abuelos pronto, a lo que exclamé con sollozos descorazonados:

—¡No me digas eso! ¡No lo puedo creer! ¡Cien años es mucho! ¡No concibo la idea de que tú y yo nos hagamos viejitos y muramos y el Señor no haya venido, que mis hijos se casen, envejezcan y mueran y el Señor se tarde en venir, que nuestros nietos abriguen esta esperanza y también envejezcan y mueran y todavía el Señor no regrese por su pueblo!

Cuando mi esposo complementó su respuesta volví a suspirar, sentí un gran alivio. Me dijo con una gran despreocupación:

—Para mí, me tiene sin cuidado lo que el Señor se quiera tardar, finalmente, que venga cuando él quiera. Nosotros no entendemos el tiempo de Dios. Lo importante es que hoy estemos preparados.

Así que, pensar en el tiempo ya no me preocupa, porque al leer la Biblia me doy cuenta de que todos los héroes de la fe murieron sin recibir lo prometido, pero anhelando una patria mejor, la celestial. Wayne Hooper, autor del himno «La esperanza» también murió a la edad de 86 años sin ver cumplida su esperanza de ver venir al Señor. Ninguno de ellos recibió lo prometido. Murieron con la esperanza en su corazón de esta promesa. Las últimas palabras de la Biblia aseguran la promesa del regreso del Señor. «Ciertamente vengo en breve». Vivamos con esta bendita esperanza y exclamemos hoy como el apóstol amado: «¡Amén! ¡Sí, ven, Señor Jesús!»

Marilú Elizabeth Velásquez de Rascón

La esperanza es Jesús

El que cree en el Hijo tiene vida eterna; pero el que rechaza al Hijo no sabrá lo que es esa vida, sino que permanecerá bajo el castigo de Dios (S. Juan 3: 36).

DIOS CREÓ el universo para gozarse con toda su creación. Todo fue planeado perfectamente. Sin embargo, una de sus criaturas se reveló. Lucifer, el ángel de luz, mostró evidencias de ser el primero en quebrantar toda una esperanza que Dios tenía para sus hijos. Como el amor de Dios es tan grande, no lo destruyó, más bien, lo dejó revelar su carácter. El Señor respeta el libre albedrío que nos da, el cual nos permite tomar nuestras propias decisiones. Fue así como Lucifer, el Lucero de la mañana, se convirtió en Satanás, el Adversario, quien engañaría a un gran número de ángeles para rebelarse en contra del Padre celestial. Todos ellos serían expulsados del reino de los cielos y arrojados en este mundo.

Satanás logró engañar a Adán y Eva en el huerto del Edén. ¡Qué dolor para el Creador! No era así como lo había planeado. Ahora tenemos un Padre triste porque sus hijos le fallaron. Después la primera pareja sintió un dolor equivalente cuando uno de sus hijos mató a su hermano. Estos padres también tenían la esperanza de que algún día todo se solucionara. Pero conforme pasó el tiempo el pecado se consolidó en el corazón humano. El pecado adquirió formas espirituales, emocionales, rituales, entre otras. Pronto se convirtió en el centro de la vida de la sociedad. Gracias a Dios que ideó un plan extraordinario para que hubiera solución a esto.

Tanto amó el Señor al mundo que no escatimó el precio por la humanidad: estuvo dispuesto a aceptar que su Hijo único en su especie se diera en sacrificio en pago por el pecado; fue así como renacía la esperanza de redención en todo aquel que acepta al Salvador (S. Jn. 3: 16). Si ya estamos cansadas de este mundo, si el pecado que nos asedia está latente en nuestra vida hagamos todo porque esto se acabe, no repitamos la historia. No importa que hayamos cometido «pequeños» o «grandes» pecados, Dios nos ama, espera que creamos en él y seremos salvas. Gracias a la muerte de Jesús hay esperanza para el pecador. No lo olvides: la esperanza es Jesús.

Elizabeth Suárez de Aragón

ESPERANZA

La voz que quiero seguir

*Los rectos lo verán y se alegrarán, pero todos los impíos
serán acallados (Salmos 107: 42).*

ALGUNAS VECES me pregunto qué diferencia hay si salgo de mi cómodo lugar, contra la corriente, a realizar lo que Dios me pide. Tener la fe del apóstol Pedro para pararme sobre las aguas, con la vista hacia Jesús. Es fácil hacerlo cuando hay una pequeña brisa, pero cuando hay tempestad y olas que me gritan que no lo podré hacer y se burlan de mis débiles intentos es más difícil de lo que alguna vez imaginé. ¡Cuán a menudo experimentamos nosotros lo que experimentaron los discípulos!

Entonces la voz y la luz de la verdad me hablan y me recuerda que estará conmigo la misma luz que le dio fe a Abrahán, la fuerza en la honda de David dándole victorias en medio de las batallas más temibles. También recuerdo que se puede cantar en una cárcel, como Pablo y Silas, que la enfermedad termina y que la muerte es derrotada si tengo fe.

Pero hay otras voces que se burlan, se ríen y me dicen que esta vez tampoco lo lograré. Las que me critican disfrazadas de religión y tradición, también aquellas que me desprecian. También se oyen las voces que pretenden desanimarme, traen a mi memoria todas las veces que he fallado. Pero de todas las voces que me hablan quiero escoger creer y seguir la voz de Jesús, que estuvo en la hora más obscura de la humanidad, que es fuerte, Dios único y Todopoderoso, que fue es y será, que dio su vida para que la muerte no fuera eterna para mí. Que me dice: «¡Confía, no tengas miedo!»

Miriam Alejandra Escobedo

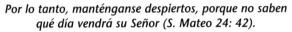

No pierdas la esperanza

Por lo tanto, manténganse despiertos, porque no saben qué día vendrá su Señor (S. Mateo 24: 42).

TUVE LA DICHA de nacer en un hogar adventista. Mis padres nos llevaban a la iglesia no solamente los sábados, sino domingos, miércoles y viernes a los servicios vespertinos. Por supuesto, el sábado muy temprano estábamos en la iglesia. Cada uno de nosotros, éramos ocho hijos, se dirigía a su respectivo departamento de niños. Recuerdo perfectamente cómo latía mi pequeño corazón cuando escuchaba el mensaje de la segunda venida de Cristo. Quería estar lista para ese momento. Decidí bautizarme, pero no fue hasta que tomé el curso *La fe de Jesús* completo cuando se aceptó mi nombre para ser bautizada. Tenía escasos 10 años, sin embargo, para mí Jesús estaba cerca y quería estar lista. Los años han pasado y he tenido la dicha de ver a muchas personas aceptar la verdad de la segunda venida de Cristo Jesús.

La Biblia dice que los discípulos se apartaron y le preguntaron a Jesús por la señal de su venida a este mundo (S. Mt. 24: 3). Ellos entendieron que el Señor no establecería su reino en ese momento, ¿pero cuándo volvería por segunda vez? Jesús narró varios acontecimientos previos a su venida. El capítulo 24 de S. Mateo los describe con claridad y finaliza con una descripción del siervo fiel a quien su Señor lo encontrará ocupado al atender a su familia, dándole su alimento a su tiempo. Mientras tanto, el siervo infiel dice «mi Señor se tarda en venir», así que hiere a sus consiervos y se pone a comer y a beber.

Mi pregunta esta mañana es: ¿Será que los que hemos pasado muchos años en la iglesia de pronto nos abruma la tardanza? ¿Cuál es nuestra actitud ante la venida del Señor? ¿La vemos tan lejana que las actividades de cada día nos envuelven de manera tal que si el Señor viniera no estaríamos listas? Ellen G. White dice: «Los acontecimientos finales serán acortados por amor a sus elegidos […] El fin vendrá más pronto de lo que los hombres esperan» (*El conflicto de los siglos*, p. 575). No sabemos el día ni la hora pero estemos preparadas porque el momento de la venida de Jesús está muy cerca.

Leticia Aguirre de De los Santos

Inyecta oxígeno

Juan era una lámpara encendida y brillante... (S. Juan 5: 35).

EL DESÁNIMO es el arma poderosa que utiliza Satanás para destruirnos. No mata al instante, pero es portador de una gran variedad de dardos que acaban poco a poco con su víctima. Una de esas es la desesperanza, otra el descontento, la debilidad. Juan el bautista era lámpara que ardía y alumbraba la esperanza de que venía detrás de él, alguien mayor, y necesitaba preparar el camino. ¿Cómo? Animando a todos al arrepentimiento. Tú yo y todas las que por la gracia de Dios hemos conocido el camino de la esperanza no debemos permanecer con la lámpara apagada o con una luz pálida. Nos ha sido entregada la antorcha luminosa para romper las tinieblas de este mundo. Ya conocemos el camino.

Si tu alma y la mía están bien oxigenadas de entusiasmo, no hemos perdido el camino, a cada lado de él hay otros que caen al abismo eterno. No permitas que los dardos del enemigo los exterminen. Hay tiempo para rescatarlos. Sigamos el camino de Jesús. Sus huellas están bien marcadas y ya lo conocemos.

Estamos encomendadas a la tarea de inyectar ese oxígeno a la gente: enseñarles cómo seguir a Jesús, cómo pisar el terreno por donde camina el Maestro, cómo encontrar la senda del Señor en las encrucijadas de la vida, cómo se alcanza la meta de Jesús: las mansiones celestiales. Usemos el sentido de dirección en medio de esta maraña de pecado y desánimo y abramos la brecha para conducirlo a ese lugar glorioso.

Isabel Zemleduch de Alvarado

Un esfuerzo recompensado

La mujer sabia edifica su casa; la necia, con sus manos la destruye (Proverbios 14: 1).

LAS HORAS de la noche me parecían tan cortas. Aprovechando que mis hijos menores dormían, me dediqué a preparar los dulces que se entregarían a la mañana siguiente en las tiendas escolares. Oraba para que Dios bendijera esas ganancias que irían directamente a cubrir las colegiaturas y algunas de las necesidades de mis hijos mayores en la escuela adventista. Creo que en muchas ocasiones me sorprendió el amanecer. Al recordar, solamente puedo comprender que las fuerzas para resistir ese ritmo de vida las recibía del cielo.

Instruir a nuestros hijos era un desafío diario para mi esposo y para mí. Pero la promesa de Proverbios me dio el ánimo para depositar en la educación cristiana mi confianza. Cuando conocí el mensaje adventista supe que había encontrado la verdad, y saber que mis hijos podrían tener la oportunidad de prepararse en un colegio adventista se convirtió en mi mayor deseo. Ansiaba que ellos tuvieran las mejores oportunidades en su preparación y se capacitaran para servir a Dios. No dejé pasar nunca una oportunidad para animar a los padres y jóvenes de nuestra iglesia a ser parte de este privilegio.

Los sacrificios que hicimos en nuestro hogar para que ellos tuvieran esa oportunidad se convirtieron en lo mejor de nuestra vida. En ocasiones alguno de ellos debió interrumpir sus estudios para que otro pudiera iniciarla, entonces se dedicaban a trabajar y ahorrar para continuar en el siguiente año. Amigas, tuve la oportunidad de esforzarme diariamente soñando con verlos preparados. Ellos aprendieron que el trabajo y el colportaje son bendiciones que Dios tiene reservadas para aquellos que creen que la escuela adventista es el terreno donde Dios los puede capacitar para su servicio.

Emma Osuna Vda. de Castillo

Entender la mirada
más allá de las sombras

El Señor es mi roca, mi amparo, mi libertador; es mi Dios,
el peñasco en que me refugio. Es mi escudo, el poder que me salva,
¡mi más alto escondite! (Salmos 18: 2).

JESÚS VIVE. Él ha resucitado, ha resucitado; y vive para siempre. No sienta que usted lleva la carga. Es cierto que lleva el yugo, pero ¿juntamente con quién lleva usted el yugo? Nada menos que un personaje que es su Redentor. Satanás arrojará su sombra infernal a través de su sendero; usted no puede esperar otra cosa; pero él lanzó la misma sombra tenebrosa sobre el sendero de Cristo. Todo lo que usted tiene que hacer ahora es mirar más allá de la sombra, al resplandor de Cristo... No mire los desánimos; piense en cuán precioso es Jesús.

Su memoria será renovada por el Espíritu Santo. ¿Puede olvidar lo que Jesús ha hecho por usted?... usted fue desviado de sí mismo; sus pensamientos más profundos y más dulces estaban centrados en su precioso Salvador, en su cuidado, su seguridad, su amor. ¡Cómo se concentran en él sus deseos!

¡Todas sus esperanzas descansaron en él! ¡Todas sus expectativas estaban asociadas con él! Y bien, él todavía lo ama. Tiene el bálsamo que puede sanar todas las heridas, y usted puede reposar en él... El Consolador será para usted todo lo que anhela. Usted será pesado con el Espíritu de Dios y con la importancia del mensaje, y con la obra. Yo sé que el Señor está deseoso de revelarle cosas maravillosas en su ley. Ojalá que todos puedan comprender que usted ha estado con Jesús (Carta 30a, 1892).

No permitiré que mi mente se detenga en el lado oscuro. Jesús tiene luz, y consuelo, y esperanza, y gozo para mí. Quiero mirar hacia la luz, para que el brillo del Sol de justicia resplandezca en mi corazón y sea reflejado hacia los demás. Es el deber de todo cristiano brillar, reflejar hacia otros la luz de la gracia que Cristo imparte. Dios quiere que yo, aun en mi dolor, lo alabe, mostrando que me doy cuenta de que su presencia está conmigo (se citan: Ro. 5: 1; 1 S. Jn. 5: 11) (Manuscrito 19, 1892).

Ellen G. White

Los Ángeles

Un ángel no te escoge, Dios te lo asigna.
Un ángel tiene el trabajo de cuidarte.
Un ángel está a tu lado para ayudarte a evitar problemas.
Un ángel te ve sufrir, y te acompaña.
Un ángel te ve sonreír y observa tus alegrías.
Un ángel sabe cuando necesitas algo y te acompaña cuando oras.
Un ángel siempre está contigo.
Un ángel vela tu sueño.
Un ángel se alegra con tus triunfos y se entristece con tus caídas.
Un ángel recibe una oración tuya.
Para un ángel eres una misión que cumplir.
¿Cómo crees que son los ángeles?
En ocasiones Dios nos envía la ayuda de los ángeles de diferentes formas.
Algunos de ellos:
son como la viejecita que ayer te devolvió tu cartera;
como el chofer del taxi que te dijo que tus ojos iluminaban
el mundo cada vez que sonreías;
como el niño que te demostró la maravilla de las cosas sencillas;
como ese hombre pobre que ofreció compartir lo que tenía contigo;
como ese hombre rico que te demostró que realmente
todo es posible, si tienes fe;
como ese desconocido que se cruzó en tu camino,
justo cuando no sabías dónde te encontrabas;
como esa amiga que tocó tu corazón, cuando pensabas
que no tenías amigas.

Autor desconocido

Un ángel junto a mí

Allí, junto a un manantial que está en el camino a la región de Sur, la encontró el ángel del Señor (Génesis 16: 7).

«CRISTO ENVÍA un ángel, ángel, ángel. Cristo envía un ángel, me cuida cuando duermo». Ese canto impresionaba mucho mi mente de niña, y al ir a dormir yo reclamaba esa promesa. Los ángeles estaban junto a mí para protegerme y cuidarme: «Yo no te puedo ver, pero tu ángel toma nota de todo lo que haces, ten cuidado», me decía mamá.

Hace algunos años hicimos un viaje con mi familia. Nuestros hijos eran pequeños y dormían en la parte trasera del carro. Mi esposo y yo íbamos conversando, entonces él trató de rebasar a un vehículo, pero en ese momento nos dimos cuenta que pasamos sobre los topes que colocan en medio de la carretera para dividir los carriles. No escuchamos ningún ruido ni percibimos un movimiento extraño; solo que mi esposo sintió un poco duro el volante. Así que se estacionó a la orilla de la carretera. Cuando nos bajamos del carro no podíamos creer lo que nuestros ojos veían: el neumático delantero izquierdo estaba destruido. En ese momento había personas a la orilla de la carretera trabajando y, cuando escucharon la explosión del neumático, pensaron que nos íbamos a volcar por la velocidad. La persona que conducía el carro que acabábamos de rebasar resultó que era nuestro vecino y pensó lo mismo. Después nos contó lo que vio y lo que pudo haber pasado. Allí nos dimos cuenta del peligro que habíamos pasado, y en ese momento agradecimos a Dios porque sin duda alguna sus ángeles nos habían protegido. Yo estoy segura que así fue.

Me alegra saber que en todo momento el ángel está junto a mí y que un día lo voy a conocer; por supuesto que me dirá de cuántos peligros me salvó y no me di cuenta. Y si por alguna razón el Señor me llama a descansar, tengo la seguridad de que mi ángel estará cuidando mi morada hasta que Jesús venga y será el primero en saludarme en la mañana de la resurrección. ¡Qué gozo conocer al ángel que el Señor designó para acompañarme siempre! Y tú, ¿quieres conocer a tu ángel?

Gladys Murrieta de King

Dios nos protege

El ángel del Señor acampa en torno a los que le temen;
a su lado está para librarlos (Salmos 34: 7).

ERA UNA MAÑANA de primavera y me levanté temprano para llegar a tiempo al colegio. Me tocaba iniciar la semana de oración estudiantil. ¡Qué preciosas alabanzas entonaban nuestros alumnos y el Espíritu de Dios se sentía entre nosotros! Al terminar el programa pasamos a nuestros salones para iniciar las labores docentes, me asomé por la ventana para respirar aire fresco y contemplar el campo verde, flores, olivos y al cerro Cuchuma. Al poco rato un alumno gritó: «¡Hay un poco de fuego!» Fuimos hacia la ventana y observamos con preocupación que un incendio avanzaba tenebrosamente hacia el colegio. Inmediatamente sacamos a nuestros alumnos al campo de enfrente; los más pequeños empezaron a gritar y llorar.

El fuego avanzaba a gran velocidad. Estaba a solo tres metros de los salones traseros cuando de pronto sucedió un milagro: el viento cambió de dirección, el fuego ya no avanzó y dio tiempo para que llegaran los bomberos, quienes lograron sofocar el siniestro unos minutos después. Los alumnos dijeron que no vendrían a clases al día siguiente, pero esa tarde platicamos con los padres y los enviaron de nuevo a clases. Ni el susto ni el fuego pudieron detener el programa espiritual que teníamos.

Todo el equipo de maestros nos reunimos esa tarde en agradecimiento y oración por la protección fiel y maravilloso de nuestro buen Dios. ¡Cuántas promesas de protección se han cumplido delante de nuestros ojos! Estoy segura que allí estuvieron los ángeles cuidando de nuestro colegio y alumnos. Fiel es Dios y cumple sus promesas.

Reyna Ibarra de Guevara

Dios me libró del peligro

*Prueben y vean que el Señor es bueno; dichosos
los que en él se refugian (Salmos 34: 8).*

NACÍ EN UN HOGAR adventista y conocí a Dios cuando era una niña, sin embargo, hubieron situaciones en mi vida que desviaron mi corazón del camino que el Señor había trazado. Cuando me percaté de ello, dije a mi Dios: «¡Señor, ayúdame, libérame, dame sanidad!» En términos humanos, todo estaba bien conmigo. Llevaba un estilo de vida independiente, tenía excelentes trabajos, devengaba buenos sueldos, compraba lo que quería, viajaba donde deseaba, estaba rodeada de gente que me hacía sentir querida, tenía a mi familia conmigo, sin embargo, me sentía en deuda con Dios por la manera como administraba mi tiempo. Fue entonces cuando decidí darle un giro radical a mi vida y dedicarla al Señor.

Una tarde mientras caminaba sumida en mis pensamientos observé a un joven desaliñado que venía hacia mí. De pronto, puso un puñal en mi vientre. Procuré mantener la calma y elevé una plegaria a Dios. El asaltante me dijo: «¡Déme su cartera!» «Te la doy, pero aléjate de mí», le respondí. En esos instantes pensé en lo espantoso que sería si me lastimaba con el arma. En ese lugar estábamos él y yo, y mi ángel guardián.

Mi mente repetía «El que habita al abrigo del Altísimo se acoge a la sombra del Todopoderoso». En ese preciso momento vi un carro que pasaba por el sitio. Eran unos amigos y se percataron del peligro en que estaba cuando vieron la luz del sol reflejado en el puñal. Todo sucedió en cuestión de segundos, mis amigos retrocedieron, y me gritaron: «Raquel, ¿te pasa algo?», entonces grité: «¡Me están asaltando!» El ladrón se asustó y yo corrí hacia ellos y me subí al automóvil. Vi al asaltante huir de manera despavorida.

Siempre he pensado que Satanás estaba enojado conmigo porque había tomado la decisión de dejar el mundo y seguir a Cristo, pero Dios envió su ángel y me libró. Cuando enfrentes el peligro, recuerda que el Señor es el refugio de sus hijos y nunca los abandona.

Raquel Coello Rivera

Un médico incomparable

Ya te lo he ordenado: ¡Sé fuerte y valiente! ¡No tengas miedo ni te desanimes! Porque el Señor tu Dios te acompañará dondequiera que vayas (Josué 1: 9).

CUANDO TENÍA 6 AÑOS de edad pasé por una dura experiencia que me ha acompañado toda mi vida: un terrible accidente automovilístico. Los seis miembros de la familia sufrimos fuertes golpes y quedamos malheridos. La peor parte la había llevado yo, quien a criterio de los médicos, no volvería a caminar. Nadie me habló sobre mi verdadera situación, tal vez por temor a que tuviera una reacción descontrolada. Pero los días pasaban y yo seguía en el hospital sin saber lo que me pasaba.

Una mañana se acercó un hombre alto y de buen parecer. Me preguntó si yo quería caminar y yo le respondí que sí, que lo deseaba mucho. Este caballero me tocó unas tres partes de mi cuerpo y yo grité del dolor. Me miró con un rostro amable y me aseguró que volvería a caminar, que no me preocupara. Más tarde le comenté a la enfermera sobre el médico que me había visitado, pero después de oír mi descripción del caballero, ella me dijo que no conocía a alguien con esas características. Pasadas las horas tuve la necesidad de ir al baño pero nadie venía ayudarme, y como pude fui al sanitario. Cuando llegó la enfermera y se dio cuenta que no estaba en la cama se asustó mucho. De inmediato fue a buscarme y me dijo que era imposible que yo me moviera porque estaba inválida. Me llevó a la cama tomada de la mano, como cuando se le enseña a un niño caminar. Aquella dama no podía entender lo que sucedía.

Hasta el día de hoy creo que aquel Médico que puso su mano poderosa en mi dañado cuerpo y que me sanó, es Jesús. Tengo la convicción y me aferro a sus promesas de que él estará a nuestro lado siempre. Su gracia me permitió disfrutar de una vida plena. Hoy tengo 37 años, estoy casada con un maravilloso esposo y tengo dos hijos. Alabo a Dios por su poder y estoy segura que él tiene grandes proezas que hará en tu vida.

María Guadalupe García Martínez

Siempre acompañada

Tú gobiernas sobre el mar embravecido; tú apaciguas sus encrespadas olas
(Salmos 89: 9).

CADA VEZ que por diversas circunstancias me encuentro sola, en la calle o en casa, recuerdo que el Señor está cerca de mí porque así lo ha prometido. Por diversas situaciones, en dos ocasiones me he quedado sola en casa durante varios días, sin embargo, no he tenido temor, porque confío en la protección de nuestro Dios. Pero por muy preocupada que me encuentre, recuerdo que el Señor tiene poder para apaciguar las tormentas emocionales de mi vida y traerme su dulce paz.

También, por cuestiones laborales o de estudios, en diversas situaciones he tenido que salir muy temprano de casa o regresar de noche. En una ocasión llegué a casa a la media noche porque no pasaba el transporte colectivo y me vi en la necesidad de tomar un taxi, a pesar de que mi madre me ha advertido lo peligroso que es, y peor a esas horas de la noche, sin embargo, si no lo hacía no llegaría a mi casa.

Estoy segura que en todas las ocasiones en que me encuentro sola mi ángel siempre está a mi lado, aunque yo no lo vea confío en que me ha protegido de muchos peligros. En su misericordia, Dios no nos muestra la magnitud de las inseguridades que nos rodean para que disfrutemos la vida que nos ha dado. Su protección y sus cuidados nos permiten experimentar innumerables alegrías en este mundo de pecado.

Si en alguna ocasión sientes temor recuerda que la presencia divina no te abandona. Ten la seguridad de que tu ángel guardián está dispuesto a protegerte. Gracias Dios por mi ángel que siempre está a mi lado y por la protección constante que has tenido hacia mí.

Amanda Jeanette Alfaro Díaz

En las manos te llevarán

Con sus propias manos te levantarán para que no tropieces con piedra alguna (Salmos 91: 12).

HACE ALGUNOS años mi esposo, mis dos niños y yo viajábamos de Mexicali a Navojoa, en el norte de México. Cuando estábamos cerca de llegar a nuestro destino, tomamos una carretera muy estrecha. Empezaba a oscurecer y, como venían carros de frente, mi esposo bajó las luces. De pronto, a corta distancia vimos una vaca. No había manera de salirnos de la carretera. Colisionamos de frente con el animal, la camioneta comenzó a dar vueltas como un torbellino. Finalmente paró con el techo aplastado y las llantas fuera de su lugar.

Alicia, mi hijita mayor, dormía en la parte de atrás de la camioneta y poco antes se había pasado adelante, para acurrucarse en la cunita de Alejandro. Ella terminó parada frente a mí, pero todos los objetos que venían cerca de ella quedaron regados en la carretera porque la puerta trasera se desprendió. Mi esposo y yo estábamos malheridos, sin embargo, a pesar de los fuertes dolores que sentíamos, buscamos al bebé que yo llevaba en los brazos pero no estaba por ningún lado. Por fin, guiándose por el llanto, mi esposo lo ubicó. Había caído en el pavimento y la camioneta cayó encima de donde él estaba. ¡La escena era terrible! ¡Mi criatura había quedado entre las cuatro llantas! Como él sangraba manchó al niño y al verlo, pensó que estaba herido.

Un camión se detuvo y nos llevó a un hospital de Navojoa. Los médicos examinaron a los niños cuidadosamente pero no tenían ni golpe ni rasguño alguno. En este accidente Dios cuidó de todos nosotros, pero de una manera maravillosa al bebé, a quien llevaron los ángeles en sus manos y lo depositaron suavemente de manera que no se lastimara. Siempre agradeceré a Dios el habernos protegido de una manera tan notable.

Susana Limón de Reyna

Ángeles vigilantes

Pero que se alegren todos los que en ti buscan refugio;
¡que canten siempre jubilosos! Extiende tu protección, y que en ti
se regocijen todos los que aman tu nombre (Salmos 5: 11).

HABÍA DISFRUTADO de un viaje espléndido con mis tíos y abuelitos. Ellos deseaban llevarme a conocer el mar como regalo de graduación; íbamos contentos, disfrutábamos del paisaje, cuando sorpresivamente una camioneta nos embistió de frente. Entre vagas imágenes posteriores al accidente, recuerdo haber visto a mi abuelo arrodillado a la orilla de la carretera, agradeciéndole a Dios por su cuidado y por habernos salvado la vida.

Debido a las lesiones recibidas, mi tía, mi abuela y yo permanecimos internadas mientras mi tío y el abuelo realizaban los trámites necesarios. Esa noche, mientras recibíamos el sábado en nuestra habitación, alguien tocó a la puerta. Era un médico de bata blanca, muy joven. Le preguntamos su nombre y nos dijo: «Llámenme Tanny». Sacó de su bolsillo una pequeña Biblia y leyó pasajes de cómo el Señor envía ángeles para cuidar y proteger a sus hijos. Mi abuelo insistía en saber por qué nos había pasado eso si estábamos tan felices gozando juntos de esas vacaciones. Tanny le contestó que no se cuestionara más, que mejor pensara en la nueva oportunidad que Dios nos brindaba al conservarnos la vida.

Estuvimos ahí una larga semana y cada mañana Tanny llegaba y nos leía un texto, oraba con nosotros y se iba.

Finalmente mi tío nos dijo que nos trasladaríamos a otra ciudad para que mi tía recibiera atención médica especializada. Compré unas tarjetas de agradecimiento para las personas que habían estado con nosotros en tan difícil situación y, por supuesto, compré una para Tanny. Sin embargo, al llegar a la central de enfermeras y preguntar por él, una doctora me dijo: «Aquí no hay ningún doctor Tanny, no hay internos en esta clínica, pues no hay capacidad para eso».

Jamás lo volvimos a ver, pero desde entonces no tengo duda de que los ángeles de Dios siempre están ahí prestos, vigilantes, para brindarnos su ayuda y apoyo espiritual como lo hizo Tanny con nosotros. Amiga, te invito a confiar más en Dios, él te ha dado un ángel que siempre viaja a tu lado. No sabes en qué momento se presentará ante ti con su rostro apacible, con deseos de animarte. Puede tener un nombre peculiar, como el de Tanny.

Verónica De Santiago Licón

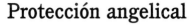

Protección angelical

*El Señor protege a la gente sencilla; estaba yo muy débil,
y él me salvo (Salmos 116: 6).*

HACE ALGÚN tiempo regresábamos de un Congreso de mujeres. Entonces, cinco hombres alcoholizados en una camioneta pasaron de largo sin respetar la señal de alto puesta en la carretera, lo que provocó que el conductor del autobús tratara de maniobrar y frenara con tal rapidez que causó que nos saliéramos de la carretera y fuéramos a dar directo a una pendiente. Observé toda la escena con detalle sentada a la mitad de la última fila de asientos, donde me había acomodado para leer el libro *La verdad acerca de los ángeles* de Ellen G. White. En el momento del accidente leía precisamente sobre la protección que Dios nos provee a través de estos seres celestiales.

Para muchos fue un accidente, para mí, en especial, fue una advertencia y una muestra del amor de Dios.

El autobús quedó balanceándose a punto de voltearse, y dentro de mí sentí la seguridad que Dios con sus ángeles lo sostenían. Los gritos de miedo de algunas de las pasajeras despertaron a las que se encontraban durmiendo y en un momento todo se volvió un caos dentro de aquel autobús. La puerta se atascó, así que salí por la ventanilla y así ayudamos a evacuar a todas con el temor de que el vehículo se volcara en cualquier momento.

Cuando todas estuvimos a salvo, ya más tranquilas, nos reunimos en círculo para orar a Dios, pedimos perdón por nuestros pecados y agradecimos por su gran amor y cuidado. Hubo lágrimas y abrazos en señal de reconciliación. Gracias a Dios, horas más tarde pudimos continuar nuestro camino para llegar a nuestro destino. El Señor nos ama con tal magnitud que es capaz de transformar los accidentes en bendiciones para mostrarnos su poder protector a través de sus ángeles, que siempre están con nosotros.

Recuerda pedir la protección angelical cuando subes a un vehículo.

Amada Isabel Díaz de Delgado

Funciones de los ángeles

Es mejor refugiarse en el Señor que confiar en el hombre
(Salmos 118: 8).

E N ESTA MAÑANA quiero compartir contigo un pensamiento muy hermoso acerca de los ángeles. Pero también te invitó a que reflexiones. En ocasiones no nos damos cuenta de cuántos peligros nos asechan, los cuales pasan desapercibidos gracias al cuidado de estos seres que Dios ha enviado para que cuiden de nuestra vida y protejan nuestro arduo caminar.

Un ángel no te escoge, Dios te lo asigna.

Un ángel tiene el trabajo de cuidarte.

Un ángel está a tu lado para ayudarte a evitar problemas.

Un ángel te ve sufrir, y te acompaña.

Un ángel te ve sonreír y observa tus alegrías.

Un ángel sabe cuando necesitas algo y te acompaña cuando oras.

Un ángel siempre está contigo.

Un ángel vela tu sueño.

Un ángel se alegra con tus triunfos y se entristece con tus caídas.

Un ángel recibe una oración tuya.

Para un ángel eres una misión que cumplir.

¿Cómo crees que son los ángeles? Pueden parecer personas, pero lo importante no es imaginarlos. Lo importante es saber que Dios los envía para que nos ayuden. La ayuda que nos dan puede ser de diferentes maneras. Algunos de ellos son como aquellas personas que alguna vez has encontrado en un día que no ha sido fácil:

- Como la viejecita que ayer te devolvió tu cartera.
- Como el chofer del taxi que te dijo que tus ojos iluminaban el mundo cada vez que sonreías.
- Como el niño que te demostró la maravilla de las cosas sencillas.
- Como ese hombre pobre que ofreció compartir lo que tenía contigo.
- Como ese hombre rico que te demostró que realmente todo es posible, si tienes fe.
- Como ese desconocido que se cruzó en tu camino, justo cuando no sabías dónde te encontrabas.
- Como esa amiga que tocó tu corazón, cuando pensabas que no tenías amigas.

Autor desconocido

Esperando a un ángel

Porque me has visto, has creído —le dijo Jesús—;
dichosos los que no han visto y sin embargo creen (S. Juan 20: 29).

RECIENTEMENTE hice un viaje para visitar a mis padres. Al estar ahí tuve la necesidad de salir de compras; a mi regreso tomé un taxi. Al subirme y colocar mis mercancías, le dije al conductor el lugar adonde tendría que llevarme. Entonces me respondió que no podría llevarme a ese sitio porque estaba muy lejos y no le pagaría lo que para él era justo. Finalmente nos pusimos de acuerdo en el pago e iniciamos nuestro camino, el cual supuse no sería nada placentero. Pronto el hombre interrumpió el silencio y se empezó a quejar de las peregrinaciones realizadas por la víspera de la Navidad:

—¡Esta gente solo empeora el tráfico!

Argumento que aproveché para preguntarle:

—¿Acaso usted no es creyente?

—¡Válgame, ni lo piense usted! ¡Antes de ser cristiano sería un mediocre!

—¿Cómo? ¿Acaso no cree en Dios? Tenga fe y el Señor hará milagros en su vida.

—¡No, no creeré hasta que me mande un ángel! Entonces creeré y sabré qué hacer».

—Recuerde lo que el Señor le dijo a Tomás: «Porque me has visto, has creído; dichosos los que no han visto y sin embargo creen». No obstante, tenemos un Dios tan poderoso que mandaría no solo a un ángel, sino a un ejército para decirle que él vive y es real. Pero el Señor hará su voluntad y no la nuestra. Estoy segura que Dios usará mensajeros para que usted lo acepte. Solo deberá tener sus ojos y oídos abiertos para ver y escuchar su voz. Oraré por usted para que Dios haga un milagro en su vida. No creo volverlo a ver, pero al llegar al cielo le preguntaré al Señor por usted.

Entonces, el semblante del chofer cambió al escuchar estas palabras y nos despedimos. Me pregunto si a veces demandamos a Dios manifestaciones como las de aquel hombre para ocultar nuestra incredulidad y desconfianza en él. Debemos tener fe y confiar plenamente en él, pues está a nuestro lado en todo momento, especialmente cuando queremos sentirnos cerca de él. Hoy te invito a confiar en Dios y a no ocultar tu incredulidad en peticiones extrañas al cielo.

Mabel Aguirre de Twahirwa

La mejor escolta

Date cuenta, Israel, que yo envío mi ángel delante de ti,
para que te proteja en el camino y te lleve al lugar
que te he preparado (Éxodo 23: 20).

HACE ALGÚN TIEMPO decidimos iniciar junto con algunos hermanos una nueva Escuela Sabática filial. La población elegida quedaba a unos kilómetros de la ciudad, por lo que adquirimos un vehículo: «La Misionera».

Uno de esos inolvidables días, salimos muy temprano a celebrar una ceremonia bautismal en un río. Tuvimos que dejar la camioneta en cierto lugar y de allí continuar en otro tipo de automóviles adecuados para circular en caminos no pavimentados. Cuando regresamos por la tarde al lugar donde dejamos estacionada «La Misionera» la encontramos con una llanta ponchada. Después de muchos intentos por cambiar la llanta todo resultó inútil, no hubo nada que se pudiera hacer. De pronto observé que comenzaron a echarle aire con una bomba manual y en cuanto se llenó, mi esposo le dijo a mi hijo Luis, quien era el que la conducía, que así nos fuéramos y que en el primer poblado buscáramos quién la arreglara.

Recuerdo que al momento de encenderla, oramos a Dios, le pedimos que sus ángeles nos acompañaran. Comenzamos a avanzar y mi hijo revisaba la llanta cada momento para ver si no se había desinflado. Alcanzamos a llegar a un poblado, pero los únicos dos lugares donde nos podían auxiliar estaban cerrados. Lo único que se nos ocurrió fue echarle más aire en la gasolinera y continuar. Faltaba un tramo como de una hora para llegar a la siguiente gasolinera y avanzamos sin saber la gravedad del asunto. Al llegar volvimos a inflar el neumático y continuamos el siguiente trayecto más o menos igual.

Recuerdo que llevamos a la gente hasta sus casas. Finalmente llegamos a nuestro hogar y al estacionar la camioneta frente a la casa escuchamos cómo empezó a desinflarse la llanta hasta quedar completamente sin aire en cuestión de segundos. Cuando mi esposo llevó la llanta a reparar se dio cuenta de que lo que había ocasionado la avería era una piedra que parecía la punta de una lanza. Era obvio que no pudimos haber viajado con el neumático como lo habíamos hecho. Pero llegamos porque tuvimos la mejor escolta, y se cumplió la promesa de Dios: «Yo envío mi ángel delante de ti, para que te proteja en el camino».

Marilú Elizabeth Velásquez de Rascón

Los ángeles ayudan a los hijos de Dios

Haces de los vientos tus mensajeros, y de las llamas de fuego tus servidores (Salmos 104: 4).

RECUERDO UNA EXPERIENCIA en Guasave, Sinaloa, en la iglesia Internacional, donde salíamos los sábados a las 2:00 p.m. para realizar obra misionera. Llegué a una casa de una mujer muy sonriente de unos 38 años, apenas le di el saludo me invitó a pasar y me dijo que estaba esperándonos.

Nos pasó al patio trasero de su casa donde se encontraban cinco sillas, la cantidad exacta para los que ahí estábamos: mis tres hijos, la señora y yo. Nos sentamos y empecé a dar el mensaje de amor, ella movía la cabeza afirmativa y sonrientemente. Al terminar me dijo: «Ya sabía que me traían un mensaje de amor y los estaba esperando; tuve un sueño donde un ángel me dijo que vendrían y que los recibiera, que aceptara su mensaje y que iban a ser cuatro». Ella aceptó los estudios bíblicos, y la empezamos a visitar cada sábado.

¡Qué privilegio trabajar en compañía de los ángeles! Ellen G. White escribe: «Aquellos que trabajan por el bien de otros, están trabajando en unión con los ángeles del cielo. Gozan de su constante compañía y ministerio. Ángeles de luz y poder están siempre cerca para proteger, confortar, sanar, instruir e inspirar» (*La verdad acerca de los ángeles*, p. 22).

Esta experiencia sucedió hace 14 años. Recientemente he impartido estudios bíblicos al hermano Oscar, a su esposa y a su hija. Las damas aceptaron al Señor y fueron bautizadas. El hermano sufre de una grave enfermedad, le practicaron una operación muy delicada donde le pusieron células madre en el cerebro. Unas horas antes de la operación empezó a sentir mucho temor, se acordó del versículo: «Todo lo puedo en Cristo que me fortalece». Empezó a repetirlo sintiéndose mucho mejor, con paz en su corazón. Cuando abrió sus ojos, vio algo maravilloso: dos ángeles, uno a cada lado mirándolo. Cuando el caballero me contaba rodaron lágrimas de gratitud. Don Oscar ya entregó su corazón a Jesús, pronto lo hará públicamente.

Martha de Alpírez

Ángeles mil, había por doquier

De repente apareció una multitud de ángeles del cielo,
que alababan a Dios... (S. Lucas 2: 13).

«POR FAVOR MAESTRA, ayúdenos». Eran dos jóvenes que deseaban organizar un coro varonil. Al ver su deseo me dispuse a ayudarles y organizamos un hermoso coro. Pronto contábamos con un repertorio como para poder presentar un concierto. Al poco tiempo fuimos invitados para una reunión de Laicos en Sinaloa. Felices de salir de un internado, ver caras nuevas y pasar por la experiencia de cantar frente a un público desconocido partimos muy temprano. Llevábamos dos vehículos, uno con una capacidad de 10 a 12 pasajeros y otro con capacidad de cinco. Este último nos rebasó y se adelantó en el viaje.

Íbamos felices, platicábamos y cantábamos. De repente nos impactamos con otro automóvil. Apenas me dio tiempo de tomar a mis dos hijos fuertemente, pero en segundos salí volando por la parte de enfrente junto con mis hijos y caí sobre un cactus: las espinas se encajaron en mi cuerpo, los niños cayeron sobre mí. El carro continuó dando vueltas y cayó en un dique.

Después de revisar que mis hijos no tuvieran lesiones, traté de levantarme para ir en auxilio de los demás. Pero no pude pararme. De repente observé que una de mis piernas estaba fuera de su lugar. Desde donde estaba observé cómo cada uno de los tripulantes salía del agua. Pero faltaba mi esposo. Desesperada les pedí que fueran a ver qué sucedía con él. Lo encontraron prensado entre el asiento y la puerta. Mi marido dice que sintió cómo se rompían sus costillas una a una, se le quebraron cinco. No podía moverse, el agua casi le llegaba a la boca y estaba a punto de ahogarse. Los muchachos cargaron la camioneta y pudieron rescatarlo.

Quienes pasaban por el sitio no podían creer que estuviéramos vivos. La empresa de seguros declaró como pérdida total el vehículo. Muchas situaciones pasaron, momentos de desesperación, incapacidades por varios meses, cama, muletas, etcétera. Pero reconocí que Dios es quien dirige nuestras vidas. La presencia divina se sintió. Testificamos el auxilio de millares de ángeles.

Sin duda alguna, millares de ángeles te han protegido en diversas situaciones. Agradezcamos a Dios por esos vigilantes tan efectivos que Dios nos ha dado.

Elizabeth Suárez de Aragón

Con vestiduras que relucían como un rayo

En medio de los candelabros estaba alguien «semejante al Hijo del hombre»,
vestido con una túnica que le llegaba hasta los pies y ceñido
con una banda de oro a la altura del pecho
(Apocalipsis 1: 13).

ERA UNA NOCHE fría en la Ciudad de México. Había acostado a mis hijos a muy buena hora. Así que aproveché el tiempo para recoger y acomodar varias cosas que eran necesarias. Recuerdo que tomé un libro para leer un poco mientras llegaba mi esposo de una conferencia que realizaba en la ciudad de Toluca, Estado de México. Era tarde y el sueño poco a poco me vencía. Nunca me ha gustado dormirme si sé que él va a volver esa noche, así que continué mi lectura y sin darme cuenta me quedé profundamente dormida. No supe cuánto tiempo pasó pero de pronto desperté sobresaltada y me di cuenta de que todavía no llegaba, así que me arrodillé y le dije al Señor que lo ayudara donde estuviera y le permitiera llegar bien. Pasaron unos veinte minutos y llegó. Dimos gracias a Dios y nos acostamos.

Al otro día me contó: «Sabes que anoche me quedé dormido manejando, no sé cuánto tiempo pero recuerdo que de pronto vi una gran luz que pasó frente a mí y reaccioné justo a tiempo, estaba por impactarme con el carro que iba adelante de mí, así que giré y logré esquivar el impacto. Le di gracias a Dios por haber permitido que esa luz me despertara y evitar así una tragedia». Yo le escuché mientras recordaba que le había pedido a Dios que lo cuidara y agradecimos juntos la respuesta palpable de nuestra oración.

Ellen G. White comenta lo siguiente: «En todos los tiempos Dios se valió de santos ángeles para socorrer y librar a su pueblo. Los seres celestiales tomaron parte en los asuntos de los hombres. Aparecieron con vestiduras que relucían como el rayo; vinieron como hombres en traje de caminantes. Hubo casos en que aparecieron ángeles en forma humana a los siervos de Dios» (*El conflicto de los siglos*, p. 575).

No ha quedado duda para mí de que fue el ángel del Señor quien cuidó a mi esposo esa noche. ¡Qué privilegio tan grande tener a nuestro ángel con nosotros cada día! Únicamente en el cielo veremos todo lo que los ángeles han hecho por nosotros y de cómo salvaron nuestras vidas del mal. ¡Gracias a Dios por su protección! Confía en que él enviará su ángel para guardarte hoy.

Leticia Aguirre de De los Santos

Un ángel salvó mi vida

Mi ángel te guiará y te introducirá en la tierra de estos pueblos que voy a exterminar: tierra de amorreos, hititas, ferezeos, cananeos, heveos y jebuseos (Éxodo 23: 23).

CIERTA NOCHE en el hospital general de Reynosa, Tamaulipas, la doctora Soledad fue comisionada para trasladar un niño enfermo a Ciudad Victoria. Su amiga, Miriam, sabía que habían pasado 72 horas sin dormir, por ese motivo intentó desanimarla. Al no poder convencerla de no hacer este traslado, ella decidió acompañarla. Aquel viaje fue difícil: llovía copiosamente y en momentos el agua corría sobre la carretera. Finalmente pudieron entregar al paciente sin ningún riesgo. En Ciudad Victoria vivían familiares de Soledad así que invitó a Miriam para visitarlos. Después insistió en que debían regresar esa misma noche, y aunque Miriam trató de convencerla de quedarse, no pudo.

Una hora después de haber iniciado el viaje de regreso a Reynosa sufrieron un terrible accidente. Soledad perdió la vida. Miriam estaba gravemente herida, imposibilitada para moverse y con dificultades para respirar, desesperada de tener a su lado a su mejor amiga, sin poder hacer nada por ella. La situación de Miriam empeoraba, pues perdía mucha sangre sin que nadie pudiese ayudarla. De pronto vio un ángel que le tomaba de la mano dándole paz.

Dios envió a su ángel para darle seguridad de vida y para confortarla, pues tendría que estar ahí sin auxilio humano por más de dos horas. Cuando finalmente llegó la ayuda fue trasladada al hospital más cercano, en San Fernando, Tamaulipas. Sus amigos y familiares, al enterarse de la noticia, vinieron para brindarle su apoyo y oraron fervientemente. Finalmente se consiguió trasladarla a un hospital en Estados Unidos.

Los médicos no podían explicar cómo seguía con vida, si había perdido tanta sangre, pero Miriam fue salva por su fe.

Yo misma escribo mi historia y doy testimonio de que nuestro Dios es poderoso para salvarnos y cumplir sus propósitos para nuestra vida. No dudes nunca de su poder y de su gran amor por ti.

Miriam Machado Dandeneau

Mi ángel, mi amigo

Ciertamente les aseguro que ustedes verán abrirse el cielo,
y a los ángeles de Dios subir y bajar sobre el Hijo del hombre
(S. Juan 1: 51).

PIENSO en los ángeles y me asombra tanto amor, aunque no es de extrañar, pues ellos vienen del reino del amor. Son seres especiales que deberíamos valorar más; ellos son nuestros fieles amigos y los que llevan al cielo inmediatamente nuestras alegrías y tristezas.

Hoy quiero hablarte de mi ángel, un ser hasta hoy desconocido para mí, pero de quien tengo la certeza de su presencia a cada momento. También alabo a Dios por el ministerio sin igual de mis cuatro ángeles maravillosos, quienes forman parte de mi familia. Tengo la certeza que los ángeles comparten mis anhelos.

Oh, fiel compañero de mi vida, acompañas mi alma en
mi diario vivir; compartes cada momento conmigo,
a veces te toca llorar o sonreír.
En los momentos felices y buenos, te gozas cuando la vida me sonríe;
y en los tristes y angustiosos, me abrazas
y fortaleces con tu compañía.
Tus ojos lloran conmigo en mi tristeza, tu boca sonríe en mis alegrías;
mas tú no te cansas ni fatigas, tu misión es la vida mía.
Oh, precioso ángel, destello de esperanza, consuelo y paz traes a mi existir,
tú conoces el cielo y me aseguras que allí he de vivir.
Oh, destello de esperanza ya cantas junto a los rayitos de gozo y ternura,
la canción sin igual de amor y aleluya.

Te agradezco, mi ángel, por venir a este mundo en mi ayuda, por ser mi compañero y amigo fiel, mi mensajero celestial. Gracias, Señor, por darme un ángel.

Lorena P. de Fernández

Librados del peligro

Vámonos a Betel. Allí construiré un altar al Dios que me socorrió cuando estaba yo en peligro, y que me ha acompañado en mi camino (Génesis 35: 3).

EN UNA OCASIÓN tres de mis hermanos y un amigo de la iglesia decidieron realizar una caminata a campo traviesa. La idea era empezar a caminar por la reserva nacional de Bosencheve y subir las montañas hasta llegar al Santuario de la Mariposa Monarca en Las Papas, Michoacán.

El segundo día de caminata continuaron por la misma vereda que habían tomado desde el principio y, para su sorpresa, encontraron a dos hombres vestidos de blanco, ambos con sombrero, uno portaba un machete y el otro un rifle. Los excursionistas les preguntaron si por ese camino saldrían a un pueblo llamado Angangueo. A lo que los hombres contestaron que sí, pero que no fueran por ese camino. Al ver que el camino que aquellos hombres proponían era otro y además les haría perder toda la distancia cuesta arriba que habían avanzado el día anterior, ellos les cuestionaron. Pero la respuesta de esos dos hombres fue contundente: «No sigan por el mismo camino, vengan con nosotros», y comenzaron a caminar a paso rápido abriéndose paso por el bosque.

De repente a uno de mis hermanos se le rompió el tirante de la mochila, y se detuvieron por un minuto para hacer un amarre rápido. Cuando buscaron a los dos hombres en la vereda no los encontraron. Simplemente habían desaparecido. Caminaron el resto del día por el camino señalado hasta llegar a una ranchería llamada El Rosario, donde se acomodaron entre los árboles cerca de las casas para pasar la noche. Allí se les acercó un muchacho que cenó con ellos, y al amanecer le pidieron que los llevara con el comisario del lugar. Al platicar con el comisario, él los felicitó por haber cambiado de ruta ya que el día anterior habían matado a tres militares justo por donde ellos habían andado. Toda esa zona era de alto riesgo, los asaltantes de ganado mataban a quien veían por ahí. Además les recomendó que cambiaran de ruta, debido a los problemas que se estaban presentando.

La caminata terminó sin novedad, ¿pero quiénes eran los dos hombres que los guiaron aquel día de forma tan especial? Por ahora, no sabemos la respuesta, pero sé que un día no muy lejano, cuando estemos en el cielo, la sabremos.

Yaqueline Tello de Velázquez

Protección angelical

Cuídame como a la niña de tus ojos; escóndeme,
bajo la sombra de tus alas (Salmos 17: 8).

DESDE PEQUEÑOS se nos dice que los ángeles de Dios nos cuidan en todo momento, y es una certeza que nos da valor en muchos momentos de temor o sobresalto. Los jóvenes hebreos llevados a la cautividad en Babilonia tuvieron que pasar fuertes pruebas en donde no solo los ángeles los acompañaron, sino el mismo Hijo de Dios estuvo con ellos protegiéndolos al ser lanzados al horno de fuego; incluso podríamos decir que fueron muy favorecidos por el cielo. Pero no solamente ellos, nosotras también somos hijas beneficiadas por Dios, pues él tiene cuidados muy especiales en situaciones que así lo ameritan.

Mi esposo tenía el compromiso de cantar en una boda, así que nos pidió a mi hijo y a mí que lo acompañáramos. Freddy dijo que no le gustaba ir a las bodas y decidió quedarse, así que yo fui con mi marido. Después de un rato, mi esposo comentó que tenía sueño, que le ayudara a manejar. Tomé el volante y él reclinó el asiento para dormir un poco, nos pusimos los cinturones de seguridad y continuamos el viaje. Faltaban solo 13 kilómetros para llegar cuando, sin darme cuenta, me quedé dormida y me salí del camino hacia un barranco: el vehículo volcó entre piedras, ramas y vidrios hasta que se detuvo con las llantas hacia arriba. Habíamos caído aproximadamente 5 metros y estábamos colgando de los cinturones de seguridad. De pronto el carro empezó a arder en llamas. Gracias a Dios, algunas personas se acercaron para ayudarnos a salir y luego subimos a la carretera por si estallaba el automóvil.

Cuando llegó la ambulancia los camilleros fueron directo al carro en busca de los tripulantes. Entonces les dijeron que éramos nosotros. Pero ellos no lo creían, pues no teníamos ni un solo golpe, solo teníamos vidrios entre el cabello; en cambio, el vehículo había quedado inservible. El encargado de la ambulancia nos dijo: «De verdad que ahora sí su ángel los protegió porque miren cómo quedó el carro». Dimos gracias a Dios porque no solamente mandó a un ángel, sino a muchos para que nos protegieran y saliéramos ilesos en ese momento difícil.

Ma. Luisa Monárrez de Armenta

Sí existe nuestro ángel

Así que ayunamos y oramos a nuestro Dios pidiéndole
su protección, y él nos escuchó (Esdras 8: 23).

HE TRABAJADO desde muy joven, combinando las labores del hogar y las de mi centro laboral. Uno de mis grandes problemas era que no podía llevar a mi hija de seis años a la escuela, así que todos los días la subía en el autobús y mi mamá la recogía en una parada que estaba cerca de su casa. Pero esa vez la niña no se bajó del transporte público y, por supuesto, mi mamá se preocupó mucho. De inmediato me habló por teléfono para que supiera del problema.

No supe por dónde comenzar. Pensé en algunas opciones, pero lo primero que se me ocurrió fue orar fervientemente a Dios para que la cuidara y protegiera de cualquier peligro, ya que me asaltaba la idea de no volverla a ver. Después de pasadas algunas horas en las que mi mamá me había hablado varias veces, me dio la noticia de que la niña había llegado bien a la casa. Resulta que un hombre la había llevado exactamente al domicilio de mamá sin que la pequeña le hubiera dado la dirección ni el teléfono. La niña se había dormido en el trayecto y había despertado en la base de los autobuses.

Dios es tan maravilloso que nos da un ángel que está a nuestro cuidado, porque creo que él fue el que guió a mi hija hasta la puerta de la casa de mi mamá. El hecho de saber que contamos con un ángel es una hermosa promesa que nos ayuda a seguir en esta vida de tantos peligros. Esta promesa nos da la seguridad de que contamos con alguien muy importante que nos protege de todos los percances que pasamos a través de toda nuestra vida en esta tierra.

Espero que sepamos apreciar el don que recibimos de tener un ángel a nuestro lado, porque si así no fuera, estaríamos desprotegidos y sufriríamos más todavía. Que la bendición de nuestro Dios sea con nosotras a cada instante.

Marlina Coral

¿Ángeles buenos, ángeles malos?

Cuando el Hijo del hombre venga en su gloria, con todos sus ángeles, se sentará en su trono glorioso. Todas las naciones se reunirán delante de él, y él separará a unos de otros, como separa el pastor las ovejas de las cabras (S. Mateo 25: 31-32).

EN LA ACTUALIDAD se ha vuelto muy común hablar de los ángeles. En diversos comercios se ve cada vez más la figura de los ángeles; por ejemplo, hoy se exhiben muchos libros que versan sobre los ángeles y su influencia en nuestras vidas, por supuesto, desde una perspectiva espiritista.

Los que han crecido en el ambiente cristiano seguramente han oído en la voz de su abuela, madre o tías expresiones como: «No tengas miedo, tu ángel te cuida»; «los ángeles están contigo»; «que los ángeles te acompañen»; «duerme tranquilo, tu angelito está a tu lado».

Tenemos que tener muy claro que existen dos tipos de ángeles: los ángeles del bien y los ángeles del mal. Esto es real. La protección de los ángeles de Dios ha sido prometida para sus hijos que le aman y siguen sus caminos. Pero también Satanás tiene sus ángeles que rodean al ser humano que se revela contra Dios: «El mundo visible y el invisible están en estrecho contacto. Si pudiese alzarse el velo, veríamos a los malos ángeles ciñendo sus tinieblas en derredor nuestro, y trabajando con todas sus fuerzas para engañar y destruir. Los hombres perversos están rodeados, incitados y ayudados por los malos espíritus. El hombre de fe y oración confió su alma a la dirección divina, y los ángeles de Dios le traen luz y fuerza del cielo» (*Testimonios para la iglesia*, 5:185).

Existe un peligro real de apartarnos de Dios. Los ángeles malos están al acecho. Nuestra única seguridad depende en todo momento de Dios. Permite que tu fe se fortalezca. Ora y pídele a Dios que sean sus santos ángeles quienes guarden y vigilen hoy tu vida y la de los tuyos. De lo contrario, abrirás la puerta a extrañas influencias que destruirán tu vida.

Leticia Aguirre de De los Santos

Ángeles en acción

Cuando cruces las aguas, yo estaré contigo; cuando cruces los ríos,
no te cubrirán sus aguas; cuando camines por el fuego, no te quemarás
ni te abrasarán las llamas (Isaías 43: 2).

MIS RECUERDOS más gratos y mis experiencias más dramáticas son las que viví en el campo, en el rancho Little Rock, a orillas del Río Escondido, en la Costa Atlántica de Nicaragua. Allí tuve una niñez libre y silvestre, pero siempre sintiéndome una niña especial, aunque mi estilo de vida fuera muy sencillo y con muchas carencias.

Una tarde cuando el sol desaparecía al otro lado del río, corrí hacia él, para traer mi última jícara de agua para la noche. Oscurecía y aunque crecí en el campo, albergaba temores a ciertos enemigos, como tigres, serpientes y fantasmas. Sentí que era una injusticia tener que ir al río tan tarde. Corrí desenfrenadamente por el camino angosto entre la vegetación, tratando de ver cualquiera de estos objetos de mis temores. Pronto fui sorprendida por una enorme serpiente enrollada en el centro del camino. Como iba tan rápido no pude frenar a tiempo para no acercarme. No tuve otra alternativa que saltar y caer al otro lado del reptil. Ahora sí estaba en problemas. Era un hecho que no podía volver por ese camino y no había otro accesible.

Llegué al río, llené la jícara, miré «el monstruo del río» que ya había cobrado la vida de mi padre biológico, y pensé en la serpiente que me esperaba. Entonces empecé a gritar con todas mis fuerzas y nadie respondió. Estaba como a doscientos metros de distancia. Sentí temor de que la serpiente mordiera al que me fuera a buscar. Atormentada por la situación, de pronto apareció un joven que venía río arriba en una canoa; se sorprendió al verme gritando sobre las rocas. Ofreció trasladarme por el otro camino. Me llevó a casa sana y salva.

Cuando le pregunté adónde iba, dijo que de pronto había decidido ir a visitar a una familia río abajo. Así trabaja Dios y sus ángeles. Desde que era muy pequeña Dios intervino muchas veces para salvar mi vida porque para él yo era una niña especial. Él tenía un propósito para mi vida. Amiga, reflexionemos en el trayecto de nuestra vida y recordemos las veces que el ángel del Señor nos ha defendido de muchos peligros. Alabado sea su nombre.

Conny Christian

No tengas miedo

*No tengas miedo, María; Dios te ha concedido
su favor –le dijo el ángel (S. Lucas 1: 30).*

DIOS HABLÓ en el pasado de muchas maneras a su pueblo: mediante profetas, sueños, visiones nocturnas y también por medio de ángeles, a quienes se define como «espíritus dedicados al servicio divino, enviados para ayudar a los que han de heredar la salvación» (Heb. 1: 14). La palabra ángel significa mensajero, y en el caso particular del ángel Gabriel es hermosa la forma en que da o entrega sus mensajes a los seres humanos.

Desde el profeta Daniel hasta Zacarías, María y los pastores de Belén, este ángel siempre se ha esmerado por ser un canal a través del cual fluya el amor de Dios hacia los hombres. Y eso se confirma en las tiernas palabras dirigidas al profeta Daniel: «He venido a decírtelo [el significado de la visión] porque tú eres muy apreciado» (Dn. 9: 23). Por otro lado, cuando se le encomienda la misión de anunciar el nacimiento de Jesús y todo lo relacionado con este maravilloso evento, sabe que los seres humanos, al verlo, se turbarán o sentirán temor. Por eso, sus salutaciones incluyen la frase: «No tengas miedo».

Según la Biblia, lo único que puede eliminar el temor, el miedo, es el perfecto amor, el cual viene de Dios (1 Jn. 4: 18). El temor no podía estropear el gozo que debían experimentar los receptores del mensaje del primer advenimiento del Mesías, sin embargo, Zacarías «se asustó, y el temor se apoderó de él» (S. Lc. 1: 12); y los pastores de Belén «se llenaron de temor» (S. Lc. 2: 9). María también «se perturbó, y se preguntaba qué podría significar este saludo» (S. Lc. 1: 29). Después de que el ángel le insistiera que no había nada que temer a cada uno de sus oyentes, los confirmó en el amor que Dios sentía por ellos al haberlos elegido como sus portavoces en la tierra, y también quiere que tú estés segura del amor divino hacia ti.

El día de hoy medita en las palabras de Gabriel a estos personajes y pon tu nombre en cada caso. A Zacarías le dijo: «No tengas miedo, tu oración ha sido oída». A María le dijo: «No tengas miedo, María; Dios te ha concedido su favor». Y a los pastores de Belén les dijo: «No tengan miedo. Miren que les traigo buenas noticias que serán motivo de mucha alegría para todo el pueblo» (S. Lc. 2: 10).

Claudia Gabriela Hernández Salazar

La fecundación y los ángeles

Pero el ángel del Señor se le apareció a ella y le dijo: «Eres estéril y no tienes hijos, pero vas a concebir y tendrás un hijo» (Jueces 13: 3).

UNA DE LAS ESPECIALIDADES de la oficina de mensajería del reino de los cielos consiste en enviar buenas nuevas de maternidad y fertilidad a las mujeres. En los casos más complejos de esterilidad, como en los casos de Ana y la esposa de Manoa, los ángeles se gozan en transmitir las felices noticias del cielo a las futuras madres. Es maravilloso saber que, mientras una madre en gestación, duerme plácidamente, los ángeles se encargan de verificar cada minucioso proceso biológico en las distintas etapas de formación del ser humano.

Dentro del útero femenino dichas tareas deben ser realizadas con exactitud en el laboratorio de la creación divina; así que bajo la dirección del Espíritu Santo, las mujeres y los ángeles forman un equipo. A través de la historia bíblica el vínculo del ministerio de amor con respecto a la maternidad y los ángeles ha sido y será muy estrecho. Por ejemplo, los ángeles saben antes de que una mujer quede embarazada cuál va ha ser el sexo del bebé que tendrá en sus brazos. Así que la relación entre una madre y un ángel es muy importante.

El contacto tan cercano que tienen los ángeles, el Espíritu Santo y el soplo de vida otorgado por gracia divina a una criatura en formación, permite que ese bebé con pocos días de nacido sea capaz de sonreír a pesar de haber nacido en un mundo oscuro. Jesús jamás fue abandonado por sus ángeles, ¿pero cómo logró hacerlo? La respuesta es sencilla, jamás dejó de ser niño. El hecho de que podamos sentir la cercanía de nuestros ángeles consiste en ese bendito proceso de ser niños nuevamente, con esa capacidad de ser inocentes, de mente sencilla, sin prejuicios, todo lo anterior debe de ser fomentado por una madre amorosa con esa categoría de mujer privilegiada que se obtiene al ser cooperadora de una creación.

Amiga, el ministerio femenino es uno de los tantos misterios del reino de los cielos, nuestro reto como seguidoras de Cristo no es conformarnos con saber, tenemos que experimentar lo sabido; tratemos de comprender a través de la fe y la meditación la relación de la mujer con los ángeles, y nuestro papel dentro del camino a Cristo que nos llevará pronto a Dios.

Ana María Cadena V.

Un ángel sentado en mi cama

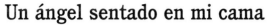

Miren que no menosprecien a uno de estos pequeños. Porque les digo que en el cielo los ángeles de ellos contemplan siempre el rostro de mi Padre celestial (S. Mateo 18: 10).

¿HAS LEÍDO en la Biblia historias sorprendentes de ángeles que se presentaron a distintos personajes? Esos relatos hacen que nuestro corazón se llene de emoción y de alegría. ¿Crees que los ángeles de Dios pueden todavía en nuestros tiempos presentarse ante las personas?

Vivíamos en la ciudad de Tapachula, Chiapas. Entonces mis hijos estaban chicos, la mayor tenía 5 años. Como familia teníamos la costumbre de contarles a los niños una historia de la Biblia antes de dormir y orar con ellos. Esa noche no fue la excepción, así que después de la historia los mandamos a dormir. La habitación de los niños estaba junto a la nuestra. De pronto, a media noche escuché a mi hija gritar. Pero no era un grito de miedo, sino una exclamación de alegría: «¡Papá, papá, ven, mi ángel está aquí!» Mi esposo salió corriendo al cuarto de los niños y al acercarse vio una luz intensa, su corazón empezó a latir de prisa. Entonces preguntó:

—Hija, ¿qué pasa?

—¡Papá, aquí estaba mi ángel sentado en mi cama! Mi ángel estaba muy bonito –respondió la niña.

—¿Qué te dijo tu ángel?

—Él me dijo que me portara bien porque quería que fuera al cielo con él.

¿Era posible que el ángel del Señor viniera directamente a visitar a una niña y animarla a continuar por el camino del bien? Mi esposo tuvo la seguridad que ella había visto un ángel, pues él sintió una paz y una sensación indescriptible al entrar al cuarto y ver la luz resplandeciente que pronto desapareció. Ellen G. White dice que «por medio de los ángeles, las comunicaciones entre el cielo y la tierra serán mantenidas constantes» (*La verdad acerca de los ángeles*, pp. 273 y 274). Hoy los ángeles de Dios tienen permanente comunicación con las personas para dar mensajes de amor, paz, seguridad y esperanza.

Lider Ruiz de Aguilar

Un ángel en el momento oportuno

El Señor es sol y escudo; Dios nos concede honor y gloria.
El Señor brinda generosamente su bondad a los que se conducen
sin tacha (Salmos 84: 11).

VIVIR EN UNA MEGAURBE como la Ciudad de México con tres niños, y tener que llevarlos a la escuela cuando su padre está de viaje, es algo estresante. Sin embargo, cada día, al pedirle a Dios de su cuidado protector, salíamos para enfrentar las actividades cotidianas. Uno de esos días, después de una mañana de trabajo, recogí a los niños de la escuela y me dispuse a volver a casa en la camioneta, pero entonces me di cuenta de que una de las llantas del vehículo estaba desinflada.

Mi hijo mayor, de escasos diez años, me dijo: «No te preocupes, mamá, ahorita la cambiamos». Todas sabemos que cambiar una llanta no es nada fácil. ¡Dios mío! ¡Y ahora qué voy a hacer! En ese momento un caballero alto, de piel clara, vestido sencillo pero presentable, se acercó a nosotros y sin decir mucho se puso a ayudarnos. Mi hijo y el caballero cambiaron el neumático. Pronto estuvo arreglado. En lo que acomodaba todo, volteé a buscar al gentil caballero para agradecerle, pero ya no estaba. No se veía por ningún lado. Entonces dije: «Qué hombre tan rápido para irse, qué lástima que no alcancé a decirle, gracias».

Horas más tarde pensé que, en realidad, un ángel de Dios me había ayudado en el momento oportuno. Estoy segura de que hoy no comprendemos muchas situaciones que nos pasan, pero más adelante lo entenderemos: «En la vida futura comprenderemos las cosas que aquí nos dejaron grandemente perplejos. Nos daremos cuenta de qué poderoso ayudador tuvimos y cómo los ángeles de Dios fueron comisionados para guardarnos a medida que seguíamos el consejo de la Palabra de Dios» (*La verdad acerca de los ángeles*, p. 290).

Esta mañana quiero invitarte a encomendar tu vida en las manos de Dios y a tener la seguridad que sus ángeles te guardarán en todo cuanto hagas, aun en las cosas cotidianas de tu vida. ¡No lo dudes! Realiza tus deberes con esa seguridad. Gracias a Dios por sus ángeles.

Lourdes Cuadras de Alonso

Un ángel guardián

Porque tú, Señor, bendices a los justos; cual escudo los rodeas
con tu buena voluntad (Salmos 5: 12).

ERA UNA MAÑANA de primavera cuando mi tía Ruth recibió la noticia que su madre se había puesto delicada de salud. Inmediatamente empacó algo de ropa y en compañía de su esposo e hijos emprendió un viaje de ocho horas de camino hasta la casa de su madre. Estuvieron unos días con ella hasta que la abuela se sintió mejor y decidieron que era tiempo de regresar.

Cuando llegaron, mi tía pidió las llaves de la casa a su esposo, pero éste no las tenía, tampoco sus hijos, entonces ¿quién fue el que cerró la puerta de la casa cuando salieron? Inmediatamente se dieron cuenta que, con las prisas, habían dejado la puerta de la casa abierta. Todos los vecinos eran gente honorable, pero muchas veces por las noches venían chicos de otras colonias para ver qué podían conseguir fácilmente. La familia inclinó su rostro y suplicó a Dios que le diera la tranquilidad y la confianza de saber que su casa había estado protegida. Al entrar, efectivamente, la puerta estaba abierta, pero nada hacía falta. Revisaron cuidadosamente cada rincón y todo estaba en su lugar. Nuevamente se arrodillaron y agradecieron a Dios por el cuidado de sus pertenencias.

Como sucede en los pueblos, inmediatamente llegaron los vecinos a saludar y preguntar cómo les había ido en su viaje y también a contar los últimos acontecimientos del vecindario. Pero lo que ellos realmente deseaban conocer era la identidad de ese *buen hombre* que mis tíos habían dejado al cuidado de su hogar. Todas las tardes cuando el sol comenzaba a caer, llegaba y se sentaba a la puerta de la casa hasta que amanecía, y cuando los primeros rayos volvían a aparecer, con mucha solicitud cerraba la puerta y se marchaba.

Por demás está decir que mis tíos no dejaron ningún velador o guardia en su casa. Pero Dios envió a su ángel cada noche para cuidar sus pertenencias.

Mi abuela decía que cuando un bebé reía era porque veía a su ángel. Nunca supe si eso es cierto, lo que te puedo decir es que vi a mi hija muchas veces reír, y sí, sé de muchas maneras que su ángel la libró incluso de la muerte. Los ángeles son reales y no solo cuidan tu integridad física, sino también se preocupan por las pequeñas cosas que a ti te preocupan. Gracias, Señor, por los ángeles.

Sandra Díaz Rayos

Una señora
misteriosamente amable

Protege mi vida, rescátame; no permitas que sea avergonzado,
porque en ti busco refugio (Salmos 25: 20).

EN 1985 SUCEDIÓ un devastador terremoto en la Ciudad de México que derrumbó muchos edificios, entre ellos varios hospitales. En ese entonces yo estudiaba mi cuarto año de la licenciatura en Enfermería en la Universidad de Montemorelos y fui asignada para auxiliar durante dos meses a los nuevos módulos de hospitales que construían. Yo cantaba en un coro de la universidad y mientras estaba en la Ciudad de México nos invitaron a cantar a Monterrey, así que viajé el fin de semana. Cuando regresé traía únicamente el dinero justo para tomar el metro (tren subterráneo) hasta mi colonia. Así que abordé el vagón. Iba un poco nerviosa porque era muy temprano y no se veía mucha gente; entonces me bajé en la estación equivocada, y cuando salí a la calle me di cuenta que estaba en un lugar totalmente desconocido.

No sabía ni siquiera qué dirección tomar. Había muchos puestos en la acera, pregunté en qué dirección estaba la colonia donde yo vivía y un señor me dio indicaciones. Pero al seguir sus señalamientos me empecé a adentrar en un sitio muy extraño, tenebroso, con gente de aspecto dudoso. Así que me regresé hasta la calle donde salí del metro, pidiéndole a Dios que me ayudara a encontrar el camino a casa.

Al llegar a la calle, una señora me habló y me dijo que había estado observándome y me preguntó a dónde quería llegar. Así que le di la dirección. Ella me dijo: «No te preocupes, no te separes de mí, porque hay un hombre que te sigue desde que venías por el otro camino, yo te voy a ayudar». Me tomó del brazo y le hizo la parada a un transporte urbano. Le dijo al chofer: «Esta niña va a la Colonia Escandón, por favor, dígale dónde se bajará». Me dio dinero para pagar y me dijo: «Que Dios te bendiga».

Le di las gracias y subí al vehículo, pagué mi boleto y volteé para decirle adiós a quien me había protegido, ayudado y hasta pagado mi boleto, pero no había absolutamente nadie. Estoy segura que ese ángel que ha estado a mi lado desde el día que nací, ese día se personificó en esa señora. Nunca olvidaré la paz que sentí en medio de la angustia de estar perdida y la seguridad que me infundió. Supe que llegaría segura a mi destino porque el ángel del Señor acampa alrededor de los que le temen y los defiende.

Lila Sosa Sansores

Ángeles con trajes blancos

Por ella subían y bajaban los ángeles de Dios (Génesis 28: 12).

CONTABA el pastor Orley Ford, un pionero de la obra adventista en Centro y Sudamérica, historias asombrosas del cuidado protector de Dios mediante la obra de los ángeles. El pastor Ford y su esposa aceptaron el llamado del Señor en Pacific Union College y se comprometieron a servirle en cualquier parte del mundo al precio que fuera necesario. Su primer campo de trabajo fue una pequeña aldea de un país sudamericano.

Había gran oposición de parte de la tribu indígena local a que el evangelio fuera predicado. Todos los días el cacique del lugar enviaba mensajes al pastor Ford amenazándolo de muerte si él insistía en evangelizar su aldea. El pastor no se intimidó y decidió empezar una semana de conferencias a las que invitó a todos los habitantes del pequeño pueblo. El líder de la tribu dominante le advirtió: «Si usted se para a hablar de su Dios, considérese hombre muerto». Empezaron las conferencias. El pastor expuso la Palabra de Dios de una manera sencilla pero convincente, y la gente cada vez mostraba más interés por ese Jesús que vino a dar amor y a morir por ellos.

El último día de las conferencias el cacique y sus hombres llegaron hasta la casa del pastor exigiéndole que sacara a los soldados que tenía. El pastor les dijo que no tenía guardias, soldados u hombres que lo protegieran. El cacique insistió: «Sí los tiene, yo los vi, yo los he visto todas las noches: son hombres con trajes blancos de botones dorados que rodean la casa donde usted predica».

El pastor Ford supo finalmente que todas las noches los ángeles del Señor habían estado a su lado cumpliendo fielmente con su misión de cuidar, proteger y auxiliar no solo a él y su familia, sino a todos lo que tenían interés por escuchar la Palabra de Dios.

De más está decirte que hoy, el país de donde surge esta experiencia es uno de los sitios más cristianos de América del Sur, donde miles entregan día a día su corazón a Jesús.

Recuerda que aun en los momentos más inciertos de la vida, los ángeles del Señor te rodean, te cuidan y protegen. Gracias Señor, por manifestar tu amor a través del ministerio de los ángeles.

Sandra Díaz Rayos

ÁNGELES

Cuando los ángeles alaban a Dios

Tributen al Señor, pueblos todos, tributen al Señor la gloria y el poder. Tributen al Señor la gloria que merece su nombre; traigan sus ofrendas y entren en sus atrios (Salmos 96: 7-8).

EN ESTA OCASIÓN quiero resaltar la forma en que los ángeles alaban a Dios: «Y día y noche repetían sin cesar: "Santo, santo, santo es el Señor Dios Todopoderoso, el que era y que es y que ha de venir"» (Ap. 4: 8). Pocas veces nos ponemos a pensar que una de las principales funciones de los ángeles es alabar a Dios: «Los Serafines que se encuentran delante del trono están llenos de temor reverente al contemplar la gloria de Dios, que ni por un instante se miran a sí mismos con complacencia propia, admirándose a sí mismos o el uno al otro» (*Conflicto y valor*, p. 234).

Los seres celestiales alaban al Señor con reverencia y alegría; a veces nosotras descuidamos ambos elementos en nuestra forma de adorar a Dios y, por ejemplo, cantamos sin meditar en las palabras que entonamos, posiblemente nuestro pensamiento está en otro lado. Pero recuerda que siempre que tengas la oportunidad de alabar a Dios puedes contagiarte del deleite que los ángeles muestran cuando rinden honra y gloria al Creador. Estoy segura de que todas tenemos motivos de agradecimiento aparte del sacrificio de Jesús para nuestra salvación; es cuestión de comenzar a recordar las grandes bendiciones que el cielo nos ha dado. Eso es muy importante para rendir al Señor una adoración sincera. Y si los ángeles alaban constantemente a Dios es porque en sus vidas la mano poderosa del Señor se manifiesta a cada momento y, como seres libres, prorrumpen en devoción al Padre celestial.

«Los ángeles del cielo alaban a Dios todo el tiempo, y aquí hay mortales por los cuales Cristo dejó el celeste hogar y sufrió burlas, insultos y muerte para llevarnos a morar con él en los lugares celestiales, y ellos no ofrecen alabanza. Si estáis sentados en los lugares celestiales con Cristo, no podréis dejar de alabar a Dios. Comenzad a educar vuestras lenguas para alabarlo, y enseñadles a vuestros corazones a hacer melodías para Dios» (*En los lugares celestiales*, p. 96). Es aquí en la tierra donde debemos comenzar a educar nuestras voces y entonar las alabanzas; recordemos la actitud correcta para hacerlo, y no nos olvidemos de enseñar a nuestros hijos a alabar a Dios.

Helenah Corona de Flores

No estás sola

Anoche se me apareció un ángel del Dios a quien pertenezco y a quien sirvo (Hechos 27: 23).

LOS CRISTIANOS solemos olvidarnos de las maravillosas bendiciones que constantemente Dios nos presenta. Una de ellas es habernos asignado un acompañante, es decir, un ángel para que en las cosas más difíciles no nos sintamos solas. Pero muchas veces olvidamos esta maravillosa verdad.

Me he preguntado recientemente si he experimentado palpablemente un momento difícil en el cual tuvo que intervenir mi ángel, y al hacer memoria, realmente no me ha pasado nada grave, claro, gracias a Dios. ¿Pero por qué esperar a que nos pase algo lamentable para recordar que tenemos un ángel que nos cuida? Imagínate cuando estás en medio de una tentación y tu ángel trata de ayudarte para que no caigas en el pecado, escuchas una voz muy familiar pero en ese momento no recuerdas de dónde viene, pero toca lo más profundo de tu corazón y dices: «¿Cómo es posible que haya olvidado que tengo un ángel junto a mí y que me guía?» Hechos 27: 23 nos recuerda que los ángeles se personifican cada vez que es necesario: «Anoche se me apareció un ángel del Dios a quien pertenezco y a quien sirvo».

Los ángeles de Dios están a nuestro alrededor. Nunca debemos perder la conciencia de esta realidad. Creo que necesitamos comprender mejor la misión de los ángeles y tratar de entender cómo es que obtienen tanto gozo en el servicio al prójimo. Los ángeles son poderosos en fortaleza divina, que cumplen la voluntad de Dios y le obedecen; son mensajeros que trasmiten importantes verdades a los hijos de Dios.

Cuando Jesucristo venga en las nubes de los cielos tú conversarás con el ángel que vigiló tus pasos y cubrió tu cabeza en el día del peligro y que no te dejó sola en el valle de la sombra de la muerte. Él será el primero en saludarte en el día de la resurrección. No estás sola, siempre tendrás un ángel junto a ti.

Ana María Tello García

Ángeles guardianes

Ésta es la oración al Dios de mi vida: que de día el Señor mande su amor, y de noche su canto me acompañe (Salmos 42: 8).

LOS ÁNGELES tienen el encargo de proteger cada familia. Cada cual está al cuidado de un ángel santo. Estos ángeles son invisibles, pero a veces permiten que su luz resplandezca tan nítidamente que se los puede reconocer. Creo que éste es el caso en la revelación que usted tuvo. Esta manifestación le enseña que el Señor la ama y que sus ángeles la protegen. Usted es protegida por el poder de Dios.

Muchas cosas semejantes van a ocurrir. Esta manifestación de luz se le dio para animarla, tal como usted lo ha dicho, a hacer el bien. Usted ha tenido una vislumbre de la luz de Dios, y ello debiera animar mucho su corazón, infundiéndole agradecimiento. Todos nosotros debiéramos estar siempre agradecidos por la verdad de que los ángeles celestiales nos cuidan constantemente. Muchos, si hubieran visto la luz que usted vio, se habrían regocijado y estarían agradecidos.

Cuando usted escudriña las Escrituras, trata de ser buena y de hacer lo correcto, los ángeles que la acompañan se regocijan. Los ángeles del cielo acuden de una manera muy especial para asistir a los que responden a la evidencia de la verdad y tratan de obedecerla. Y si no siempre se los ve, usted debe recordar que siempre están presentes; solamente que su vista natural no es lo suficientemente fuerte como para percibir esa luz. . .

El gran problema de todos nosotros es que no dedicamos tiempo a pensar que seres celestiales están cerca de nosotros para ayudarnos cada vez que queremos hacer lo recto. La luz celestial ha estado muy cerca de usted. Se le ha dado evidencia de que el Señor la ama y se preocupa por usted. Anímese, y sienta que recibe fortaleza y gracia para realizar todo el bien que es capaz de hacer...

Gracias a Dios, su corazón ha sido vivificado, porque ha tenido el privilegio de ver algunos rayos de luz de los mensajeros celestiales. Usted puede ver cuánto puede hacer para ayudar a su madre y a los otros miembros de su familia. Un cristiano es alguien que cada día aprende de Cristo, asume los pequeños deberes de la vida y lleva las cargas de los demás. Así se mantendrá unida a Cristo (Carta 82, del 31 de mayo de 1900, dirigida a Elsie Atkim, una joven miembro de iglesia de Australia).

Ellen G. White

Una oración especial

Querido Dios, te doy gracias por este día. Te agradezco porque puedo ver el sol de esta mañana. Me siento bendecida porque eres un Dios perdonador y comprensivo. Haces muchas maravillas por mí, porque quieres bendecirme. Perdóname por las cosas malas que he hecho y pensado, sé que no te agradan. Por favor, líbrame de todo peligro o daño. Ayúdame a comenzar cada día con una nueva actitud y con un pleno sentido de agradecimiento hacia ti. Haz que pueda sacar el mejor provecho de cada día para que en todo lo que haga pueda escuchar tu voz al hablarme.

Señor, por favor amplía mi mente para que pueda aceptar cada situación de la vida. Ayúdame a no quejarme y rezongar por aquellos problemass sobre los cuales no tengo control, de manera que pueda tener la respuesta correcta aunque me hayan llevado al límite de la paciencia. Cuando siento que no puedo orar, tú escuchas la petición de mi corazón. Guíame para hacer tu voluntad, ser de bendición para otros. Mantenme fuerte para que pueda ayudar a los débiles…levántame para que pueda tener palabras de aliento a los que se sienten caídos.

Te pido por aquellos que se sienten perdidos y no pueden encontrar el camino. Te pido por los que son incomprendidos y juzgados equivocadamente. Te suplico por todos aquellos que no se deciden a entregarte su corazón y por aquellos que tampoco comparten con otros la bendición de creer y confiar en ti. Te agradezco porque confío en que tú puedes cambiar los corazones de las personas.

Te suplico por todos los miembros de mi familia y por sus hijos. Te suplico porque haya paz, amor y felicidad en sus hogares, que puedan hacer buen uso de los recursos financieros. Te pido por aquellos que lean esta oración y crean que no existe problema, circunstancia o situación demasiado grande para ti. Nuestras batallas están en tus manos, tú las pelearás por nosotros. Te ruego que esta oración pueda llegar al corazón de aquellos que necesitan verte en acción y comprobar la grandeza de tu amor y tu poder.

Amén.

Y Dios le otorgó lo que le pidió

Jabés le rogó al Dios de Israel: «Bendíceme y ensancha mi territorio; ayúdame y líbrame del mal, para que no padezca aflicción».
Y Dios le concedió su petición (1 Crónicas 4: 10).

HAY UNA ORACIÓN muy hermosa en la Biblia de un personaje poco conocido llamado Jabés. Hoy quiero proponerte esta oración idónea para nosotras, las mujeres de la actualidad, que deseamos el poderoso toque de Dios en nuestra vida. El Señor está impaciente por levantarnos en sus brazos. Si creemos que el cielo puede otorgarnos su bendición, ¿por qué no ponemos en práctica esta oración?

Cada día debemos pedirle a Dios que nos dé su bendición y gracia al relacionarnos con los demás. Algunas frases de esta oración están llenas de significado: «Ensancha mi territorio». El Señor está dispuesto a aumentar nuestra influencia con nuestra familia, amigos, vecinos, compañeros de trabajo, etcétera. Dios se goza en ver a sus hijos prosperar en todos los sentidos. Hagamos más para él, que nos ayude a estar disponibles para los que nos rodean. Lejos de agotarnos, esto nos dará júbilo y un sentido de satisfacción muy especial.

Si eres una esposa y madre con una armoniosa familia, Dios desea que lleves sanidad y esperanza a familias dañadas, él te capacitará. Si eres una mujer que trabaja, Dios te ayudará con amor y paciencia a compartir con tus compañeros el bendito regalo del plan de salvación. Si eres una mujer soltera, con un trabajo que exige andar de viaje constantemente, Dios te guiará para animar a un compañero de viaje o a un colega solitario.

«Ayúdame». Al trabajar al lado de Jesús y sentir su mano poderosa en todas nuestras actividades, veremos las maravillas que él tiene para nosotras.

«Líbrame del mal, para que no padezca aflicción». Él enviará a sus ángeles para protegernos del maligno. «Y Dios le concedió su petición». ¡Qué gran bendición saber que Dios contesta nuestras oraciones! Digámosle ahora: «Señor, me pongo en tus manos, capacítame para enseñar a otros para tu pronta venida». Supliquemos a Dios por una mejor perspectiva de nuestra vida y contestará la oración de manera que no solamente le honremos, sino también nos regocijemos con él.

Sonia Elizabeth Martínez de González

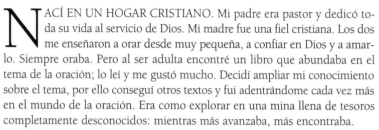

La oración es maravillosa

Oren sin cesar (1 Tesalonicenses 5: 17).

NACÍ EN UN HOGAR CRISTIANO. Mi padre era pastor y dedicó toda su vida al servicio de Dios. Mi madre fue una fiel cristiana. Los dos me enseñaron a orar desde muy pequeña, a confiar en Dios y a amarlo. Siempre oraba. Pero al ser adulta encontré un libro que abundaba en el tema de la oración; lo leí y me gustó mucho. Decidí ampliar mi conocimiento sobre el tema, por ello conseguí otros textos y fui adentrándome cada vez más en el mundo de la oración. Era como explorar en una mina llena de tesoros completamente desconocidos: mientras más avanzaba, más encontraba.

Una amiga me invitó a un grupo de oración y fue una experiencia maravillosa. Cuando alguna de nosotras tiene una necesidad, un problema, una aflicción, solamente levanta el teléfono y al momento un grupo de personas ora por ella. Hemos experimentado respuestas increíbles, desde las situaciones más sencillas hasta los más inexplicables milagros.

Te invito a formar tu grupo de oración. No tiene que ser muy grande: donde se reúnen dos o tres personas, allí está Dios. Reúnanse únicamente para orar, en otra ocasión se puede platicar y celebrar alguno que otro evento social. No tienes que explicar cuál es tu problema si no quieres, pero oren juntas. Nuestras oraciones tienden los rieles por los cuales puede venir el poder de Dios como una poderosa locomotora. Su poder es irresistible pero no puede alcanzarnos sin los rieles.

Susana Limón de Reyna

Dios existe

El Señor es mi roca, mi amparo, mi libertador [...]
Es mi escudo, el poder que me salva... (2 Samuel 22: 2-3).

EN OCTUBRE DE 2005 trabajaba en una escuela rural del norte de México. Estaba a cargo del tercer año de primaria. En mi grupo tenía a Sugey, líder del grupo y poseedora de un temperamento muy fuerte. Como se enojaba con facilidad, casi no tenía amigos. Frecuentemente me preguntaba, ¿qué pasará con Sugey? ¿Cómo estarán las cosas en su casa? Un día la niña se me acercó:

—Maestra, mi mamá está muy enferma, ¿verdad que no se va a morir? ¿Verdad que Dios existe? ¿Cómo puedo decirle a Dios que sane a mi mamá?

Sugey no asistía a ninguna iglesia, sin embargo, sabía que existía un Dios a quien recurrir para pedir ayuda.

—Mi niña, claro que existe Dios y puedes pedirle que te ayude en cualquier dificultad; puedes pedirle que sane a tu mamá —le respondí abrazándola fuerte.

—Sí maestra, ¿pero cómo?

—Muy fácil, Sugey, díselo así como si hablaras con un amigo; dile lo mucho que deseas que tu mamá se recupere. Pero a veces las respuestas que Dios nos da no nos gustan mucho, pero debemos pensar que si tu mamá no sana es porque Dios tomó la mejor decisión para ti y para ella.

Transcurrieron dos semanas y desafortunadamente la mamá de Sugey murió. Fue una experiencia difícil para ella, su padre y sus hermanas. Una tarde, nuevamente en el horario de clases, Sugey se acercó a mi escritorio dándome un mensaje que me enviaba su hermana mayor, que decía: «Gracias maestra por ayudar a mitigar el dolor de Sugey por la muerte de mi madre».

Más adelante la misma niña me dijo: «Maestra, Dios quiso lo mejor para mi mamá. Papá dice que fue lo mejor porque ella ya no sufre». A veces ante los graves problemas de la vida perdemos de vista que existe un Dios al cual podemos recurrir en cualquier momento. Es posible que hasta dudemos que pueda ser nuestro mejor guía y ayudador. Sin embargo, Dios desea que confíes en él, que te tomes de su mano y que, cualquiera que sea tu problema, no dudes que tienes a un gran Dios que cumple sus promesas.

Eva Yolanda De Santiago Licón

Educar en la oración

Tan pronto como empezaste a orar, Dios contestó tu oración
(Daniel 9: 23).

COMO MADRE de cinco hijos adultos que participan activamente en la iglesia, doy muchísimas gracias a Dios por concederme ese gran privilegio. Quisiera decirles a todas las madres jóvenes que enseñen a sus hijos a amar a Dios a través de la oración de gratitud.

Mamitas jóvenes, es necesario educar a los niños en la oración y en el estudio de la Biblia: oración personal para saber conducirlos, pedir sabiduría para hacer lo mejor; orar con ellos desde el momento que nacen: por gratitud, por el alimento, por la luz del sol, por papá, por los hermanitos, por un paseo, por una flor, por una mascota, por la salud, por las estrellas, por la noche de descanso, por la lluvia, por el arco iris, por las frutas, por los amigos, por la iglesia, por el pastor. Para un niño pequeño una oración de 5 o 6 palabras es suficiente, después se irán aumentando.

A los niños les atraen las historias bíblicas. Apóyate de libros y materiales que faciliten su aprendizaje. Ayúdales a participar en el culto familiar, luego en la Escuela Sabática y en los clubes juveniles. Es una dicha ser abuela. ¡Cuán emocionante es ver a los nietos que crecen rápidamente! Y así como crecen en lo físico, social y mental, también deben crecer en lo espiritual.

Las mujeres que ya pasamos por muchas experiencias como madres, entendemos a las más jóvenes en sus luchas familiares en el aspecto económico, en la limpieza de la casa, en educar a los niños, en convivir con el esposo, en preparar la comidas, etcétera. Al ver la inexperiencia de las madres jóvenes, quisiéramos aconsejarlas y darles algunas instrucciones. Pero estos deseos no siempre son bien interpretados por los yernos y las nueras. Y claro, muchas suegras tienden a invadir la privacidad de la vida familiar de sus hijos. Creo que las suegras tenemos una poderosa arma que podemos usar para beneficiar a nuestros hijos y nietos: la oración. Invitemos a los nuestros a orar y seamos ejemplos de vidas piadosas.

Nidia Vidales de Santos

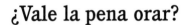

¿Vale la pena orar?

Clama a mí y te responderé, y te daré a conocer cosas grandes y ocultas que tú no sabes (Jeremías 33: 3).

¿VALE LA PENA ORAR? Eso es lo que me preguntaba muchas veces cuando mi corazón estaba triste. Hace varios años iba a tener mi primer bebé, todo marchaba muy bien, sentía un gran gozo en mi corazón. Una noche, al estar dormida, me di cuenta que la fuente se rompió. Me asusté mucho. Entonces mi esposo y yo fuimos inmediatamente al hospital. Las cosas estaban mal porque tan solo tenía siete meses de embarazo, aunque me sentía segura porque confiaba en Dios, y además porque los médicos eran amigos de la familia. Me ingresaron al quirófano y me operaron de emergencia.

Posteriormente, los médicos me dijeron que los pulmones de mi bebé no estaban maduros. Eso significaba que la bebé tenía que quedarse en el hospital. Yo me fui a casa triste. A cada momento oraba a Dios por mi bebé, solo mi esposo podía ir al hospital; pero después de unos días de lucha, de esfuerzo por querer vivir en una incubadora con ausencia de cariño maternal que yo anhelaba darle, mi hija murió.

¿Sabes? Cada momento, cada minuto, cada segundo yo oraba por mi pequeña hija. Suplicaba al Señor con fervor para que estuviera bien, y no entendía por qué había muerto. Para una madre es muy difícil aceptar la pérdida de un hijo. Posiblemente tú que lees esto has vivido esa experiencia. Yo me molesté con Dios porque le pedí que la protegiera y la sanara, pero aparentemente no me había escuchado. Entonces surgió en mi corazón una pregunta: ¿Vale la pena orar? Después del dolor que sentía mi corazón, al pasar los días descubrí que sí vale la pena orar. Descubrí que Dios tiene un propósito para cada una de nosotras: cumplir su voluntad en nuestras vidas.

Hoy he aprendido a vivir con este pensamiento. Si no fuera por la oración, ¿qué sería de nuestras vidas? ¿Qué pasaría con nuestras familias? Dios tiene el control del timón, por eso te pregunto: en tu vida, ¿vale la pena orar? Que Dios nos ayude para que cada día seamos mujeres de oración. Si tienes dificultades recuerda que después de la noche viene el esperanzador amanecer.

Olga Díaz de Alcázar

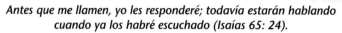

La oración tiene poder

Antes que me llamen, yo les responderé; todavía estarán hablando cuando ya los habré escuchado (Isaías 65: 24).

DURANTE EL TIEMPO que mi esposo cursó sus estudios profesionales pasamos momentos de una enorme limitación económica. En una ocasión teníamos tan solo tres monedas de diez pesos; se acercaban fechas de exámenes y eso exigía trabajos, copias fotostáticas, etcétera. Mi corazón se sentía desalentado y no sabíamos qué hacer; era viernes, a unas horas del día sábado. Entonces me arrodillé y le pedí a Dios que nos ayudara, él era el único que podía auxiliarnos. Cuando terminé de orar le dije a mi esposo que iba a ver a una amiga que me conocía desde que era niña.

Al llegar a su casa ella estaba sentada, escuchaba la radio y le pregunté qué hacía, ya que la noté muy atenta al transmisor. Tenía cerca el teléfono y me dijo que quería ganar unos vales de despensa que regalaban si marcaba a la estación al escuchar una clave. Me propuso que marcara. Me causó risa y me negué, pero ella me insistía, así que decidí marcar no tanto porque lo creyera, más bien por corresponder a mi amiga.

Mi sorpresa fue cuando escuché en la radio mi propia voz, al preguntarme mi nombre mencionaron que era la ganadora de los vales de despensa. ¡Una vez más me di cuenta que Dios me ayuda! Mi corazón estaba contento y lloraba de alegría y agradecimiento al cielo. Sin duda alguna el Espíritu Santo me condujo para ir a la casa de mi amiga.

El Señor nos dice que le pidamos y él nos va a dar lo que necesitemos, que lo busquemos y lo hallaremos. Amiga, busca al Señor ya que él está dispuesto a darte hasta que sobreabunde. Pide en oración a Dios y él contesta a sus hijos; nunca te dejará en los momentos críticos de tu vida. Estará dispuesto a ayudarte, por eso necesitamos orar, porque la oración es una respuesta del cielo.

Olga Díaz de Alcázar

Las oraciones de mamá

El Señor ha escuchado mis ruegos; el Señor ha tomado en cuenta mi oración (Salmos 6: 9).

MI MAMÁ es una mujer muy cristiana que educó a todos sus hijos en el temor a Dios. En la familia todos somos cristianos. Sin embargo, hemos pasado por pérdidas dolorosas como la muerte de mi hermana Mireya y la de mi papá. Ambas fueron muy inesperadas pues ninguno padecía alguna enfermedad. Fueron decesos tan sorpresivos que todavía hoy nos causan dolor y tristeza.

Cuando voy a visitar a mamá a Río Grande, Zacatecas, le recuerdo que ella es una mujer bienaventurada porque sus tres hijos, así como sus respectivos cónyuges e hijos, aman al Señor y cada sábado, ya sea en California, en Monterrey o en Matehuala, estamos reunidos para alabar a Dios. Mi madre sonríe. Ella es una mujer fuerte. Pero hace algunos días le tocó experimentar y pasar por dolor al perder a su hermana mayor, la tía Rosita, y a los pocos días se enteró de que ella tenía un tumor. Estábamos en casa de mis primos, guardábamos todas las pertenencias de mi tía Rosita para ser donadas, cuando mi mamá le dijo a mi primo, quien es médico, que le diera algo para el dolor que tenía en el pie.

Mi primo examinó el pie, y luego levantó los ojos de asombro y me miró desconcertado. Luego hizo algunos comentarios a otra de mis tías que es enfermera. Entonces, mi primo regresó con un libro de medicina y le dijo a mi mamá: «Tía, usted no necesita una pastilla, usted necesita una operación para que le quiten esto». Oramos mucho por ella.

Informé a mi iglesia y los hermanos oraron. Mis tías y hermanos también oraron mucho para que ese tumor fuera benigno. Lo comenté con algunas amistades y les pedí que oraran por mi mamá. Pasaron dos semanas después de la operación y la doctora le comunicó a mi mamá que el tumor era benigno. Agradecimos mucho a Dios por sanarla y darle la oportunidad de caminar y guiar sus pasos hasta donde esté la persona que necesita saber de Jesús, ya que ella es muy misionera. Gracias querido Dios por escucharnos y restaurar la salud de mi madre.

Dina Núñez de León

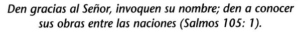

Plegaria a Dios

*Den gracias al Señor, invoquen su nombre; den a conocer
sus obras entre las naciones (Salmos 105: 1).*

SEÑOR DIOS, tú que eres Santo, glorioso, grande en misericordia y tardo para la ira, a ti te alabo con todo mi ser. Pido tu bendición para este día. Acompáñame en todo momento. No te alejes de mí que soy incapaz de sobrellevar mis cargas sin tu presencia. Este día me entrego a ti totalmente. Utilízame para llegar a ser una bendición y levantar en alto tu bandera. Yo quiero ser una fiel hija tuya, cada momento y en todo lugar. Sin ti, oh Dios eterno, estoy perdida. Ilumina mi mente para obedecer tus mandatos y ser una buena influencia para toda aquella persona que encuentre en el camino de la vida. Deseo darles un fiel testimonio de ti. Gracias, oh Dios, porque siempre estás conmigo. Pues ¿cómo podría esconderme de tu presencia?

Gracias Señor por tu sacrificio en la cruz por mí. Quiero decirte que eres todo para mí, por el amor que me brindas, me rindo a ti. Gracias Señor por tu gran amor inmerecido que gozo en mí. «Al reconocer ante Dios nuestro aprecio acerca de los méritos de Cristo, es dada una fragancia a nuestra intercesión […] somos vestidos con sus vestimentas sacerdotales. Él nos abraza con su brazo humano mientras que con su brazo divino alcanza el trono del infinito» (*Comentario bíblico adventista*, 6:1078).

Martha Ayala de Castillo

La oración fortalece al enfermo

La oración del justo es poderosa y eficaz (Santiago 5: 16).

MI HERMANO Gustavo sufrió un derrame cerebral a la edad de 41 años. Entonces él vivía en Valle Hermoso, Tamaulipas. Nos separaban muchos kilómetros de distancia, así que después de recibir la noticia emprendimos un largo viaje para verlo. Entonces escuchamos el diagnóstico del neurólogo: estado de coma. Después de una larga cirugía comentó que sería mejor empezar los preparativos para trasladar el cuerpo, pues su estado era muy grave y no daba ninguna esperanza de vida. Agregó que si creíamos en algún milagro lo pidiéramos a Dios.

Nos unimos en oración toda la familia. Un pastor vino a ungir a Gustavo. Ya estábamos resignados a perderlo y esperábamos que mi hermano descansara, pues no mejoraba. Pasaron 45 días y el doctor ordenó la última tomografía; después de ese estudio, si no veía ninguna mejoría, lo desconectaría de los monitores. Ese día oramos con todo el corazón, rogamos a Dios para que hiciera un milagro.

Tuve la oportunidad de entrar al lugar del examen, tomé su mano y oré, sabía que mucha gente hacía lo mismo en ese momento. Cuando la camilla salió se dejó ver el cuerpo inerte de Gustavo, pero increíblemente, él abrió sus hermosos ojos verdes y sorprendido me dijo: «¿Qué pasa? ¿Qué hago aquí?» Yo no lo podía creer y rápidamente llegaron los médicos. ¡Una vez más Dios había hecho un milagro!

Sé que Dios nos dejó a Gustavo para darnos un ejemplo de paciencia, pues las secuelas de su enfermedad lo dejaron en silla de ruedas y con muchos problemas de salud. Lo maravilloso de todo fue que él nunca renegó, no se quejó de nada y mantuvo un carácter dócil y amable. Vivió fiel a Dios 9 años más y murió con la firme esperanza de resucitar una mañana gloriosa en que el Rey lo llame. En esta mañana te invito a orar sin cesar, pues solo el día en que estemos al lado de nuestro Dios nos despediremos de la dulce oración que durante nuestra vida terrenal nos mantuvo en comunicación con Dios.

Lupita López Cervantes

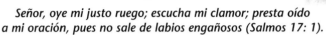

Orar por otros

Señor, oye mi justo ruego; escucha mi clamor; presta oído
a mi oración, pues no sale de labios engañosos (Salmos 17: 1).

UNA MAÑANA desperté y le pregunté a Dios por quién debía orar, pues tenía por costumbre orar por mis alumnos. Regularmente oro por aquellos que tienen problemas o están desorientados; y esa mañana me pregunté por quién orar. Pasó por mi mente el nombre de un chico que aparentemente todo estaba bien con él, no era un alumno problemático, más bien, era considerado como un buen estudiante. Esa mañana oré por ese muchacho. Cuando llegó a mi clase lo saludé y pude notar en su rostro que algo estaba mal. Durante la clase él permaneció serio. Cuando cantamos él guardó silencio.

Cuando terminó la clase le dije que me gustaría hablar con él, que por la tarde lo esperaba en el departamento de Orientación. Esa tarde le conté cómo por la mañana había orado por él y que le había notado diferente en la clase. Le pregunté si había algo que le preocupara. Por un rato guardó silencio y las lágrimas rodaron sobre sus mejillas. Le recordé que solamente trataba de ayudarlo y si lo deseaba podía confiar en mí.

Después me descubrió su corazón, al contarme su problema. Oramos juntos y al final me dijo: «Maestra, gracias por escucharme, gracias por su tiempo. Maestra, ¿puedo darle un abrazo?» Yo accedí con gozo. Y agregó: «No sabe cómo necesitaba esta plática».

Como este alumno, hay muchas personas que sufren en silencio. Pasamos a su lado y no nos damos cuenta que necesitan de nosotros, por eso es importante estar en comunión con Dios para que su Santo Espíritu obre en nosotros y seamos instrumentos útiles cada día.

Myriam Carrillo Parra

El Padre de los sin padre

Padre de los huérfanos y defensor de viudas es Dios en su morada santa (Salmos 68: 5).

N O HAY ALGO más hermoso para mí que ver a un niño crecer al lado de su papá. Cuando yo era pequeña, un día mi papá salió de casa y durante mucho tiempo no supimos nada de él. Luego yo empecé a conocer que Jesús era mi mejor amigo. Así que cada día nos reuníamos mis hermanitos y yo y orábamos así: «Jesús, cuida a mi papá, ayúdalo para que regrese con bien a casa».

Ahora, debido al trabajo de mi esposo, esa oración se repite en mi hogar por mis hijos y es como una espada que atraviesa mi alma y una gran tristeza que nubla mi vida.

Un día llegó a mi casa una amiga que fue mi consejera del club en la Universidad de Montemorelos y me contó una experiencia maravillosa de su vida, sin saberlo me enseñó a considerar a Dios como mi verdadero Padre. Ella nunca pensó lo que significaban sus palabras para mí y cuánto bien me hacían, pues no conocía mi historia.

A partir de ese día tomé esta promesa de que realmente Dios sería mi Padre. Desde entonces poco a poco ha cambiado la perspectiva de mi vida, aun en el ministerio de mi esposo. Ahora es cuando esta experiencia ha afectado mi vida y sigo recuperando la confianza en Dios totalmente. Mis hijos oran por su papá para que regrese con bien de sus múltiples viajes, sé que así será, ya que respecto a mí, mi padre nunca volvió, pues había muerto y no lo supe hasta la adolescencia.

Dedico este mensaje con amor a mis hermanos, dondequiera estén, y a mi mamá que supo ser madre y padre a la vez, y a todos aquellos que han experimentado algo similar. Quiero decirles que Dios es el Padre de los que no tienen padre.

Rosa Isela Raga de Cabrera

Dios nos da más de lo que le pedimos

Pidan, y se les dará; busquen, y encontrarán; llamen, y se les abrirá (S. Mateo 7: 7).

URANTE UN EVENTO DE LA IGLESIA, tuve la oportunidad de orar por una dama que no conocía. Le pregunté a la hermana si tenía alguna petición para ponerla en las manos de Dios. Ella me respondió: «Sí hermana, estoy muy preocupada por mis tres hijos que salieron a EUA de ilegales y no sé de ellos». Hacía un mes había salido uno de sus hijos, y una o dos semanas después salieron los otros dos. Ella se angustiaba más porque no andaban juntos y todavía no se habían comunicado.

Esta pobre mujer sufría por sus hijos, pensaba en el peligro que andaban, por las noticias que llegan sobre la frontera. Entonces le dije: «Siento mucho lo que pasa, y lo único que puedo hacer es orar por usted y sus hijos. Usted no sabe dónde están exactamente, pero Dios sí lo sabe, y le vamos a pedir en este momento, que le diga dónde están para que esté tranquila. Él comprende su sufrimiento porque es nuestro Padre celestial; ya verá que sí lo hará». Las que somos madres podemos imaginar la profunda angustia por la que estaba pasando esta hermana.

En ese momento oramos y le expusimos al Señor la situación. Al terminar la oración, la abracé y le dije: «Dios es su padre y la ama, y también ama a sus hijos. Él le dirá dónde están y le dará la tranquilidad de que están bien». ¡Qué fácil es decir las palabras pero qué difícil el pasar por esa situación! Oré por la hermana y sus hijos. Cuatro días después encontré a esta dama en un centro comercial y me apresuré para preguntarle por sus hijos; pero antes de preguntarle, observé su rostro y no había tristeza. Ella contestó: «Ya llegaron: uno llegó el domingo, los otros dos el lunes». No cabe duda que Dios nos da más de lo que le pedimos. No solo le dijo dónde estaban, sino que se los trajo.

Gracias Señor, porque eres un Padre amante, bondadoso y comprensivo, que estás al pendiente de nuestras necesidades. Te gozas con nuestras alegrías y te entristeces con nuestras tristezas. ¡Qué dicha tan grande nos das de pertenecer a tu hermosa familia! Amen.

Gloria de Torres

ORACIÓN

Nada es insignificante para Dios

Y él les tiene contados a ustedes aun los cabellos de la cabeza
(S. Mateo 10: 30).

AÑOS ATRÁS nos tocó vivir en Durango y por diversas razones nos cambiamos a una casa más pequeña. Mientras mi esposo salía a su trabajo, mis hijos y yo nos quedábamos para acomodar las cosas y desocupar las cajas, una tras otra. Un día mientras buscaba los zapatitos de mi bebé, encontré solamente uno. Después de buscar en cajas, bolsas y demás le dije a mi hijo mayor: «Dios sabe dónde están todas las cosas, vamos a pedirle en oración que nos ayude». Así que oramos y luego seguí buscando. Al abrir una maleta apareció el zapatito perdido. En ese momento nos arrodillamos de nuevo dándole gracias a Dios por haber contestado nuestra oración.

No sé a cuántas de ustedes les haya acontecido algo similar, pero en lo personal me alegra saber que Dios está atento a todo lo que me sucede, ya se trate de situaciones complejas en mi vida o detalles aparentemente insignificantes. Sí, Dios nos ama y mantiene su mirada sobre cada una de nosotras y está dispuesto a ayudarnos cuando se lo pedimos.

A veces pareciera que estamos solas en nuestras tareas cotidianas y que en los detalles insignificantes nosotras mismas nos privamos de la bendición de Dios. Queremos solucionar solas nuestros problemas, pero te invito a que pruebes a Dios y cuando enfrentes cualquier detalle, por muy pequeño que éste sea, llévaselo a Dios, confía en él y verás la manera tan maravillosa que él tiene para solucionarlo. Recuerda que ningún pajarillo cae a tierra sin que Dios lo permita, y más valemos nosotras que muchos pajarillos, pues aun nuestros cabellos están todos contados.

Irene Juárez de Roblero

Dios contestó nuestra oración

Una sola cosa le pido al Señor, y es lo único que persigo:
habitar en la casa del Señor todos los días de mi vida, para contemplar
la hermosura del Señor y recrearme en su templo (Salmos 27: 4).

INICIAMOS nuestras reuniones cristianas en el patio de la casa de una feligrés, pues habíamos decidido adorar los sábados en nuestro pueblo y no viajar a otros lugares cercanos donde había templo adventista. El pequeño grupo creció y un caballero nos prestó su casa, la cual acondicionamos para reunirnos cada sábado. Así estuvimos por algún tiempo. Mientras unos pedíamos a Dios un templo, otros se tuvieron que ir del pueblo en busca de trabajo; otros se desanimaron, su fe se debilitó y dejaron de congregarse. El resto del grupo continuamos orando al Señor para que obrara un milagro: tener nuestro propio templo.

Después de algún tiempo reunimos un poco de dinero con la ayuda de fieles hermanos y de un donativo de la entonces Asociación Central, así que pudimos comprar un terreno para construir nuestro templo. Teníamos el terreno y eso era una respuesta a nuestras incesantes oraciones. No había duda de que Dios nos permitiría construirle una casa de oración.

El 4 de junio del 2006 un grupo de hermanos de la Iglesia del Valle de McAllen, EE. UU., llegó al pueblo para iniciar la construcción del templo. La alegría que nos embargó trajo lágrimas de gozo y felicidad, y juntamente con mi hermana en Cristo y gran amiga, que se mantuvo fiel y nos prestó su patio para formar una nueva congregación, pudimos ver la respuesta a nuestras oraciones. La generosidad de nuestros hermanos y la misericordia de Dios permitieron que hoy tengamos nuestro templo. Todavía no está totalmente terminado, no lo hemos dedicado pero ya nos reunimos para adorar a nuestro Dios.

Quiero pedirte que nos incluyas en tus oraciones para que Dios, por medio de su Espíritu Santo, impresione los corazones de los ex adventistas y regresen al redil. Seguramente el Señor nos dará el privilegio de pronto ver llena su iglesia. Hoy tenemos que trabajar por las almas perdidas, nos ponemos en sus manos para llevar a cabo esta labor.

Graciela Aguirre Tamayo

Escucha su voz

Ése soy yo, el que habla contigo –le dijo Jesús (S. Juan 4: 26).

CADA MAÑANA mi rutina era terrible. Mi camino hasta el centro de la ciudad me hacía llegar fatigada al trabajo, en la tarde recorría una larga distancia para ir a la escuela; así que con los compromisos laborales y educativos tenía poco tiempo para Dios. Debido a esto, mi familia no me tomaba mucho en cuenta para los eventos sociales, ya que se habían acostumbrado a mis ausencias; además tenía pocos amigos.

Uno de esos días que iba de regreso a casa, bastante tarde por cierto, Dios me hizo reflexionar en lo vacía que era una vida como la mía. Aunque trataba de no escuchar, empecé a llorar y le dije: «Tienes razón, mi vida es materialmente vacía, no soy feliz, ayúdame». No fue una oración muy larga, pero sentí que me había quitado Dios un costal de problemas que ya no podía cargar más. Dios me transformó después de una oración sencilla y sincera. Es increíble.

Escuchar a Dios es lo más hermoso que ha pasado en mi vida. Si no fuera por él, sé que ahora no sería tan feliz al lado de mi amado esposo y mis dos pequeños hijos. No renuncié a mi carrera ni a mis deseos profesionales, únicamente escuché a Dios por un momento y acepté que él rigiera mi vida. Todas tenemos las mismas oportunidades, Dios nos hace el llamado y la decisión es nuestra.

Jesús habló con la mujer Samaritana. Él sabía el momento y el lugar adecuados. Ella se limitó a aceptar su llamado y habló a los samaritanos del Mesías. Muchos de ellos creyeron primero por el testimonio de la mujer, y después porque lograron escuchar la voz de Jesús de manera personal.

Gabriela Carreño Calva

Bendiciones de la oración

Alégrense en la esperanza, muestren paciencia en el sufrimiento, perseveren en la oración (Romanos 12: 12).

LAS PALABRAS del apóstol Pablo nos invitan a vivir con gozo porque tenemos una esperanza, y así podremos soportar todo lo que nos hace sufrir fortaleciéndonos con la oración.

¡Cuánta bendición tenemos al hablar con Jesús como con un amigo! Eso significa confesarnos ante él como realmente somos y esperar la solución a nuestros problemas y sufrimientos. Al estar cerca de la vejez, puedo recordar muchos milagros que Dios ha hecho en mi familia. A lo largo de mi vida he experimentado oraciones contestadas que llamo milagros, pues son situaciones inexplicables que no siguen la lógica humana:

1. Cuando mi hijito de 2 años comenzó a tartamudear y hablar con dificultad, la radiografía mostró fractura de cráneo. Fue hospitalizado y a los tres días otra radiografía mostró una extraña «cicatriz» en el cráneo y el niño ya no tuvo problema para hablar.

2. Cuando mis hijos crecieron y no teníamos dinero para enviarlos a la universidad adventista, dos personas en diferente tiempo me ofrecieron una ayuda muy oportuna: pagaron sus gastos sin que yo se los pidiera. Ahora estos tres hijos son fieles miembros de iglesia que han puesto sus talentos al servicio de Dios.

3. Cuando mi hijo menor tenía 11 años Dios milagrosamente lo salvó de una enfermedad que lo había invadido totalmente.

4. Cuando mi yerno fue secuestrado por más de 24 horas mi hija y yo pedimos a Dios que regresara sano y salvo, y Dios contestó esta oración.

Recordar tiempos pasados, palpar el maravilloso amor de Dios, me permite gozar y agradecer a Dios las bendiciones presentes y aumentar mi fe en un futuro precioso al lado de mi Salvador.

Nidia Vidales de Santos

Solamente pídelo

Pero yo, Señor, te imploro en el tiempo de tu buena voluntad.
Por tu gran amor, oh Dios, respóndeme (Salmos 69: 13).

ME ENCONTRABA desesperada. No sabía cómo resolvería el problema que enfrentaba. A unos días de terminar el semestre recibí la noticia que el lugar en el que yo trabajaba para ayudarme financieramente no estaría más en servicio, así que no tenía trabajo, ¿cómo haría para la colegiatura? Era tanta mi preocupación y desesperación que empecé a contactar a personas que sabía podrían ayudarme a conseguir el trabajo que necesitaba. Busqué distintas posibilidades y ninguna tenía respuesta a mi favor. Era claro no había posibilidad de volver a la universidad, todo estaba perdido. Pasaron los últimos días y una mañana me acordé de orar. Me arrodillé y dije: «Cristo Jesús, ya no puedo más con esta situación, perdóname por buscar la solución solo en los hombres, perdóname por no haber venido a ti con mis preocupaciones. Por favor, sé que para ti nada es imposible, ¡ayúdame! Sabes que necesito un trabajo para continuar estudiando, provee conforme a tu voluntad, en el nombre de Jesús, amén». Y fue así que en cuestión de segundos mi alma volvió a la calma, la desesperación y angustia se fueron de mí y una seguridad de que Dios estaba ahora al control dio paz a mi corazón.

El Señor satisfizo mi necesidad, en cuestión de días obtuve la respuesta a mi pedido. Aprendí que Dios está dispuesto siempre a ayudarnos. Es verdad que no siempre la respuesta podrá ser positiva o como nosotros quisiéramos, en algunas ocasiones dirá «no», no es lo mejor para ti. Esta mañana te invito a no desesperarte por la situación en la que te encuentres, no hagas las cosas al revés, busca primero a Dios y lo demás vendrá por añadidura. Recuerda el versículo de esta mañana: «Antes que clamen, responderé; mientras aún hablan yo habré oído».

Esmeralda L. Montes Casillas

El poder de la oración 1

¿Está afligido alguno entre ustedes? Que ore.
¿Está alguno de buen ánimo? Que cante alabanzas (Santiago 5: 13).

HUBO UNA ETAPA en mi vida en la que yo veía pasar los días de una manera muy triste. El estrés de una vida sin Cristo y el exceso de trabajo, me llevaron al deterioro de mi salud física, mental y emocional. Me atormentaba un tic nervioso, insomnio, gastritis, hipertensión arterial, además de conflictos emocionales. Postrada en la cama de un hospital naturista, comenté con mi compañera de habitación mi sentir; al verme tan agobiada, y sin poder contener el llanto, me dijo: «Ven, arrodíllate conmigo, vamos a orar».

Mi esposo me internó en el hospital un día domingo. Él trabajaría a quince minutos de allí y me buscaría al final del tratamiento, diez días después. Pasaron dos días después que él me internó cuando hicimos la oración con gran fervor, y le pedimos al Señor una respuesta de acuerdo a su voluntad. Ese día, después de orar, la oración trajo una gran paz a mi corazón, enjugó mi llanto e inmediatamente dejé mi pesar y mi preocupación a los pies de Jesús. Continuamos con nuestras actividades, y media hora después tocaron a la puerta. Pregunté a mi compañera:

—¿Esperas a alguien?

—No, tal vez sean de la administración del hospital —respondió mi amiga.

—¡Es mi esposo!

—¡Hola, mi amor! Me acordé que te gusta el pan de elote y sentí muchas ganas de venir a verte y traerte uno. Sé que había quedado de venir a verte dentro de ocho días, pero no resistí la idea de verte hoy. De inmediato se despidió dándome un beso.

Cuando escuchó eso mi compañera, me comentó: «¡Qué rápido responde Dios! ¿Verdad?» Había transcurrido menos de una hora después de haber hecho la oración. Entonces di gracias a Dios, le pedí que nos uniera más, y desde entonces, jamás he dudado del amor de Dios, del amor de mi esposo y del poder de la oración.

Recuerda siempre : «¿Está afligido alguno entre ustedes? Que ore» (Stg. 5: 13).

Luz María Figueroa Zambrano

El poder de la oración 2

El Señor aborrece las ofrendas de los malvados,
pero se complace en la oración de los justos (Proverbios 15: 8).

RECIENTEMENTE, mi hermana Elena solicitó una beca de estudios para una residencia médica; aprobó el competido examen nacional y me pidió que la acompañara a la Ciudad de México para continuar los trámites requeridos: examen de Certificación médica ante la Universidad Nacional Autónoma de México (UNAM), examen psicométrico, entrega de documentos en el hospital de la residencia y finalmente el examen médico.

El hecho de haberse trasladado de una ciudad al nivel del mar a la Ciudad de México y el estrés hicieron que presentara cifras ligeramente altas de presión arterial. Una doctora de mucha antigüedad en el servicio de medicina del trabajo fue quien la atendió haciéndole el siguiente comentario: «No debería yo estar aquí, mi turno terminó, y todavía tengo que atenderla». Al examinarla le comentó: «Yo en su lugar ya no estudiaría, mire nada más lo alto de su presión arterial». No resolvió nada acerca del examen y le indicó que regresara al día siguiente para comentar el caso con sus jefes; todo hacía suponer que su dictamen sería desfavorable para Elena.

Por la noche, al iniciar mis oraciones, le comenté: «Voy a pedirle al Señor que nos ayude, que se haga su voluntad y que te conceda lo que sea lo mejor para ti y tu familia, y acataremos su voluntad». Nos arrodillamos y le suplicamos a Dios que le diera paz al corazón de la doctora que la atendió, pensábamos en que algún pesar debería tener que la hacía sufrir y no disfrutar de su trabajo.

A la mañana siguiente, la doctora recibió a Elena muy amablemente, su semblante era otro. Luego le comentó que su mamá estaba enferma, que tenía cáncer, y que atravesaba por una serie de problemas laborales, también se disculpó por su comportamiento del día anterior. Además le preguntó a Elena: «Doctora, ¿qué me hizo usted que anoche no podía conciliar el sueño pensando en usted, y poco después caí en un profundo y reparador sueño que no había tenido en mucho tiempo?» Elena le respondió: «Solamente oramos a Dios por usted». Se despidieron y prometieron volver a verse cuando estudiara en su residencia.

Al salir de la oficina de la doctora me contó lo sucedido. Le dije que para Dios no hay imposibles.

Luz María Figueroa Zambrano

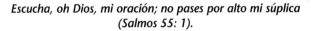

Pídele a él

Escucha, oh Dios, mi oración; no pases por alto mi súplica
(Salmos 55: 1).

ES POSIBLE que en algún momento te hayas sentido frustrada, triste y derrotada en cuanto a la forma en la que educas a tus hijos, ya que es una de las tareas más difíciles que puedes tener como mujer; y si trabajas, esto lo hace todavía más difícil. Mi madre siempre fue una mujer que se dedicó a trabajar para sostener a sus siete hijos. Yo nunca entendí cómo es que le daba tiempo para estar con nosotros y darnos enseñanzas de Jesús y, al mismo tiempo, trabajar tan arduamente.

Actualmente, ella tiene 89 años de edad y desde que era niña y hasta la fecha siempre ha sido una mujer consagrada a Dios. Desde que la recuerdo ha sido fiel al Señor. Incluso, cuando yo era una jovencita, ella nos exigía ir constantemente a la iglesia y hacer lo recto ante los ojos de Dios. Eso a mí me disgustaba mucho. En esos momentos hubiera querido tener un poco más de «libertad». No entendía por qué mi madre se empeñaba tanto en que asistiéramos a la iglesia. Para comprender los nobles motivos de mamá tendrían que pasar 26 años, en ocasión del nacimiento de mi primera hija. Su llegada despertó en mi vida un profundo sentido de la responsabilidad y un ferviente deseo de protección, cuidado y atención para mi bebé. Todo eso me ayudó para acercarme mucho a Dios.

Hoy tengo tres hijas y no he dejado de rogar a Dios para que me dé la sabiduría que necesito para instruirlas en el buen camino. Al igual que mi madre, yo también trabajo y, sin importar lo pesado de mis tareas, me he empeñado en que mis hijas asistan a la iglesia y tengan temor de Dios. Hasta aquí él ha contestado mis súplicas por instruir a mis hijas bajo los principios divinos. Si eres madre y sientes que no lo estás haciendo bien y que las presiones del trabajo y el hogar son muchas, pide hoy ayuda de lo alto y verás que él te ayudará. Gozarás de grandes bendiciones al igual que tus hijos.

María del Rosario Quintero

Respuesta inmediata

Elías era un hombre con debilidades como las nuestras. Con fervor oró que no lloviera, y no llovió sobre la tierra durante tres años y medio (Santiago 5: 17).

MI ESPOSO y yo acostumbrábamos sentarnos juntos los días de pago para distribuir el cheque en alimentación, renta, luz, agua, gasolina y las colegiaturas de dos de los hijos que estudiaban en la Universidad de Montemorelos. Ruth, que era la pequeña, estaba con nosotros. Entonces, mi esposo era el pastor de la iglesia de Cuauhtémoc, Chihuahua. Una mañana, mientras él cumplía con sus funciones y mi niña se había ido a la escuela, una maestra pasó en su camioneta por mi casa y me dijo que iba a los campos «menonitas» a ver qué recolectaba porque no tenía algo para comer. A su regreso me pidió un recipiente y compartió conmigo unos tomatillos, yo le di unas zanahorias y unas espinacas que tenía sembradas.

Cuando mi hija llegó de la escuela con mucha hambre, le di lo único que tenía: dos tortillas, una zanahoria y tomatillos, ya que la despensa y el refrigerador se encontraban vacíos. Entonces ella me preguntó: «Mami, ¿por qué no comes?» «No tengo hambre», le respondí.

En ese momento llegó Nayely, una jovencita de la iglesia que me dijo que tenía hambre; vio los tomatillos y comenzó a comer. Le comenté que no teníamos más para comer y le pedí que nos arrodilláramos para pedirle a Dios que nos enviara comida. No habíamos terminado de orar cuando alguien tocó a la puerta. Se trataba de una persona con quien estudiábamos la Biblia. Llevaba dos despensas, una para el departamento de Dorcas y la otra para mí. Le daba mucha pena decirlo, pero finalmente me dijo: «Reciba esta despensa para el pastor; mi esposa se la envía porque había escuchado una voz mientras estaba en la tienda que tenemos, que le decía: "Mándale una despensa al pastor"».

Recibí la despensa muy emocionada, dándole las gracias a este caballero, le dije que Dios lo había usado como instrumento de una respuesta inmediata para satisfacer nuestra necesidad. Cuánta razón tenía Ellen G. White cuando escribió: «La oración eficaz tiene otro elemento: la fe [...] El Señor Jesús dijo a sus discípulos: todo cuanto pidáis en la oración, creed que ya lo habéis recibido y lo obtendréis» (*El camino a Cristo*, p. 94).

María Elena Hernández de Molinari

Una oración especial

**Temer a los hombres resulta una trampa,
pero el que confía en el Señor sale bien librado (Proverbios 29: 25).**

*Q*UERIDO DIOS, *te doy gracias por este día. Me siento bendecida
porque eres un Dios perdonador y comprensivo. Perdóname por las
cosas malas que he hecho o pensado y que no te agradan. Por favor,
líbrame de todo peligro o daño que me puedan hacer. Ayúdame
a comenzar cada día con una nueva actitud y con un pleno sentido
de agradecimiento hacia ti. Haz que pueda sacar el mejor provecho
de cada día para que en todo lo que haga escuche tu clara voz al hablarme.*

*Señor, sensibiliza mi mente para que pueda aceptar las situaciones que la
vida trae. Ayúdame a no quejarme y rezongar por aquellas circunstancias sobre
las cuales no tengo control, de manera que tenga la respuesta correcta aunque
me hayan llevado al límite de mi paciencia.*

*Yo sé que cuando siento que no puedo orar tú escuchas la petición de mi
corazón. Continúa usándome para cumplir tu voluntad. Continúa usándome
para que yo sea un canal de bendición para otros. Mantenme fuerte para ayudar
a los débiles [...] levántame para que yo tenga palabras de aliento
a los que se sienten caídos.*

*Te pido por aquellos que se sienten perdidos y no pueden encontrar
el camino. Te pido por los que son incomprendidos y juzgados equivocadamente.
Te suplico por todos aquellos que no se deciden a entregarte su corazón y por
aquellos que tampoco comparten con otros la bendición de creer y confiar en ti.
Pero te agradezco porque todavía sigo confiando en que tú puedes cambiar
a las personas y las situaciones.*

*Te suplico por todos los miembros de mi familia y por sus hijos.
Te ruego que haya paz, amor y felicidad en sus hogares. Que puedan hacer
buen uso de los recursos financieros que les das, de manera que sus necesidades
personales puedan ser satisfechas.*

*Te pido que aquellos que lean esta oración crean que no existe problema,
obstáculo o conflicto demasiado grande para ti. Que sepan que todas las batallas
que están en tus manos, tú las pelearás por nosotros. Te ruego que esta oración
pueda llegar al corazón de aquellos que necesitan verte en acción para
que puedan comprobar la grandeza de tu amor y tu poder.*
Amén.

Evelyn Omaña

Comunicación de corazón

Pero tú, cuando te pongas a orar, entra en tu cuarto, cierra la puerta y ora a tu Padre, que está en lo secreto. Así tu Padre, que ve lo que se hace en secreto, te recompensará (S. Mateo 6: 6).

EN UNA PECERA los peces acostumbran nadar a la mitad de ella, nunca se quedan totalmente abajo ni arriba, únicamente suben para alimentarse. Así deberíamos ser las hijas de Dios: ni muy arriba ni muy abajo, más bien, término medio, es decir, no dar una imagen miserable ni vergonzosa, como si no tuviéramos un Dios, ni tampoco exhibir un orgullo religioso propio de personas que confunden la naturaleza divina.

Así como los peces, nosotras también debemos buscar las alturas, pero no las del orgullo o la petulancia, sino las alturas donde se encuentra Dios, quien nos ofrece el alimento de vida. Esta es una de mis oraciones, se la debo a una amiga especial:

Creo en ti, en mi Dios que nunca desampara; el mismo que ha atravesado con nosotros el mar de sangre y de dolor. Dios omnipotente, quien nos creó de nuevo, pues él sabe, que muertos hemos estado y sin querer vivir. Él es el Dios que contrarresta al demonio; contra él no puede el demonio pelear; lo venció allá en el cielo y lo venció en el Moria, y allá en el Gólgota, y aquí en mi corazón.

¡Oh, Dios de los ejércitos, me has creado de nuevo! Me ha amanecido y el sol me habla de ti y las lluvias me lavan el alma repleta de tormentas y llegan a mis ojos destellos carmesí. No, nunca te me alejes, mi alma te reclama. Todas mis ansiedades encuentran cuna en ti; mis huesos resucitan, Ezequiel lo ha mostrado. Y en tu pecho hay mil cofres que guardan mis querellas, mis súplicas, mis gritos y mis desesperanzas. Tú nunca te cansaste, tú siempre me escuchaste y hoy de hinojos me postro, sobre mis soledades. Es mi alfombra, Dios mío, es suave, es primorosa, sí mi alfombra florece, cual florecen las plantas con las lluvias tempranas.

Recibe mi rocío de lágrimas maternas. Aquí sobre mi alfombra do florecen mis flores, do mis lágrimas perlas humedecen confiadas todas mis esperanzas, de que un día en rosado y azul primoroso crecerán dos plantitas, tan suaves como fue el Nazareno, tan dulces y preciosas y además fragantes. Dos preciosas criaturas de mi jardín de ensueños.

Lorena P. de Fernández

Inmediata intervención divina

Crean que ya han recibido todo lo que estén pidiendo en oración, y lo obtendrán (S. Marcos 11: 24).

ERAN COMO LAS DIEZ de la noche cuando sonó el teléfono. Era mi hija mayor que me dijo apresuradamente: «Mamá, ora por Doris, pues el automóvil está fallando. Ella va de la iglesia rumbo a su casa y tiene problemas con su carro, yo te vuelvo a hablar en veinte minutos». De inmediato llamé a dos señoritas que estaban en casa, ya que mi esposo se encontraba de viaje, y en ese mismo instante nos arrodillamos: «Señor, guarda a mi hija de cualquier peligro, permite que ella sienta la seguridad de tu compañía, no permitas que nada malo le suceda». Mi oración fue corta, pero la hice con mucha fe.

No pude esperar los veinte minutos que me dijo Fanny, así que tomé el teléfono y le marqué a Doris. Entonces, me respondió: «Mamá, acabo de tener un accidente». «Hija, ¿estás bien?», le pregunté angustiada. «Sí mamá, luego te hablo. La policía está aquí, la ambulancia y los bomberos, pero estoy bien, comentó con cierta seguridad».

Después de lo que me pareció una larga espera, me habló y me contó lo que le había sucedido. A su carro le falló el alternador y se detuvo en medio de la carretera, en un lugar apartado. Ella había tratado de volver a encenderlo, pero había sido inútil. De repente aparecieron dos varones que le ofrecieron ayuda y trataron de sacar el vehículo de la carretera, pero no fue posible. Así que le dijeron que debía salirse del carro porque estaba en peligro de que alguien viniera por detrás y le pegara. Ella se salió en seguida.

Mientras marcaba el 911, sucedió lo que aquellos dos hombres le habían dicho. Tengo la seguridad que fue Dios quien envió a esos señores para ayudarla y orientarla.

Estoy segura de que Dios salvó a mi hija esa noche, pues el carro fue declarado como pérdida total, pero ella no sufrió ni un rasguño. ¿Has experimentado la oración en momentos difíciles? Te invito a que durante este día entres en plena comunión con Dios, ya sea que tengas un día de bonanza, o ya sea que tengas en él dificultades. Recuerda, Dios siempre está listo para darnos lo que necesitamos.

Rocío Barrera de Velásquez

Oración de fe

Todos, en un mismo espíritu, se dedicaban a la oración,
junto con las mujeres y con los hermanos de Jesús y su madre María
(Hechos 1: 14).

COMO FAMILIA decidimos ir a Montemorelos para que mi esposo se preparara para servir al Señor en el ministerio. Sin embargo, me sentía triste porque me alejaba de mis padres, y más porque papá sufría de insuficiencia renal, pero confiaba totalmente en Dios, e hice mía la promesa de Jesús al decir que todo lo que pidamos en oración, creyendo lo recibiremos (S. Mt. 21: 22). Mi padre tenía ya 6 años en espera de un transplante de riñón.

En el verano del 2005 mi esposo llevaba a su cargo un grupo de muchachos a Villahermosa, Tabasco, para colportar, así que yo me enlisté como colportora en su grupo. Cada día, al salir y regresar del trabajo, oraba por mi padre e hijos. Una tarde cuando regresé, sentí gran necesidad de hablar con Dios, tomé tiempo y me aparté para orar: rogué para que el transplante que mi padre necesitaba se encontrara compatible y lo llamaran para colocárselo.

Verlo sufrir me causaba mucho dolor, y en esa oración lloré y derramé mi alma a Dios. Cuando terminé sentí gran tranquilidad en mi corazón. Como a las dos horas, llegó un mensaje a mi teléfono celular en el que me avisaban que mi padre había sido transplantado días atrás y que ahora estaba grave en el Centro Médico La Raza de la Ciudad de México. En ese momento tenía varios compromisos de trabajo, así que le pedí a mi esposo y a una compañera que me apoyaran, y al día siguiente salí con rumbo a la Ciudad de México.

Al llegar al hospital pedí el pase de visita y subí a verlo. Me preparé para lo peor. Esperaba verlo en su cama moribundo, pero qué gran sorpresa me llevé. Lo encontré de pie dándole ánimos a una persona que se encontraba en una condición semejante a la suya. Sentí una gran alegría al verlo así y darme cuanta que el mensaje que había recibido estaba un poco alterado.

Mi querida hermana, hoy puedo decir que nuestro Padre celestial cumple fielmente sus promesas. Si hay algo en tu corazón por lo que has pedido muchas veces, no desistas y sigue orando. Dios te contestará en el momento preciso, ponlo a prueba, haz tuya la promesa y él responderá de la mejor manera.

Irais López de Monroy

Él te escuchará

Me regocijaré en favorecerlos, y con todo mi corazón y con toda mi alma los plantaré firmemente en esta tierra (Jeremías 32: 41).

¿TE HAS PREGUNTADO alguna vez por qué a las cosas que le pones más empeño te salen mal? Pues eso mismo pensaba yo cuando inicié mis estudios universitarios. En muchas ocasiones por más que estudiaba no obtenía buenos resultados en los exámenes. Pronto me pregunté: «¿Qué pasa? ¿Por qué estos resultados si estudio lo suficiente? ¿En qué he fallado? ¿Qué estoy haciendo mal?» Sin darme cuenta analicé mi rutina universitaria, hice una evaluación de mis prioridades y descubrí el problema: no incluía a Dios en mis estudios.

¿Cómo? ¡Sola! Sin pedir a Dios ayuda cada vez que me preparaba para mis tareas o exámenes. En esas ocasiones no inclinaba mi rostro para pedir su bendición y la sabiduría que necesitaba. Así que puse en orden mis tareas diarias y supliqué la ayuda del cielo. Cada vez que me preparaba para mis tareas la oración estaba presente, ¡y vaya que funcionó muy bien! Dios respondía al pedido de mis oraciones y me ayudaba grandemente.

Dios nos pide que nos esforcemos, que hagamos nuestra parte. No hará por nosotros la parte que nos toca: responsabilidad, orden, atención, todo lo que demanda un proceso de estudios. Él hará el resto.

Ellen G White dice: «Si el intelecto es colocado bajo el dominio del Espíritu de Dios, cuanto más se lo cultiva, más eficazmente puede ser usado en el servicio de Dios [...] los que, con el mismo espíritu de consagración, han tenido el beneficio de una educación cabal, pueden realizar una obra mucho más extensa para Cristo. Se hallan colocados en una posición ventajosa» (*Mensajes para los jóvenes*, p. 171).

La fórmula del éxito dice que: ESFUERZO HUMANO + PODER DIVINO = ÉXITO. Recuerda entonces poner a Dios en primer lugar cada mañana y no dudes nunca que responderá tus oraciones.

Kendy Cruz Grajales

Grupo de oración

**Así nosotros nos dedicaremos de lleno a la oración
y al ministerio de la palabra (Hechos 6: 4).**

UN GRUPO de oración es algo especial. Es donde se derrama todo nuestro espíritu abatido, donde encuentra consuelo nuestro sufrir, donde podemos desahogar nuestros pesares y angustias. Ahí encontramos diversos tipos de apoyo: amistad sincera y comprensión a nuestras distintas situaciones, alegrías y gozo en el Señor, fortaleza espiritual y clarificación de los milagros que Dios obra en nuestras vidas.

Hace cuatro años iniciamos un grupo de oración para damas con características similares entre las integrantes. Al inicio únicamente invitamos aquellas que habían sufrido alguna pérdida grande. Estaban muy desconsoladas y algunas de ellas se sentían rechazadas por la sociedad. Esas mujeres muestran hoy otro rostro: se ven sonrientes, compartidas, consoladoras y productivas. Te comparto algunas de las cosas que pusimos en práctica en nuestro grupo de oración:

1. Aferrarnos a Dios, con dolor o llanto.
2. Nos tomamos un tiempo para comprenderlo, a solas o en compañía. Llorar todo lo que sea necesario y hablar con alguien hasta que haya claridad.
3. No pretendimos estar solas. Buscamos un grupo de oración chico, de preferencia con personas que pasaban situaciones similares, pero que algunas de ellas ya estaban en recuperación; las más estables animamos, apoyamos y consolamos.
4. Buscamos personas calificadas para impartir orientación: consejeros, abogados, pastores, médicos, psiquiatras, psicólogos, etcétera. Y entonces hicimos lo que creímos que era lo mejor para cada situación.
5. Confiamos que Dios haría su parte.
6. Nos dejamos ayudar y querer por el grupo de oración.
7. Buscamos realizar acciones para ayudar a otros, así como actividades para obtener recursos económicos.

Ayudemos a todas esas mujeres que están desconsoladas y desesperanzadas, para unirnos a la oración: «...nos dedicaremos de lleno a la oración y al ministerio de la palabra» (Hch. 6: 4).

Lourdes Lozano Gazga

La oración por los enfermos

*No se inquieten por nada; más bien, en toda ocasión,
con oración y ruego, presenten sus peticiones a Dios y denle gracias
(Filipenses 4: 6).*

ES INCREÍBLE la carga emocional que conlleva tener un hijo enfermo. Hace algún tiempo Luis, mi hijo menor, comenzó con un cuadro de rotavirus, y como a Lester, el mayor, ya le había dado, creí saber cómo manejarlo. Pronto descubrí que estaba equivocada. El niño comenzó a adelgazar con mucha celeridad. Su lucidez mental también se fue perdiendo. Entonces recordé la poesía *Las huellas*, y oré: «Señor, permite que mi corazón se impresione con la idea de que tú me estás cargando en este momento tan abrumador y que no me vas a bajar de tus amorosos brazos hasta que esto pase». En ese instante sentí esa clase de paz que solo Dios da.

Al principio tenía mucho miedo y hasta discutí con mi esposo porque no se podía hacer humanamente más por el niño. Si mi hijito hubiera seguido a ese ritmo no habría sobrevivido. Una vez más la providencia me impresionó y de repente hablé con mis padres, mi hija adoptiva, mi hermano y mi hermana. Y así creamos una cadena de oración. Dios permitió que mi hijo lentamente comenzara a mejorar.

Desde mi cama podía escuchar su cuerpecito luchar contra la enfermedad. ¡Es desgarrador ver que se llevan a tu hijo las enfermeras y tú no puedes hacer nada!

En su infinito amor, Dios tocó mi corazón y me pidió que no me apartara de él, y eso hice, y lo alabo con cada fibra de mi cuerpo por ayudarme a cuidar lo más hermoso que tengo: mis hijos. Oré con mi esposo, pedí perdón al Señor, y en su amor hallé consuelo. Dios lo ve y sabe todo, y doy gracias por eso. Oremos por nuestro prójimo y los nuestros que al final nos pedirá cuenta de ello.

Larissa Serrano

En las manos de Dios

Esto es lo que pido en oración: que el amor de ustedes abunde cada vez más en conocimiento y en buen juicio (Filipenses 1: 9).

—HIJA —ME DIJO MI MADRE mientras llenaba el formato de participación en la iglesia—, ¿no señalaste en qué quieres ayudar?

—No importa, si Dios quiere que le sirva, él me lo hará saber —le contesté.

Ese sábado sentí algo de tristeza al verme sentada en las bancas de la iglesia todo el tiempo. Pero miré a mi alrededor y entonces me pregunté: «¿Cuándo participaría alguien como yo en las actividades de la iglesia, si hay tantas personas talentosas? ¿En qué podía participar?» Hablé con Dios y le comenté mis profundos deseos de servir en su iglesia. Suspiré y quedó allí mi anhelo.

No recuerdo cuánto tiempo pasó, pero un sábado de mañana, durante la Escuela Sabática, una hermana me mandó llamar. De una manera amable se presentó, me sonrió y me preguntó mi nombre. Luego dijo que había estado observándome y que quería invitarme a servir al Señor en el diaconado. Inmediatamente vino a mi mente aquel pensamiento de varios sábados atrás. Entonces sentí una gran emoción, un gran nudo en la garganta me impedía hablar. ¡Dios respondió mis oraciones! ¡No podía creer que llegara tan rápido! Ese día me sentí muy especial, además comprendí que cuando te pones en las manos de Dios de todo corazón, siempre te dará una respuesta.

Ha pasado el tiempo y hasta el día de hoy he servido a Dios como diaconisa durante tres años. Para mí, servir a mi Padre celestial es como una ofrenda de agradecimiento por todo lo que me ha dado. Me he dado cuenta que la disposición humana en las manos de Dios hace maravillas. Te invito a ponerte en las manos de Dios para prestar un servicio de agradecimiento a él.

Gricelda Bustamante Echavarrí

El placer de la oración

Dedíquense a la oración: perseveren en ella con agradecimiento
(Colosenses 4: 2).

HACE APROXIMADAMENTE diez años tuve la oportunidad de formar parte de un coro. Nuestro director organizó una gira a la Ciudad de México y fuimos hospedados en un hospital. A mí me tocó quedarme en una de las habitaciones de la segunda planta. Como todo el día andábamos ocupados, no encontraba un momento para lavar mi ropa, de manera que se me ocurrió levantarme muy temprano para hacerlo. Como los tendederos estaban en la azotea y todos mis compañeros dormían, subí con cierta cautela a tender y, a la vez, con cierto temor porque estaba muy oscuro.

Al llegar a la azotea comencé a tender mi ropa, cuando de pronto escuché una voz. Me asusté mucho porque no veía a nadie. Además, ¿quién podría estar a esa hora en la azotea de un edificio? Para mi sorpresa, se trataba de un alumno que hablaba con Jesús: estaba arrodillado con las manos juntas en ferviente actitud de humildad. Al ver a ese joven me sentí avergonzada porque yo no practicaba el hábito de levantarme temprano para orar. Además, pensé en los admirables padres de ese muchacho, ¡qué herencia tan hermosa le dieron!

Nunca he vuelto a saber nada de él, pero estoy segura que es un hombre de éxito porque en el momento más oportuno de su vida ponía los mejores cimientos que puede tener la construcción de una vida cristiana.

Muchas veces nos perdemos la oportunidad de recibir lo que necesitamos porque no pedimos. Santiago 4: 2 nos dice: «No tienen porque no piden». ¡Qué sencillo! No solo debemos orar para pedir, sino también para agradecer por lo que recibimos y conversar con el Señor. ¿Cómo te sentirías si con quienes convives solo te hablaran para pedirte algo? Creo que no sería muy placentero. Démosle el mismo trato a Jesús. Convivamos con él, platiquémosle lo que nos sucede: nuestros planes, su opinión y consejo. Cuando otras personas lo hacen con nosotras nos sentimos útiles y felices, especialmente cuando nuestros hijos se acercan. Nuestro Padre también se goza cuando sus hijos se acercan a él en oración. Démosle ese gozo a nuestro Dios.

Elizabeth Suárez de Aragón

Las oraciones por ayuda divina reciben respuesta

Por último, hermanos, oren por nosotros para que el mensaje del Señor se difunda rápidamente y se le reciba con honor, tal como sucedió entre ustedes (2 Tesalonicenses 3: 1).

PADRES Y MADRES, ¡cómo me gustaría encontrar las palabras apropiadas para describir la gran responsabilidad que pesa sobre ustedes! Por su carácter dan a conocer a sus hijos que los están educando para servir a Dios o al yo. Mediante las plegarias más sinceras soliciten al cielo la ayuda del Espíritu Santo para que sus corazones sean santificados, su conducta honre a Dios y puedan ganar a sus hijos para Cristo. Debería impresionar a los padres con un sentido de la solemnidad y santidad acerca del ministerio que se les ha confiado, para que sean concientes de que por sus palabras y acciones descuidadas pueden conducir a sus hijos por el mal camino.

Los padres necesitan la protección de Dios y de su Palabra. Si no prestan atención a los consejos de las Sagradas Escrituras, y si no buscan en ella la orientación para vivir, los hijos crecerán desprovistos de la ayuda que necesitan y, en consecuencia, se descaminarán por la senda de la incredulidad y la desobediencia. Cristo experimentó el trabajo arduo y el renunciamiento propio, y después murió una muerte de ignominia para darnos ejemplo acerca del espíritu que debe inspirar y guiar a sus seguidores. En la medida que los padres traten de vivir en el seno del hogar una vida semejante a la de Jesús, las influencias celestiales se extenderán al resto de la familia.

Cada hogar cristiano debería de honrar la hora del sacrificio de la alabanza y la oración. Durante el culto matutino y vespertino las oraciones fervientes deberían ascender a Dios pidiendo su bendición y orientación. ¿Será que el Dios del cielo pasará por esas familias sin dejarles su bendición? Por cierto que no. Los ángeles escuchan las plegarias expresadas con fe y llevan las peticiones a Jesús, que está ministrando en el santuario celestial para abogar en nuestro favor. La oración sincera se apodera de la omnipotencia que nos concede la victoria. Sobre las rodillas el cristiano obtiene la fortaleza para resistir la tentación (*Review and Herald*, 1 febrero de 1912).

Ellen G. White

El regalo del perdón

La falta de perdón es como un veneno que tomamos
a gotas diariamente y finalmente nos mata. Es el veneno más
destructivo para el espíritu, porque neutraliza los recursos
emocionales. La falta de perdón ata a las personas con el resentimiento
y las mantiene encadenadas. El perdón libera de las ataduras
que amargan el alma y nos enferman el cuerpo.

La declaración de perdón es la clave para sentirnos liberados.
Por lo general pensamos que el perdón es un regalo que ofrecemos
al ofensor, sin darnos cuenta que somos nosotros los únicos
beneficiados. El perdón es una expresión de amor. Perdonar
no es restarle importancia a lo que pasó ni darle la razón
al que te lastimó. No significa que estés de acuerdo con lo que pasó,
ni apruebes su acción. Es dejar de lado los pensamientos negativos
que nos causaron dolor o enojo.

El perdón es una declaración que puedes y debes renovar
diariamente. Muchas veces la persona más importante a la que debes
perdonar es a ti mismo, por lo que no pudiste concretar según habías
planificado. ¿Con quién estás resentido? ¿Eres infalible
y por eso no puedes perdonar los errores ajenos?
Perdona para que puedas ser perdonado.
Recuerda que con la vara que mides serás medido.

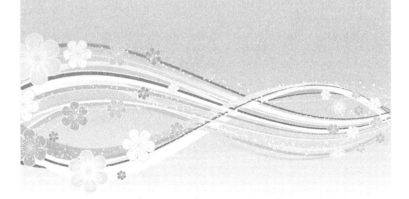

PERDÓN

¿Te sientes enferma? Perdona

Él perdona todos tus pecados y sana todas tus dolencias; él rescata tu vida del sepulcro y te cubre de amor y compasión; él colma de bienes tu vida y te rejuvenece como a las águilas (Salmos 103: 3-5).

ES MUY FÁCIL detectar a una persona pesimista, pues siempre habla negativamente de todo. Su rostro expresa cansancio y amargura, incluso he llegado a pensar que presenta síntomas de diversas enfermedades. ¿Sabes por qué? Porque el resentimiento, el odio, la envidia y la enemistad son factores que influyen en un 60% al 90% de las enfermedades que actualmente padecemos. El doctor S. I. McMillen, en uno de sus libros sobre salud, menciona que un espíritu perdonador nos puede salvar de:

*Colitis ulcerativa	*Dermatitis nerviosa
*Bocio	*Artritis
*Presión alta	*Asma
*Problemas del corazón	*Otras más…

En una ocasión una paciente visitó al médico. Después de varias consultas sin obtener buenos resultados el médico le dijo: «Si no corta usted los resentimientos, tendré que cortarle parte de su intestino». Al fin la mujer fue y arregló sus diferencias con un compañero de trabajo y su salud mejoró notablemente.

El perdón es el mejor medicamento para el cuerpo y el alma. Hellen Keller dijo en una ocasión: «La felicidad yace en la habilidad de perdonar el pasado y disfrutar el presente. Cuando la puerta de la felicidad se cierra, otra se abre; pero a menudo nos quedamos mirando tanto tiempo la puerta cerrada que no vemos la que está abierta para nosotras».

¿Quieres sentirte sana, física y espiritualmente? Aprende a perdonar y experimentarás una paz celestial, junto con una relación constante con Dios, quien nos dejó el mayor ejemplo de perdón cuando, en medio del dolor de los clavos, pidió perdón para quienes le estaban causando tanto sufrimiento.

Señor, no quiero sentir odio ni resentimiento porque me hacen daño. Ayúdame a perdonar, quiero sentirme sana para ser mejor mujer, esposa, hija, estudiante, amiga y, sobre todo, una excelente cristiana.

Mireya Olave de Murrieta

¿Qué es perdón?

Porque si perdonan a otros sus ofensas, también los perdonará a ustedes su Padre celestial (S. Mateo 6: 14).

TAL VEZ para ti sea lo más fácil y sencillo del mundo pedir una disculpa o en su defecto disculpar a alguien que te ha ofendido, o quizás ni te has puesto a pensar qué significa perdonar. Dios nos da ejemplos hermosos de perdón, incomprensibles quizás porque nuestra naturaleza dice: «Me lo haces, me lo pagas». Pero estos ejemplos de Jesús son de gran bendición cuando realmente los comprendemos.

¿Qué pasa cuando alguien nos pide una disculpa y lo perdonamos? Nos sentimos grandes y creemos que le hicimos un gran favor, pensando que estamos aliviando esa pesada carga que traía hasta que le otorgamos el perdón. Sin embargo, eso no es así. Cuando tú perdonas eres la más beneficiada, de igual manera cuando pides perdón, siempre que sea humildemente y con un corazón sincero.

Cuando no perdonamos estamos dándole a la otra persona el control de nosotras mismas. En cambio, cuando perdonamos nos liberamos de un pasado tormentoso y agobiante. Piensa y decide perdonar o pedir perdón. Porque perdón:

ES	*NO ES*
Amor	Odio
Aliviar	Lastimar
Entender	Juzgar
Sinceridad	Indiferencia
Tranquilidad y paz	Agobiar
Aceptar	Rechazar
Humildad	Prepotencia
Olvidar	Recordar
Confianza en Dios	Autosuficiencia

Recuerda que Dios te perdona no importándole lo que hayas hecho o cuántas veces hayas caído en el mismo error, y te pide que hagas lo mismo. Señor, ayúdame a perdonar a los que me ofenden y lastiman constantemente y a seguir tu ejemplo de amor y bondad para los que me rodean.

Mireya Olave de Murrieta

Dominar el resentimiento

Los que aman tu ley disfrutan de gran bienestar,
y nada los hace tropezar (Salmo 119: 165).

EN MÉXICO es famoso un dicho que dice: «El que se enoja pierde». Déjame decirte que eso es muy cierto porque, como leemos el versículo de esta mañana, los que aman a Dios tienen paz. Pero si tú tienes un resentimiento esto te lleva al fracaso y pierdes. Cuando te enfadas el propósito de Dios en tu vida se anula, ya que esto afecta tu vida física, mental, espiritual y hasta financiera.

Leemos también que este versículo dice que no hay para nosotros tropiezo, es decir, nada ni nadie nos podrá ofender si no lo permitimos. Debemos saber que el insulto es externo, es decir, que proviene de alguna persona o comentario y eso no lo podemos detener, pero al momento en que eso externo llega a ti, se convierte en interno y es ahí donde podemos impedir que nos dañe. Sentiremos quizá dolor, pero éste pasará y no debemos dejar que pase más allá porque de lo contrario esa amargura y resentimiento van a echar a perder nuestra vida.

Cuando estamos invadidas por el malestar nada en nosotras está bien y además imaginamos desgracias inexistentes. Nuestra mente vuela y comenzamos a chismear, a amargar a otros y a magnificar detalles que solo nos lastiman más. No permitamos que el espíritu de la ofensa crezca en nuestro corazón. Al perdonar nos purificamos y vivimos en completa paz, de lo contrario vivimos enojadas con Dios, con alguna persona o con alguna cosa y eso nos daña, ya que la ofensa detiene nuestro avance. Suelta esta mañana esa ofensa y di: «No permitiré que nada ni nadie me aleje de mi Padre celestial».

Patricia Velasco de Aguilar

El odio y la venganza

Pues estoy convencido de que ni la muerte ni la vida, ni los ángeles
ni los demonios, ni lo presente ni lo por venir, ni los poderes,
ni lo alto ni lo profundo, ni cosa alguna en toda la creación,
podrá apartarnos del amor que Dios nos ha manifestado
en Cristo Jesús nuestro Señor (Romanos 8: 38-39).

EN ESTOS VERSOS Pablo expresa su propia convicción personal de que ningún poder celestial o terrenal en el tiempo o en la eternidad, puede separarnos del amor divino. Con esto no quiere decir que es imposible que un creyente caiga, se aparte o se pierda. Lo que quiere decir es que nadie puede arrancarnos de los brazos de Cristo contra nuestra voluntad.

El pensamiento de Pablo es que no se puede pensar en nada en todo el universo que sea capaz de apartar a un cristiano de su amante Salvador.

Con esta expresión de ilimitada confianza en el amor de Dios que salva, el apóstol llega al clímax de su explicación del plan de Dios para la restauración del hombre. Cada día la humanidad enfrenta serios problemas: drogadicción, alcoholismo, tabaquismo, desintegración familiar, homosexualismo, lesbianismo, divorcios, entre otros. Las personas que leemos la Biblia oramos, compartimos el mensaje de Jesús, desempeñamos un cargo al servicio de la iglesia y nos llamamos cristianos; no podemos pensar, creer, y menos decir que estamos exentas de vernos envueltas de alguna forma en dichos problemas y pecados.

La infidelidad también hace estragos en el matrimonio, arma muy poderosa que el enemigo de Dios usa para hacer sufrir al Salvador, y a nosotras sus hijas. Satanás quiere destruir la institución del matrimonio, y de no estar alertas a las tentaciones y dependiendo de Jesús, nos hará caer.

Pero lo cierto es que nada puede separarnos del amor de Dios, ni el desmembramiento de una familia. En este punto quiero decirte que hay un gran antídoto para no amargarse la vida después de una experiencia de este tipo: el perdón. Parece muy sencillo, pero el orgullo es tan grande que muchas veces nos impide ser felices por negarnos a perdonar. Te invito a recordar que nada te puede separar de Cristo, ni tus peores problemas; y que el perdón puede ser la gran solución que necesita tu vida.

Anónimo

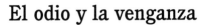

El odio y la venganza

Perdónanos nuestras deudas, como también nosotros hemos perdonado a nuestros deudores (S. Mateo 6: 12).

EL ESPÍRITU de odio y venganza tuvo origen en Satanás, y lo llevó a dar muerte al Hijo de Dios. Quienquiera que abrigue malicia u odio, abriga el mismo espíritu; y su fruto será la muerte. En el pensamiento vengativo yace latente la mala acción, así como la planta yace en la semilla. «Todo aquel que aborrece a su hermano es homicida; y sabéis que ningún homicida tiene vida eterna permanente en él» (1 S. Jn. 3: 15).

Se me mostró a Satanás tal como había sido antes: un ángel excelso y feliz. Después me lo mostró tal como es ahora. Todavía tiene una regia figura. Todavía son nobles sus facciones, aunque es un ángel caído. Pero su semblante denota viva ansiedad, inquietud, desdicha, malicia, odio, falacia, engaño y todo linaje del mal... Vi que se viene dedicando al mal desde hace tanto tiempo que en él las buenas cualidades están degradadas, y todo rasgo malo se ha desarrollado.

El mismo espíritu que fomentara la rebelión en el cielo, continúa inspirándola en la tierra... La represión del pecado despierta aún el espíritu de odio y resistencia. Cuando los mensajeros que Dios envía para amonestar tocan la conciencia, Satanás induce a los hombres a que se justifiquen y a que busquen la simpatía de otros en su camino de pecado. En lugar de enmendar sus errores, despiertan la indignación contra el que los reprende, como si éste fuera la única causa de la dificultad. Desde los días del justo Abel hasta los nuestros, tal ha sido el espíritu que se ha manifestado contra quienes osaron condenar el pecado.

Aunque Saúl estaba siempre alerta y en busca de una oportunidad para matar a David, vivía temiéndole, en vista de que evidentemente el Señor estaba con él. El carácter intachable de David provocaba la ira del rey; considera que la misma vida y presencia de David significaban un reproche para él, puesto que dejaba a su propio carácter en contraste desventajoso. La envidia hacía a Saúl desgraciado y ponía en peligro al humilde súbdito de su trono (*Mente, carácter y personalidad*, tomo 2, pp. 543 y 545).

Ellen G. White

Asidas de la mano de Dios

Que abandone el malvado su camino, y el perverso sus pensamientos.
Que se vuelva al Señor, a nuestro Dios, que es generoso para perdonar,
y de él recibirá misericordia (Isaías 55: 7).

ISABEL, una linda amiga, se acercó un día para hablarme acerca de un problema que le sucedía: ella y un caballero que no era su esposo habían entablado algo más que una amistad. Sin embargo, Isabel no estaba dispuesta a dejar esa relación y las consecuencias de sus acciones la alcanzaron: su matrimonio se destruyó, la relación con su familia e iglesia se fracturó y su vida fue expuesta al escarnio y la crítica de muchos.

Satanás trabaja arduamente por destruir los hogares y las familias, y cuando se abre la ventana al pecado dejamos que nuestros pensamientos, palabras y acciones se perviertan, entonces estamos expuestas a caer en tentaciones que nos llevarán a un abismo. ¡Cuidado con lo que vemos, oímos y pensamos! Proverbios 4: 23, dice: «Por sobre todas las cosas cuida tu corazón, porque de él mana la vida». ¡Cuántas mujeres han pasado por esta desagradable experiencia por comenzar solamente con una plática ligera, un rose, una palabra halagadora, y se han dejado arrastrar por pensamientos atrevidos y la pasión desenfrenada, los cuales no honran a Dios! Afortunadamente algunas han podido salvar su matrimonio, otras como Isabel, no lo lograron.

Ellen G. White nos aconseja lo siguiente: «Según la luz que me ha dado el Señor, nuestras hermanas debieran comportarse de otro modo. Debieran ser más reservadas, menos atrevidas, y fomentar entre ellas "pudor y modestia" (1 Ti. 2: 9). Tanto los hermanos como las hermanas se complacen en mantener charlas demasiado joviales cuando están juntos. Mujeres que profesan santidad participan en demasiadas bromas, chistes y risas. Esto es impropio y entristece al Espíritu de Dios» (*Hijas de Dios*, pp. 163-164).

Cuán importante es que al caminar en esta vida llena de peligros y trampas del enemigo estemos asidas fuertemente de la mano de nuestro Dios. Por medio de la oración y el estudio de su Palabra obtendremos sabiduría para conducirnos propiamente; seamos cuidadosas en nuestra manera de conducirnos, hablar, vestir y en nuestro trato con el sexo opuesto, de tal manera que honremos y testifiquemos su Nombre, siendo ejemplo de nuestra juventud, esparciendo la fragancia de su amor y su bondad.

Rocío Díaz de Arévalo

La tregua de Dios

En nombre de Cristo les rogamos que se reconcilien con Dios
(2 Corintios 5: 20).

¿ALGUNA VEZ HAS VISTO a Dios como tu enemigo? ¿Lo has culpado de los sinsabores y dolores que experimentas en esta vida? ¿Has pensado en él como un Dios castigador? La palabra tregua se define como la «suspensión de armas, cesación de hostilidades por determinado tiempo, entre los enemigos que tienen rota o pendiente una guerra». Es un periodo de intermisión o descanso hasta que vuelva a comenzar la batalla. Hay personas que piensan que un Dios tirano les ha trazado un destino fatalista del cual no pueden escapar y les conceden una «tregua», para luego seguirlas atormentando.

Esta idea la he escuchado en algunas mujeres que pasan constantemente por momentos difíciles. En sus corazones se alberga una sensación de molestia, enfado y, por supuesto, alejamiento de Dios. Sin embargo, el Señor nos muestra en su Palabra que él desea nuestro bien (3 S. Juan 2). Es verdad que también la Biblia habla de enemistad entre Dios y el hombre, pero es por causa del pecado (Romanos 3: 23). Sin embargo, las Sagradas Escrituras revelan cómo el Dios de amor es muy superior a cualquier otro tipo de expresión celestial (S. Juan 3: 16).

¡Qué hermosa bendición tenemos! El Dios del universo está buscando al ser humano para salvarlo del mal de este mundo. El ministerio de Jesús consistió fundamentalmente en reconciliar a la tierra con el cielo. El Padre y el Hijo ofrecieron una «tregua» por el hombre caído, por ti y por mí. ¿Cómo podemos pensar, entonces, en un Dios que es nuestro enemigo?

Esta mañana te invito a buscar al Señor y reconciliarte con él, de manera que tu corazón se llene de su amor, y experimentes la alegría de conocerle y aceptarle como el Dios amoroso que extiende sus brazos y te dice: «Hija, yo te amo».

Leticia Aguirre de De los Santos

¿Amargada o victoriosa?

Asegúrense de que nadie deje de alcanzar la gracia de Dios;
de que ninguna raíz amarga brote y cause dificultades
y corrompa a muchos (Hebreos 12: 15).

CONOZCO a una mujer que hace tiempo decidió no perdonar a alguien que la había herido, y en su lugar permitió que una semilla de resentimiento fuera plantada en su corazón. Sufrió un desengaño tras otro, al punto de que de la semilla del resentimiento comenzó a crecer la raíz de la amargura. Ahora ella tiene líneas de amargura reflejadas en su rostro y sus palabras hirientes reflejan el endurecimiento de su alma. Tristemente decidió ser una mujer disgustada en vez de ser una mujer victoriosa.

¿Vale la pena sacrificar la vida en aras de la amargura cuando podemos ser felices y aprovechar el tiempo que Dios nos ha obsequiado? Si tan solo nos diéramos cuenta de lo fugaz que es la vida y lo rápido que pasa el tiempo, el cual ya nunca se recupera. La vida cristiana no es fácil, hay espinas, dolor, sufrimiento, desilusiones y mucho más; pero ten la seguridad que nuestro Padre celestial usa cada problema, cada desengaño, incluso cada crisis, para purificar nuestras vidas y pintar un óleo de su imagen en nuestro corazón.

Examinemos frecuentemente nuestro corazón, para asegurarnos de no dejar ninguna raíz de resentimiento morando en él, ya que estas raíces pueden esparcirse hasta nuestra alma. Conserva la gracia de Dios que ya has alcanzado. Decide hoy ser una mujer que viva sin amarguras. Decide ser una mujer victoriosa para la gloria de Dios.

Addry Gómez

265

Lugares extraños

Entonces Jonás oró al Señor su Dios desde el vientre del pez
(Jonás 2: 1).

UN DÍA, mientras caminaba por la cochera de mi casa, después que mi hijo salió para su trabajo, escuché un aleteo dentro de una caja vacía. Me acerqué con curiosidad para investigar lo que producía el sonido y descubrí a un pajarito, que golpeaba sus alas contra las paredes de la caja mientras intentaba salir. Si no hubiera aleteado y hecho ruido yo no lo hubiera escuchado. Pero su desesperación me hizo levantar la caja y el ave voló hacia la libertad.

Aquel pájaro estaba en un lugar extraño para un ave al igual que el profeta Jonás. En un abrir y cerrar de ojos se encontró en un lugar muy extraño para un ser humano. Por causa de su desobediencia, había sido arrojado al mar, tragado por un monstruo marino y atrapado en su vientre. Aunque Jonás estaba allí por su culpa, Dios también estaba allí para escuchar su oración. Y cuando él en su desesperación confesó su falta y clamó por perdón, Dios lo libró.

Las hijas de Dios a veces se meten en lugares extraños y en circunstancias difíciles debido a su necedad. ¿Estás hoy en un lugar extraño? ¿Estás fuera de la comunión con el Señor, derrotada e infeliz? Entonces clama a Dios, confiesa tu pecado, y serás restaurada por medio de su abundante misericordia (1 S. Jn. 1: 9). Dios espera escuchar tu más leve clamor para aceptar tu arrepentimiento.

Tal vez hoy estés en un lugar extraño debido a tus decisiones equivocadas, pero el Señor está contigo esperando escuchar tu clamor. No esperes otro día. Aunque estés en el lugar erróneo, Dios siempre tiene la respuesta correcta.

Evelyn Omaña

Amar es perdonar

En esto consiste el amor: no en que nosotros hayamos amado a Dios, sino en que él nos amó y envió a su Hijo para que fuera ofrecido como sacrificio por el perdón de nuestros pecados (1 S. Juan 4: 10).

¿QUIÉN NO HA EXPERIMENTADO el rompimiento de una relación? Sin duda no serás la excepción. Hay relaciones rotas que duelen más que otras, pero en fin, duelen. En una oportunidad viví el rompimiento de la comunicación con una persona muy amada, debido a asuntos que ella no entendía muy bien y, pues, su actitud fue de rechazo hacia mí. Pensé que como no era culpable lo mejor sería ignorar la situación, hacerme como que no pasaba nada o simplemente seguir con mis actividades cotidianas. Esperaba, y con razón, que esta persona fuera la que diera el primer paso, que reconociera su falta y, por supuesto, me pidiera perdón. ¡Qué errada estaba! Si Dios hubiese actuado así conmigo no tendría el privilegio de ser su hija.

Dios no fue indiferente cuando el ser humano rompió la amistad con él, ni dejó que pasara el tiempo esperando a que el hombre pidiera perdón. El que no tenía culpa dio el primer paso para restaurar lo que se había roto. Se humilló, se hizo uno con nosotros, tomó nuestra culpa. Fuimos importantes para él, por eso nos perdonó y a través de su Hijo proveyó la opción de una vida mejor. Nos corresponde, pues, como hijos de Dios tomar la iniciativa y seguir su ejemplo. Precisamos de personas que estén dispuestas a amar cuando las condiciones no lo permitan; que tengan la disposición de brindar cariño, bajo toda prueba, a una humanidad sedienta de amor y perdón, igual que lo hizo Dios por mí y por ti, porque amar es perdonar.

Yo di el primer paso. Fui en busca de esta persona. Hice lo que Dios esperaba de mí. Por ello, hoy disfruto de su cariño y ahora tenemos el gozo de relacionarnos bien. Finalmente ella me pidió perdón, pero ya no había nada que perdonar, pues el amor había obrado el perdón desde mucho antes. Si Dios amó y perdonó, ¿por qué no hacer lo mismo?

Lorena P. de Fernández

Tan solo seis letras

Y cuando estén orando, si tienen algo contra alguien, perdónenlo, para que también su Padre que está en el cielo les perdone a ustedes sus pecados (S. Marcos 11: 25).

EN CIERTA ocasión mi esposo presentó un interesante tema sobre el perdón de Dios: «El regreso a casa del hijo pródigo». Como parte de la dinámica pasó a los padres al frente y solicitó que los hijos reconocieran a sus padres y les dijeran palabras de agradecimiento o de afecto. Todos los padres estaban muy contentos de haber escuchado a sus hijos con esas palabras que nos llenan de alegría; todos, excepto uno.

Ese padre tenía un semblante triste, serio y lleno de dolor. Su hijo no pasaba y el final de la dinámica se acercaba, nuevamente hizo el llamado mi esposo para que ningún padre quedara solo. Finalmente su hijo pasó. Vimos cómo el Espíritu Santo se manifestó en ese momento: ese padre y su hijo tenían meses de no dirigirse la palabra. Por razones que desconozco discutieron en casa al punto que se separaron. Fue conmovedor verlos cómo se abrazaban, lloraban y besaban, la iglesia completa se emocionó, todos fuimos testigos del perdón que se pidieron. Cuando volvieron a sus asientos sus semblantes lucían distintos, felices, abrazados y sonrientes.

Perdón. Una corta palabra de apenas seis letras, pero qué difícil de pronunciar y más aún de hacerla valer. Cuando no se utiliza correctamente, esta palabra lleva a enfermar a las personas. Desconozco si científicamente está comprobado, pero leí un libro hace tiempo donde la autora asegura que un porcentaje alto de personas que mueren de cáncer es porque acumularon rencor en su vida, no lograron perdonar los errores de los demás. Ella lo presenta como testimonio, pues le pronosticaron cáncer y le daban poco tiempo de vida.

Aferrada a la vida hizo un análisis de sí misma y descubrió que el rencor era un síntoma que le provocó ese cáncer. Realizó cambios en su vida: perdonó, pidió perdón y algunos cambios más. ¡Qué necesidad tenemos de traer cargas que nos afectan, no solo física sino psicológica, emocional y espiritualmente!

Perdonemos los errores de los demás, pidamos perdón por lo que nosotras hemos cometido y propongámonos tener una vida nueva.

Elizabeth Suárez de Aragón

¿Enojada, yo?

***El iracundo tendrá que afrontar el castigo;
el que intente disuadirlo aumentará su enojo (Proverbios 19: 19).***

LA PALABRA de Dios nos da muchos ejemplos para aprender a discernir la apropiada solución para el enojo. El enojo es una emoción; y en sí mismo no es un pecado, se transforma en uno cuando las circunstancias cambian, de otro modo creo que no hay nada que indique un problema espiritual. ¿Qué es lo que hacemos cuando notamos que nuestros hijos pierden el control ante el enojo? Tratamos de aleccionarlos, y es allí cuando empiezan los problemas: no quieren ser disciplinados, anhelan ser escuchados y con suma frecuencia no lo hacemos. Estamos condicionadas a tratar de detener esta clase de emociones, pero ¿te has puesto a examinar tu propio comportamiento? ¿No me digas que nunca te has enojado a tal punto que has querido eliminar del mapa a alguien?

El otro día caminaba por la calle y me atropelló un joven que conducía una bicicleta. Antes de que me pudiera dar cuenta ya había reaccionado muy mal. Le dije palabras muy hirientes y, luego de haber destilado mi veneno, me sentí culpable, increíble. Después de calmarme, busqué al joven para disculparme y le pedí que orara conmigo. Resulta que él acababa de insultar a su propia madre y huía de su casa, así que el hecho de haberlo buscado y pedido perdón creó un efecto de arrepentimiento y me pidió que lo acompañara a ver a su madre. Sin darme cuenta, una situación desagradable se transformó en una bendición para otra familia. Dios manda a todos los padres cristianos a enseñar diligentemente a sus hijos (Dt. 6: 7).

Deja que el Creador se acerque a tu corazón y pídele que te ayude a controlar tu enojo durante el culto familiar. Pero debes de sentir también la necesidad de pedirle perdón a tus hijos por las malas decisiones que hayas tomado estando muy enojada. Te invito a tener una actitud de amor y paciencia.

Larissa Serrano

Deudas canceladas

Yo soy el que por amor a mí mismo borra tus transgresiones
y no se acuerda más de tus pecados (Isaías 43: 25).

EN UN LUGAR de Escocia vivió un médico que se distinguió entre la gente por su gran generosidad. Después de su muerte, al revisar sus libros donde llevaba el registro de los cobros a sus pacientes, se encontraron muchas cuentas marcadas con tinta roja y escritas a un lado las siguientes palabras: «Cancelada, demasiado pobre para pagar». Su esposa, que era de un carácter opuesto al de él, consideró que todas esas cuentas debían cobrarse, así que llevó el caso a la corte. El juez le preguntó:

—¿Esto que está escrito con tinta roja es de puño y letra de su esposo?

—Sí, señor –contestó la viuda.

—Entonces no hay tribunal en el mundo que pueda exigir el pago de estas cuentas, puesto que su esposo escribió que están canceladas —afirmó el juez.

En algún momento de la historia de nuestra vida, así como esta viuda trató de cobrar esas deudas canceladas, Satanás tratará de reclamar nuestras vidas como suyas, nos reclamará como sus súbditos, mencionará nuestros defectos de carácter, comenzará a nombrar cada uno de los pecados que nos indujo a cometer y cómo deshonramos a nuestro Creador y Redentor.

Si te sientes atormentada por un pasado de pecado, sea cual fuere el error, no debe preocuparte, porque hay alguien que ya pagó por eso, y canceló esa cuenta pendiente no con tinta roja, sino con su sangre preciosa. Únicamente necesitamos confesar nuestros pecados, y él es fiel y justo para perdonar nuestros pecados y limpiarnos de toda maldad (1 S. Jn. 1: 9).

«A todos los que se hayan arrepentido verdaderamente de su pecado, y que hayan aceptado con fe la sangre de Cristo como su sacrificio expiatorio, se les ha inscrito el perdón frente a sus nombres en los libros del cielo; como llegaron a ser partícipes de la justicia de Cristo y su carácter está en armonía con la ley de Dios, sus pecados serán borrados, y ellos mismos serán juzgados dignos de la vida eterna. El Señor declara por el profeta Isaías: "Yo, yo soy aquel que borro tus transgresiones a causa de mí mismo, y no me acordaré más de tus pecados"» (*El conflicto de los siglos*, p. 537).

Karina Osoria

La resiliencia

No apaguen el Espíritu (1 Tesalonicenses 5: 19).

NO SÉ si alguna vez has escuchado la palabra «resiliencia». Parece ser que anda de moda desde un tiempo atrás. El concepto proviene de la física, y se refiere a la capacidad de un material para recobrar su forma después de haber estado sometido a altas presiones. De ahí se desarrollaron varias definiciones de acuerdo al enfoque que se le quería dar, según el área. Así que podemos encontrar por ahí que resiliencia es el proceso de adaptación frente a adversidades que una persona pueda tener.

Se puede decir que es un proceso de adaptación. Cada persona desarrolla su resiliencia de acuerdo a sus necesidades. El desarrollo de la resiliencia en cada persona se lleva a cabo en dos pasos: primero, la capacidad de preservación de la mente, vida, persona, estatus, etcétera. Después, la capacidad de construcción positiva, aun si continúa la adversidad.

La resiliencia es parte de las conductas, pensamientos, acciones y tal vez más, que la persona aprende y desarrolla. ¿Se puede considerar como poseedores de resiliencia a quienes se sobreponen a la adversidad en forma negativa? Los estudiosos de este tema dicen que no. Resiliencia es cuando una persona se sobrepone a la adversidad de alguna forma positiva que ella misma escoge.

¿Cómo podemos desarrollar la resiliencia del perdón cristiano? Me atrevo a decir que, la persona que quiera, puede desarrollarla cuidando sus pensamientos, conductas, palabras, acciones y todo lo que involucre el entorno para abrir la puerta a lo positivo y al perdón. Esto tiene que ver con tu tiempo para la oración personal, estudio de la Biblia y tus relaciones interpersonales. Dios es poderoso, no minimices su poder. Ponte en las manos de Dios y desarrolla tu resiliencia para el perdón que toda mujer cristiana debe tener. No apagues el Espíritu. «Que Dios mismo, el Dios de paz, los santifique por completo, y conserve todo su ser –espíritu, alma y cuerpo- irreprochable para la venida de nuestro Señor Jesucristo. El que los llama es fiel, y así lo hará» (1 Ts. 5: 23 y 24).

Lourdes Lozano Gazga

Purifícate en el Señor

Vengan, pongamos las cosas en claro –dice el Señor–.
¿Son sus pecados como escarlata? ¡Quedarán blancos como la nieve!
¿Son rojos como la púrpura? ¡Quedarán como la lana! (Isaías 1: 18).

LA MAYORÍA de las mujeres tenemos una lucha constante contra las manchas en la ropa, en las paredes o en el piso de nuestras viviendas. A veces compramos cuanta sustancia se anuncia en el mercado para eliminarlas. Sin embargo, hay algo que está a la mano y nos puede ser de gran utilidad: el vinagre. Siempre me han llamado la atención los beneficios de esta sustancia. Uno de ellos es limpiar y sacar todas las impurezas en el área que uno desea limpiar. ¡Es increíble cómo la zona higienizada vuelve a tomar el color que tenía desde el principio!

Posiblemente tú también has pasado por experiencias en las que has quedado tan manchada que crees que no hay nada que pueda volver a darte ese color y brillo que tenías. No obstante, deseo darte una muy buena noticia en el día de hoy: también contamos con algo a la mano que obra maravillosamente para limpiar las áreas sucias de nuestras vidas. ¡Jesús! ¡Él es el *vinagre*! Cuando permitimos que su poder obre diariamente en cada una de nosotras, nuestra vida se va transformando de una manera extraordinaria. Dios permite que sucedan experiencias para que sintamos la necesidad de ser renovadas espiritualmente y dejarnos limpiar por él.

¿Cómo sucede eso? Cuando decidimos entregarle de corazón nuestras vidas a través del bautismo, como manifestación de nuestro amor y aceptación, además del estudio cotidiano puesto en práctica constantemente, podemos alcanzar la pureza que aspiramos. Si sientes el deseo de bautizarte o consagrar tu vida, hazlo, no rechaces el trabajo del Espíritu Santo manifestado en ese sentimiento. ¡Acepta! ¡No te arrepentirás jamás! Nadie es responsable de tu salvación, únicamente tú.

D. Rhode Suriano Suárez

El perdón y la misericordia

Quien encubre su pecados jamás prosperará;
quien lo confiesa y lo deja, halla perdón (Proverbios 28: 13).

MUCHAS VECES me he preguntado si la razón por la que nos escondemos cuando hacemos algo malo es porque nos sentimos avergonzadas con Dios y chasqueadas con nosotras mismas. El pecado nos hace sentir mal, afloran pensamientos de culpabilidad y sentimos que le hemos fallado nuevamente a Dios. Por supuesto que todo esto forma parte de la estrategia que Satanás usa para hacernos sentir que la vida cristiana es imposible de vivir y que nunca nos podremos librar de esas tendencias hacia el mal. Lo más lamentable es que encontramos personas por todas partes que ya han dejado de luchar porque se sienten derrotadas. Sin embargo, ante esta cruda realidad lo mejor que podemos hacer es admitir que somos pecadoras y que solamente mediante la justicia y la gracia de Cristo es como podremos alcanzar el perdón y la victoria sobre nuestra naturaleza.

Recuerdo haber leído la historia de un juez que tenía que liberar a unos presos de la cárcel. Para estar seguro de que haría una correcta y justa elección los hizo pasar uno por uno a su juzgado para tener con ellos una entrevista y decidir quién merecía ser liberado. Al preguntar al primero por qué estaba allí este dijo: «Estoy aquí porque me calumniaron y me acusaron injustamente». Luego llamó al segundo y éste le contestó: «Estoy aquí porque dicen que robé, pero es mentira».

Y así pasaron todos los presos y cada uno se declaraba inocente. Hasta que llegó el último preso quien dijo: «Estoy aquí porque maté un hombre. Hirió a mi familia y perdí el control y por eso lo maté. Pero hoy me doy cuenta de que lo que hice estuvo mal y estoy muy arrepentido». Al escuchar la declaración del hombre el juez se puso de pie y dijo: «Voy a darle la libertad a este último preso». Todos se quedaron muy sorprendidos y se preguntaron por qué lo iba a liberar si el hombre había confesado ser culpable de asesinato. El juez entonces les contestó: «El castigo es para los que esconden su falta, la misericordia para los que reconocen su falta y se arrepienten».

De nada vale que intentemos ocultar aquello que sabemos que no está bien a los ojos de Dios. Si por nuestra naturaleza pecaminosa sentimos que hemos actuado mal con Dios o contra alguien, lo mejor que podemos hacer es admitirlo y solicitar el perdón de nuestras faltas.

Evelyn Omaña

La dulce seguridad del perdón

**Pero en ti se halla perdón, y por eso debes ser temido
(Salmos 130: 4).**

CUANDO PENSAMOS en nuestro Padre celestial como un ser perdonador y hacedor de maravillas nuestro corazón se llena de agradecimiento. Las palabras registradas en S. Lucas 23: 34: «Padre perdónalos, porque no saben lo que hacen», nos recuerdan las muchas ocasiones en las que pedimos a nuestro Dios ponga en nuestro corazón el deseo de perdonar y tengamos el valor de decir: «Te perdono». Esta mañana quiero invitarte a experimentar el gozo de otorgar el perdón a quienes te han ofendido o herido. La Palabra de Dios afirma la importancia de perdonar a los hombres sus ofensas, así como él nos perdona las nuestras. Sin duda alguna el poder de otorgar el perdón trae a tu corazón paz, alegría y gratitud. No luches sola por la vida al llevar la pesada culpa de no haber perdonado.

Ellen G. White comenta: «La carga de pecado, con su intranquilidad y deseos no satisfechos es el fundamento de sus enfermedades. No pueden hallar alivio hasta que vengan al Médico del alma. La paz que él solo puede dar, impartiría vigor a la mente y salud al cuerpo [...] Jesús vino para "deshacer las obras del diablo" [...] Él es un "espíritu vivificante". Y tiene todavía el mismo poder vivificante que, mientras estaba en la tierra, sanaba a los enfermos y perdonaba al pecador. Él "perdona todas tus iniquidades", él "sana todas tus dolencias"» (*El Deseado de todas las gentes*, p. 236).

Debemos creer que nuestro Dios tiene poder para perdonar cualquier pecado por pequeño o grande que éste sea. Es mi deseo que hoy encontremos alivio perdonador en nuestra vida, y que el mismo «poder vivificante» que se manifestó en antaño sea una realidad hoy en nuestras vidas y experimentemos la dulce seguridad de su perdón.

Doralí Santos de Hernández

El perdón de Jesús

*Padre —dijo Jesús—, perdónalos, porque no saben
lo que hacen (S. Lucas 23: 34).*

¿CÓMO REACCIONAS cuando alguien te ha ofendido? Quizá, depende el ánimo en el que te encuentres, dices: «¡Qué lástima! ¡Nunca me imaginé que me pagaría de esta manera! ¡Voy a dejar que pasen las cosas y luego hablaré con ella!» O quizá: «¡Me tendrá que escuchar! ¡Esto no se va a quedar así! ¡Voy a aclarar las cosas! ¡Ya verá lo que significa meterse conmigo!»

¿Cuántas expresiones te vienen a la mente cuando alguien te ha ofendido? Si somos sinceras no es fácil reaccionar de la manera más serena. El enojo y la ira están listos para desbordarse. ¡Cómo quisiéramos tener a la persona de frente para decirle su merecido! Con esta actitud cotidiana, ¿cómo reaccionamos ante el acto de perdonar? ¿Cuán difícil es para ti y para mí otorgar el perdón a aquellos que nos han ofendido?

La reacción de Jesús ante aquellos que lo escupieron y lo abofetearon, ante los que lo azotaron y lo crucificaron, fue muy especial: ¡Rogó a su Padre que los perdonara! Si alguien tenía derecho a pedir que Dios lo vengara era Jesús mismo. «El Salvador no dejó oír un murmullo de queja. Su rostro permaneció sereno. Pero había grandes gotas de sudor sobre su frente. No hubo mano compasiva que enjugase el rocío de muerte de su rostro, ni se oyeron palabras de simpatía y fidelidad inquebrantable que sostuviesen su corazón humano [...] No invocó maldición alguna sobre los soldados que le maltrataban tan rudamente. No invocó venganza alguna sobre los sacerdotes y príncipes que se regocijaban por haber logrado su propósito [...] Solo exhaló una súplica para que fuesen perdonados, "porque no saben lo que hacen"» (*El Deseado de todas las gentes*, p. 693).

Este mismo Jesús es el mismo que ahora ministra en el cielo en nuestro favor y está deseoso de que nuestros pecados sean perdonados. ¿Aceptarás el perdón? ¿Perdonarás al que te ha ofendido? Ésa es mi invitación esta mañana. ¡Que el Señor nos ayude!

Leticia Aguirre de De los Santos

El perdón,
un oasis para el cristiano

Dichoso aquel a quien se le perdonan sus transgresiones,
a quien se le borran sus pecados (Salmos 32: 1).

EL ESPÍRITU SANTO es nuestro ayudador para convencernos de que hemos pecado y que necesitamos perdón. En el mundo actual es tan fácil que pensemos que estamos bien, que no hay nada de qué preocuparnos y mucho menos de qué arrepentirnos, ya que nos hemos acostumbrado a convivir con el pecado y las cosas que antes nos parecían pecaminosas ahora las aceptamos y las toleramos. Es por eso que es muy importante que le pidamos al Espíritu Santo que no nos deje tranquilas; que sacuda nuestras conciencias, nos renueve y nos haga conscientes de nuestras faltas y la necesidad que tenemos de humillarnos y pedir a Dios.

A algunas de nosotras el Señor nos ha dado el privilegio de ser madres para que podamos comprender un poco mejor el tema del perdón. Los hijos muchas veces se tropiezan y caen, cometen errores y nos entristecen, pero las madres los seguimos queriendo, los perdonamos por el amor que les tenemos y, en oración, los ponemos en las manos de Dios para que él los ayude y los guíe. Cuando nuestro corazón se doblega y derramamos lágrimas por nuestros hijos, yo medito y pienso que nuestro Padre celestial nos tiene mucha paciencia, pues a pesar de que muchas veces le fallamos, él nos busca y derrama lágrimas por nosotros.

Nuestro Dios nos llama a acercarnos a sus pies y contemplar todo lo que él ha hecho por nosotras para que seamos salvas; además, nos otorga el oasis del perdón para que en nuestro camino por esta tierra, que es como un desierto, dejemos nuestras cargas a sus pies y confesemos nuestros pecados.

El camino a Canaán está lleno de problemas y dificultades entre los seres humanos. Pero el perdón es un remedio efectivo para nuestras dificultades interpersonales. Hoy te invito a disfrutar del gozo de recibir el perdón y de perdonar a los demás.

Alba de Collins

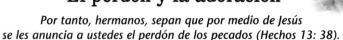

El perdón y la adoración

**Por tanto, hermanos, sepan que por medio de Jesús
se les anuncia a ustedes el perdón de los pecados (Hechos 13: 38).**

HACE UNOS días leí sobre el perdón y su conexión con la adoración, realmente nunca lo había entendido así. Pero cuando hemos sido perdonadas adoramos a Dios con corazón agradecido y de manera especial. Los Salmos han sido para muchos cristianos oraciones de súplicas por perdón. El rey David escribió varios de ellos en momentos de arrepentimiento. Exclamó: «Por amor a tu nombre, Señor, perdona mi gran iniquidad» (Sal. 25: 11); «Tú, Señor, eres bueno y perdonador» (Sal. 86: 5); «Dichoso aquel a quien se le perdonan sus transgresiones, a quien se le borran sus pecados» (Sal. 32: 1).

Cuando el pueblo de Israel dejó la esclavitud en Egipto, Dios le hizo un llamado a adorarle. Ahí en el desierto ordenó que levantaran un santuario para adorarle y para recibir el perdón por sus pecados. Mañana y tarde la ofrenda era traída por los pecadores para ser perdonados y adorar a Dios. Aunque el perdón era personal, pues traían su ofrenda por su pecado, la adoración en conjunto acercaba al pueblo a Dios. Hay varios Salmos que reflejan esta realidad: «Alabaré al Señor con todo el corazón en la asamblea, en compañía de los rectos» (Sal 111: 1); «Yo te daré gracias en la gran asamblea; ante una multitud te alabaré» (Sal 35: 18); «Canten al Señor un cántico nuevo, alábenlo en la comunidad de los fieles» (Sal 149: 1).

Hoy, como en los días del antiguo Israel, el perdón inspira nuestra adoración. C. Raymond Holmes escribió: «En la adoración, la iglesia no celebra su humanidad, ni su unidad, ni su santificación ni su misión. Celebra la presencia de Dios y del Cordero. No se llama al hombre para glorificar al hombre. Más bien, Dios declara el valor del hombre mediante su encarnación y el acto de expiación a través del sacrificio. Este hecho —el que de tal manera amara Dios al mundo que estuviera dispuesto a morir por él— es lo que provoca el asombro y la alabanza en la adoración» (*Sing a New Song!* Berrien Springs: Andrews University Press, 1984, p. 20). Realmente es maravilloso recibir el amor y el perdón de nuestro Dios aun cuando pareciera que no lo merecemos. ¡Que Dios nos ayude a aceptarlo!

Leticia Aguirre de De los Santos

Al fondo del mar

Vuelve a compadecerte de nosotros. Pon tu pie sobre nuestras maldades y arroja al fondo del mar todos nuestros pecados (Miqueas 7: 19).

HACE ALGÚN TIEMPO mi esposo visitó a una dama que le pidió que orara por ella. En la conversación confesó algunas faltas que había cometido hacía nueve años. «¿Pero acaso no los ha confesado al Señor?», preguntó mi marido. A lo que ella respondió: «Sí, pero no siento que me haya perdonado». Mucha gente pide perdón por pecados cometidos hace mucho tiempo. Vez tras vez los confiesa al Señor, como si él no los hubiera perdonado. ¡Pero él ya los ha perdonado! ¿Entonces qué pasa? La respuesta es simple: incredulidad. Una de las funciones del Espíritu Santo es convencernos de que estamos completamente perdonadas, y para eso se requiere fe.

Cuando aceptamos la invitación de ir a Cristo y confesarle nuestros pecados, debemos también *creer* que nos perdona y que no nos condena, solo así podremos cumplir con la segunda parte del proceso que dice: «Vete y no peques más». Para vivir como quien ha sido perdonada, debemos olvidarnos por completo de nuestros errores pasados, es decir, perdonarnos a nosotras mismas. En fin, hacer lo que Dios hace con nuestros pecados: echarlos al fondo del mar.

La superficie total ocupada por océanos y mares representa aproximadamente el 71% de la superficie del globo terráqueo, y las máximas profundidades oceánicas se hallan en las llamadas fosas marinas con hasta 11,000 metros en el Pacífico. Estos datos se han calculado gracias a equipos especializados de econosondas de los buques de investigación oceanográfica, pero *nadie* ha podido llegar al fondo de estos abismos. Así que no te desgastes tratando de llegar al «fondo del mar» para recuperar los pecados que Dios ya perdonó.

Esta mañana te invito a confiar en que todos tus pecados confesados han sido perdonados. No sigas pidiendo perdón por los mismos pecados del pasado. En el cielo ya han sido borrados. Disfruta la vida que Dios te ha dado y decide ser feliz.

Claudia Gabriela Hernández Salazar

El milagro del perdón

Así también mi Padre celestial los tratará a ustedes, a menos que cada uno perdone de corazón a su hermano (S. Mateo 18: 35).

HACE ALGUNOS AÑOS una compañera le hizo un comentario a una amiga mía diciéndole que yo lo había dicho. Esto hizo que mi amiga dejara de hablarme. En ese entonces no entendía el porqué de la actitud de mi amiga. Después de varios años de hacerme la misma pregunta, mi amiga se dio cuenta del engaño. Lo que ella quería era deshacer nuestra amistad y hasta ese momento lo había logrado.

Cuando ella me comentó sentí algo de resentimiento hacia esa compañera. Cada vez que nos encontrábamos recordaba lo sucedido. Ella no sabía lo que pasaba dentro de mí. Tuvo que pasar algún tiempo para que esa herida pudiera ser sanada. La medicina para esa herida fue sin duda el perdón. Pero quiero decirte que no fue nada fácil, porque en nosotros no está el perdonar. El perdón es un don de Dios. Pero me alegra saber que, si con humildad en nuestro corazón se lo pedimos, él nos capacita para perdonar a quienes nos han ofendido.

Pero si no perdonamos nos dañamos a nosotras mismas. Richard O'ffill dice en su libro *El cristiano victorioso*: «Cuando acumulamos resentimiento contra alguien en nuestro corazón eso bloquea nuestra mente; se afecta todo lo que pensamos y hacemos, y hasta podría modificar nuestra personalidad».

La Biblia también nos dice en S. Marcos 11: 25 y 26: «Y cuando estén orando, si tienen algo contra alguien, perdónenlo, para que también su Padre que está en el cielo les perdone a ustedes sus pecados». Es más fácil perdonar cuando te piden perdón, ¡pero qué difícil es cuando no lo hacen! Pero si queremos ser cristianas victoriosas necesitamos ganar esa batalla. Debemos ser humildes como Jesús.

Cuando nuestro cuerpo tiene alguna herida es natural que sangre, de igual manera cuando nos ofenden es natural, en nuestra condición caída, el resentimiento. Pero así como Dios puso en nuestro cuerpo un sistema para reparar la herida, también nos ha dado un don maravilloso para sanar nuestra alma. Querida amiga, si en este momento tienes en tu corazón algún resentimiento contra alguien, te invito a que de rodillas se lo cuentes a Dios y le pidas que ponga en tu corazón el don maravilloso del perdón.

Gladys Murrieta de King

PERDÓN

Pide perdón

De modo que se toleren unos a otros y se perdonen si alguno tiene queja contra otro. Así como el Señor los perdonó, perdonen también ustedes. Por encima de todo, vístanse de amor, que es el vínculo perfecto (Colosenses 3:13-14).

¿ALGUNA VEZ tuviste que pedir perdón? Qué difícil es hacerlo, ¿no es cierto? Requiere armarse de valor para enfrentar una situación que una misma provocó, porque la boca habló demasiado rápido y la mente se tardó en razonar bien las cosas. Por lo general procuro ser más prudente, pero aquella mañana no fue así. En realidad, pensé que mi comentario era inocente, por lo menos así lo creí. Sin embargo, al otro lado de la línea telefónica mis palabras habían ofendido a mi querida amiga.

¡Cuántas veces hemos escuchado acerca del daño que nuestras palabras pueden hacer! A veces nos damos cuenta en seguida, otras veces no. Esa mañana me di cuenta porque después de colgar el teléfono, mi amiga me volvió a llamar para decirme que no merecía mis palabras y que se sentía muy lastimada. Al oírla me di cuenta que estaba muy afligida y resentida, a tal punto que el llanto le impidió seguir hablando, así que tuvo que colgar el teléfono.

Quise ir a verla, pero decidí no hacerlo para no agrandar el problema. Opté por pensar que se le pasaría el resentimiento, pero sus palabras resonaban en mi mente. Yo la había lastimado. En seguida me puse de rodillas y le pedí perdón a Dios. No había querido hacerle daño. Rogué al Señor que pusiera en mi boca las palabras que subsanaran esa herida y salvaran nuestra amistad. Fui a buscarla para aclarar todo y pedirle perdón. Cuando nos encontramos le pedí que me perdonara. Nos abrazamos y lloramos. Entre lágrimas, palabras y mucho cariño, le volví a pedir perdón.

¡Qué regalo tan hermoso es la amistad y el cariño que entre mujeres disfrutamos! ¿Te has dado cuenta cuán fácil es pedirle perdón a una amiga pero qué difícil resulta a veces practicar ese don con nuestro cónyuge o con un hijo? Te invito a meditar en la oración modelo de nuestro Señor Jesucristo y a no olvidar que si perdonamos, también nosotras somos perdonadas. ¡Qué maravilloso es saber que nuestro Padre celestial se ocupó de darnos el regalo de la amistad y el don de perdonar! Es mi deseo que sepamos siempre perdonar y olvidar. Pero mejor aún, que aprendamos a pedir perdón cuando ofendamos a alguien.

Lucy S. Benítez

Dios te ha perdonado y debes creerlo

El Señor, el Señor, Dios clemente y compasivo,
lento para la ira y grande en amor y fidelidad (Éxodo 34: 6).

UNA DE LAS RAZONES por las que han aumentado las enfermedades mentales, que van desde la depresión hasta las más temidas como la esquizofrenia o paranoia, es que el ser humano ha dejado de creer en Dios y, por lo tanto, en su Palabra. La Biblia es clara al afirmar que Dios es amor y «en el amor no hay temor, sino que el amor perfecto echa fuera el temor» (1 S. Juan 4: 18). En otras palabras, mitiga los temores humanos. El miedo es la razón de muchas enfermedades mentales.

Los cristianos podríamos llegar a desarrollar el peor de los temores: el miedo a no ser perdonados y, por ende, el miedo a no ser salvos. Pero esto es absurdo porque la Biblia no se cansa de repetirnos que Dios nos perdona porque nos ama, hasta el punto de haber dado a su Hijo en rescate por nosotros. Una de las más bellas demostraciones de perdón la hizo Jesús a favor de una mujer que, a los ojos de sus acusadores, no merecía el perdón de Dios. El capítulo ocho del Evangelio de S. Juan registra que Jesús perdonó a esa pecadora y después menciona verdades tan profundas como que Jesús es la «luz del mundo», es el gran «Yo Soy», la verdad que nos libertará y que él era antes de Abrahán.

Es admirable darse cuenta que Jesús quería preparar el corazón de sus oyentes con las palabras más hermosas jamás pronunciadas: «Tampoco yo te condeno. Ahora vete, y no vuelvas a pecar». Así quitaba el miedo que produce el sentirse condenado a la muerte eterna y podían aceptar las otras verdades maravillosas que quería presentarles.

Pero la otra parte de la lección que debemos aprender es la que nos da la mujer «pecadora». Sí, aunque no lo creas, tenemos algo que aprenderle a una pecadora: creer que Jesús nos perdona. Él mismo hizo énfasis en la actitud de aceptar y creer en el perdón que se nos otorga, cuando dijo: «Pues si no creen que yo soy el que afirmo ser, en sus pecados morirán» (S. Jn. 8: 24).

Solo Dios y tú saben los pecados que has cometido, pero Jesús quiere otorgarte el perdón de todos ellos, solo debes seguir la fórmula: *aceptar* el perdón y *creer* que has sido perdonada. No puede ser de otra manera, pues el Señor es compasivo y bondadoso, mantiene su invariable amor a millares y perdona la iniquidad, la rebelión y el pecado. ¿Tú lo crees?

Claudia Gabriela Hernández Salazar

Celebremos el día del perdón

Y el día diez del mes séptimo, es decir, el día del Perdón, harás resonar la trompeta por todo Israel (Levítico 25: 9).

¡QUÉ BONITO sería tener un día especial para celebrar el día del perdón! ¡Cuántas de nosotras guardamos algún resentimiento o problema con alguien y pasamos años sin poder resolverlo! Había una vez dos hermanas que desde muy pequeñas se peleaban y tenían muchos problemas, hasta que un día esa pelea fue tan fuerte que no se volvieron a dirigir la palabra. Cada una hizo su vida y dejaron de comunicarse por muchos años. Durante todo ese tiempo ninguna hizo nada por arreglar la situación.

Un día, una de ellas se enfermó, así que la familia le avisó a su hermana y ésta decidió ir a visitarla al hospital. Las dos conversaron un buen rato y trataron de arreglar lo que por tantos años habían ido guardando en sus corazones. Parecía que todo había salido bien y que estaba resuelto. Pero al despedirse, antes de que su hermana saliera del cuarto, la enferma le dijo: «Recuerda que si me muero estás perdonada, pero si no todo será como antes».

¿Cuántas de nosotras hemos vivido una situación similar? ¿Perdonamos realmente o nos sucede como a estas hermanas? En la vida hay situaciones muy difíciles y que hacen casi imposible perdonar de corazón. Es por eso que cada día tenemos que tomarnos de la mano del único que perdona todo y que dejó su ejemplo para nosotras exclamando desde la cruz: «Perdónalos porque no saben lo que hacen». Y nos ordena que nos perdonemos nuestras ofensas unos a otros. Celebremos diariamente el día del perdón y no alberguemos en nuestro corazón nada que pueda alejarnos de nuestro Dios.

Elmy González de Flores

¿Cómo puedo perdonar?

Aun si peca contra ti siete veces en un día,
y siete veces regresa a decirte «Me arrepiento», perdónalo (Lucas 17: 4).

EL MUNDO ESTÁ LLENO de casos de injusticia expresados en hechos y palabras. Hay violencia, corrupción, abuso sexual, maltrato entre los miembros de la familia, infidelidad, ingratitud de parte de hijos para con sus padres, traición, abuso en el trabajo, en instituciones educativas y hasta en las iglesias. Son incontables las razones que activan el gatillo del resentimiento, tristeza, dolor y deseos de venganza y ajusticiamiento. Es muy difícil desarraigar de la mente y el corazón estas emociones.

Muchos rechazan a algunas personas que ni siquiera las han agredido directamente, sin embargo, experimentan mucho enojo al ver y saber que lastimen a otros. Miles sienten una gran impotencia porque no pueden hacer nada para remediar su situación de desventaja.

Estos sentimientos «razonables» son negativos y destructivos. Al principio se prefiere acariciar estas emociones pero con el tiempo carcomen y privan de sentir el gozo de vivir. Debido a esto, muchos se enferman emocional, mental, espiritual y físicamente. Si nos aferramos al odio y al resentimiento podría costarnos nuestra propia salvación.

¿Cómo podemos desarraigar a estos enemigos de nuestras vidas? La oración modelo, el Padrenuestro, lo dice claramente: «Perdónanos nuestras deudas como también nosotros hemos perdonado a nuestros deudores» (S. Mt. 6: 12). Muchas veces repetimos esta oración en forma superficial y sin reflexionar en sus implicaciones. La humanidad entera tiene una inmensa deuda con Dios. Pero su plan de salvación está tejido con amor, misericordia y perdón. Sabemos que debemos perdonar pero el orgullo nos impide hacerlo.

Abramos nuestro corazón con sinceridad y expresemos a nuestro Padre amante el dolor que rompe nuestro pecho, y pidámosle que nos capacite para vernos como somos: personas contagiadas por el pecado y sus efectos. Oremos por aquellos que nos causan dolor y no cavilemos la venganza. Recordemos que llegará el día cuando «él les enjugará toda lágrima de los ojos. Ya no habrá muerte, ni llanto, ni lamento ni dolor, porque las primeras cosas han dejado de existir» (Ap. 21: 4).

Conny Christian

PERDÓN

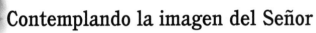

Contemplando la imagen del Señor

Con él hablo cara a cara, claramente y sin enigmas. Él contempla la imagen del Señor ¿Cómo se atreven a murmurar contra mi siervo Moisés? (Números 12: 8).

LA PALABRA DE DIOS nos dice en Números 12: 3 que Moisés era «muy humilde, más humilde que cualquier otro sobre la tierra». Cuando sus hermanos, María y Aarón, murmuraron contra él, la ira del Señor se encendió contra ellos y permitió que la lepra invadiera el cuerpo de María. Moisés sabía lo que ellos habían hecho y, en vez de reprochar, perdonó e intercedió por su hermana y le rogó al Señor que la sanara.

¿Pero por qué Dios le contestó su ruego si Aarón y María habían murmurado contra su siervo? Moisés había pasado por tantas dificultades durante el trayecto hacia Canaán, la tierra prometida, que había formado un carácter humilde, sabio; había aprendido a amar ante cualquier circunstancia y a construir una fe inquebrantable en su Salvador. Él contemplaba diariamente al Señor y cada día su vida se transformaba, a tal punto que Dios lo consideró su «hombre de confianza» (vers. 7).

Amiga, quizás has pasado o estés pasando por algún problema similar o diferente en el cual has lastimado o que te han herido. Ahora no es tiempo de buscar culpables. Lo que necesitas es contemplar diariamente la imagen del Salvador, hablar cara a cara con él mediante la oración y el estudio diligente de las Sagradas Escrituras. Entonces tu carácter se purificará, ennoblecerá y crecerás en fe, amor, paciencia y humildad; podrás testificar lo que Dios ha hecho en tu vida y serás capaz de pedir perdón, perdonar y amar.

«Si recordamos siempre las acciones egoístas e injustas de otros encontraremos que es imposible amarlos como Cristo nos amó; pero si nuestros pensamientos se espacian de continuo en el maravilloso amor y compasión de Cristo hacia nosotros, manifestaremos el mismo espíritu para con los demás. Debemos amarnos y respetarnos mutuamente. Debemos cultivar la humildad y la desconfianza para con nosotros mismos, y una paciencia llena de ternura hacia las faltas ajenas. Esto destruirá todo estrecho egoísta y nos dará un corazón grande y generoso» (*Hijas de Dios*, p. 151).

Rocío Díaz de Arévalo

¡Libérate!

Perdona, Señor, a tu pueblo Israel, al cual liberaste,
y no lo culpes de esta sangre inocente (Deuteronomio 21: 8).

PERDÓN. Palabra fácil de pronunciar, acción difícil de realizar, especialmente cuando la persona a quien tienes que perdonar continuamente te ofende. Siempre pensé que yo debía perdonar cuando me lo pidieran con arrepentimiento genuino, pero pronto me di cuenta que estaba muy alejada de la realidad. Dios nos llama a perdonar a los que no se han arrepentido de sus acciones contra nosotros y mucho menos nos han pedido una disculpa. Antes de seguir, si esto te ayuda un poco, déjame decirte que yo también he padecido en carne propia traición, engaño e infidelidad. Así que de alguna manera puedo entenderte cuando se te hace tan difícil perdonar.

He oído muchas veces ese dicho que dice: «Te perdono, pero no olvido». Hoy te digo que ese dicho es cierto en parte. Olvidar es algo imposible, especialmente si lo que te hicieron marcó tu vida o tiene consecuencias para siempre. Pero perdonar es recordar sin que te duela, y eso con la ayuda de Dios es posible. Hay cosas que siempre recordarás, pero como experiencias, sin dolor, rencor u odio.

He descubierto que Dios te invita a perdonar no para ganarte el cielo, sino porque él sabe que perdonando es la única forma en que serás libre y feliz. Conozco a mujeres que viven amargadas, con mucho rencor en su corazón el cual han alimentado por años, y lo peor es que la persona que las ofendió o les hizo algún mal vive muy feliz y sin sentimientos de culpa. No permitas nunca que ése sea tu caso.

Dios desea que vivas una vida plena, que seas feliz y que hagas feliz a todos los que te rodean, independientemente de lo que la gente te pueda decir o hacer. Algo muy importante: nunca bases tu felicidad en la desgracia de quien te hizo daño, porque puede ser que esta persona viva en la prosperidad y abundancia y tú, amargada y triste. La felicidad es una actitud que no depende de una persona, mucho menos de esa persona que te hizo daño. Lo único que necesitas para ser feliz es a Dios en tu corazón. Es un proceso, no te desesperes ni te angusties, como dijo el apóstol Pablo: «Hermanos, no pienso que yo mismo lo haya logrado ya. Más bien, una cosa hago: olvidando lo que queda atrás y esforzándome por alcanzar lo que está delante, sigo avanzando hacia la meta para ganar el premio que Dios ofrece mediante su llamamiento celestial en Cristo Jesús» (Fil. 3: 14).

Sandra Díaz Rayos

PERDÓN

Manchas imposibles

Aunque te laves con lejía y te frotes con mucho jabón, ante mí seguirá presente la mancha de tu iniquidad —afirma el Señor omnipotente— (Jeremías 2: 22).

HACE UNOS AÑOS, durante unas vacaciones en Colombia, mi país de origen, nos aventuramos en un recorrido por las bravas tierras de Santander. Mi esposo y mi hijo iban a caballo, cuando de repente al cruzar bruscamente un lodazal sus camisetas blancas se ensuciaron. Al instante mi pequeño se angustió y casi lloró al mostrarme las manchas que habían quedado en su camiseta; se sentía avergonzado, no quería que los demás lo vieran sucio. Lo consolé y le dije que no había problema, que mamá quitaría esas manchas cuando lavara su ropa. Pero, para mi sorpresa, al lavar dichas prendas las manchas no cedieron. Usé cuantos detergentes y quita manchas me recomendaron pero todo fue en vano. Por su puesto mi hijo no quiso volver a usar esa prenda, siempre me decía: «Ésa no mamá, está manchada».

Una ropa sucia o manchada puede hacernos sentir avergonzadas y conscientes de nuestro problema. El pueblo de Dios a través de la historia ha tratado de borrar las manchas de su trasgresión con lejía, con abundante jabón, y Dios mismo enfatiza que esto no es posible. A veces nosotras nos sentimos así. Un error, un tropiezo, nos lleva a pecar; se siente como una mancha incómoda. Y Satanás aprovecha cada oportunidad para recordarnos y señalar nuestros errores.

Hoy es el día en que debes venir a lavar tus vestiduras en las aguas vivas del perdón que el Señor Todopoderoso, el Fuerte de Israel, te ofrece. Recuerda lo que él te dice en Isaías 1: 25: «Limpiaré tus escorias con lejía y quitaré todas tus impurezas». No dejes que Satanás te siga acusando, ni trates de borrar tus errores, recibe las blancas vestiduras de lino fino que Dios está dispuesto a ofrecerte y siente el poder trasformador del perdón.

Libny Raquel Bocanegra Velásquez

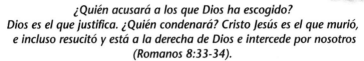

Perdonada por Jesús

¿Quién acusará a los que Dios ha escogido?
Dios es el que justifica. ¿Quién condenará? Cristo Jesús es el que murió,
e incluso resucitó y está a la derecha de Dios e intercede por nosotros
(Romanos 8:33-34).

MARÍA HABÍA SIDO considerada como una gran pecadora, pero Cristo conocía las circunstancias que habían formado su vida. Él hubiera podido extinguir toda chispa de esperanza en su alma, pero no lo hizo. Era él quien la había liberado de la desesperación y la ruina. Siete veces ella había oído la reprensión que Cristo hiciera a los demonios que dirigían su corazón y mente. Había oído su intenso clamor al Padre en su favor. Sabía cuán ofensivo es el pecado para su inmaculada pureza, y con su poder ella había vencido. Cuando a la vista humana su caso parecía desesperado, Cristo vio en María aptitudes para lo bueno. Vio los rasgos mejores de su carácter. El plan de la redención ha investido a la humanidad con grandes posibilidades, y que en María debían realizarse. Por su gracia, ella llegó a ser participante de la naturaleza divina. Aquella que había caído y cuya mente había sido habitación de demonios, fue puesta en estrecho compañerismo y ministerio con el Salvador. Fue María la que se sentaba a sus pies y aprendía de él. Fue María la que derramó en sus pies el precioso ungüento, y bañó sus pies con sus lágrimas. María estuvo junto a la cruz y le siguió hasta el sepulcro. María fue la primera en ir a la tumba después de su resurrección. Fue María la primera que proclamó al Salvador resucitado.

Jesús conoce las circunstancias que rodean a cada alma. Tú puedes decir: «Soy pecador, muy pecador». Puedes serlo; pero cuanto peor seas, tanto más necesitas a Jesús. Él no se aparta de ninguno que llora contrito. No dice a nadie todo lo que podía revelar, pero ordena a toda alma temblorosa que cobre aliento. Perdonará libremente a todo aquel que acude a él en busca de perdón y restauración. A las almas que se vuelven a él en procura de refugio, Jesús las eleva por encima de las acusaciones y contiendas de las lenguas. Ningún hombre ni ángel malo puede acusar a estas almas. Cristo las une a su propia naturaleza divino-humana. Ellas están de pie junto al gran Expiador del pecado, en la luz que procede del trono de Dios (*El Deseado de todas las gentes*, p. 521-522).

Ellen G. White

Trinidades

Tres cosas se deben cultivar:
la sabiduría, la bondad y la virtud.

Tres cosas se deben enseñar:
la verdad, la industria y la confianza.

Tres se deben amar:
el valor, la cortesía y el desinterés.

Tres se deben gobernar:
el carácter, la lengua y la conducta.

Tres se deben defender:
la cordialidad, la bondad y el buen humor.

Tres se deben admirar:
el talento, la dignidad y la gracia.

Tres se deben aborrecer:
la crueldad, la insolencia y la ingratitud.

Tres se deben imitar:
el trabajo, la constancia y la lealtad.

Tres se deben combatir:
la mentira, la ofensa y la calumnia.

Tres cruces se deben escoger:
belleza, amor y verdad.

Anónimo

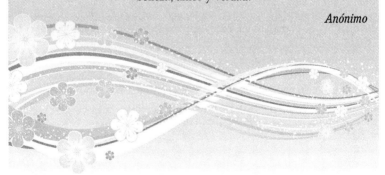

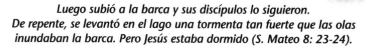

Paz en la tormenta

Luego subió a la barca y sus discípulos lo siguieron.
De repente, se levantó en el lago una tormenta tan fuerte que las olas
inundaban la barca. Pero Jesús estaba dormido (S. Mateo 8: 23-24).

CUENTAN DE UNA MUJER que abordó un avión para viajar a Nueva York. Un niño entró y se sentó justo al lado de ella. El pequeño era muy educado: coloreaba su libro de pintar, así pasó todo el tiempo, mientras duraba el vuelo. Durante el vuelo el niño no representaba rasgos de ansiedad ni nerviosismo. El vuelo no fue muy bueno, hubo tormenta y mucha turbulencia. De momento hubo una sacudida fuerte y todos estaban nerviosos, pero el niño mantuvo la calma y serenidad en todo momento. ¿Por qué su calma? ¿Cómo hacía para estar tranquilo? Hasta que la mujer frenética le preguntó: «Niño, ¿no tienes miedo?»

«No señor— contestó el niño mirando su libro—. Mi padre es el piloto».

¿Sorprendida? Hay tiempos en nuestras vidas que los sucesos y problemas nos sacuden un poco y nos encontramos turbadas. No vemos terreno sólido y sentimos que nuestros pies no pisan lugar seguro. No tenemos dónde sujetarnos y no nos sentimos seguras. Pero recordemos que nuestro amado Padre celestial es nuestro Piloto. A pesar de las circunstancias, nuestras vidas están puestas en el Creador del cielo y la tierra.

La próxima vez que una tormenta llegue a tu vida, o si en este momento estás pasando por una, alza tu mirada al cielo, siéntete confiada y di para ti misma: «Mi Padre es el Piloto».

Evelyn Omaña

Para formar perlas de gran precio

Tres veces le rogué al Señor que me la quitara; pero él me dijo:
«Te basta con mi gracia, pues mi poder se perfecciona
en la debilidad». Por lo tanto, gustosamente haré más bien
alarde de mis debilidades, para que permanezca sobre
mí el poder de Cristo (2 Corintios 12: 8-9).

MUCHOS PROBLEMAS y dificultades cotidianas llegan a agobiarnos de una manera desesperante. ¿Cómo superar esas situaciones adversas que parecen desafiarnos cada mañana? Dios tiene un gran propósito para cada una de nosotras. El ejemplo de la ostra y la perla nos ilustra sabiamente lo que sucede: «Una ostra que no ha sido herida, no puede producir perlas». Las perlas son producto del dolor, resultado de la entrada de una sustancia extraña e indeseable en el interior de la ostra, como un parásito o un grano de arena.

En realidad, las perlas son «heridas curadas». En la parte interna de la ostra se encuentra una sustancia llamada nácar, cuando penetra en la ostra un grano de arena, las células de nácar comienzan a trabajar y lo cubren con muchas capas de nácar para proteger el cuerpo indefenso de la ostra, como resultado se va formando una hermosa perla. Una ostra que no fue herida de algún modo, no puede producir perlas, porque la perla es una herida cicatrizada.

Tal vez en tu vida has sentido desfallecer o lastimada por las palabras hirientes de alguien, o posiblemente has sido acusada injustamente de alguna situación; quizás tus ideas fueron rechazadas o mal interpretadas; o has sido objeto de la indiferencia, te despidieron de tu trabajo o cualquier situación difícil que hayas presentado. En esos momentos difíciles e indeseables, queridas hermanas, hay que producir una perla. Recordemos que somos de gran precio para Jesús y él permite diferentes situaciones difíciles en nuestra vida para formar su propio esplendor y su propia belleza. Dejemos que el Señor complete la obra en cada una de nosotras y que nos baste su gracia porque su poder se perfecciona en nuestra debilidad.

Araceli Martínez Coronado

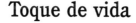

Toque de vida

No, alguien me ha tocado —replicó Jesús—;
yo sé que de mí ha salido poder (S. Lucas 8: 46).

CASI NO PODÍA resistir por más tiempo, la enfermedad la había llevado ya al borde del abismo. Literalmente ella estaba muriendo en vida. Ese día el médico le había dado con la puerta en la nariz por no poder pagar la consulta. Ya había perdido todo lo que tenía, hasta las fuerzas para vivir. Con gran tristeza regresó a casa, ansiaba que la muerte llegara y aliviara ya los doce años de sufrimientos.

Y fue entonces cuando escuchó hablar de Jesús de Nazaret, quien trataba con ternura aun a los que vivían sin esperanza. La gente decía que era especialista en «imposibles» y ella era una paciente en estas condiciones. Así que reuniendo las últimas fuerzas que tenía se aventuró a buscarle. Emprendió la mejor búsqueda que puede hacer un ser humano, la búsqueda de salvación. ¿Será que solo las situaciones desesperadas nos hacen buscarle?

Las cosas no resultaron tan fáciles como pensaba, por más que buscaba un encuentro no podía lograrlo; los obstáculos que encontraba en su caminar parecían desanimarla. Y fue entonces cuando decidió en su corazón que únicamente lo tocaría. Un toque de fe sería su única oportunidad. Y por fin llegó el momento oportuno, estaba ante su presencia y con la fe que mueve la mano de Dios alcanzó a tocar el borde del manto e inmediatamente recibió la sanidad esperada por tantos años.

Es triste saber que cuando Jesús preguntó quién lo había tocado, la pregunta les pareció extraña a sus discípulos. «Maestro, son multitudes las que te aprietan y te oprimen», le respondieron. Quizá muchas de nosotras nos acercamos a Jesús como aquella multitud, caminamos a su lado, lo tocamos con descuido y tal vez vivimos una religión de tradiciones y costumbres vacías. Cercanos y a la vez lejanos.

Aquella mujer enferma nos mostró lo que es acercarse al Salvador con ansia de liberación. ¿Te has sentido como aquella mujer? ¿Vives con las lágrimas al borde de tus ojos? ¿Te crees sin esperanza? Entonces necesitas emprender la mejor búsqueda de tu vida, necesitas un encuentro de salvación. Pero al hacerlo, resuelve en tu corazón hacerlo con la fe que sorprenda y haga que Dios mismo detenga el paso y te extienda su gracia salvadora, entonces vivirás el milagro de un toque de vida.

Adriana Castillo

La prudencia, una cualidad deseable

Dicho esto, David aceptó lo que ella le había traído.
—Vuelve tranquila a tu casa —añadió—. Como puedes ver,
te he hecho caso. Te concedo lo que me has pedido (1 Samuel 25: 35).

LA HISTORIA a la que aquí se hace referencia nos enseña el valor de la prudencia. Me refiero a Abigail y Nabal, su esposo, que literalmente significa «tonto», «insensato». El significado probable del nombre de su esposa Abigail es «mi padre es gozo» o «padre de regocijo». Ella era una mujer sabia y prudente. La descripción bíblica no deja lugar a dudas: «Su esposa, Abigail, era una mujer bella e inteligente; Nabal, por el contrario, era insolente y de mala conducta» (1 S. 25: 3).

La prudencia y la habilidad de Abigail impidieron un derramamiento de sangre innecesario, es decir, el buen trato femenino salvó muchas vidas en aquella ocasión. Es muy probable que Abigail hubiera salvado más de una vez a Nabal de diferentes problemas, claro, sin que él lo supiera. Ante el arrebato, la imprudencia y la insensatez de su marido, ella reflejaba serenidad, cordura y discreción. Incluso, llegó al punto de echarse la culpa a causa de las torpezas de su esposo, como en el caso del encuentro con David, con tal de salvar a su familia.

No sabemos qué combinación de circunstancias determinó que una mujer de esa altura moral se uniera con un tipo tan obstinado e imprudente como Nabal, pero con frecuencia dos personas de naturaleza diametralmente opuesta se unen en la relación más íntima que puede haber: el matrimonio. Los esfuerzos de Abigail no eran en vano. Era a través de la ayuda que diariamente le daba a Nabal que ella desarrollaba una claridad de percepción espiritual; asimismo, su intuición femenina se fortalecía para que un día pudiera impedir que David cometiera una masacre (vers. 18-28).

Permita Dios que esta hermosa cualidad llegue a ser constante en nuestras vidas, y como en Abigail provoquemos el respeto de los demás y que el Señor ponga en nuestros labios las palabras y actos sencillos en el momento correcto para bien de nuestro servicio al cielo y de nuestras familias.

Blanca Rivera de Hernández

El rechazo: la alegría de mi vida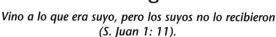

Vino a lo que era suyo, pero los suyos no lo recibieron
(S. Juan 1: 11).

ANTES DE CONOCER A DIOS, todos mis proyectos giraban únicamente en torno a las satisfacciones terrenales. Algo me decía, dentro de mí, que no estaba completa, y realmente algo me faltaba. Me casé y tuve tres hijas. Esta etapa en mi vida me ayudó a comprender y descubrir qué me hacía falta: ese algo para completar mi vida era Cristo. Conocí de las promesas de Dios y mi corazón se llenó de alegría, aunque mi decisión para aceptarlo fue muy difícil.

La situación con mis padres y hermanos no contribuyó a entregarme al Señor; ellos no comprendían muchas cosas, parecía que no deseaban que yo aceptara a Cristo como mi Salvador personal, creían que lo que vivía sería un daño irreparable en sus vidas. Fue tanta la presión y tristeza que enfermé de gravedad. Fue entonces cuando por primera vez conocí el rechazo; sentí lo que Cristo vivió al venir y morir por un pueblo que no creía en él y que, en lugar de alabarlo, lo rechazaron vilmente, a tal punto que lo crucificaron. A mí no me crucificaron físicamente, pero sí me lastimaron mucho en cuestiones emocionales.

Gracias a esta situación comprendí lo que realmente significa su muerte y el valor que ésta tiene cuando nosotras la aceptamos. Sé que el hermoso regalo de la salvación es individual y que aun cuando la actitud de nuestros seres amados nos hiera, el amor que Dios nos ofrece nos ayuda a superar las pruebas y creer que él está y estará a nuestro lado en momentos de victoria o fracaso. Si te has sentido rechazada debido a tus creencias cristianas, déjame decirte que es una buena ocasión para descubrir nuevas dimensiones del amor de Dios. ¡No pierdas esta oportunidad!

Veda Jiménez Casillas

La canción ha venido

Ya brotan flores en los campos; ¡el tiempo de la canción ha llegado! Ya se escucha por toda nuestra tierra el arrullo de las tórtolas (Cantares 2: 12).

LA JARDINERÍA es relajante y distrae la mente de las actividades comunes. Es un buen ejercicio que hace sudar incluso a los que no sudan. Además, se trata de trabajar en la naturaleza, el otro libro de Dios. La tierra debe prepararse antes de trabajar en ella para sembrar cualquier planta. Si el terreno es pobre puede ser necesario agregarle buena tierra. Los cuidados y dedicación siguen cuando quitamos piedras, hierbas, y todo aquello que dañe a las nuevas plantas. Ante todo se necesita tiempo para el trabajo y para conseguir todo el material necesario. Con estas exigencias la jardinería acaba poniéndole un alto al trajín diario.

Pero no todo es trabajar y esforzarse. No culmina la obra cuando ya está todo plantado. El grato final es ver los frutos del esfuerzo. El resultado pueden ser flores de muchos colores: algunas amarillas, otras rojas, anaranjadas, moradas y blancas, y claro, ¡olorosas! El perfume agradable que se esparce da una sensación de felicidad. Es una impresión placentera que se inicia en la nariz y es seguida de los ojos al contemplar la belleza incomprensible de las flores

Este ejercicio, aunado a los sentimientos de satisfacción, paz y alegría fortalecerá tu salud, mejorará tu carácter. Tu mente se elevará al pensar en la grandeza de nuestro Dios, quien creó la naturaleza para nosotros por amor. Te invito a que disfrutes de la jardinería. Aprenderás muchas lecciones de la naturaleza que te elevarán tu mente, las cuales fortalecerán tu vida espiritual.

Mientras trabajas recuerda que Dios está obrando en cada una de nosotras. ¡Qué milagros tan maravillosos veremos y experimentaremos! Como dice el versículo: «Ya brotan flores en los campos; ¡el tiempo de la canción ha llegado! Ya se escucha por toda nuestra tierra el arrullo de las tórtolas» (Cnt. 2: 12). ¿No te gustaría experimentarlo?

Lourdes Lozano Gazga

Paz en medio de la prueba

El Señor te muestre su favor y te conceda la paz (Números 6: 26).

«VAMOS A EXTIRPAR la mitad de la tiroides junto con el nódulo que se formó en ella. Pero si es maligno, tendré que extirparla toda», fueron las palabras del médico. Dios me había guiado de manera asombrosa hacia este médico, ya que como la voz es mi instrumento de trabajo, necesitaba de un especialista, cirujano de cabeza y cuello. Habíamos entablado una consulta por medio de Internet. Él no me conocía personalmente, sin embargo, se hicieron todos los arreglos para la operación.

Cuando llegué por primera vez a su consultorio expresó su extrañeza y asombro ante la situación, porque aunque no cree en Dios, sentía que algo extraño sucedía con el caso. Hacía dos años que esta enfermedad me había sido diagnosticada; yo no sentía nada, pero el médico observó una protuberancia en mi garganta y al realizar estudios descubrió este nódulo.

Tuve dos semanas duras, de lucha con Dios, rogando por salud. También estudié la Biblia, encontré promesas que reclamaba para mí. Entonces, un sábado de tarde, sentí esa paz que únicamente Dios puede dar al alma que está en lucha. Dejé de pelear con Dios, salí de la depresión en la que había caído y empecé a experimentar paz, y confianza en las promesas divinas.

Llegó el día y se realizó la operación. Al salir de la anestesia, todavía en la sala de recuperación, el doctor se acercó y al oído me dijo que habían encontrado cáncer, el cual se había extendido a los ganglios y que había tenido que extirpar la tiroides completa, ganglios, nervios, etcétera. La noticia era mala y buena a la vez. Me dijo que habían sacado todo y que creía que se había erradicado el mal, aunque todavía había que esperar, asimilar la noticia y pasar por tratamiento de radiación.

El médico me instaba a llorar para así desahogar el miedo a la enfermedad, pero no sentía necesidad de hacerlo pues la paz de Dios seguía allí en mi vida. ¡Hasta yo me extrañaba de la serenidad que me embargaba! Hoy puedo testificar del gran amor de Dios pues no perdí la voz, puedo seguir cantando. Después de un año y otros estudios, el médico me ha dado de alta. Me dijo que no quedó rastro del cáncer. Aunque enfrento luchas a diario, aprendí a agradecer por las pruebas y a confiar en sus promesas. Tú también reclámalas. La paz de Dios llenará tu corazón.

Sara Laura Ortiz de Murillo

Dios está cerca

Por lo tanto, el reinado de Josafat disfrutó de tranquilidad,
y Dios le dio paz por todas partes (2 Crónicas 20: 30).

ERA UNA FRÍA MAÑANA de marzo de 1995. La noche anterior, mi hija Keyla y sus amiguitos habían estado felices, compartían sonrisas con Carlos, mi bebé de 7 meses. Pero esa mañana mi esposo se asomó a la cuna y vio a Carlitos con sus ojos cerrados. Algo extraño pasaba. ¡El bebé no se movía y no respiraba!¡Había muerto sin causa aparente! Un profundo dolor me invadió. No sé si hay algo más duro en la vida que contemplar el cadáver de un hijo. Creí que Dios me había olvidado y me castigaba despiadadamente.

¿Pero qué podía haber hecho para merecer este castigo? Había orado por un hijo varón, pero ahora simplemente ya no estaba. Quería morirme y empecé a preguntar a Dios por qué me había pasado esto. Me enojé mucho con él; no podía entender y le exigía respuestas. ¿Por qué a mi bebé justamente le había tocado la «muerte de cuna»? ¡Eso no era justo!

Mi amiga Dulce se quedó conmigo dos semanas que fueron reconfortantes para mí. Escuchó mis quejas y mi enojo. Con toda paciencia me enseñó a encontrar a Dios en medio de la confusión y la tristeza, y claro, ¡Dios estaba allí! Él está siempre cerca de nosotros. El Señor se había preocupado de que no estuviéramos solos al pasar por esa enorme tristeza.

Nuestro Padre celestial entiende nuestra necesidad cuando preguntamos «por qué». Dios entiende si nos enojamos, pero le entristece que dudemos, porque la duda nos impide recibir el amor que nos ofrece. Sin embargo, «…el momento de mayor desaliento es cuando más cerca está la ayuda divina» (*El Deseado de todas las gentes*, p. 487). Vivimos en este mundo en guerra constante entre el bien y el mal. Dios no nos ha prometido un viaje sin dificultades pero sí un desembarque seguro.

Todavía no he recibido respuesta a mis porqués, pero ya no la busco. Mi confianza está plena en un Dios que no se equivoca, que es grande y que conoce mi vida. Dios me ha regalado dos hermosas hijas que me hacen inmensamente feliz. Si hoy te sientes triste, olvidada de Dios, ahogada en algún problema, ve a un lugar apartado, ora a Dios y pídele que te cubra con su manto de gracia. Eso calmará todo tu temor y ansiedad. Yo lo he comprobado. Dios está cerca, muy cerca.

Elizabeth Domínguez Hernández

Un pequeño cielo en la tierra

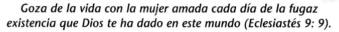

*Goza de la vida con la mujer amada cada día de la fugaz
existencia que Dios te ha dado en este mundo (Eclesiastés 9: 9).*

NOS CONOCIMOS en la universidad, estudiábamos Leyes. Los maestros y compañeros de clase siempre nos dijeron que hacíamos una hermosa pareja. Cuando decidimos casarnos algunos amigos y familiares opinaron acerca de nuestro futuro: nos contaron sus experiencias personales favorables y otras no tanto; algunos apostaban que al paso de un año de casados se nos acabaría la luna de miel, otros que cuando llegaran los hijos se terminaría el encanto, una opinión más aseguró que cumplidos los 10 años de matrimonio el síndrome del aburrimiento sería inevitable.

Gracias a Dios hasta el momento no hemos padecido ningún tipo de síndrome. Para nosotros ha sido una verdadera bendición contar con los consejos bíblicos en la construcción de un hogar. El versículo de esta mañana nos invita a gozar de nuestro cónyuge. Gozar es «tener gusto, complacencia y alegría de algo» (*Diccionario de la Real Academia Española*), es pasarlo bien. Gozar de nuestra pareja es mejor que criticarla, gritarle o discutir con ella. Como abogada, he visto que muchos pleitos familiares que se podrían resolver de una manera muy sencilla tienen que llegar a los tribunales.

Los hombres y mujeres pensamos y sentimos muy diferente. La vida es tan fugaz que algún día no muy lejano recordaremos con nostalgia que no le sonreímos aquella vez, que no agradecimos aquel regalo, que aquella noche dormimos disgustados, que le negamos aquel beso o una caricia. Las descortesías que podemos tener hacia la persona que «amamos» son tantas que la hoja no alcanzaría para describirlas.

Los fines para los que hemos sido hechos son tan excelsos y sublimes que únicamente con la ayuda de nuestro Creador aprenderemos a valorar cada minuto que no sabemos si será el último momento, por lo que no debemos olvidar alimentar diariamente nuestra relación de pareja, mirarla a los ojos, sonreírnos, escucharnos, agregar a nuestro vocabulario palabras de amor y cortesía.

Escribimos nuestra hermosa historia de amor para la eternidad. Dios nos ha bendecido y algún día daremos cuenta de ello, así que hemos decidido afianzarnos a nuestro Creador para lograrlo, porque «¡la cuerda de tres hilos no se rompe fácilmente!» (Ecl. 4: 12). Decide hoy luchar por la paz de tu hogar a través de una actitud más amable hacia tu cónyuge.

Gabriela Carreño Calva

Y tú, ¿tienes paz?

Lo que a mí me corresponde es obedecer tus preceptos
(Salmos 119: 56)

NUESTRO BUEN DIOS se deleita en mostrarnos claramente el camino de la paz y la felicidad, pero nosotras nos empeñamos en tomar el rumbo contrario. El salmista declara que transitamos este camino cuando guardamos la Ley de Dios cada día de nuestra vida, al punto de amar sus preceptos y deleitarnos en cumplir su voluntad.

Los Diez Mandamientos son una fuente incomparable de paz. Es increíble cómo mucha gente, incluyendo a los fariseos, los han usado como medio para presionar espiritualmente a otras personas. Por esta razón mucha gente, hasta el día de hoy, los ve como una carga o una losa que Dios nos ha impuesto para complicarnos la vida. Por si fuera poco, agregan reglamentos particulares a los preceptos divinos, especialmente al día sábado, para enredar más la situación. No cabe duda que esto es una obra maligna.

La Biblia dice que la Ley es un reflejo del carácter de Dios (Ro. 7: 12), es decir, una Ley moral, espiritual, positiva, sencilla, ¡hasta un niño puede entenderla! Es la única parte de las Sagradas Escrituras que fueron escritas por el propio Dios (Éx. 31: 18), mostrando con ello la trascendencia de estos versículos.

Creo que es muy importante reflexionar con atención en cuanto a los Diez Mandamientos. Hoy, en medio de una época caracterizada por la depresión, la inestabilidad emocional y la ansiedad, es muy importante volver la vista hacia la Ley de Dios para observarla como él espera. La promesa divina es que ahí encontraremos mucha paz y salud mental.

Claudia Gabriela Hernández Salaza

Un padecimiento que puede robarte la paz

Como un pastor que cuida su rebaño, recoge los corderos en sus brazos;
los lleva junto a su pecho, y guía con cuidado a las recién paridas
(Isaías 40: 11).

LO RECUERDO CON CLARIDAD. Después de tan larga espera por fin escuché al bebé que tanto anhelábamos. Mi bebé estaba sano y era muy tranquilo. Todo era casi perfecto. Pero de un momento a otro, dos semanas después del parto, mi estado de ánimo empezó a cambiar, y mis sonrisas y alegría se transformaron en tristeza y en llanto ante la mínima provocación. ¿Qué me estaba pasando?

Una tarde después de una discusión con mi esposo provocada por mi estado de ánimo, él salió y tras un fuerte portazo, yo me arrodillé junto a un sofá y clamé a Dios su ayuda, abrí la puerta de mi alma como nunca lo había hecho antes y con desesperación le pedí que me diera paz. Ya no podía seguir así. Él me contestó. Me dirigí hacia el librero y mis ojos se centraron en un libro donde hablaba de depresión y al leerlo supe que necesitaba ayuda.

Entonces recibí la llamada del consultorio de mi médico, confirmaba mi cita para esa tarde, y al colgar llegó mi mamá, quien, estoy segura, fue traída por un ángel hasta mi casa. Aquel día tuve la consulta médica más larga que jamás haya tenido, primero porque yo no podía dejar de llorar y segundo porque tuve que escuchar que lo que yo padecía era Depresión post-parto y tenía su origen en mis hormonas, y se había agravado por no atenderme desde el principio. Recibí tratamiento y ahora es cosa del pasado, aunque he aprendido que este padecimiento deja secuelas, especialmente en los hijos que, debido a su corta edad, por desgracia, perciben que estás triste a causa de ellos.

La depresión post-parto es más común de lo que imaginé. Si tú la padeces no te sientas culpable, mejor pide ayuda a un profesional de la salud; refúgiate en el suave pastoreo de Jesús y no dejes que este padecimiento te robe la paz.

Anónimo

Paz en todo tiempo

Que el Señor de paz les conceda su paz siempre y en todas
las circunstancias. El Señor sea con ustedes (2 Tesalonicenses 3: 16).

BRENDA Y SU ESPOSO tenían un hogar ejemplar con dos niños. Ella tenía ocho meses de embarazo y todo estaba bien. Una noche, su esposo llegó de trabajar y le dijo a Brenda que tenía mucha hambre y estaba muy cansado. Ella le sirvió de cenar y lo vio retirarse a dormir. Momentos después de acostarse él falleció. El forense dijo que había broncoaspirado. Fue muy doloroso perder al esposo que amaba tanto. Y sin poder entender lo que había sucedido, al mes siguiente recibía en brazos a una hermosa bebé. Todo estaba de cabeza en su vida, ahora con tres hijos que cuidar y sin su esposo.

Cuando la bebé cumplió un mes de nacida, sus tíos la invitaron a comer a su casa. En medio de la convivencia, Diego, el más pequeño de los niños, salió a jugar a la calle del fraccionamiento. Uno de los tíos entró y le pidió a Brenda que saliera a hablar con el niño que no quería levantarse del pavimento. Antes de que ella llegara a la puerta, una camioneta pasó a toda velocidad y arrolló al pequeño dejándole graves heridas en la cabeza. Su vida era completamente otra en un lapso de tres meses. Ahora ella estaba en el área de Terapia Intensiva del hospital, con el corazón destrozado y el pensamiento aturdido, sin poderse despegar ni un solo momento de su hijo Diego que se debatía entre la vida y la muerte.

¿Qué se le dice a una mujer que vive un momento así? ¿Cómo hace Dios el milagro de devolver la paz a los seres humanos cuando a través de una tragedia nos fue arrebatada? Un grupo de amigas y el esposo de una ellas, que es pastor, nos turnamos para visitarla y para orar constantemente con ella. Cuando no sabes qué hacer ni qué decir lo mejor es orar. Y Dios hizo su parte.

Días después mientras una de mis amigas oraba con ella en la entrada de la sala de Terapia Intensiva, una enfermera salió para avisarle a Brenda que su Dieguito de apenas cuatro años había fallecido. Ella, con paz en su corazón, recibió la noticia con tranquilidad. Cuando otra amiga y yo llegamos al hospital, una hora después, supimos que Dios es el Dios de Paz. El rostro de Brenda lo reflejaba. Si un día te encuentras en medio de la desesperación y la tragedia o los problemas te hacen perder la paz, solo ponte a orar.

Yaqueline Tello de Velázquez

El canto alegra el corazón

Firme está, oh Dios, mi corazón; ¡voy a cantarte salmos, gloria mía! [...]
Te alabaré, Señor, entre los pueblos; te cantaré salmos entre
las naciones (Salmos 108: 1-3).

CASI EN TODAS LAS IGLESIAS hay una hermana que canta tan fuerte que retumba su voz por todo el templo, sin embargo, lo hace de una manera no muy afinada. Cierta vez, una dama con las características antes mencionadas quiso entrar al coro que yo dirigía. Al haber sufrido muchas veces en la iglesia debido a su manera de cantar, decidí no aceptarla en el grupo vocal. De la manera más sutil que pude le comuniqué mi decisión, pero en sus ojos pude ver el desencanto y tristeza que mi respuesta le había ocasionado.

Esa noche puse en oración lo sucedido. Yo me sentía tan culpable por la reacción de la hermana que tardé varias horas en conciliar el sueño. Entonces algo increíble sucedió: soñé que la congregación entonaba un hermoso y grandioso canto cual nunca he oído jamás. De pronto mi atención se interrumpió al mirar que entre esa congregación se encontraba la dama que yo había rechazado para estar en el coro.

Súbitamente desperté. Ahora me sentía peor. Oré de nuevo y al poco rato me quedé dormida. Al día siguiente, el Espíritu Santo puso en mi mente una interesante reflexión: a veces en nuestras congregaciones estamos tan preocupados por crear coros y preparar cantos especiales para los servicios, eso no está mal si hay una preparación debida, que hemos descuidado a los creyentes de las bancas, aquellos que van con un corazón dispuesto a recibir al Espíritu Santo y alabar el nombre de Dios.

En ocasiones estas personas participan en un par de cantos y lo demás es observar el desfile de cantantes, grupos corales bien ensayados, que a veces hacen *playback*, instrumentistas *virtuosos* que sorprenden a más de uno; todos ellos miembros de la *farándula cristiana* que, si el sonido falla, no hay micrófono o monitoreo, o bien las condiciones de la iglesia o del foro no son adecuadas, se quejan airadamente o se niegan a alabar a Dios. Es triste el cuadro, ¿no es así?

Este es un llamado a todos los encargados del ministerio de la música para que no falte un buen servicio de canto congregacional por las mañanas.

Dulce Nayeli Lozada Alcántara

No temas

Observa a los que son íntegros y rectos:
hay porvenir para quien busca la paz (Salmos 37: 37).

SI HAS TENIDO la oportunidad de convivir con algún ser querido que padece diabetes, compartirás conmigo la idea de que esta enfermedad puede convertirse en una carrera muy larga y con muchas complicaciones a lo largo de ella. Mi esposo padeció diabetes durante 27 años, y recuerdo con facilidad las tantas veces que su situación médica se complicó, pero cada vez que eso pasó, a pesar de lo difícil que pudiera resultar, nunca dejé de sentir el cuidado de Jesús sobre él y su familia.

La última vez estuvo en el hospital durante algunos días; cuando le dieron de alta lo trajimos a casa y pedimos al pastor que lo ungiera. Ese día después de la unción, en medio de paz y de perdón, cuando me recosté para tratar de descansar, me quedé dormida y soñé que en la oscuridad mi esposo me llamaba por mi nombre para que lo ayudara a cambiar de posición.

Cuando me incorporé y me acerqué, en mi sueño miré claramente a dos ángeles parados uno a cada lado de la cama, como si estuvieran cubriendo a mi esposo. Aunque no pude ver sus rostros, la paz y la seguridad que sentí dentro de mi corazón es imposible de explicar. Justo en medio de esa escena, mi esposo me despertó para pedirme que le ayudara a moverse para cambiar de posición. Yo sé que cuando traté de cargarlo, como todas las noches anteriores, los ángeles que miré en mi sueño fueron quienes me ayudaron a moverlo, porque mi marido me pareció muy ligero esa noche.

Gracias a Dios porque puedo decir con convicción, como Pablo, que esa noche estuvieron con nosotros los ángeles del Dios de quien soy y a quien sirvo. Sé que a través de su presencia en mi sueño Dios me dijo: «No tengas miedo, ¡ánimo!» Ese sueño cambió mi perspectiva. Pocos días después, el Señor llamó a mi esposo al descanso.

Confío en Dios que será como él ha dicho, y cuando él venga en gloria y majestad los muertos en Cristo resucitarán primero, y entre ellos estará mi esposo. Desde hoy permite que la presencia de los ángeles de Dios te haga confiar en su amoroso cuidado y te brinde la paz que necesitas.

Etelvina Ayala de Tello

Paz en medio del dolor

Yo les he dicho estas cosas para que en mí hallen paz.
En este mundo afrontarán aflicciones, pero ¡anímense!
Yo he vencido al mundo (S. Juan 16: 33).

ME ENCONTRABA en una reunión de oración con un grupo de hermanas, con quienes cada lunes nos dábamos cita para orar las unas por las otras. De pronto recibí una llamada de mi prima diciéndome que esa tarde se le había detectado a mi mamá un tumor en el pulmón izquierdo y que yo necesitaba viajar a Mérida, Yucatán.

Fue una noticia terrible para mí. Mi mamá había sido cristiana desde los nueve años de edad, una mujer fiel y con convicción. Nunca había fumado y había sido cuidadosa con su alimentación. Ahora la gran pregunta era: ¿Por qué Señor? El oncólogo habló con nosotros y nos propuso como tratamiento la quimioterapia, sin embargo, ella no estuvo dispuesta a recibirla. Entonces me dijo: «No te preocupes hija, si mi Dios ya dijo que ésta es la manera como me llamará al descanso, ¡alabado sea su nombre! Porque él sabe lo que hace. Yo estoy lista para cuando él lo disponga».

Sus palabras todavía resuenan en mis oídos. Luego agregó: «Llévame al Sanatorio Naturista de Canoas, Nuevo León: si Dios quiere sanarme, estoy en sus manos, y si no, que se haga su voluntad». Y así fue. Cumplimos con su deseo y estuvo internada 45 días en el sanatorio naturista, de los que estoy segura disfrutó. Ella era tan amada por nuestro Creador y Salvador, que nunca se quejó de dolor.

Ese sábado 26 de agosto del 2006, ya en su casa, a las cuatro de la tarde aproximadamente, Jesús llamó a mamá para descansar en sus brazos. Sin dolor alguno, con esa mirada tierna que mamá tenía, con sus ojos fijos mirando hacia el cielo exhaló su último aliento. En medio del dolor y el llanto que inundó nuestro ser, reuní a mis hermanos que estaban presentes, a mis tíos y a papá para darle gracias a Dios por lo que había hecho con mamá.

Querida hermana, vale la pena ser fiel en este mundo porque él prometió darnos paz en medio del dolor y la aflicción. Créeme, Dios es real. Hoy anhelo la mañana gloriosa para gozar junto con Cristo la paz eterna.

Mary Torres de Castellanos

Paz mental

Más bien, al vivir la verdad con amor, creceremos hasta ser en todo como aquel que es la cabeza, es decir, Cristo (Efesios 4: 15).

DON LUIS llegó al consultorio remitido por el cardiólogo, que estaba cansado de atenderlo, ya que no pasaba ni una hora sin que le llamara por teléfono. Era un hombre de 60 años muy demandante y lo peor del caso es que no estaba enfermo. Su esposa mostraba fastidio, pues tenía que bañarse a la misma hora que su esposo, ya que don Luis no quería estar solo ni un momento.

Al comienzo de la consulta don Luis dijo: «Doctora, soy uno de los hombres más adinerados de esta ciudad, le voy a pagar lo que sea pero yo no puedo venir a su consultorio, usted tendrá que ir a mi casa y estar disponible para apoyarme a mí y a mi esposa las 24 horas al día». Por supuesto no accedí a sus exigencias y aceptó molesto las reglas. A los seis meses le di de alta.

El dinero que tenía no lo hizo feliz. Lo único que ayudó a recuperarse fue cuando logramos que su esposa y sus hijos le proveyeran de cariño, al mismo tiempo que ellos aprendían a conocer a Jesús. Don Luis padecía una enfermedad denominada Síndrome de Mauchaser y se desarrolla en personas que en la infancia no recibieron expresiones de cariño, sino que vivieron una relación hostil, por lo que buscan llamar la atención por medio de enfermedades ficticias para hacerse sentir atendidos y amados por alguien. Como pacientes son demandantes.

Esto Dios lo señaló hace tiempo a través de la Biblia y el espíritu de profecía: «La verdadera madre cristiana no ahuyentará a sus hijos de su presencia por su irritación y falta de amor y simpatía» (*El hogar cristiano*, p. 217); «Su sonrisa y estímulo pueden ser la fuerza que inspire. Puede comunicar alegría al corazón de su hijito mediante una palabra de amor o una sonrisa» (*Ibíd.*, p. 215).

Patricia Quintos de Gómez

La promesa de la paz

Yo traeré paz al país, y ustedes podrán dormir sin ningún temor
(Levítico 26: 6).

EN LA BIBLIA hay más de 150 versículos en referencia a la paz desde el Génesis hasta el Apocalipsis. ¿Pero qué es paz? El Diccionario de la Real Academia Española lo define como: «Situación y relación mutua de quienes no están en guerra; reconciliación, vuelta a la amistad o a la concordia». La gente está sedienta de paz, aunque por sus actos no lo pareciera. Desde un niño hasta un adulto mayor necesita paz, no solo para caminar en las calles de las urbes contemporáneas, sino para estar en casa, en el trabajo, la escuela, para comer, recrearse, y aun para dormir. Jesús dijo: «La paz les dejo; mi paz les doy. Yo no se la doy a ustedes como la da el mundo. No se angustien ni se acobarden» (S. Jn 14: 27).

La paz de Dios es un poder que faculta al hombre para vivir de manera tranquila, imperturbable y confiadamente en medio de las más difíciles circunstancias de la vida. Nos proporciona una serenidad interior y seguridad exterior, sobre todo cuando vemos que el desastre es inminente. La paz de Dios es como un centinela que monta guardia ante el corazón y la mente para impedir que los afectos y pensamientos sufran ansiedad.

Por lo tanto, en este tiempo que nos toca vivir, confortémonos en esta promesa de paz dada al pueblo de Israel, de manera condicionada a la obediencia de los decretos y mandamientos de Dios. Agradezcamos a Dios por ésta y otras tantas promesas de paz que nos da. Alabémosle, recordemos siempre las hermosas palabras del himno 331 titulado *En el seno de mi alma.*

En el seno de mi alma una dulce quietud
se difunde embargando mi ser,
una calma infinita que solo podrán
los amados de Dios comprender.
Paz, paz, cuán dulce paz
la que da nuestro Padre eternal;
le ruego que inunden por siempre mi ser
sus ondas de amor celestial.

Patricia M. Hernández de Sánchez

Paz en tu refugio

Y si me voy y se lo preparo, vendré para llevarlos conmigo.
Así ustedes estarán donde yo esté (S. Juan 14: 3).

PARA TENER PAZ hay que tener seguridad, confianza y un lugar de refugio, para que cuando vengan las tormentas y los vientos fríos nuestro espíritu esté tranquilo, pues la calma no proviene de uno mismo sino del Dios de paz. Hay un sitio seguro donde tener paz: la casa del Padre celestial. Estar en su santuario nos conforta y tranquiliza, pues comprendemos que hay uno Todopoderoso que tiene nuestras vidas en sus manos. Aunque se muevan los montes, aunque se agiten las aguas, él no nos dejará caer. Su diestra nos sostendrá. Su amor nos dará paz y seguridad.

La casa del Padre es el lugar donde cada hijo suyo debería estar. Allí vamos y recibimos su abrazo y él se convierte en fortaleza en medio de la tormenta. La seguridad en alguien que te sostiene, trae brisas suaves y tranquilas a tu vida. Esa tranquilidad no se mueve con nada ni con nadie, pues se fundamenta en un Dios fuerte, justo y misericordioso, que desea lo mejor para cada uno de sus hijos. Dios alumbra como un faro el mar donde navegamos para que nuestra barca llegue en paz a puerto seguro.

Hoy quiero refugiarme en ti, allí en tu corazón esconderme,
Sentirme segura en la Roca eterna.
Refugiarme en tu corazón, en la cueva de tu amor,
Que caiga la lluvia de llanto, que el viento sople y lleve consigo mi alegría, y
caiga también el rocío de tu consuelo.
Si tú eres mi refugio, estaré en paz, estaré segura.
Tus alas me protegerán, tu sombra me cubrirá.
Dame refugio en tu casa, déjame allí hasta que pase la tormenta.
Allí encuentro la plenitud de mi vida. Allí estoy a tu lado.
No temo, pues estoy en tu refugio, en tu corazón.
Descanso en tu amor, mi refugio eres tú, Señor.
Al saber que mi vida está en las manos del Dios Todopoderoso
y de paz, puedo vivir segura y tranquila en su perfecto amor.

Lorena P. de Fernández

Unidas en Cristo

¡Cuán bueno y cuán agradable es que los hermanos convivan en armonía! (Salmos 133: 1).

COMENZABA LA PRIMAVERA. Los árboles nuevamente se cubrían de hojas, se veían flores por doquier de diversos colores; las montañas reverdecían y cubrían el panorama de una manera esplendorosa. Por fin había terminado un intenso invierno, con algunos días lluviosos, viento y nieve. Esto es característico de Tecate, Baja California. Cierta mañana escuché un canto de pájaros: eran golondrinas. Observé a través de la ventana que se trataba de una enorme parvada que comenzó a fabricar sus nidos en el techo de nuestra casa. Durante todo el día traían en su pico lodo, pasto y hojas secas e iban formando sus moradas. Esto les llevó varias semanas hasta terminar. Su presencia me ha permitido disfrutar de su canto durante las mañanas y tardes de primavera.

Estas aves llegan cuando comienza la primavera y se van cuando termina el verano, en el momento en que sus polluelos pueden volar. De ellas podemos aprender mucho: se unen en grupos para hacer sus nidos, son perseverantes pues su pico es tan pequeño para llevar en él lodo, pasto y hojas secas, por ello tienen que dar muchas vueltas para hacer sus nidos: todas en grupo se ayudan y animan. Así debería ser con nosotras. Es importante fomentar la unidad y la amistad entre los miembros de iglesia, con las hermanas, compañeras, vecinas o familiares, realizar actividades para convivir, también dándonos palabras de ánimo en tiempos difíciles. Cuando alguien padece una enfermedad, sufre la muerte de un ser querido o tiene un problema con su esposo es importante visitarnos y orar unas por otras.

Nada de esto tiene valor sin la unidad, amistad y compañerismo con nuestro Dios cada día. Debemos aprender a disfrutar de la oración y de su Palabra para testificar y compartir con otros acerca de su amor. Querido Dios, te pido que en este día me ayudes a fomentar la amistad con los que me rodean y que pueda dar una palabra de ánimo y una sonrisa a quien lo necesite. Y principalmente dedicar tiempo para escuchar tu voz a través de tu Palabra y disfrutar de la comunión contigo por medio de la oración.

Rebeca Sánchez de Arrieta

¿Forma o contenido?

Que la belleza de ustedes no sea la externa, que consiste en adornos tales como peinados ostentosos, joyas de oro y vestidos lujosos. Que su belleza sea más bien la incorruptible, la que procede de lo íntimo del corazón y consiste en un espíritu suave y apacible. Ésta sí que tiene mucho valor delante de Dios (1 Pedro 3: 3-4).

RECUERDO las palabras de mi padre, como si fuera hoy, después de haberme observado por varios minutos hacerme uno y otro peinado frente al espejo, y al notar la habilidad que había desarrollado para mover secador y pinzas rizadoras: «No te preocupes tanto por el cascarón, lo que importa es lo que hay adentro». ¿Cómo? ¡Tengo quince años! ¡Por supuesto que el cascarón importa! En aquel entonces no lo entendía. Me costaba mucho trabajo comprender las palabras de mi padre.

Vivimos en una época donde se rinde culto a la belleza física y donde contar con un lindo cuerpo y una buena apariencia es la clave para que supuestamente tengamos éxito. Pero al detenernos y analizar el versículo de hoy encontramos que para Dios esto no es lo más importante. ¿Qué quiere decir entonces el versículo? ¿Acaso no debiéramos peinarnos ni vestirnos bien? ¿Promueve la Biblia el descuido en el arreglo personal? ¡Por supuesto que no! Lo que la Biblia dice es que este tipo de belleza externa se desvanece. No se puede depender de ella para obtener la verdadera felicidad. ¿Cuál es entonces la belleza verdadera y la que permanece? El versículo también tiene la respuesta: «…la que procede de lo íntimo del corazón y consiste en un espíritu suave y apacible».

Tal vez conozcas a alguien con una belleza física excepcional, pero que tiene una actitud egoísta y pesimista que desvirtúa sus mejores atractivos y los opaca de una manera apabullante. ¿Y qué decir de nosotras mismas? ¿Nos conocen por nuestra actitud egocéntrica y obsesiva por la apariencia o por nuestro ferviente anhelo de amar y servir a otros? Amiga, recuerda que la verdadera belleza no proviene de un maquillaje fresco ni del peinado de la última moda, más bien, nace y resplandece de un corazón que se deleita en el Señor y en el servicio al prójimo.

Elsy Suhey Antonio Ordoñez

Un nuevo rostro

Así, todos nosotros, que con el rostro descubierto
reflejamos como en un espejo el rostro del Señor, somos transformados
a su semejanza con más y más gloria por la acción del Señor,
que es el Espíritu (2 Corintios 3: 18).

EN SU LIBRO acerca de la historia de la cirugía plástica, Holly Brubach escribe: «Yo tengo la teoría de que para cuando cumples 50 años, tienes el rostro que mereces. Después de cinco décadas de fruncir el ceño repetidamente, o reír, o mostrar preocupación, la actitud de uno hacia la vida queda grabada en la cara». Ése es un vivo recordatorio de que todos los días ponemos una cara que dice al mundo mucho sobre nosotros.

Aunque la Biblia no menciona la cirugía plástica, sí presenta el asombroso concepto de que conocer a Dios y pasar tiempo con él en oración y en su Palabra puede afectar nuestra apariencia. Cuando Moisés bajó del monte Sinaí, después de reunirse con Dios, su rostro brillaba tanto que los hijos de Israel no podían mirarlo fijamente (Éx. 34: 29 y 30). Pablo comparó esa gloria con la gloria mayor que experimentan los que tienen una relación personal con Cristo. Dijo que estamos siendo transformados por el Espíritu Santo, el cual mora en nosotros, y nos estamos pareciendo cada vez más al Señor Jesús (2 Co. 3: 18).

Aunque la comunión con Cristo no nos dé un rostro perfecto, puede reemplazar la causa de los enojos y la frente arrugada con una paz interior que muestre la belleza de Cristo a través de nosotros. No hay cosmético para el rostro que se pueda comparar con la gracia transformadora de Dios.

Evelyn Omaña

El poder del reposo

Vengan conmigo ustedes solos a un lugar tranquilo
y descansen un poco (S. Marcos 6: 31).

EN S. MARCOS 6: 31 la Biblia habla de un lugar desierto. ¿Por qué él los llevó a un desierto? Para descansar. ¿Cuándo hay que descansar? Un poco todos los días. ¿Por qué le tienen tanto miedo a algún tipo de soledad si en ella se pueden encontrar algunas cosas buenas? Pero la voluntad de Jesús era que descansaran; el mismo que nos manda trabajar, nos indica que debemos descansar. Si todos los días nosotros buscáramos nuestro propio desierto para meditar en Dios, no necesitaríamos vacaciones tan largas y caras.

¿Cómo Dios te va a hablar en medio del bullicio? Tú no puedes conocer a Dios en medio de la agitación en la cual vivimos en este siglo, sino en tu cuarto, a solas. ¿Por qué el Señor no se puede dar a conocer en medio de una vida agitada? Porque él es el Dios de reposo. ¿Hace cuánto tiempo no tienes contacto con la naturaleza? De la casa a la oficina, de la oficina a la casa, de la casa al televisor, del televisor al Internet, del Internet al celular; hay que dejar ir todas las cosas que nos estresan para conocer a Dios.

Cuando tienes en la cabeza todo el afán de la vida ni siquiera puedes escuchar a Dios. Tu mente está muy atribulada. La Palabra de Dios dice en Éxodo 6: 8 y 9 que Dios tenía una gran promesa, pero no lo oían por la congoja de espíritu y el decaimiento de ánimo. Amigas, no dejen que el sistema las vuelva presa de él, Dios es nuestro Padre y quiere que sanamente disfrutemos de lo que nos pueda dar. ¿Cuál es el fin del mensaje? Dedica tiempo para conocer a Dios, di: «¡No importa cuántas penas económicas tenga, te voy a buscar con todo mi corazón, Señor!»

Evelyn Omaña

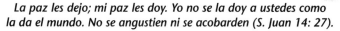

¿Dónde encontrar paz?

*La paz les dejo; mi paz les doy. Yo no se la doy a ustedes como
la da el mundo. No se angustien ni se acobarden (S. Juan 14: 27).*

VIVIMOS en una época donde la ciencia juega un papel importante y aparentemente se vislumbra un gran futuro. Es una época de urgente búsqueda del sentido y significado de la existencia. Sin embargo, el temor, el miedo y hasta el pánico se han convertido en algo muy propio de nuestro tiempo. Millones de personas se sienten invadidas por la ansiedad, la curiosidad y el miedo. Solo en Estados Unidos existen más de quince mil adivinos y gente dedicada a la cartomancia. Lo que es una realidad es que el hombre no puede fabricar la paz. Detrás de estas conductas se oculta un profundo anhelo de paz y seguridad.

Thomas Kempis (1379-1471), monje alemán, dijo que «la serenidad no es estar a salvo de la tormenta, sino encontrar la paz en medio de ella». Por su parte, Amado Nervo (1870-1919) consideró que «el signo más evidente de que se ha encontrado la verdad es la paz interior». Antoine de Saint-Exupéry (1900-1944) dijo que «si queremos un mundo de paz y de justicia hay que poner decididamente la inteligencia al servicio del amor».

Me parece que estos personajes no están tan fuera del contexto de lo que es la verdadera paz, sin embargo, tenemos el gran ejemplo de la paz verdadera en nuestro Señor Jesucristo. «El único poder que puede crear o perpetuar la paz verdadera es la gracia de Cristo. Cuando está implantada en el corazón, desalojará las malas pasiones que causan luchas y disensiones» (*El Deseado de todas las gentes*, p. 270).

Cuando Jesús fue despertado para detener una tempestad, se hallaba en perfecta paz. No había en sus palabras ni en su mirada el menor vestigio de temor. ¿Por qué tanta paz en Jesús? Simplemente porque confiaba en el poder de Dios. El poder de aquellas palabras que calmó la tempestad era el poder de Dios.

Queridas amigas, así como Jesús confiaba en su Padre, así también debemos de confiar nosotras en el cuidado de nuestro Salvador. La paz es uno de los grandes legados que Jesucristo nos ha dejado: «La paz les dejo; mi paz les doy. Yo no se la doy a ustedes como la da el mundo. No se angustien ni se acobarden» (S. Jn. 14: 27). ¡Recibámosla!

Martha de Alpírez

311

Amístate con él y tendrás paz

Si hubieras prestado atención a mis mandamientos, tu paz habría sido como un río; tu justicia, como las olas del mar (Isaías 48: 18).

CON MUCHA FRECUENCIA he escuchado comentarios como estos: «En este mundo difícilmente tendremos paz»; «¡cuánto anhelo tener paz!»; «si supieras qué esposo tengo, en mi hogar vivo el mismo infierno, no tengo paz»; «ya no soporto más, en este momento lo que más quiero es tener un poco de paz». Tal parece que algunas personas son afectadas por lo que otros hacen o dejan de hacer. En otras palabras, lo que hacen los demás perturba la paz y la tranquilidad de su ser.

Es interesante notar que en el texto seleccionado para hoy la paz se presenta como resultado de atender y obedecer los mandamientos de Dios. El profeta Isaías lo declara de la siguiente manera: «Si hubieras prestado atención a mis mandamientos, tu paz habría sido como un río...». Dios dice en su Palabra que atender sus mandamientos conlleva una relación de amor: «Si ustedes me aman, obedecerán mis mandamientos» (S. Jn. 14: 15). Recuerda, donde hay amor hay paz.

Mi querida amiga, no se cuál haya sido tu experiencia. Pero si al transitar por la vida has experimentado inseguridad, temor, dolor, soledad, depresión, angustia, enfermedad o cualquier dificultad que haya alterado la paz de tu alma, te animo para que hoy fortalezcas tu relación de amistad con Cristo Jesús. Nada en este mundo traerá paz a tu corazón como el vincularte con él y obedecer sus mandamientos. Cuando esto sea una realidad en tu vida estarás experimentado la paz de Dios, serás «bienaventurada». Entonces podrás entonar un conocido canto cristiano que dice:

> *Dulce paz la que da mi Jesús,*
> *esta paz solo él puede dar.*
> *Dulce paz que nadie puede ofrecer.*
> *Dulce paz, paz de Dios*
> *la que siento en mi corazón.*

¡Recuerda que las promesas de Dios siempre se cumplen! Esta mañana te invito a que cada día te acerques a Dios y decidas obedecer sus mandamientos, así gozarás de bienestar espiritual y la paz que solamente nuestro Salvador te puede dar. Haz a un lado todo aquello que estorbe tu relación con él y prepárate a recibir su bendita paz.

Natalia Castro de Espinosa

Un cerco de protección

Asegúrate de saber cómo están tus rebaños; cuida mucho de tus ovejas (Proverbios 27: 23).

LA PRIMAVERA se acercaba y era un buen tiempo para empezar a preparar el terreno para la hortaliza familiar. Comenzamos a ablandar la tierra, formamos los surcos, sembramos la semilla y a medida que pasaba el tiempo veíamos con interés el crecimiento de las plantitas. Luego les dimos los cuidados necesarios, como el riego suficiente, quitamos las malezas que harían mal a las diferentes plantas que crecían saludablemente.

Una mañana, como era costumbre, fuimos para ver cómo estaba nuestra huerta y cuál fue nuestra sorpresa al ver que un conejito había estado allí esa noche y se había comido todo lo que habíamos sembrado de acelgas. Sentí una gran tristeza al pensar en todo el trabajo y cuidado que habíamos tenido. Ese animalito había destruido todo lo que para la familia había significado muchas horas de trabajo. Entré en la casa y mientras traté de pensar qué lección podría sacar con este incidente, vino entonces a mi mente que le había faltado algo a la hortaliza: un cerco protector.

Como toda madre, existe en nosotras la preocupación por el desarrollo de los hijos a quienes tanto amamos y queremos proteger de las asechanzas del enemigo. Sin duda alguna en el hogar trabajamos con ellos de varias maneras, como lo es el culto familiar, consejos, la asistencia a la iglesia, etcétera. Pero permíteme mencionar un aspecto que ayudará a nuestros hijos a estar protegidos contra los ataques del enemigo: me refiero a mantenerlos ocupados. Esto servirá de gran medida para que el enemigo se mantenga apartado de ellos.

Si a una planta hay que protegerla cuidadosamente de los ataques del enemigo que puede acabar con ellas, de igual manera a nuestros hijos, quienes como plantitas en el jardín de Dios, debemos protegerlos del enemigo feroz, quien como león rugiente anda buscando a quién devorar. Por eso sé diligente en conocer el estado de tus hijos y mira con cuidado por cada uno de ellos.

Rocío Barrera de Velázquez

PAZ

Clave para tener paz

Voy a escuchar lo que Dios el Señor dice: él promete paz a su pueblo y a sus fieles, siempre y cuando no se vuelvan a la necedad (Salmos 85: 8).

HACE VARIOS AÑOS atrás laboraba como maestra en uno de nuestros colegios. En todas partes los estudiantes son inquietos y con muchos deseos de descubrir lo que no conocen. Uno de mis grupos no era la excepción. Era un hermoso grupo que había logrado identificarse conmigo. En cierta ocasión fui a darles la clase del día y observé mucho silencio, pocos me veían a la cara y tenían actitudes extrañas. Eso me agradó porque pude trabajar como todo maestro desea.

Al día siguiente sucedió lo mismo y sentí que algo andaba mal. Eso no era normal. Así pasaron dos días más hasta que varias jovencitas pidieron hablar conmigo. En la conversación confesaron que una tarde todo el grupo participó de un juego que le llaman «los colores», el cual consiste en colocar los colores en cierta forma; luego los participantes le hacen preguntas a los colores y éstos se mueven; de acuerdo con su movimiento es la respuesta.

Entre todos ellos hicieron el pacto de no decirle a nadie lo que habían hecho, pero ya no soportaban la presión mental. Tuvieron que confesarlo. Me dijeron: «Lleve a la junta esto porque nos sentimos muy mal». Procedimos a lo que era necesario y se les aplicaron sus sanciones. Después el grupo sentía paz, volvieron a ser los mismos alumnos: se veían alegres y podían ver a los ojos a los demás.

En muchas ocasiones actuamos incorrectamente a los ojos de Dios, y estamos conscientes de ello. Lamentablemente cada día vamos acumulando más y más y nuestra vida se torna como una carga. No somos felices, andamos molestas por todo, culpamos a los demás de nuestras desgracias. Esto es debido a la carga que traemos y que seguimos acumulando. No hay paz en nuestra vida.

Tan solo confesemos nuestros pecados, amemos la Ley y vivámosla. Saldremos adelante en todo.

Elizabeth Suárez de Aragón

Un secreto de belleza

El corazón alegre se refleja en el rostro, el corazón dolido deprime el espíritu (Proverbios 15: 13).

¿QUIÉN DE NOSOTRAS no desea verse hermosa? El versículo de esta mañana tiene una buena noticia, especialmente para todas las mujeres, pues dada nuestra naturaleza, tenemos gran interés por nuestra apariencia personal. Como el rey Salomón conocía muy bien a las damas nos dejó este consejo: «El corazón alegre se refleja en el rostro». ¿Qué significa tener un corazón alegre? ¿Será acaso que tenemos que estar riéndonos a carcajadas continuamente? No, claro que no, pues seguramente que a todos nos ha tocado alguna vez ver a alguien que constantemente ríe, y si nosotros pudiéramos conversar con esa persona nos daríamos cuenta de que realmente no es tan feliz como parece, por lo tanto, no trae un corazón alegre.

Entonces, ¿qué significa tener un corazón alegre? Creo que el Salmo 37: 5 tiene la respuesta: «Encomienda al Señor tu camino; confía en él y él actuará». No hay nada más hermoso en este mundo que dejar que Dios guíe nuestra vida; y como él conoce el fin desde el principio y no se equivoca, siempre nos dará lo que él sabe que nos hará felices. Esa satisfacción de saber que estamos siendo guiadas por Dios nos permite experimentar amor, gozo, paz, bondad y alegría, lo que se reflejará en nuestros rostros y nos hará vernos más hermosas.

No olvides que la segunda parte del texto dice: «…el corazón dolido deprime el espíritu». Un rostro triste oculta graves problemas. No puedes esconder lo que llevas dentro por mucho tiempo. Tarde o temprano la gente sabrá que no eres feliz. Y en una dama cristiana eso es difícil de aceptar. Cultiva el hábito de sonreír y dar lo mejor de ti a todas las personas que te rodean y que al verte digan: «Ella ha estado con Jesús». Solo en el cielo sabremos cuántas personas fueron beneficiadas con una de nuestras alegres y hermosas sonrisas.

Aracely Ocaña

Dios te puede redimir

Pero los que confían en el Señor renovarán sus fuerzas; volarán
como las águilas: correrán y no se fatigarán, caminarán
y no se cansarán (Isaías 40: 31).

NO SÉ EN CUANTAS ocasiones te has sentido sola y te has dado cuenta que las cargas y preocupaciones que hay en tu ser te debilitan; sientes que ya no puedes seguir adelante y que en algún momento quisieras vivir sola y lejos de todo aquello que te lastima. En el año 2007 yo cursaba mi segundo año de licenciatura en Educación Primaria, realmente gozaba de las vivencias y alegrías que se podían tener como estudiante en la Universidad de Montemorelos, sin embargo, de repente las cosas no empezaron a salir bien; todo lo que hacía salía mal, tuve problemas con mis jefes en el trabajo, con mis padres a la distancia y con mi novio. Me sentía tan mal que empecé a creer que la vida no tenía sentido. Mi situación era realmente extraña y fuera de control.

Luego conocí una maestra en la universidad que me ayudó mucho y a quien agradezco infinitamente. Las oraciones de mis padres fueron de gran ayuda para salir de este momento de descontrol en mi vida. Me decían: «Dios está contigo y nunca se ha apartado de ti, si caes él te ayudará a levantarte y con nuevas fuerzas, confía». Ellen G. White dice: «En medio de los peligros de estos últimos días, la única seguridad para la juventud está en la vigilancia y la oración siempre creciente [...] Los que así se ponen en comunión con Dios, son reconocidos por él como sus hijos e hijas. Se elevan constantemente obteniendo más claros conceptos de Dios y de la eternidad, hasta que el Señor hace de ellos conductos de luz y sabiduría para el mundo» (*Mensajes para los jóvenes*, p. 245).

Hoy gracias a Dios me encuentro mejor, gozo de la compañía de personas muy queridas. He tomado como parte de mi vida el texto de esta mañana: espero en el Señor y confió en que renovará mis fuerzas. Dios es grande y mayor que nuestros problemas. Él puede hacer que tu vida se vuelva un camino amplio y seguro por el que puedas transitar.

Meyling D. Cervantes Ordoñez

Olvidar el pasado

Más bien, una cosa hago: olvidando lo que queda atrás
y esforzándome por alcanzar lo que está delante, sigo avanzando hacia
la meta para ganar el premio que Dios ofrece mediante
su llamamiento celestial en Cristo Jesús (Filipenses 3: 13-14).

DICEN POR AHÍ que las mujeres no sabemos olvidar. Eso nos hace mucho daño y nos impide disfrutar la vida que Dios nos da. Hoy quiero invitarte a olvidar. Te doy unos consejos para que olvides todo lo malo. ¿Qué debes olvidar?

- **Olvida tus fracasos.** El apóstol Pablo se horrorizaba al recordar sus terribles actos contra la iglesia primitiva: él encarceló e hizo sufrir a muchos cristianos. María Magdalena se avergonzaba por la reputación que tenía delante de su familia, amigos y vecinos. El apóstol Pedro se arrepintió y buscó perdón por haber negado a Jesús. Y tú, amiga, quizás ahora mismo te encuentres atormentada por algún recuerdo que te quita el sueño. El recuerdo de un fracaso es como el ácido: destruye tu autoestima, mata las esperanzas y la felicidad. Pero el Señor ya te perdonó. ¡Olvídalo!

- **Olvida las ofensas.** Todas somos sensibles a la crítica, el maltrato y el abuso. ¿Todavía tienes abiertas las heridas? Lo único que podemos hacer para superarlo es entregar estas cargas a Jesús para que nos sane con su poder y luego olvidar para siempre.

- **Olvida tus placeres pasados.** La mujer de Lot miró hacia atrás a pesar de la advertencia divina. Cuando nos consagramos a Jesús tomamos la decisión de asirnos de su mano para resistir a la tentación y al pecado. Nunca te enorgullezcas de tus pecados del pasado. Ya no los platiques ni los menciones. Mejor olvídalos.

- **Olvida tus triunfos (logros).** Quien acaricia sus logros, conquistas y éxitos, piensa más en sí mismo de lo que debería y vive vanagloriándose de sus triunfos del ayer. Es mejor recordar el poder que Cristo tiene para hacer milagros en nuestra vida. Es mejor olvidar todo eso para mantenernos humildes y reconocer que debemos toda honra y gloria al Señor.

Para llenar nuestra mente de nuevas experiencias y recuerdos necesitamos borrar algunas de las que tenemos. Que Dios nos ayude a lograr este propósito. Dios te guarde y te bendiga en todas tus actividades durante este día.

Sofía Mora de De Lima

Compartir la paz

Dichosos los que trabajan por la paz,
porque serán llamados hijos de Dios (S. Mateo 5: 9).

CUANDO DIOS creó este mundo hizo al hombre y a la mujer para que gozaran de felicidad, armonía y paz. Los rodeó de todo lo que necesitaban, incluso les dio normas y preceptos divinos, mismos que les ayudarían a conservar esa felicidad y paz interior. No solo les dio un hogar bellísimo, sino que les dio instrucciones para que vivieran una vida eterna y feliz.

Tristemente el pecado entró en el mundo, rompió la paz que Dios quería que sus hijos experimentaran y, como resultado, en nuestro diario caminar encontramos personas con corazones vacíos, ansiosos, tristes y preocupados.

La raza humana ha llegado a un punto en el que no experimenta la paz interior, ¡cuántos hogares y comunidades han sido afectados con esta carencia! Al tomar en cuenta el versículo seleccionado para hoy, me pregunto: como hijas de Dios, ¿nos ha colocado a ti y a mí en nuestros hogares y en el vecindario donde vivimos para que «trabajemos por la paz»? ¿Cómo puede una mujer «trabajar por la paz»?

- Tener una vida de devoción diaria a través del estudio de la Palabra de Dios y la oración.
- Con un espíritu alegre y apacible.
- Tratar con bondad a cada miembro de la familia independientemente de lo que hagan o dejen de hacer.
- Ingerir alimentos sanos y nutritivos, libres de sustancias irritantes o nocivas.
- Dedicar tiempo para el ejercicio físico.
- Mantener una casa limpia y ordenada.
- Escuchar música cristiana que eleve el corazón.
- Reflexionar durante el día en las promesas de Dios.
- Compartir con otros lo que Jesús significa para ti y lo que él ha hecho para salvar a cada uno.
- Perseverar en oración por nuestra familia y vecinos.

La lista puede continuar. Hay muchas cosas que como mujeres podemos hacer para lograr la paz: «Doquiera reine su espíritu, morará la paz. Y habrá también gozo, porque habrá una serena y santa confianza en Dios» (*El Deseado de todas las gentes*, p. 127).

Natalia Castro de Espinosa

¿Paz a qué precio?

No crean que he venido a traer paz a la tierra.
No vine a traer paz sino espada (S. Mateo 10: 34).

L A PAZ que Cristo denomina su paz y la que él legó a sus discípulos no es la que evita todas las divisiones, sino es la paz que se brinda y se disfruta en medio de las disensiones. La paz que siente el fiel defensor de la causa de Cristo es el conocimiento del que hace la voluntad de Dios y refleja su gloria por medio de las buenas obras. Es una paz interna, más bien que externa. Afuera hay guerras y luchas por la oposición de enemigos declarados, y aun la frialdad y desconfianza de los que afirman ser amigos.

Cristo ordena a sus seguidores: «Amad a vuestros enemigos... haced bien a los que os aborrecen, y orad por los que os ultrajan y os persiguen» (S. Mt. 5: 44). Él nos pide que amemos a los que nos oprimen y nos hacen daño. No debemos expresar verbalmente ni con actitudes el espíritu que ellos manifiestan, sino aprovechar cada oportunidad para hacerles el bien.

Pero aunque se nos pide que seamos como Cristo en nuestro trato con nuestros enemigos, no debemos, con el fin de tener paz, encubrir las faltas de aquellos que vemos en el error. Jesús, el Redentor del mundo, nunca obtuvo la paz al ocultar la iniquidad o por medio de algo que se pareciera a un compromiso. Aunque su corazón constantemente rebosaba de amor por toda la raza humana, nunca fue indulgente con sus pecados. Era demasiado buen amigo de ellos como para guardar silencio cuando seguían una causa que destruiría sus almas, las que él había adquirido con su propia sangre. Fue un severo censurador de todo vicio, y su paz estribaba en la conciencia de haber realizado la voluntad de su Padre, más bien que en un estado de cosas que existía como consecuencia de haber cumplido su deber.

Todo el que ame a Jesús y a las almas por las cuales él murió prestará atención a las cosas que contribuyen a la paz. Pero sus seguidores han de tener especial cuidado, no sea que en sus esfuerzos para impedir la disensión renuncien a la verdad, que al evitar las divisiones sacrifiquen sus principios. La verdadera hermandad nunca puede mantenerse comprometiendo los principios. Cuando los cristianos se acerquen al modelo de los creyentes, con toda seguridad... experimentarán el poder y el veneno de aquella vieja serpiente, el diablo (Manuscrito 23b, del 25 de julio de 1896).

Ellen G. White

Agenda de la felicidad

La SONRISA es la tarjeta de presentación de las personas saludables. Distribúyela generosamente.

El DIÁLOGO es el puente que une dos márgenes. Tú y yo: transítalo mucho.

La BONDAD es la flor más atrayente del jardín de un corazón bien cultivado. Planta flores.

La ALEGRÍA es el perfume gratificante, fruto del deber cumplido. Derróchala. El mundo la necesita.

La PAZ DE CONCIENCIA es la mejor almohada para el sueño tranquilo. Vive en paz contigo misma, con tus semejantes y con Dios.

La FE EN DIOS es la brújula para los navíos errantes, inciertos, busca las playas de la eternidad. Utilízala.

La ESPERANZA es el viento bueno, dirige las velas de nuestro barco. Llámala para que permanezca en tu vida cotidiana.

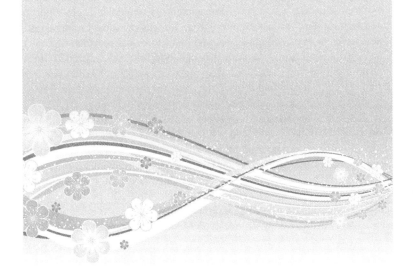

Bondadosa con la familia de Dios

Por lo tanto, siempre que tengamos la oportunidad, hagamos bien a todos, y en especial a los de la familia de la fe (Gálatas 6: 10).

DÉJAME contarte acerca de una mujer bondadosa de nuestro tiempo: la hermana Lidia. ¿Tú aceptarías hospedar en tu casa a cuatro u ocho personas desconocidas por tres o cuatro semanas? Quizá algunas de nosotras aceptaríamos a una o dos personas y bajo circunstancias muy especiales. Pues la hermana Lidia y su esposo, Bienvenido Morales, nos albergaron en su hogar a toda mi familia por cuatro semanas, la primera vez; la segunda vez, a los ocho integrantes del grupo Emmanuel que estábamos de gira en la ciudad de Nueva York y sus alrededores, por tres semanas. Éstas no fueron la primera ni la última vez que dicha familia hospedaba personas en su hogar. Recibieron en su casa a jóvenes que llegaban a la ciudad a colportar.

Lo inspirador de estas experiencias fue el amor, la atención, la bondad, el desinterés y solicitud con la que estos hermanos nos atendieron durante toda nuestra estancia. No contentos con brindarnos su hogar con todas las instalaciones y servicios, comida en abundancia y verdadero amor cristiano, se podía ver a la hermana Lidia entrar de un cuarto a otro, llevar en sus manos alguna prenda de vestir, zapatos, bolsas de mano, utensilios de cocina, lo que tuviera a la mano, para ver si a alguno de nosotros le servían esas cosas. Al momento de dejar su casa para regresar a nuestros hogares, nos colmaron de provisiones, ropa, aparatos eléctricos y hasta llegaron a darles dinero a los muchachos para su pasaje o escuela.

No cabe duda que estos hermanos son ciudadanos del cielo al hospedar en su casa a la familia de Dios. Como grupo musical hemos disfrutado de la bendición de pertenecer a esa familia, y encontrar muchos hermanos dispuestos a ofrecernos lo que tienen con alegría y solicitud. Es cierto que nos preocupamos por fomentar y mantener el apoyo a la comunidad más necesitada que nosotros, pero en el versículo de hoy, el apóstol nos alienta a hacer el bien a los de nuestra propia familia. Te invito a no desatender el consejo. ¡Levántate, limpia tu casa, prepara tu corazón y abre las puertas de tu hogar para recibir a la familia de Dios! ¡Seguramente tú serás la más bendecida!

Sara Laura Ortiz de Murillo

Tal el padre, tal la hija (parte 1)

Que el favor del Señor nuestro Dios esté sobre nosotros.
Confirma en nosotros la obra de nuestras manos; sí, confirma
la obra de nuestras manos (Salmos 90: 17).

CUANDO CONTEMPLAMOS la hermosura del carácter bondadoso de Dios somos «transformados por su gracia». Asimismo, la bondad del Señor desciende sobre nosotras. La repetición de esta plegaria destaca el deseo del salmista de que Dios lo ayude a realizar su obra de tal modo que pueda recibir la bendición divina. Esto me recuerda a mi madre compartiendo con sus vecinas un plato de comida caliente, lavando los platos de una amiga enferma o trayendo mercancía de la tiendita a alguna anciana. El padre de mi esposo también era bondadoso: compartía su mesa y un lugar en su casa para el necesitado que llegaba de su natal Oaxaca, México. Aunque en la mayoría de los casos recibió ingratitud, nunca escuché palabras de desaliento, sino todo lo contrario: continuó hasta su muerte.

Al formar nuestro hogar, mi esposo y yo nos propusimos enseñar a nuestros hijos el ejemplo de sus abuelos. Un día llegó de visita una tía de mi esposo. Mientras platicábamos, mi hijo mayor, entonces de tres años de edad, fue al refrigerador y tomó lo que había: tomates, chiles y cebollas, los puso en un plato, los llevó a su tía y le dijo: «Toma tía». Agradecí a Dios por la actitud de mi pequeño y pensé para mis adentros: «Estoy trasmitiendo lo que vi en mi madre».

El año pasado conocí a una bondadosa mujer en Durango, México. Estaba a cargo de la alimentación de su club de Guías Mayores. Llevaba puesto un delantal confeccionado por sus manos; tenía varias bolsas donde guardaba enseres listos para ser usados en el momento que fueran necesarios para sus hijos, como ella los llama. El tiempo que pasé con ella fui objeto de su bondad expresada con palabras y confirmada con sus acciones; dos hijas iban con ella como dirigentes del club y, por lo que pude ver, son mujeres muy parecidas a su madre, bondadosas. La bondad es un rasgo de nuestro Padre celestial. Por eso, como sus hijas, nosotras también debemos mostrar esa virtud hacia nuestros semejantes.

Elizabeth Aguirre de Ramírez

Tal el padre, tal la hija (parte 2)

Gente pobre en esta tierra, siempre la habrá; por eso te ordeno que seas generoso con tus hermanos hebreos y con los pobres y necesitados de tu tierra (Deuteronomio 15: 11).

RECUERDO cuando llegamos a una nueva iglesia ubicada en un lugar donde hacía mucho frío. Además llovía dos veces por día. Pero ese no era el problema. El verdadero problema es que no había dinero para comprar cobijas. Cierto día mi esposo nos sorprendió con una cobija que adquirió a precio especial y prometió que cada mes compraría una en el mismo sitio. ¿Quién sería el afortunado en estrenar la frazada? Todos estuvimos de acuerdo que fuera para nuestro segundo hijo, ya que él la necesitaba más.

Por aquellos días mi esposo visitó la cárcel para compartir el evangelio con los presos. Ese lugar era mucho más frío que el de la ciudad donde vivíamos. Los reclusos le pidieron cobijas para la siguiente vez que los visitara. Así que el siguiente sábado expuso la necesidad ante la pequeña congregación del poblado. Nadie deseaba compartir algo con esas personas. Como mi esposo insistió, un niñito de escasos cuatro años levantó su manita y dijo: «Papi, yo dono mi cobijita». Yo me quedé sorprendida con la respuesta de mi hijo. Pero no me agradó su actitud; como madre prefería que él se quedara con su frazada. No obstante, su conducta ayudó para que otras manos se levantaran y prometieran ayuda para los presos. Al poco tiempo, mi esposo llevó un buen número de frazadas para los menos afortunados.

Años más tarde fuimos trasladados a otra ciudad. Ahí también hacía mucho frío y necesitábamos tres cobijas para enfrentar el crudo invierno. De manera providencial llegaron a casa dos mujeres bondadosas con tres gruesas cobijas de lana. Mientras mi esposo y yo nos negábamos a recibirlas, las damas se despidieron con mucho respeto. ¡Pasamos un invierno sin frío! ¡Gracias, Padre bondadoso, no dudo que les triplicaste a esas hijas tuyas por aquel regalo maravilloso!

Elizabeth Aguirre de Ramírez

Para Dios no hay peticiones pequeñas

Depositen en él toda ansiedad, porque él cuida de ustedes (1 Pedro 5: 7).

TODAS HEMOS pasado alguna vez por situaciones de incertidumbre, donde las fuerzas se acaban, donde desearíamos abandonar la lucha y darnos por vencidas. Sin embargo, no debemos claudicar. Todo sucede por una razón, tal vez incomprensible en el momento, pero evidente pasado el tiempo. Cuando la carga desaparece o se aligera, entendemos cuánto crecimos por la experiencia y admitimos la enseñanza implícita en ese pedazo de nuestra historia.

Brenda fue invitada a escalar rocas. Pronto llegó a un borde, donde pudo tomar un respiro. Mientras estaba ahí, la cuerda de seguridad golpeó contra su ojo y le sacó su lente de contacto. Buscó y buscó, esperaba que hubiera caído en el borde, pero simplemente no la encontró. Ahí estaba ella, lejos de casa, con su vista borrosa. Desesperada, oró por ayuda al Señor. Miró las montañas, pensó en el verso de la Biblia acerca de que los ojos del Señor observan alrededor de toda la tierra y pensó: «Señor, tú puedes ver estas montañas. Tú conoces cada piedra y cada hoja, y tú sabes exactamente dónde está mi lente de contacto. Por favor, ayúdame». Finalmente, bajaron. Al pie de la montaña había un nuevo grupo de alpinistas que comenzaba a enfrentar el risco. Uno de ellos gritó: «¡Oigan, jóvenes! ¿Alguien perdió un lente de contacto?»

¿Sabes cómo el alpinista vio el lente de contacto? Resulta que una hormiga se movía lentamente sobre una roca, ¡cargando el lente! El padre de Brenda es caricaturista. Cuando ella le platicó esta increíble historia, él dibujó una caricatura de una hormiga cargando una lente de contacto, diciendo: «Señor, no sé por qué quieres que yo cargue esta cosa. No puedo comérmela, y está extremadamente pesada. Pero si eso es lo que quieres que yo haga, la cargaré para ti». Nuestro Dios es bondadoso. No importa lo pequeña o insignificante que sea nuestra necesidad. Él está dispuesto a escucharnos y a mostrar su bondad de la manera más inesperada. Este día te invito a recibir la bondad divina y transmitirla a tus semejantes.

Elizabeth Domínguez Hernández

Jesús visitó mi hogar

El rey les responderá: «Les aseguro que todo lo que hicieron
por uno de mis hermanos, aun por el más pequeño, lo hicieron por mí»
(S. Mateo 25: 40).

ERA DE MAÑANA cuando tocaron a la puerta. Mi hijo estaba en la sala y abrió porque pensó que eran sus abuelitos, ellos nos visitarían ese día. Salió rápido para decirme que era una «comadre», mujer indígena tarahumara que vive en Chihuahua, México, que pedía «korima», ayuda. Coloqué unas monedas en la mano de mi pequeño y se las dio. La mujer preguntó si tenía ropa y le dije que sí. La invité a sentarse en la sala junto con sus dos hijos, pues hacía mucho frío y se veía que la pasaban mal. Saqué ropa para su niñita, le di una cobija, calcetas, zapatos, leche calientita, comida y medicina para su hija que traía mucha tos con flemas. Mi niño le regaló un juguete a su hijo y una sudadera que se puso inmediatamente, pues tenía la nariz roja y los labios morados a causa del frío. Antes de salir les dije: «Que Dios los bendiga».

Al cerrar la puerta, mi pequeño me preguntó por qué los había ayudado. Le contesté que en la Biblia dice que cuando ayudamos a los demás es como si a Jesús mismo le hiciéramos ese bien. «¡Jesús estuvo aquí, él nos visitó esta mañana, hijo!», le dije a mi niño y lloré. Mi hijo me abrazó, limpió mis lágrimas y me dijo con una voz muy tierna: «No llores mamita, debes estar contenta porque Jesús vino a nuestra casita, ¿verdad?»

Ese día fue tan especial que no lo olvidaré nunca, pues no había ayudado a alguien con tanto amor como esa vez.

Con qué facilidad rechazamos a los necesitados o hacemos como que no los vemos; y peor aún, mentimos diciendo que no podemos ayudar cuando el Señor nos ha dado tanto.

Que el Señor nos perdone por perdernos la oportunidad de convivir con él de esta manera. Recordemos que «hay más dicha en dar que en recibir» (Hch. 20: 35).

Lilia Gardea de Granados

BONDAD

¿Eres un consuelo para otros?

Pero Dios, que consuela a los abatidos, nos consoló con la llegada de Tito (2 Corintios 7: 6).

¿ALGUNA VEZ has estado muy preocupada o sufriste la pérdida de un ser querido? Quizás querías estar sola o tal vez deseaste que alguien llegara en ese momento para decirte algunas palabras de consuelo o te recordara algunas promesas de la Palabra de Dios.

Hace tiempo una de mis vecinas, que vive a la vuelta de la calle donde vivo, sufrió una tragedia: uno de sus hermanos se quitó la vida con veneno. Cuando me enteré sentí mucha tristeza por ella y por su familia.

Nunca había platicado con ella, solo cuando pasaba la saludaba. Ahora que la veía triste, sentí la necesidad de visitarla y pensé que Dios me daba la oportunidad de consolarla. Fui a la tienda, compré un pastel, busqué el libro *El camino a Cristo* y oré a Dios para que me diera palabras edificantes que la hicieran sentir mejor. Debo decirte que en su tristeza pude ver tranquilidad y una sonrisa. Antes de retirarme le hice saber que oraría por ella. No pudimos platicar mucho, pues estaba por salir.

No necesitamos hacer mucho, la gente solo pide un poco de atención. Jesús consoló y ayudó a Jairo, a la viuda de Naín y a las hermanas de Lázaro por el dolor que sentían en ese momento. Un poco de apoyo moral puede marcar una gran diferencia en la vida de nuestros semejantes. Seguramente Tito se había convertido en una influencia consoladora para el apóstol Pablo. Su presencia fortaleció mucho la fe y la esperanza del gran líder de la iglesia.

Asimismo, cada una de nosotras debemos convertirnos en canales de consuelo para quienes padecen dolor y sufrimiento. No se trata de repetir versículos de la Biblia para convencer a la gente de la doctrina correcta, más bien, de brindar amistad, aprecio y atención para satisfacer las necesidades emocionales de la gente. La bondad es la llave que abre la puerta del corazón de la gente al evangelio de Cristo. Recuerda que Jesús estará a tu lado para consolarte en medio de tus luchas diarias. Te alabo, Señor, por esa oportunidad que me das y te pido que me des sabiduría para poder consolar a otros.

Gloria de Torres

Su oportunidad y la mía

Ama a tu prójimo como a ti mismo (S. Marcos 12: 31).

E LLEN G. WHITE declaró sobre la atención a los desamparados: «El que verdaderamente ama a Dios y a su prójimo es aquel que manifiesta misericordia hacia los desheredados, los dolientes, los heridos, los que se están muriendo. Dios insta a cada hombre a empeñarse en realizar la obra que ha descuidado, a que restaure la imagen moral del Creador en la humanidad» (Carta 113, 1901). Leí estas palabras poco después de haber mirado en las noticias a una niña: estaba sentadita, sus bracitos sobre el regazo, la mirada perdida, sus ojos enmarcados por profundas ojeras, marcas de golpes en su cabeza rapada y en sus famélicos brazos y piernas. La pobre chiquilla aparentaba cuatro años cuando en realidad tenía seis.

La hermana del padrastro visitó a la familia y al notar la ausencia de la niña la buscó por toda la casa y la encontró encerrada en un armario. Sus labios resecos denotaban que había pasado todo el día sin comer. Impulsada por una mezcla de compasión y de rabia, tomó a la niña en brazos y se dirigió rápidamente a la calle. Hizo señal al primer vehículo que pasó, el cual resultó ser de la policía. Las autoridades se propusieron esclarecer el caso y detuvieron al padrastro y a la madre.

Los vecinos dijeron que habían presenciado el maltrato de que era objeto la pobre niña, tanto de parte del padre como de su propia madre. La reportera de un noticiero les preguntó por qué no habían denunciado el caso, a lo que ellos respondieron que no querían problemas, que no era correcto inmiscuirse en asuntos ajenos, que para qué si de nada serviría.

Nada nos conmueve. No queremos incomodarnos, no tenemos amor. Como Caín en aquel aciago día respondemos: «¿Acaso soy guarda de mi hermano?» «Cuando el Espíritu de Dios está en el hombre él lo dirige para que alivie a toda criatura que sufre» (*El ministerio de la bondad*, p. 52). Pidamos al Padre que su Espíritu Santo nos indique la forma en que podemos ayudar.

Cristina Valles de Quintero

¿Qué es sabiduría?

El que es sabio atesora el conocimiento, pero la boca del necio es un peligro inminente (Proverbios 10: 14).

L E DOY GRACIAS a Dios porque me dio la oportunidad de trabajar para él en el ministerio de la educación. Como maestra he tenido muchas experiencias, unas buenas, otras no tan buenas. Esta mañana quiero compartirte una de ellas con el objetivo de que si eres madre de un estudiante, le pidas a Dios sabiduría para guiarlo. En cierta ocasión vino a platicar conmigo un padre de familia, su solicitud era que le ayudara a su hijo aumentándole un punto en su calificación mensual: el muchacho había reprobado el mes. El padre pedía un punto para que en la boleta apareciera la nota mínima aprobatoria.

Prometí ayudar al muchacho siempre y cuando él cooperara, pero le aseguré que no le regalaría calificaciones; el padre insistió en varias ocasiones y el director de la escuela tuvo que intervenir en la situación. La incomodidad de los padres de mi alumno era muy manifiesta, pero yo dejé las cosas en las manos de Dios, pues solamente él sabe que mi decisión de no subir ese punto no era de mala voluntad, sino que la vida me ha enseñado que los alumnos deben ser capaces de superarse con honestidad.

Mucha gente confunde la bondad con la deshonestidad. A veces, en el afán de ser «bondadosas» con los demás, por ejemplo los alumnos, podemos dejarles enseñanzas equivocadas que la vida les va a cobrar tarde o temprano. Es ahí donde debemos aprender a tomar la decisión correcta en cuanto al futuro de aquellos que están en nuestras manos, ya sean hijos o alumnos.

Ruego a Dios que cada uno de tus hijos pueda tener presente que Dios es la fuente de sabiduría, y que a ti te fortalezca para comprender la manera en que puedas ayudarlos positivamente. Nuestro Dios no nos da puntos, sino que su gracia nos cubre; eso sí, nos pide que seamos obedientes a su Ley y sobre todo que le amemos. ¡Dios te bendiga en este día! Pues nuestra esperanza es estar con él por la eternidad.

Nora Ortega de Caamal

Un toque gentil

**Porque donde hay envidias y rivalidades,
también hay confusión y toda clase de acciones malvadas (Santiago 3: 16).**

NO CABE duda que conforme pasa el tiempo, las cosas cambian. Sobre todo la tecnología está muy avanzada. Ahora queremos las cosas más rápido, no las terminamos de procesar mentalmente y ya hay algo nuevo para aprender, o para utilizar o para agregar a lo que tenemos. Esto hace que nos volvamos más exigentes. Aunado a eso queremos todo bien hecho, anhelamos lo correcto, lo justo, lo que debe ser y al estar preocupadas en exigir no nos damos cuenta de que junto con el paso del tiempo y el avance de la tecnología, también en nosotras se producen cambios.

¿Debemos cambiar? ¿Por qué debemos cambiar? ¿Hay cosas que no deben cambiar? ¿Son buenos los cambios? ¿Debemos exigir? ¿Te gusta exigir a los demás pero a ti no? Tenemos creencias religiosas que nos motivan a aprender, desear cambiar e implementar algunas modificaciones en nuestras vidas. Pero no nos damos cuenta que eso nos vuelve más exigentes, aunque no necesariamente con nosotras mismas, sino con los demás.

Siempre encontramos algo en quienes nos rodean; aunque pudiera ser verdad, en relación a lo que se le señala, no es necesario que se comente. Lo que realmente necesitan esas personas, como nosotras mismas, es un toque gentil. Una palmada, un saludo, un abrazo, una sonrisa, unas palabras de aceptación. Una aceptación que irradie gentileza, paciencia. Un toque de gentileza que no quiera cambiar a la persona, solo que en un lenguaje especial le diga: «Te acepto tal como eres y te tendré paciencia, ve tú y haz lo mismo con otras». Gracias Dios Padre, por haber enviado a Jesús, para darnos tu toque de gentileza en un lenguaje conocido para nosotras.

Lourdes Lozano Gazga

¡Bienvenidos amigos!

Mira que estoy a la puerta y llamo. Si alguno oye mi voz y abre la puerta, entraré, y cenaré con él, y él conmigo (Apocalipsis 3: 20).

ES UNA EXPERIENCIA desagradable llegar a una iglesia y que nadie te dé la bienvenida. ¿Alguna vez te ha pasado? En una ocasión visité una iglesia desatenta; cuando entramos nadie nos saludó y mucho menos nos dieron la bienvenida; tal como entramos, salimos. ¿Qué hubiera pasado si el mismo Jesucristo visitara esa congregación? ¿Cómo se hubiera sentido? ¿Crees que regresaría? Cuando mi esposo y yo salimos del templo nos propusimos que cuando regresáramos a nuestra congregación todo visitante se llevara un apretón de manos, una sonrisa y hasta un abrazo.

A través de los años hemos tratado de cumplir nuestra promesa. No se imaginan el gozo que sentimos en nuestro corazón al decir: «¡Buenos días, bienvenidos a su iglesia!» No sé qué impacto tengan mis actitudes, pero ruego que cuando llegue al cielo me encuentre con alguien que diga: «Gracias por tu amistad y por esa calurosa bienvenida que nos diste». Hay muchos que todavía no conocen de Dios y están hambrientos de su Palabra; no imaginamos cuántas personas vienen a los pies de Jesús por medio de nuestra forma de ser o por nuestro ejemplo.

Todo el que entra por las puertas del templo viene con alguna carga o peso en su corazón y ansía encontrarse con algo o alguien que llene el vacío que tal vez haya guardado por años. Si una persona le brinda una sonrisa eso será de gran impacto para ella y la recordarán siempre. Atrevámonos a ser diferentes. Si tu congregación no es amigable con las visitas comienza tú y verás el cambio que habrá en tu vida. La amabilidad y el buen trato a los visitantes es lo menos que podemos brindar como iglesia. Debemos agradecer a Dios por todo lo que hace en nuestras vidas y por la oportunidad de servirle. En este día pidamos a Dios que nos dé el don de la amistad y digamos: «Señor, ayúdame a ser un objeto positivo ante cada persona que me observa».

Amarilis Johnson Rodríguez de Tom

La primera impresión

*La gente se fija en las apariencias, pero yo me fijo en el corazón
(1 Samuel 16: 7).*

LA PRIMERA VEZ que vi a esa dama fue en una reunión en donde estaban congregadas aproximadamente veinte mujeres dedicadas a elaborar materiales para los más necesitados. Era evidente que no había planchado la ropa que traía puesta. Además, sentí deseos de prestarle mi peine. Pronto me di cuenta que ella era la encargada del grupo. Organizaba las tareas de beneficencia para ese día.

Pocos días después tuve que ir a su casa a recoger algo y cuando llegué me invitó a pasar. Al entrar vi la casa en completo desorden y pensé: «¿Cómo podrá encontrar lo que me tiene que entregar?» Pero para mi sorpresa en pocos minutos lo encontró. Luego me mostró una linda colcha de cuadritos elaborada a mano que había colgado en la pared. ¡Qué belleza! Al salir, me mostró su jardín con diversas plantas y flores. Con toda bondad me regaló una planta. De su jardín compartía flores y frutas. Cuando veía que las plantas de tomate no crecían bien en el patio de atrás con las verduras, las cambiaba al patio de enfrente, entre las flores.

Siguieron las reuniones cada mes en la que elaborábamos colchitas, unas tejidas y otras de pedacitos de tela para los bebés que nacen prematuros en el hospital. Después de un tiempo supe que esta señora estaba en el hospital. Cuando nos avisaron que mejoraba de la operación que le realizaron, nos dio mucho gusto. Salió del hospital y siguió con sus actividades de servicio, pero después de unas semanas regresó al hospital por causa de una infección aguda. Luchó entre la vida y la muerte durante algunas semanas, pero falleció.

En su servicio fúnebre había mucha gente, ente ellos su única hija y sus dos niñas. Ella había sido miembro de la iglesia y del coro que ahora cantaba en su funeral. El testimonio y las historias que contaron sus amistades, sus compañeras de escuela y sus amigas en el curso de enfermería fueron de lo más reveladores. Hablaban de cuán bondadosa y generosa había sido. Había sido una enfermera compasiva, una amiga fiel, una cristiana leal que vivía el evangelio: siempre estaba lista para llevar alimento a un enfermo, ropa a un necesitado y proveer transportación a un incapacitado. Una persona verdaderamente extraordinaria. En realidad, ella sí tenía sus prioridades en el orden correcto. Reconocía lo más importante.

Esperanza Ayala de Benavides

Adonai-yireh

Al que puede hacer muchísimo más que todo lo que podamos imaginarnos o pedir, por el poder que obra eficazmente en nosotros (Efesios 3: 20).

NUNCA ME IMAGINÉ que yo, que nunca había salido de mi tierra, iría a vivir en un país lejano. Sin embargo, cuando acepté a Jesús, él me presentó un panorama más amplio. Me casé y salí de Japón, mi país, a otro que solamente conocía de nombre: México. Allí, el Señor me proveyó de hermanos bondadosos. Aunque no entendía el idioma, no me sentí abandonada.

Un sábado una maestra estadounidense que enseñaba español a los extranjeros se me acercó y me ofreció clases de español a cambio de que yo le enseñara japonés. Ella había sido misionera en Japón. Casi al mismo tiempo de su ofrecimiento, alguien tocó la puerta; era el profesor de mi esposo, quien me entregó un curso de español junto con sus cintas y me dijo: «Vas a estudiar el idioma con este curso». Yo no se lo había pedido, tampoco mi esposo. Me quedé asombrada y alabé el nombre de Dios.

Antes que pensara en estudiar el idioma, ya el Señor lo había pensado por mí. Poco después se mudó una pareja joven al lado de nuestro departamento. Los dos eran estudiantes y tenían un bebé. Al poco tiempo me convertí en su niñera. La esposa no solamente llegó a ser mi amiga sino también mi maestra de español y de cómo cuidar bebés. Podía practicar todo con su bebé. Luego cuidé dos bebés más. Cuando tuve mi propia hijita no tuve miedo ni preocupación. Así Dios me preparó para ser madre. Hermanas, nuestro Dios es previsor y bondadoso. Conoce todas nuestras necesidades. Dejemos de preocuparnos. Él se encargará de todo y proveerá.

Reiko de Matsumoto

¿Quién es mi prójimo?

Ama al Señor tu Dios con todo tu corazón, con todo tu ser,
con todas tus fuerzas y con toda tu mente, y:
Ama a tu prójimo como a ti mismo (S. Lucas 10: 27).

LA FE DEL CRISTIANO a menudo es puesta a prueba en circunstancias poco usuales. Y eso fue lo que nos sucedió recién casados a mi esposo y a mí cuando vivíamos en la ciudad de Múzquiz, Coahuila, México. Como la mayoría de las parejas, después de una linda boda queda uno con un presupuesto reducido. Así que al principio luchamos para lograr una estabilidad económica. Comencé a trabajar de manera eventual y eso me permitió obtener algo de dinero. Regularmente cruzaba la frontera entre México y Estados Unidos para ir a Eagle Pass, Texas, y comprar algo de despensa.

En una de esas ocasiones andaba en los pasillos de Wall Mart, sin olvidar cuánto dinero tenía en mi bolsa que era un aproximado de 100 dólares. Entonces mi esposo se acercó y me dijo que iría a los sanitarios. Cuando regresó me dijo: «Cariño, me encontré esto en el baño». Era una billetera. Me tomé la libertad de revisar a quién pertenecía y resultó que era de alguien que vivía en México y seguramente había ido de compras a Eagle Pass. En la cartera estaban todos sus documentos, incluía su dirección y teléfono. La ciudad donde él residía no era distante de donde nosotros vivíamos, así que decidimos hablarle en ese momento y darle la buena noticia de que habíamos encontrado su billetera. El dueño de la cartera no andaba seguramente con el pendiente de no sobrepasarse con los gastos porque su billetera guardaba 1,000 dólares en efectivo, además de varias tarjetas de crédito. Nunca lo habíamos visto, sin embargo, no dejaba de ser nuestro prójimo.

¡Qué gratificante fue verlo a él y a su esposa en nuestra sala y relatarles lo sucedido y nuestra decisión! Ese día experimentamos el gozo de mostrar bondad a los demás. El Señor nos exhorta a amar a nuestro prójimo como a nosotros mismos.

Raquel Coello Rivera

Manos de mujer

*Dicho esto, les mostró las manos y el costado. Al ver al Señor,
los discípulos se alegraron (S. Juan 20: 20).*

ME GUSTA IMAGINAR cómo son las manos de Jesús. Manos fuertes, seguras, amables y con cicatrices que serán como un sello eterno de su amor por cada una de nosotras. También me gusta imaginar las manos de tantas mujeres que han desfilado por la historia. Las manos de Eva, manos perfectas creadas por Dios, que tomaron la fruta que Dios le había prohibido, que sostuvieron al primer bebé en ellas y también las primeras manos de una madre que sostuvieron a un hijo muerto.

Manos de Sara, acostumbradas a prepararse para los viajes, que se llevó a la boca mientras se reía del mensaje de Dios y que después, ya arrugadas por la edad cambiaron los pañales de su hijo. Manos de la esposa de Lot, que habían peinado el cabello de dos hijas, adornadas a la usanza de Sodoma, la ciudad donde vivía, y que después se endurecieron y emblanquecieron como la sal. Manos de Rut, que crecieron adorando ídolos, que se aferraron a su suegra Noemí, manos fuertes que recogieron espigas de trigo, que arroparon al abuelo del rey David. Manos de Ana, que limpiaron incontables lágrimas de sus ojos, que se unieron en súplica a Dios y que después se agitaron para decir adiós a su hijito de tres años que se quedaba en el tabernáculo.

Manos de Ester, manos hermosas, cuidadas durante un año con óleo, mirra, perfumes y cremas. Manos valientes que no temblaban. Manos que señalaron a quien quería asesinar a su pueblo. Manos de Dorcas, lastimadas por la aguja, con cicatrices y gastadas. Manos que se quedaron sin vida, que las lavaron y las velaron. Manos que volvieron a vivir y volvieron a servir.

Manos de Ellen G. White, manos frágiles que sostuvieron una pesada Biblia durante horas y una pluma durante años para dejar al pueblo de Dios su mensaje por escrito. Manos que aliviaron a su esposo enfermo, que enterraron a dos hijos y que viajaron por varios países para esparcir la luz del evangelio. Manos de mi madre, que vi muchas veces unidas en oración. Que cuidaron a cinco niños hasta que se convirtieron en adultos profesionistas cristianos y buenos ciudadanos. Mis propias manos, que trabajan en computadoras y hacen cuentas y comparten su fe con sus compañeros de oficina. Que un día se unieron a las del hombre que se convirtió en mi esposo y que hizo del matrimonio el estado más feliz de mi existencia.

Nidia Santos Vidales

Siempre haz el bien

Voy a darte pruebas de mi bondad, y te daré a conocer
mi nombre. Y verás que tengo clemencia de quien quiero tenerla,
y soy compasivo con quien quiero serlo (Éxodo 33: 19).

ES SORPRENDENTE ver cómo el Señor nos usa de diferentes maneras para dar consuelo a tanta gente que sufre. Los que trabajamos en el área de la salud tenemos muchas oportunidades de testificar acerca del amor de Dios. Y fue allí donde el Señor me usó sin darme cuenta hasta muchos años después. Conocí a Guille, una gran compañera y amiga, madre de dos niños, un varoncito y una niñita. En un mundo tan lleno de pecado, la adversidad puede llegar en cualquier momento, y tristemente llegó al hogar de mi amiga. Una serie de estudios reveló en su pequeña la ausencia total del habla y del sentido auditivo.

Desesperada y triste buscaba cualquier oportunidad para desahogar su pena conmigo. Ella sabía que yo era adventista y eso le daba seguridad y confianza. Traté siempre de estar a su lado para darle consuelo y fortaleza; le señalaba algunas promesa bíblicas y orábamos juntas. Por razones familiares renuncié al trabajo y perdimos todo contacto.

Fue hasta hace dos años que volvimos a encontrarnos en circunstancias poco favorables para mí. Una de mis hermanas estaba internada en el hospital donde nos conocimos y, una tarde, cuando el médico nos dijo que el final se acercaba, salí del cuarto y allí me encontré con Guille. La abracé y lloré amargamente. Ella estuvo en silencio compartió sus lágrimas con las mías. Después de un rato me dijo: «No estés triste, porque el Señor sabrá recompensar tus lágrimas de la misma manera como conmigo».

Entonces me contó que su hijita se había recuperado de su discapacidad en un 90%, y había concluido una carrera profesional; además, estaba próxima a casarse. Estaba muy agradecida con Dios. Ahora era yo quien recibía el consuelo de alguien, en gratitud por la forma como ella había recibido ayuda en los momentos más tristes de su vida. Querida amiga, el Señor Jesús quiere usarte a ti también, solo colócate en sus manos y te sorprenderás.

Blanca E. Ocampo García

Compartir el evangelio

Abre, Señor, mis labios, y mi boca proclamará tu alabanza
(Salmos 51: 15).

SE ACERCABA el Día Internacional de la Mujer. La trabajadora social y la psicóloga querían hacer un mural alusivo a esta fecha, pero no sabían qué hacer. Les ofrecí mi libro devocional de la mujer, pensé que tal vez podrían encontrar algo. A la trabajadora social no le gustó la idea; la psicóloga lo tomó y empezó a hojearlo, y me pidió un ejemplar, pero como estaban agotados le obsequié el mío. Ella se comprometió a acudir a mi oficina cada mañana para compartir la lectura de ese día.

Pero llegó un momento en que ya no lo hizo. Cuando le pregunté por qué ya no iba conmigo, su respuesta fue: «No tengo tiempo de venir contigo porque ahora tengo que compartir esta lectura con mis pacientes y con las doctoras tal, tal y tal, quienes van a venir contigo para que les consigas un "librito" de estos». Unos meses después hice un pedido de treinta devocionales para el siguiente año y repartirlos entre la psicóloga y algunas doctoras. A principios de año me cambiaron de centro de trabajo; tiempo después tuve oportunidad de ver a una de las doctoras y lo primero que ella dijo fue: «No te olvides que tienes el compromiso de traernos los "libritos" el próximo año».

Nunca sabremos de qué forma podremos compartir el evangelio; pero lo que sí sabemos es que nunca debemos olvidar que nuestro compromiso es tomar cada oportunidad que se presente para darlo a conocer. Que tu oración cada mañana sea: «Abre, Señor, mis labios, y mi boca proclamará tu alabanza». ¡Cuántas almas podrás ganar con tan solo abrir tus labios y compartir un mensaje!

Addry Gómez

Segura bajo sus alas

Yo lo libraré, porque él se acoge a mí; lo protegeré, porque reconoce mi nombre (Salmos 91: 14).

RECIENTEMENTE leí un mensaje que narraba un incidente sucedido durante un incendio forestal en el Parque Nacional de Yellowstone, en California, EE. UU. El mensaje decía que los guardabosques que fueron a investigar los daños causados por el incendio encontraron algo que les llamó grandemente la atención. Petrificado entre las cenizas y posando como si fuera una estatua, en la base de un árbol, se encontró el cuerpo de un pájaro.

El guardabosque tomó una vara y le dio unos golpecitos. Para su gran asombro vio cómo salían de debajo de las alas del ave petrificada tres diminutos polluelos que nuevamente se trataron de acurrucar entre las alas de su madre ya muerta. Ante semejante escena el guardabosque quedó tan impactado que tomó una fotografía y la envió a la revista *National Geographic* para que se publicara el incidente.

Seguramente el ave condujo a sus polluelos a la base de ese árbol y los cubrió bajo sus alas para brindarles la protección instintiva que los pondría a salvo. Prefirió quedarse con ellos para protegerlos en lugar de volar para poner su vida a salvo. ¿Cómo le llamaremos a ese acto? ¿Amor? ¡Instinto? No importa el nombre que le demos a ese acto heroico, no cabe duda de que el ave prefirió morir para que aquellos polluelos que estaban bajo sus alas pudieran vivir.

¿Sabes que eso mismo hace Dios? No importan los incendios, las tormentas o las dificultades que tengamos que enfrentar en la vida, si nos acercamos a él, nos protegerá bajo sus alas de amor. Allí podremos estar siempre seguras y, cuando las tempestades o las hogueras de las pruebas hayan pasado, podremos decirle a otros lo maravilloso que fue sentirnos seguras bajo sus alas de amor. ¿Recuerdas alguna vez cuando estuviste resguardada bajo esas alas? Anda y cuéntale a otra persona lo que Dios hizo por ti.

Evelyn Omaña

La buena obra no se estanca

Por último, hermanos, consideren bien todo lo verdadero,
todo lo respetable, todo lo justo, todo lo puro, todo lo amable,
todo lo digno de admiración, en fin, todo lo que sea excelente
o merezca elogio (Filipenses 4: 8).

LAS BUENAS OBRAS no toman vacaciones, siempre siguen su curso hasta la eternidad. No importa cuál papel desempeñen en la vida, siempre hay un espacio para llevar a cabo obras de bondad. Toda obra noble siempre está en proceso de la perfección. Dios nos ayuda a progresar porque nuestras posibilidades son ilimitadas. Pero necesitamos pensar en actuar sobre todo en aquello que perfeccionará nuestro carácter.

Cuando el legendario Pablo Casals llegó a los noventa y cinco años de edad, un periodista le preguntó: «Señor Casals, con noventa y cinco años usted es el más grande violonchelista. ¿Por qué sigue practicando seis horas cada día?» A lo que el músico respondió: «Porque creo que estoy progresando». Mientras vivamos en este mundo todos nuestros sentidos tienen que estar bien dirigidos y ocupados al servicio de Dios y al del prójimo, para así superar barreras y sentirnos felices de lograr las metas que nos hemos propuesto. ¿En qué estamos ocupadas? ¿En qué empleamos la vista, los oídos, las manos? ¡Hay que mantener la mirada en la meta!

El emperador Tito, cuando durante el día no había hecho ninguna buena obra, acudía a esta frase muy popular en él: «Amigos, he perdido el día». Es penoso reflexionar al final del día sobre lo que se ha hecho y descubrir que no se compara con lo que se debía haber hecho. Querida amiga, no nos detengamos a perder las oportunidades que tenemos cada día para realizar obras que lleven el sello de la aprobación divina. No importa la edad, ¡hay que servir! Aún después de la muerte las buenas obras perduran. El límite es el cielo.

Isabel Zemleduch de Alvarado

Manifestaciones de amor

El Señor Todopoderoso está con nosotros; nuestro refugio es el Dios de Jacob (Salmos 46: 7).

UNO DE LOS DESAFÍOS que enfrenté al ser esposa de pastor es que la mayor parte del tiempo se está muy lejos de nuestra familia paterna. Y cuando los hijos están pequeños y se enferman, se experimentan sentimientos de desesperación e impotencia. Así me pasó un par de veces con dos de mis tres hijos. Estábamos en el distrito de Ciudad Valles, en San Luis Potosí, México, cuando mi niña de 9 meses se puso muy grave de sarampión, así que tuvimos que hospitalizarla de emergencia, pues en esos momentos no sabíamos qué tenía y sus síntomas eran extraños. Fueron días muy difíciles los que enfrentamos mi esposo y yo, pero comprendimos que en medio de las circunstancias adversas Dios nos abre ventanas de bendición.

Mi niña se puso grave durante la noche de un jueves y la hospitalizamos a la media noche. Para el amanecer el primer anciano de la iglesia y su esposa estaban en la clínica dándonos su apoyo y cariño. Lo que vino después fue sencillamente maravilloso. La iglesia de la ciudad se volcó en manifestaciones de amor durante el fin de semana en la clínica. Tanto así que el sábado por la tarde más del 75 % de los 125 miembros de la congregación estaban en los pasillos de la pequeña clínica.

El doctor preguntó a mi esposo: «Oiga, ¿quién es usted? ¿Quién es esta niña? ¿Cómo es que es tan querida?» Allí comprendimos que Dios estaba con nosotros por medio del cariño y amor de los hermanos. Unos siete años después, cuando mi hijito menor tenía ocho meses de nacido, se me enfermó de neumonía. Entonces vivíamos en Monterrey, Nuevo León. Estábamos a cargo de una iglesia grande. Nunca pensé que los hermanos manifestarían el mismo cariño y amor de nuestros antiguos feligreses de Valles. Pero el amor de Cristo en nuestras vidas no hace distinción de personas ni de ciudades o posiciones sociales.

Una dama se organizó para que hubiera parejas que se turnaban en el cuidado y la vigilancia para mi pequeño durante los días que estuvo internado en el hospital. Mientras tanto, ella me llevaba y traía de mi casa al hospital las veces que fueran necesarias para que yo pudiese descansar y darle pecho relajadamente a mi bebé. Dios pone los medios y las personas para que no nos sintamos solas y podamos recordar que él siempre estará a nuestro lado.

Diana Blé Fuentes

BONDAD

A una cuadra de mostrar bondad

Que su amabilidad sea evidente a todos.
El Señor está cerca (Filipenses 4: 5).

MI ABUELITA fue una persona vigorosa y con mucha fuerza, sin embargo, su salud fue afectada y ahora yace en una cama. Hace unos días fui a visitarla. Ya casi no hablaba ni se movía. Me acerqué a su cama y le dije al oído: «¡Abue, soy Edith, te quiero mucho!» Sin esperar su respuesta la tomé de las manos y le sonreí. Ella volteó a verme y dijo: «Pensé que nadie me quería». Tuve que voltear mi rostro para respirar profundo y recobrar la entereza.

Mi mente se fue al pasado y recordé cómo nos cuidó a mi hermana y a mí en la niñez. Luego, cuando éramos adolescentes, llegaba de visita justo cuando veíamos la televisión, se sentaba y nos hablaba de Dios y de lo malo que era perder el tiempo. Como no podíamos oír la televisión y a ella al mismo tiempo, terminábamos por apagarla un tanto molestas. Ya cuando estudiábamos en la universidad recorría con mucho esfuerzo la cuadra de distancia entre su casa y la nuestra para ver que estuviéramos bien. Poco a poco sus fuerzas fueron menguando y, a veces, no lograba llegar hasta mi casa, de modo que alguien piadoso la tenía que ayudar a regresar a la suya.

Ahora estaba en su cama, mirándome. Regresé a la realidad y le dije: «Todos te queremos: tienes hijos, nietos, bisnietos». Le acaricié sus manos durante un largo rato, las cuales habían hecho mucho por mí. Se las solté, pues ya me iba, y con mucho esfuerzo ella buscó desesperada de nuevo mis manos. Medité en el poco esfuerzo que yo hacía para recorrer la cuadra que nos separaba. Tenía semanas que no la veía. Mi vida se enfrascaba en tantas cosas: escuela, trabajo, amigos.

En ese momento decidí visitarla con mayor frecuencia. Regresarle un poco de lo mucho que ella dio por mí. Agradecí a Dios la oportunidad que me dio de recapacitar, pues todavía la tenía con vida. Muchas veces en nuestra vida agitada y llena de compromisos perdemos de vista el ministerio de bondad que Dios quiere que realicemos. Te animo a visitar a personas que tienen necesidades afectivas. Regálales una sonrisa y muestras de cariño.

Edith Varela Sosa

Fácil de realizar

En cambio, el fruto del Espíritu es [...] bondad [...].
No hay ley que condene estas cosas (Gálatas 5: 22-23).

IMAGINEMOS que nosotras somos plantas o árboles. Considero que si somos cristianas y no damos buenos frutos entonces, tenemos serios problemas. Incluso podríamos convertirnos en cizaña o llegar a ser como la higuera que no daba fruto. Una de las cualidades que se mencionan en los frutos del Espíritu es la bondad. No necesitamos ir muy lejos para reproducir este fruto en nuestra vida: en nuestro hogar, con nuestros vecinos, en nuestra iglesia podemos realizar actos de bondad que nos llenarán de gozo.

En un colegio adventista vino a mí una dama que vio muchas necesidades en el plantel. Se propuso ayudar y utilizó distintas estrategias. Ella es dueña de una tienda y me dijo: «De cada artículo que venda voy a apartar un peso para el colegio». Cada fin de mes me enviaba grandes cantidades de dinero. Al año siguiente me dijo: «Ahora voy a dar un porcentaje de mis ventas». Luego me comentó cómo habían aumentado sus ventas. No había ocasión que fuera al negocio y que no viera gente comprar. Creo que ella descubrió que si era bondadosa el Señor multiplicaría sus bendiciones. ¡Cuán agradecida estoy con ella porque su corazón es grande y donde ve necesidad su bondad sale a relucir! Dios le bendiga y ayude en su problema de salud. Probablemente pienses que no tienes algún negocio o dinero para ser bondadosa, pero para serlo no es necesario. Veamos algunos ejemplos bastante sencillos y fáciles de realizar de manera que ese fruto del Espíritu sea tuyo diariamente:

- Orar por los más débiles.
- Sonreír a los demás.
- Visitar a los enfermos físicos o espirituales.
- Ayudar a algún anciano.
- Colaborar con los líderes de nuestra iglesia.
- Acercarte a las instituciones cristianas y apoyar en sus necesidades.

Algunos de los sinónimos de bondad son compasión, misericordia, piedad, de manera que se extiende hasta comprender el dolor de nuestro hermano, gozarnos y llorar con él, ser misericordiosas con quienes lo requieran y ponernos en su lugar. El Señor nos ayude para que nuestra vida dé frutos que beneficien a quienes nos rodean.

Elizabeth Suárez de Aragón

Los pequeños de Dios

Les aseguro que todo lo que no hicieron por el más pequeño de mis hermanos, tampoco lo hicieron por mí (S. Mateo 25: 45).

LA BONDAD en términos prácticos es nuestra inclinación para hacer bien a otros. Dios fue movido a bondad para con nosotros y por eso no escatimó ningún esfuerzo para nuestro bien. Ahora, el tiempo es nuestro enemigo. El amor de muchos se enfría, dice la Escritura, y desaparece el deseo de ayudar y aliviar a las personas necesitadas. El amor proviene de Dios, y si nuestra relación con él anda mal no será mejor con los que nos rodean.

En la vida de Jesús vemos su servicio a favor de aquellos que lo necesitaban. Aunque no todos reconocieron su necesidad. Él estuvo allí para aquellos que reconocían sus carencias. Vivió para servir a pecadores, pobres, tristes, hambrientos, ciegos, sordos, mudos, endemoniados, enlutados, enfermos, orgullosos, desesperanzados, ignorantes de lo celestial. ¡Maravilloso ejemplo! Ejemplo que deberíamos seguir todas, pues, Jesús se gozaba al mitigar el dolor y la necesidad de sus semejantes.

La bondad de Dios nos debería motivar a ser más compasivas entre nosotras. Estemos pendiente de lo que hacemos y no sigamos enfrascadas en nuestros propios deleites y ocupaciones. Miremos más allá para no ser sorprendidas cuando el Maestro diga: «Porque tuve hambre, y ustedes no me dieron nada de comer; tuve sed, y no me dieron nada de beber» (S. Mt. 25: 42). Cada día hay alguien que necesita de ti. Hay un hijo de Dios frente a tus ojos. Puedes seguir de largo, posponer esa visita y esa palabra de ánimo, dejar para más tarde tu presencia, no creer importante esa ayuda.

Únicamente tú tienes la respuesta de cuál será hoy tu actitud hacia los demás. Hoy puedes decidir inclinarte a hacer el bien por amor a Aquel que expresó su bondad en el sacrificio de su Hijo. De tal manera que el Maestro pueda decirte: «Les aseguro que todo lo que hicieron por uno de mis hermanos, aun por el más pequeño, lo hicieron por mí» (S. Mt. 25: 40).

Lorena P. de Fernández

Solamente una carta de recomendación

Tú me cubres con el escudo de tu salvación; tu bondad me ha hecho prosperar (2 Samuel 22: 36).

NO SABÍA cómo pagaría mis estudios universitarios. «Dios proveerá de alguna manera», pensé. Había decidido no trabajar más e ir a cursar mis estudios en una universidad cristiana la carrera que había soñado. Coloqué todo en las manos de Dios. Había tenido buenas ofertas de trabajo pero ninguna quitaba de mi mente la decisión tomada. El último día para estar en mi escuela era la graduación del jardín de niños donde laboraba. Allí estaba el director de Educación de la Unión, así que aproveché para contarle mis sueños y planes, además de una carta de recomendación que necesitaba para enviar a la universidad. Él me animó y por supuesto que se comprometió a darme la carta con mucho gusto. Seguí orando para que Dios me mostrara su voluntad.

Pasaron cinco días. Esa mañana hice planes para pasar a las oficinas de la Misión y recoger mi carta de recomendación. Al entrar al edificio saludé a la secretaría, quien entusiasmada me dijo: «¿Qué crees? Te enviaron la carta y también estás en la lista de los becados con un 80% de ayuda educacional». Mis primeras palabras fueron: «¡Dios mío! Solo pedí una carta de recomendación y me enviaste más que eso». Durante varios años tuve la oportunidad de contar con esta ayuda. He trabajado fuertemente y pasé por momentos difíciles, pero es claro que Dios tiene un plan para mí, ya que ha hecho provisión, al satisfacer cada una de mis necesidades.

Estoy convencida de que la mano de Dios se ha mostrado de diferentes maneras, aun en amigos y parientes que me animan diciendo: «¡Lo vas a lograr! ¡Adelante!» Ellen G. White dice: «Dios no conduce nunca a sus hijos de otra manera que la que ellos elegirían si pudiesen ver el fin desde el principio, y discernir la gloria del propósito que están cumpliendo como colaboradores suyos» (*El Deseado de todas las gentes*, p. 197).

Raquel Córdova Pérez

Encontré a Dios

El Señor es mi pastor, nada me falta (Salmos 23: 1).

CUANDO ERA PEQUEÑA mis padres me enseñaron a conocer a Dios mediante la fe católica. Incluso fui catequista, enseñaba de lo que es la iglesia a los feligreses. Mi familia pasó por momentos muy difíciles; a pesar de su fe en el conocimiento que teníamos de Dios, no comprendía por qué teníamos que pasar por esas situaciones. Muchas veces pregunté a mi madre la razón de tantos sufrimientos, pero no recibía repuesta.

Hace tres años mis padres decidieron enviarme a estudiar a la Universidad de Montemorelos, Nuevo León. Al principio no me gustaba. La clase de Biblia me parecía muy difícil y no comprendía nada. Así que decidí tomar estudios bíblicos con unas amigas. Entonces comencé a comprender poco a poco la Palabra de Dios. Me gustaba mucho, cada día quería conocer más. Tomaba tiempo para leer la Biblia sola y empecé a hablar con Dios. Mis dudas se aclaraban y mi amor por Dios aumentó. Estaba decidida a seguir la verdad que había encontrado en este lugar.

Llegó la semana de oración y decidí bautizarme. Mis amigas y amigos no me dejaban sola, oraban conmigo y me animaban a seguir en el conocimiento de la Palabra de Dios. El 1 de abril del 2006 es una fecha que nunca podré olvidar. Decidí seguir a Cristo.

Quiero mantenerme fiel a él y a sus promesas. Ahora sé que Dios dirige la vida de sus hijos. Si mis padres no me hubieran enviado a esta universidad quizá nunca habría oído el mensaje adventista.

Alabo a Dios por permitirme conocerlo. Hoy vivo para compartir su amor con otros y deseo servirle el resto de mi vida. Ya no tengo temor porque sé que el Espíritu de Dios está conmigo y si paso «por valles tenebrosos, no temo peligro alguno porque tú estás a mi lado» (Salmo 23: 4). Esta mañana te invito a conocer más a nuestro Dios. Confía en su Palabra y deja que hable a tu corazón.

Annel G. Rosales Cavazos

En los caminos de Jesús

Reconócelo en todos tus caminos, y él allanará tus sendas (Proverbios 3: 6).

ES SORPRENDENTE ver cómo nuestro Dios dirige nuestras vidas y, más cuando humanamente creemos haber perdido algo, él lo transforma para que podamos ser instrumentos útiles en el servicio. Sucedió aproximadamente hace diecinueve años. Trabajaba en la Ciudad de México como enfermera, con un buen puesto al lado de mi esposo y nuestra primera hija. Fue la voluntad de Dios que mi esposo continuara sus estudios de Teología en la Universidad de Montemorelos, y después de recibir una beca nos trasladamos a dicho lugar donde estuvimos dos años.

Al terminar nos enviaron al Estado de Morelos. Todo marchaba bien, había podido conservar mi trabajo y las actividades de la iglesia; lo difícil fue cuando tuvimos que ir a Poza Rica, Veracruz. Ahora era difícil conservar el trabajo. No había alternativas. Así que después de considerarlo tuve que renunciar con 17 años de antigüedad; fue difícil, pero era mi trabajo o el ministerio. Decidí por el ministerio. Me consolaba la confianza en que Dios me ayudaría a superarlo y que él satisfaría mis necesidades y no me abandonaría.

Más adelante comprendí el propósito divino. Mi madre fue intervenida quirúrgicamente imposibilitándole la ambulación, de manera que requirió cuidados especiales durante más de cinco años. Ahora estaba en condiciones de estar con ella en los momentos cuando más lo necesitaba. Hoy ella descansa en el Señor. «La senda puede ser empinada y escabrosa, pero Jesús ha recorrido ese camino; sus pies han pisado las crueles espinas, para hacernos más fácil el camino. Él mismo ha soportado todas las cargas que nosotros estamos llamados a soportar» (*El Deseado de todas las gentes*, p. 446). Amiga, cuántas veces la pregunta es: ¿Por qué, Señor? En mi experiencia puedo decirte que él sabe lo que es mejor para nosotras, y en su debido tiempo nos lo hará saber. Espero que tú como yo puedas gozarte al permitir que Dios te muestre sus caminos.

Blanca Elvia Ocampo García

345

Atentas a la necesidad

Pon la mirada en lo que tienes delante; fija la vista en lo que está frente a ti (Proverbios 4: 25).

SIN GENEROSIDAD no hay vida. Pero hay obstáculos que entorpecen el flujo. Se dice que la verdadera generosidad no espera nada a cambio. Pero si el dar no te reporta algún beneficio personal pareciera como restar o perder. Si dedicamos tiempo y atención a otra persona, quizá se desaproveche la oportunidad de realizar cosas importantes para uno mismo. Pero el auténtico beneficio de la generosidad para quien la ofrece no es una ganancia material. El mayor beneficio es el cambio que se produce en el interior.

Resulta paradójico: cuantos más bienes tenemos, más miedo nos da perderlos. El sentido de propiedad nos vuelve quisquillosas y egoístas, nos aferramos a lo material.

Otra barrera que impide que circule la generosidad es que estamos identificadas con nuestras necesidades individuales. Necesitamos una visión más amplia e identificarnos con el sufrimiento de los demás. La actitud generosa ayuda a enfrentar temores y redefinir nuestros límites.

No es lo mismo dar algo muy apreciado que una cosa que carece de valor para nosotras. Se puede ser generosa con intereses materiales y con actitudes. Por ejemplo, prestar atención, dar tiempo y compartir son importantes formas de bondad. A veces lo único que la gente necesita es ser escuchada con interés. Hay gran compasión en mirar a los ojos y mostrarnos interesadas en sus palabras.

Hay que recordar que no toda la generosidad es provechosa. En ocasiones, aunque la intención es buena, se da algo inadecuado o fuera de lugar. Por eso la generosidad debe basarse en el conocimiento atento y profundamente respetuoso de los demás. Es importante dar valor a lo que aportamos y a lo que recibimos con humildad, sin buscar interés secundario ni otorgarse excesiva importancia.

Blanca Dalila R. de Góngora

Hermosa oportunidad

Él restaura a los abatidos y cubre con vendas sus heridas
(Salmos 147: 3).

AHÍ ESTABA FRENTE A MÍ. Una mujer cuya enfermedad la había convertido en un guiñapo humano. Era mi compañera en la habitación de un hospital. Me dolía ver cómo se consumía cada día; no podía hablar ni comer, apenas balbuceaba, ya no tenía fuerzas para hacerlo. Su familia sufría en silencio. Un día mientras trataba de encontrar paz y confianza en mi Biblia, no pude evitar dirigir mi mirada hacía donde yacía Olga, así la llamaré por respeto a su memoria.

De pronto escuché una voz que me decía: «Ve, comparte mis promesas con Olga». Dudé por un momento. Pensé que tal vez me rechazaría, pero con la ayuda de mi Señor me acerqué, le hablé al oído y le dije: «¿Quieres escuchar un cantito?» Sé que no tengo este hermoso don, pero el Señor sabía la necesidad de Olga. Entoné el canto *No me siento sola.* Ella puso mucha atención; después compartí algunos versículos de la Biblia. De ahí en adelante me hacía señas, para que me acercara, entonces balbuceaba: «Sola, sola», pidiéndome que le cantara.

Me olvidé de mí misma, de mis temores por la inminente intervención quirúrgica a la que iba a ser sometida, y concentré mi atención en los enfermos, oré con ellos, animándolos y dándoles palabras de aliento. Eso cambió mi vida. ¡Cuántas veces perdemos oportunidades de mostrar amor y simpatía a nuestros semejantes! Hay muchos que no saben que existe un Dios que todo lo puede, que los ama y a veces nos quedamos calladas. No seamos renuentes a la voz del Espíritu Santo y pidamos al Señor que nos utilice para aliviar las cargas de los demás, cualesquiera que sean las circunstancias.

El día que me llevaban en la camilla, camino al quirófano, en ese preciso momento Olga murió con la bendita esperanza en su corazón. Aprovechemos todas las oportunidades que el Señor nos brinde para compartir su Palabra. Hay muchos que como Olga esperan que les hablemos de Jesús. Los ángeles quisieran hacerlo, pero el Señor confió al ser humano esta obra. Que nuestra oración sea: «Heme aquí, envíame a mí».

María Félix Sánchez Bárcenas

Curando las heridas

Pero de una cosa estoy seguro: he de ver la bondad del Señor
en esta tierra de los vivientes (Salmos 27: 13).

LA BONDAD y la compasión son virtudes que todo hijo de Dios debería practicar. Dios nos da muchas oportunidades para demostrar su amor mediante actos de bondad. Esta historia sucedió hace varios años en la sierra Huichola, al occidente de México. Nunca supimos el nombre de la jovencita de quien les contaré, pero las enfermeras del Hospital Adventista la llamaron Juanita.

Los padres de Juanita eran muy pobres y tenían que cocinar con leña en el suelo. Un día cuando Juanita tenía 18 años, al pasar cerca del fuego, repentinamente cayó provocándose serias quemaduras en todo el cuerpo. Sus padres no tenían los recursos para llevarla a algún dispensario, así que la dejaron en casa, pero al ver que sus quemaduras estaban infectadas y al no saber qué hacer, la dejaron debajo de un árbol para que muriera. Una de sus hermanitas le llevaba diariamente algo de comida para aliviar un poco su agonía. Un día el pastor Pedro Rascón visitaba el lugar y la encontró con su carne llena de gusanos sobre un cuero de vaca y tuvo compasión de ella. Inmediatamente habló con el papá de la muchachita y ofreció llevarla a un hospital donde podrían ayudarla. El padre le dijo que la podía llevar a cambio de un rollo de alambre para hacer una cerca. Inmediatamente el pastor Rascón llamó a su amigo, Guillermo Baxter, quien era pastor, piloto y volaba en su avioneta por las montañas de norte de México. Rápidamente consiguieron lo que el padre solicitaba a cambio de la niña y la trasladaron al Hospital Adventista de Montemorelos. Las enfermeras y médicos se conmovieron con esa jovencita y sabían que no podían recibir de parte de ella ningún tipo de favor, pero hicieron todo cuanto estaba de su parte para sanar sus heridas. Las enfermeras la cuidaron con amor y esmero; no solamente curaban sus heridas físicas, también sus heridas del alma.

Le enseñaron con acciones que hay un Padre que nunca la abandonaría ni la cambiaría por nada del mundo, que estuvo dispuesto a dar su vida por ella. Las heridas de Juanita sanaron, pero sus riñones no soportaron la enfermedad y finalmente murió. Aunque no podía hablar, aprendió a orar y las enfermeras y médicos que con tanto amor cuidaron de ella tienen la seguridad de que muy pronto, cuando Cristo venga, Juanita se levantará con un cuerpo transformado y unos riñones sanos, para recibir a quien dio todo por ella.

Sandra Díaz Rayos

Mi abuelita adoptada

Dichoso el que piensa en el débil; el Señor lo librará en el día de la desgracia (Salmos 41: 1).

ERA SÁBADO por la tarde y nos dirigíamos a un asilo al que meses antes habíamos ido para cumplir un requisito de servicio a la comunidad de la escuela. Allí había conocido a una ancianita muy bella y de baja estatura. Me había encariñado mucho con ella, pero cuando terminamos con las visitas requeridas para cumplir el requisito dejé de ir, pues las diversas ocupaciones y actividades no me lo permitieron.

Posteriormente regresamos al asilo. Al llegar empezamos a cantar. Mi vista recorrió la sala en busca de mi «abuelita adoptada», pero ya no estaba. Sentí un nudo en la garganta. ¿Me había tardado mucho en regresar? No quería preguntar por ella por miedo a recibir una respuesta que me dolería mucho. En eso mi profesor me dijo: «Ve a ver si no hay más ancianitos en las habitaciones y tráelos para que nos acompañen». En el pasillo me encontré a una de las encargadas y me dijo: «Creo que son todos, ya no hay más ancianitos».

Mi corazón sintió pesar y mis ojos se llenaron de lágrimas cuando, de repente, a paso lento, vi que venía en el pasillo una pequeña silueta. Casi corrí a su encuentro: ¡Era mi abuelita postiza! Creo que hasta la asusté de tan fuerte que la abracé. Platicamos largo rato y me contó que su familia no iba a verla desde hacía varios años; un velo de tristeza se dibujó en su rostro. Además me platicó que se le había perdido de su cajoncito uno de sus dos suéteres que tenía y ahora estaba preocupada pues ya venía el invierno y no sabía cómo lo iba a pasar. Yo la escuchaba mientras ella tomaba mi mano.

En mi mente no cabía cómo después de vivir para los suyos había terminado olvidada, sin que nadie la visitara, preocupada por la falta de un suéter para protegerse del frío invierno. En este mundo hay muchas personas que sufren, otras que se sienten solas, otras más que pasan frío y hambre. ¿Estás dispuesta a dedicar un poco de tu tiempo y a dar de tus recursos para aliviar las cargas de otros? «Dichoso el que piensa en el débil; el Señor lo librará en el día de la desgracia».

Edith Varela Sosa

Compasión por los que sufren

Vengan a mí todos ustedes que están cansados y agobiados,
y yo les daré descanso (S. Mateo 11: 28).

CRISTO identifica su interés con el de la doliente humanidad. Condenó a su propia nación por su equivocado comportamiento con sus prójimos. El descuido o el abuso de los más débiles, de los creyentes más descarriados, Jesús los menciona como hechos a sí mismo. Los favores prodigados a ellos, los considera como conferidos a sí mismo. No nos ha dejado en tinieblas respecto a nuestro deber, sino a menudo repite las mismas lecciones mediante diferentes ilustraciones y bajo diversos aspectos. Lleva a los actores adelante hasta el último gran día y declara que el trato dado al más pequeño de sus hermanos es alabado o condenado como si hubiera sido hecho a él mismo. Dice: «A mí lo hicisteis» o «ni a mí lo hicisteis».

Él es nuestro sustituto y garantía. Él se pone en lugar de la humanidad, de modo que él mismo es afectado en la medida en que el más débil de sus seguidores es afectado. Tal es la compasión de Cristo que nunca se permite a sí mismo ser un espectador indiferente de cualquier sufrimiento ocasionado a sus hijos. Ni la más leve herida puede ser hecha de palabra, intención o hecho que no toque el corazón de aquel que dio su vida por la humanidad caída. Recordemos que Cristo es el gran corazón del cual fluye la sangre de vida hacia cada órgano del cuerpo. Él es la cabeza, desde la cual se extiende cada nervio hacia el más diminuto y más remoto miembro del cuerpo. Cuando sufre un miembro de este cuerpo, con el cual Cristo está tan misericordiosamente conectado, la vibración del dolor es sentida por nuestro Salvador.

¿Despertará la iglesia? ¿Sus miembros alcanzarán la simpatía de Cristo, de manera que tengan su misma compasión hacia las ovejas y corderos de su redil? Por ellos la Majestad del cielo se humilló a sí misma; por ellos, él vino a un mundo agostado y estropeado con la maldición; se esforzó día y noche para enseñar, para elevar y dar eterno gozo a los ingratos y los desobedientes. Por ellos él se hizo pobre, para que por medio de su pobreza ellos fueran hechos ricos. Por ellos se negó a sí mismo; por ellos soportó la privación, el escarnio, el desprecio, el sufrimiento y la muerte. Por ellos él tomó la forma de un siervo. Este es nuestro modelo, ¿lo imitaremos? ¿Tendremos cuidado por la heredad de Dios? ¿Fomentaremos una tierna compasión por los que yerran, los tentados y los probados? (*El ministerio de la bondad*, pp. 26 y 27).

Ellen G. White

Cómo ser bella

Si quieres tener una figura esbelta, comparte tu comida
con el hambriento.
Para tener labios atractivos, habla con palabras amables.
Para lucir ojos adorables, busca lo bueno en las personas.
Para tener un cabello hermoso, deja que un niño pase sus dedos
por tus cabellos una vez al día.
Para mejorar el porte, camina pensando que nunca lo haces sola.
Las personas, más que las cosas o los músculos, deben ser afirmadas,
renovadas, revitalizadas, reclamadas y redimidas.
No pases por encima de otro. Cuando necesites una mano que te
ayude la encontrarás al final de tu brazo. A medida que envejezcas,
descubrirás que tienes dos manos: una para ayudarte
y la otra para ayudar a los demás.
La belleza de toda mujer no se encuentra en la ropa que usa, en su
figura, o en su corte de cabello. Debe verse en el interior de sus ojos,
porque esta es la puerta del corazón, el lugar donde habita el amor.
La belleza de una mujer no está en su rostro, se refleja en su alma.
En el cuidado que brinda amorosamente, que se expresa en todo
lo que hace, y en la pasión que muestra y con la que se entrega.
La «vela» de una mujer crece y se perfecciona al pasar los años.
Aprendamos a comprender dónde está el verdadero secreto
de su belleza.

Audrey Hepburn

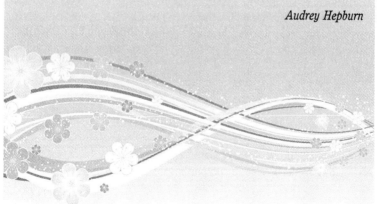

GRATITUD

Aprendamos a agradecer

Así que nosotros, que estamos recibiendo un reino inconmovible, seamos agradecidos. Inspirados por esta gratitud, adoremos a Dios como a él le agrada, con temor reverente (Hebreos 12: 28).

UNA AMIGA que aprecio mucho me comentó sobre una historia que leyó en una revista. Se trataba del rescate de una ballena hembra que fue estrangulada por las cuerdas de una red para atrapar cangrejos. El inmenso animal casi no podía moverse, y a duras penas lograba mantenerse a flote ya que las cuerdas le tenían todo el cuerpo aprisionado. Como si eso fuera poco, alrededor de su cola, el torso y la boca tenía cientos de hilos enredados que empeoraban su situación.

Un pescador que se encontraba en las inmediaciones del lugar alcanzó a verla y de inmediato se comunicó con un grupo de ambientalistas para pedirles que hicieran algo para ayudar al pobre animal. En pocas horas llegó al lugar de los acontecimientos un equipo de rescate para ayudar. Después de hacer un análisis cauteloso de la situación, llegaron a la conclusión de que era menester que una persona nadara hasta el lugar donde estaba la ballena y, con mucho cuidado, cortara las cuerdas que la tenían enredada.

La tarea, aunque parecía sencilla, en realidad no lo era, pues había el peligro de que con tan solo un aletazo del animal el rescatador muriera. Sin pensarlo dos veces uno de los rescatistas se ofreció para realizar la tarea. Bajó hasta el lugar donde estaba la ballena estancada y, poco a poco, cortó cada una de las cuerdas. Otro de los rescatistas hizo lo mismo pero con las cuerdas que estaban en la región de la cabeza y la boca.

Cuando el cetáceo estuvo liberado comenzó a nadar en forma circular alrededor de los rescatistas; produjo unos movimientos que podían identificarse como una forma de agradecer. El hombre que tuvo a su cargo el corte de las cuerdas que estaban alrededor de la boca informó al periódico local que, mientras cortaba las cuerdas, la ballena lo miraba de una forma tal que nunca olvidará: «Era como si con los ojos me hubiera querido decir: "Muchas gracias"».

Al meditar en esta hermosa historia pensé lo bueno que sería si desarrolláramos la práctica de agradecerle a todas aquellas personas que alguna vez en la vida han hecho algo bueno por nosotros.

Evelyn Omaña

El Dios que protege

¡Ofrece a Dios tu gratitud, cumple tus promesas al Altísimo!
(Salmos 50: 14).

HACE VARIOS AÑOS mi esposo y yo servimos a Dios en Tamazunchale, San Luis Potosí, México. Un fin de semana él se fue a atender a otras congregaciones en la sierra de Hilitla; como no teníamos automóvil, se nos dificultaba trasladarnos, así que vería a mi esposo hasta el lunes siguiente. Ese sábado fui a la iglesia junto con mi hijo de un año. Ese día oramos mucho, más de lo acostumbrado, en especial para que Dios cuidara a mi esposo y lo regresara con bien.

A la mañana siguiente me despertó el ruido del portón que se abría y vi cómo mi esposo entraba tambaleante, pálido y asustado. La noche del sábado había comenzado a sentir un dolor muy fuerte y punzante en la parte baja de la espalda, no podía moverse. El hospital más cercano estaba a cuatro horas en automóvil y no había manera de transportarse. Gracias a Dios, un hermano que vivía en el pueblo subió y lo llevó al hospital, y pagó los gastos médicos de mi esposo. Alabo al Señor porque libró a mi amado esposo de esta aflicción y pudo viajar ese mismo día a Montemorelos para celebrar una ceremonia bautismal.

Querida amiga, el Señor nos recuerda que su Ángel acampa cerca de nuestros hogares. Cristo nuestro Salvador jamás nos abandonará en la hora crítica, él nos pretejerá bajo sus alas y nos guiará hacia un lugar seguro. Quizás no todos nuestros días sean claros y gozosos pero no nos angustiemos por ello, oremos y meditemos en su Palabra cada día. Agradezcamos a Dios por sus maravillas. Entonces veremos claramente cómo su misericordia se realiza en nuestras vidas.

Rocío Díaz de Arévalo

GRATITUD

¿Dónde se hallará la sabiduría?

Pero ¿dónde se halla la sabiduría? [...] «Aquí no está»,
dice el océano; «aquí tampoco», responde el mar (Job 28: 12-14).

EL SER HUMANO tiene el deseo de desarrollarse como persona y de trascender. Lo que realizamos en la vida se genera a partir del pensamiento; luego se traduce en comportamiento, sentimientos y actitudes. Se cuenta que cierta vez el viento formó una pequeña ola. Una vez formada, la ola miró a su alrededor y vio otras, enormes y majestuosas, que se arrastraban por la arena hasta alcanzar las raíces de las palmeras.

—¡Oh, qué desgraciada soy! —se dijo la ola pequeña—. Yo apenas llegaré hasta la orilla.

Luego vio otras olas que rompían contra las rocas en un magnífico estallido de agua y espuma.

—¡Oh, qué insignificante soy! —insistió la ola—. Yo apenas salpicaré algunas gotas.

En eso estaba cuando una ola pasó a su lado y, al escuchar sus lamentos, le dijo:

—Tu problema es que no has visto todavía tu «verdadera naturaleza». No sabes lo que eres y por eso piensas que sufres.

—¿No soy acaso una ola? —preguntó la pequeña ola—. Entonces, ¿qué soy?

—La ola es solo tu forma temporal, pero en realidad eres agua.

—¿Agua?

—Así es, eres agua. Eres parte del inmenso mar al que no puedes medir. Cuando descubras que tu esencia es agua, entonces comprenderás lo que es ser una ola y tu sufrimiento desaparecerá.

Todo lo que realizamos en la vida se inicia con una imagen mental. El poder del pensamiento es tan fuerte que el organismo se adapta a los estados internos que mantenemos. ¿Por qué compararse cuando tú sabes que eres única a los ojos de Dios? ¿Por qué pensar que eres insignificante cuando tú decides cómo quieres ser? Recuerda que la felicidad, la belleza y el bienestar no están en las cosas, sino en los ojos de quien las mira. Cristo dio su vida por ti porque tiene una gran estima por tu persona.

Blanca Dalila Ramírez de Góngora

Un pacto con Dios

Quien me ofrece su gratitud, me honra; al que enmiende su conducta le mostraré mi salvación (Salmos 50: 23).

EN EL MES DE JULIO del año 2005 hubo una serie de temas bíblicos sobre mayordomía en la iglesia a la que asistíamos mi esposo y yo. El pastor nos habló de la importancia de la fidelidad no solamente en los diezmos sino en las ofrendas hacia nuestro Dios. Aunque siempre habíamos sido fieles en los diezmos no había en nosotros un compromiso igual con las ofrendas.

En su último sermón el pastor lanzó un reto: devolver al Señor una cantidad igual a la del diezmo como ofrenda. Mi esposo y yo aceptamos. ¿Cómo no confiar en Dios después de que habíamos recibido tantas bendiciones? Este pacto con él tenía un solo lado ganador: nosotros. Finalmente Dios no necesita nuestro dinero y nosotros sí necesitamos de él.

Empezamos el mismo mes de julio. Sin embargo, al siguiente mes a mi esposo lo liquidaron después de diez años de trabajar. De un día para otro lo único seguro que teníamos era la liquidación de mi esposo; aunque no teníamos deudas sí había muchos gastos.

Yo me preguntaba si debíamos cumplir con el pacto que habíamos hecho. Un día, mientras estudiaba con mi esposo la lección de Escuela Sabática, le pregunté qué decisión tomar. Él también lo había pensado y llegamos a la misma conclusión: habíamos hecho un pacto con Dios y debíamos cumplir.

Terminamos de estudiar y de orar, ya más tranquilos por la decisión que habíamos tomado. Pasaron cinco minutos cuando sonó el teléfono. Era una empleada de la empresa para avisarle que se había tomado la decisión de pagarle a mi esposo los tres meses de renta que le quedaban al contrato. Esta cantidad de dinero equivalía a más de la mitad de la ofrenda que habíamos decidido dar. ¡Dios nos había regresado la ofrenda aun antes de habérsela dado! Pero eso no es todo.

En los once meses que mi esposo no tuvo trabajo recibió dinero de parte de la empresa que lo liquidó. Nunca nos faltó nada. Incluso nuestros ahorros que teníamos para comprar una casa no se vieron afectados. Dios confirmó nuestro pacto y derramó bendiciones. Amiga, te invito a que inviertas y pruebes a nuestro Señor. Ten la seguridad de que en tu casa se abrirán las ventanas de los cielos.

Silvia Castillo de Hinojosa

Un corazón agradecido

Dando siempre gracias a Dios el Padre por todo, en el nombre de nuestro Señor Jesucristo (Efesios 5: 20).

ERA VIERNES, un día lleno de actividades y de preparativos para recibir el día del Señor. El tiempo no alcanza cuando hay muchas cosas que hacer, pero era momento de dejar todo y dedicar momentos de alabanza a Dios, rendirle nuestra gratitud por la semana, por sus cuidados. Mi esposo estaba de viaje, en una campaña de evangelismo en Coatzacoalcos, Veracruz, México. Así que mis hijas y yo nos disponíamos a recibir el día sábado. Cantamos tres himnos, leímos dos capítulos de la Biblia, pero mi hija mayor no se integraba al servicio de adoración porque se estaba bañando.

Pasó mucho tiempo y entonces nos empezamos a preocupar. Una de mis hijas fue a ver qué pasaba y la encontró sentada con la cabeza inclinada. Casi no tenía pulso. De inmediato pedimos auxilio a los vecinos. Mi hija había respirado dióxido de carbono, pues el calentador de agua estaba dentro del baño. Yo estaba muy angustiada, pensaba que mi hija no se salvaría. Entonces clamé a Dios, le pedí que la salvara y le diera una oportunidad de vida.

Pronto me brindaron ayuda y se llevaron a la niña al Sanatorio Adventista de la Ciudad de México. Cuatro médicos la esperaban. De inmediato empezaron a hacerle estudios del cerebro, le pusieron oxígeno y le practicaron otros análisis. Pasaron varios minutos y mi hija no volvía en sí. La preocupación se reflejaba en el rostro de los médicos y en mi corazón rogaba al Señor para que tuviera misericordia de mi niña. Algunos pastores se enteraron del problema y llegaron para orar y animar mi corazón. Gracias a Dios, después de casi 40 minutos, la niña reaccionó favorablemente.

Ahora el temor estaba en las probables consecuencias que sufriría, sin embargo, los años han pasado y ella está en perfectas condiciones. Eso alegra mi corazón, viviré siempre agradecida con mi Padre celestial. Dios ha dicho que a la que pide con fe se le dará lo que pida. En momentos difíciles clama a Dios. Te responderá porque así lo ha prometido. Y cuando esto suceda agradece con todo tu corazón.

Araceli de Quetz

Gracias a Dios

*Quiero alabarte, Señor, con todo el corazón, y contar todas
tus maravillas. Quiero alegrarme y regocijarme en ti,
y cantar salmos a tu nombre, oh Altísimo (Salmos 9: 1-2).*

A NUESTRO ALREDEDOR hay tanto por lo cual darle gracias a Dios que a veces no prestamos atención a todo lo que él hace por nosotras. Por situaciones ajenas a mi voluntad, estuve desempleada durante casi un año. A pesar de mi difícil situación, no perdí la fe; además, por primera vez en mi vida pude disfrutar a mis hijos en las vacaciones de primavera, llevarlos y recogerlos de la escuela y, en especial, gozarme de la presencia de ellos un verano completo.

Cuando regresaron a la escuela mi vida cambió. Llamé a una amiga que todavía trabajaba en una clínica donde hace años estuve empleada y me dijo que buscaban una asistente médico, así que me volvieron a emplear. Pronto regresé a trabajar e integrarme en mi nuevo ambiente laboral. La hija del médico al que asisto estaba embarazada y vivía en Italia junto con su esposo. Pero sufrió un accidente automovilístico donde se fracturó la pierna y, según los especialistas, no quedaría bien. Pronto me di cuenta de que su padre sufría mucho a la distancia y necesitaba apoyo espiritual. Junto con algunos amigos formamos un coro llamado Grupo Consagración y tenemos la costumbre de orar por pedidos especiales antes de practicar. Así que pusimos a esa joven en oración. Cada semana comentaba a su padre que orábamos por su hija.

Después de unos meses la pierna afectada sanó y hoy puede caminar sin ningún problema. Su padre está agradecido a Dios por la sanidad de su hija, al igual yo porque una vez más vi la mano de Dios. Él siempre tiene un plan para cada una de sus hijas. Cuando acepté regresar a esa clínica no sabía por qué Dios estaba permitiendo que volviera. Hoy reconozco que él tiene un plan para mí y de igual manera lo tiene para ti.

Amarilis Johnson Rodríguez de Tom

GRATITUD

Gracias por ser mujer

Y Dios creó al ser humano a su imagen; lo creó a imagen de Dios.
Hombre y mujer los creó (Génesis 1: 27).

SEGURAMENTE en más de una ocasión has recibido respuestas de Dios a tus peticiones. Por supuesto, eso merece palabras de gratitud de nuestra parte. También al contemplar la creación divina nos llenamos de emoción ante la grandeza del Dios del universo. ¡Qué maravilla y qué perfección! Hace algún tiempo visité un lugar paradisíaco donde contemplé emocionada la hermosa creación de nuestro Dios. El arco iris, el paisaje arbolado, los peces de colores y las rebosantes flores.

¡Quedé maravillada al ver orquídeas con más de diez colores combinados! Todo lo que hay en el cielo, la tierra y debajo de ella habla de un Creador poderoso y omnisapiente. ¿Pero alguna vez has agradecido a Dios porque te creó y te dio la vida? Para ser sincera, yo nunca lo había hecho y es que siempre pensé que era una persona más en este mundo, alguien sin relevancia. Pero conforme han pasado los años me he dado cuenta que el amor del Señor hacia mí se ha manifestado de múltiples formas. ¡Qué gran privilegio ser a su imagen y semejanza! Cada una de nosotras es especial para Dios.

Si el pecado nos ha degradado y ha dejado cicatrices en nuestro cuerpo, aún así vivamos felices, esperando con fe que un día seremos transformadas, que nuestros cuerpos corruptibles serán sustituidos por incorruptibles y lo mortal será vestido de inmortalidad. El apóstol Pablo nos dice que seremos transformadas en un abrir y cerrar de ojos (1 Ts. 4: 16 y 17). ¡Qué gran esperanza! Agradece hoy al Señor porque te formó de una manera especial, para que su nombre sea glorificado en tu vida. Recuerda que eres valiosa ante sus ojos.

Mabel Aguirre de Twahirwa

Dios habla por medio de los hijos

Por mi parte, mi familia y yo serviremos al Señor (Josué 24: 15).

RECUERDO que cuando mi padre recibió el evangelio yo era muy joven. Pero lo asombroso fue la forma como llegó a conocerlo. Una noche, mientras él dormía, tuvo un sueño donde aparecía una persona llevándole una invitación con una dirección específica. Al día siguiente, cuando se levantó, buscó la dirección que se le había mostrado en el sueño y encontró que se trataba de un templo adventista en donde por esos días se llevaba a cabo un ciclo de conferencias bíblicas. Sintió que el sueño era un llamado de Dios, se entregó a él, dedicó su vida y sus recursos a su servicio.

Pasaron los años y yo contraje matrimonio con un general del ejército mexicano, por algún tiempo me alejé de la iglesia. Debido al trabajo de mi esposo entré en contacto con las más altas esferas del ejército y del gobierno, un ambiente muy diferente a donde yo había crecido. Sin embargo, no podía olvidar las enseñanzas del hogar y el ejemplo que mi padre nos había dado. Cuando nacieron mis dos hijos traté de enseñarles en casa lo que mi padre me había inculcado.

Mis hijos crecieron y pronto llegaron a la adolescencia. Entonces se presentó la oportunidad de que una persona viniera a casa y les diera estudios bíblicos, por supuesto, sin que su padre lo supiera porque él se oponía a todo tipo de religión. Gracias a Dios a mis hijos les gustó seguir el camino del Señor y así fue como decidieron ir a la iglesia y bautizarse. Pero no solamente Dios llamaba a mis hijos, sino que también a mí, y después de un corto tiempo también yo acepté ser bautizada.

Debido a su formación militar, mi esposo deseaba que sus hijos estudiaran en colegios seculares y llegaran a ocupar importantes responsabilidades en la sociedad mexicana. Pero se sorprendió mucho cuando supo que el hijo mayor quería irse a la Universidad de Montemorelos para estudiar en el seminario teológico adventista. Sí, mi hijo sería un pastor; su padre, un general del ejército mexicano. Mi esposo no daba crédito a lo que pasaba.

Querida amiga, en este día te animo a ser fiel en todo momento. Si tienes el privilegio de tener hijos, condúcelos por el buen camino. A veces son ellos el medio para que Dios nos hable y nos invite a seguirle. Goza siempre la paz y bendición que solamente Dios puede brindarte.

Victoria Gómez Valencia

Una entre miles

Surgirán de ellos cánticos de gratitud, y gritos de alegría.
Multiplicaré su descendencia, y no disminuirá; los honraré,
y no serán menospreciados (Jeremías 30: 19).

SOBRE LA MESA había una canasta de manzanas rojas, jugosas y de muy buen aspecto. Junto a ellas estaba una nota que decía: «Toma solamente una, recuerda que Dios te observa». En el otro extremo de la mesa había una caja con chocolates finos y deliciosos. De pronto un niño pasó cerca de la mesa y observó las manzanas con la nota. Al acercarse a los chocolates, el niño escribió una nota y la puso cerca de los chocolates y decía: «Toma todos los chocolates que quieras, al fin que Dios está mirando las manzanas».

¿Qué te hace pensar esta historia? Tal vez en más de una ocasión has dudado de la omnipresencia de Dios y su gran poder, o te desanima la oración que hiciste con tanto fervor y no recibiste la respuesta que esperabas. Y qué decir del niño en la calle que suplica por una moneda para saciar su hambre, las cárceles llenas de injusticias, los hospitales con olor a muerte y dolor. ¿Sabes? Todo eso tiene un porqué y un para qué.

Una razón es para que valoremos lo que Dios nos da. Él es todo amor, le preocupa cada detalle por pequeño que parezca: tus lágrimas, alegrías, pruebas, aflicciones.

Tu devoción personal marcará la diferencia de tu relación con Dios. Búscalo, dile tu sentir, haz de él tu mejor amigo, acepta el plan que tiene para tu vida. Así aprenderemos a confiar y a depender completamente de él. Si no, su plan de redención será en vano en nuestra vida. Busquémoslo mientras puede ser hallado.

Gracias, Señor, por escucharme y entenderme cuando todos se van. Gracias por tomarme de la mano cuando todos me abandonan. Gracias Señor, por darme un valor inmerecido aun cuando siento que no valgo. Gracias Señor, por tu insaciable amor. Ayúdame a seguir adelante, servirte y honrarte como verdaderamente tú lo mereces.

Mireya Olave de Murrieta

10 diciembre

GRATITUD

Dios nos libró

El faraón iba acercándose. Cuando los israelitas se fijaron y vieron a los egipcios pisándoles los talones, sintieron mucho miedo y clamaron al Señor (Éxodo 14: 10).

¿CÓMO ACTÚAS tú cuando tienes que enfrentar el desempleo, la quiebra de un negocio, conflictos conyugales, la rebeldía de tus hijos o una enfermedad? En algún momento, todas estamos expuestas a cualquier tipo de situaciones difíciles. Y es que los problemas duelen más cuando son repentinos. Lo anterior afecta especialmente a las mujeres cristianas, debido a que a veces creemos que, por el hecho de confiar en Dios, estamos exentas de que nos sucedan algunas desgracias.

A veces parece que, como en la época del pueblo de Israel, el enemigo nos pisa los talones y no sabemos qué hacer. Los israelitas estaban acorralados: frente a ellos estaba el mar, a los costados el desierto y detrás venía el ejército más poderoso del mundo. Los egipcios estaban felices y dispuestos a dar a los hebreos un escarmiento ejemplar. Entonces el pueblo clamó al cielo, pidió auxilio y sucedió algo increíble: el mar se abrió y el pueblo de Dios pudo cruzar al otro lado ante el asombro de chicos y grandes. El faraón y su ejército pretendieron seguir la misma ruta que el pueblo de Israel pero entonces el mar retomó su cauce, y Dios desbarató los carros de a caballo y acabó con la tropa mejor pertrechada del momento.

Nuestras quejas y murmuraciones en medio de las pruebas representan falta de fe. Deja de mirar al mundo, a tu antigua esclavitud, no digas: «Nos iba mejor en el mundo, siendo esclavos». Eso no es verdad. Ahora eres libre. Vas rumbo a la tierra prometida. Cualquier problema que tengas hoy no se compara con las dificultades que tenías antes de aceptar la esperanza cristiana. Mejor agradece al Señor por sus cuidados hacia ti.

Querido Dios, gracias porque en el pasado nos ayudaste y sabemos que podemos confiar en ti dejando el presente en tus manos.

Patricia Velasco de Aguilar

Gratitud verdadera

Arraigados y edificados en él, confirmados en la fe como se les enseñó, y llenos de gratitud (Colosenses 2: 7).

HACE ALGUNOS AÑOS, cuando una de mis hermanas y yo todavía estábamos solteras, acompañamos a mi mamá a visitar a una amiga de su juventud. Además, preparamos una despensa para llevársela, ya que sabíamos que pasaba por momentos muy difíciles.

Cuando esta mujer era joven se casó con un hombre que la golpeaba. Tuvo hijos pero él la dejó por otra mujer y, por si fuera poco, la echó de su casa. Unas personas caritativas que tenían una casa de una sola pieza se compadecieron de ella y de un hijo adolescente que vivía con ella y se la prestaron.

La vivienda estaba completamente vacía, de modo que empezaron a ver cómo conseguían algunos muebles. Para cuando nosotras fuimos a visitarla, tenían ladrillos en lugar de sillas, cajas de madera en lugar de mesa, cartones en el piso en lugar de cama y una hornilla para cocinar. Por supuesto, la casa estaba muy limpia, barrida y regada. A Licha le dio mucho gusto vernos y a la vez un poco de vergüenza por las circunstancias. Claro que a nosotras nos dio mucha tristeza verlos en esa situación. Se acercó a una ventana muy pequeña que tenía la casita y nos dijo: «Estoy tan agradecida con mi Dios por esta ventanita, porque entra un viento tan bonito que no me canso de agradecerle».

En medio de tantas privaciones, aquella mujer agradecía a Dios por algo que muchas de nosotras no apreciamos. En aquel tiempo nosotras no pertenecíamos a ninguna iglesia y ella tampoco. Pero después pensamos que a veces nos quejábamos por cosas que realmente no valen la pena. La gratitud de aquella dama fue una gran lección para nosotras.

¿No crees que Jesús merece toda nuestra gratitud? ¿De qué forma puedes agradecerle hoy a Dios por lo que te ha dado? Puedes corresponder al amor del cielo en tu familia, casa, trabajo, amigos, alegrías y tristezas. Oremos a Dios en este momento y pidámosle que nos dé un corazón agradecido.

Gloria de Torres

Cuando Dios da hasta los costales presta

Así que nosotros, que estamos recibiendo un reino inconmovible, seamos agradecidos. Inspirados por esta gratitud, adoremos a Dios como a él le agrada, con temor reverente (Hebreos 12: 28).

COMO PADRES, mi esposo y yo nos hemos preocupado de enseñar a nuestros hijos a confiar plenamente en Dios hasta el último momento. Una noche el presidente de nuestra Asociación llegó a la casa para proponernos un cambio de escuela. ¡No lo podía creer! Nos sentíamos tan contentos en el sitio donde laborábamos: teníamos una casa bonita y segura, y ahora nos enviaban a una ciudad muy grande y peligrosa. Sentí que Dios me probaba para ver lo que había en mi corazón. Nunca nos hemos rehusado a un cambio, sin embargo, lo pusimos en oración.

A partir de ese día, empezamos a orar en el culto familiar de la siguiente manera: «Señor, danos una casa con un patio grande, cerca de la escuela y con tres recámaras». ¿Por qué era ésta mi petición? Tengo cuatro hijos, dos niñas y dos niños, así que necesitábamos una casa que satisficiera nuestras necesidades. Un día Dios contestó nuestra oración de una manera sensacional. Nos dio la casa justo como se la pedíamos. Mis hijos y yo agradecimos mucho al Señor su respuesta y la consideramos una muestra de su amor hacia nosotros.

Ahora, cada vez que nos llega un cambio de residencia, nuevamente lo ponemos en oración y confiamos que nuestro Padre celestial nos dará el mejor sitio para servirle. En nuestra mudanza más reciente llegamos a vivir a una casa muy bonita, que además de todo tiene un enorme patio donde podemos cultivar algunas hortalizas y flores. No cabe duda de que Dios siempre nos da más de lo que pedimos. Por eso mi abuela decía que cuando Dios da hasta los costales presta.

Adaías de Ojeda

GRATITUD

Tres regalos

Den gracias al Señor, porque él es bueno;
su gran amor perdura para siempre (Salmos 107: 1).

LAS ÚLTIMAS SEMANAS habían sido de trabajo arduo: responsabilidades en el hogar, en la iglesia, la preparación de un laboratorio infantil, etcétera. Me sentía muy cansada y pensé, solamente pensé, que me habría gustado tener flores en el jardín, pero no sería posible. Mi esposo salió a visitar algunas iglesias y estuvo fuera todo el fin de semana. Cuando volvió me trajo una maceta de lirios de pascua completamente florecidos. Eran una maravilla. Derramé lágrimas de gratitud porque Dios había cumplido un deseo que ni siquiera expresé.

En otra ocasión, al viajar de regreso al lugar de trabajo, después de unas cortas vacaciones en la Ciudad de México, pasamos por el desierto de Samalayuca rumbo a Ciudad Juárez, al norte del país. Al amanecer solo se observaban pequeñas dunas que formaba el viento y el cielo de un azul intenso completamente limpio en aquel mar de arena. De pronto frente a nosotros apareció el espectáculo de un gran cometa que me pareció que tocaba el oriente y el occidente. ¡Qué regalo tan maravilloso nos dio Dios aquel día! Nunca lo olvidaré.

Mi hija recibió también un regalo de esta clase. Mientas regaba el jardín, se le ocurrió lavar las hojas de un pequeño árbol. Al hacerlo, en aquella cascada se reflejó un hermoso arco iris que contempló extasiada, pero su deleite fue mayor cuando un pequeño colibrí se posó debajo del agua para darse un baño. Luego me contó emocionada lo sucedido y sé lo que significó para ella. Sin duda fue un regalo de Dios. En estos tres regalos Dios manifestó su misericordia, y está dispuesto a manifestarla todavía en los detalles de nuestra vida cotidiana. Abre tus ojos y disfruta lo que Dios tiene hoy para ti.

Cristina Valles de Quintero

Mi voz es de Dios

En verdad, tú eres el dueño de todo, y lo que te hemos dado,
de ti lo hemos recibido (1 Crónicas 29: 14).

DESDE NIÑA, cantar ópera había sido uno de mis sueños más intensos, ¡pero ahora se hacía realidad! Dentro del VI Festival Internacional Primavera Potosina, tendría lugar el V Concurso Internacional de Canto Operístico Oralia Domínguez. Tomaba clases de canto con el maestro David Ramírez, que un día me dijo: «¡Tienes que participar en este concurso de ópera!»

Ahora debía aprender seis arias de ópera en distintos idiomas. Un gran reto, ¡pero me encantaba! Me dirigí a la ciudad de San Luis Potosí, México, para participar en el evento. Lo más emocionante era que los jurados eran personalidades del mundo operístico: el bajo buffo Mario Bertolino de la Metropolitan Opera House de Nueva York, Ramón Calzadilla del Instituto Superior de Arte de Cuba, Julio García del Instituto Nacional de Bellas Artes de México, Arthur Hammond de la Ópera Real de Inglaterra, Johanna Peters de la Guildhall School of Music de Londres, y Ramiro II Hernández Álvarez, organizador del concurso.

Los ganadores cantarían acompañados de la Orquesta Filarmónica de México, dirigida por el maestro Benjamín Juárez. ¡El jurado me dio el segundo lugar! Entonces sucedió lo inesperado. La orquesta que tocaría la noche siguiente, que era viernes, traía consigo a dos violinistas adventistas, quienes pidieron que se cambiara el concierto al jueves, así que cambiaron el concierto de ópera al viernes. ¡Allí empezó mi lucha! Si Dios me condujo hasta este lugar y me ayudó a ganar el segundo lugar, ¿por qué permitía que sucediera eso? Por todos los medios traté de encontrar una excusa para no cantar esa noche. Mario Bertolino me dio una clase maestra y, al saber el problema, me dijo: «Dios te dio la voz y cantes lo que cantes, vas a alabarlo».

El Espíritu Santo por fin me hizo entrar en razón y me convencí que debía mi don a Dios y no al mundo. Hablé con el organizador y al explicarle por qué no cantaría, me dijo: «Me alegra que todavía haya personas que tienen valores y pueden defenderlos». ¡Dios cambió la lucha en testimonio! Si te encuentras en una situación similar, ¡no dudes en ser fiel al Señor! Todo lo que tenemos lo hemos recibido de Dios y lo debemos solamente a él. ¡Honra a Dios con tus talentos!

Sara Laura Ortiz de Murillo

La bendición
de la educación cristiana

Desde tu niñez conoces las Sagradas Escrituras, que pueden darte la sabiduría necesaria para la salvación mediante la fe en Cristo Jesús (2 Timoteo 3: 15).

DESDE NIÑA me llevaron a la iglesia cada sábado junto con mis hermanos, mi abuelita y mis tías, hermanas de mi madre. Ahí disfrutamos de las actividades eclesiásticas: clubes, campamentos, federaciones, retiros espirituales. Aunque mis padres no pertenecen a la iglesia, siempre estuvieron convencidos de que era lo mejor para nosotros. En la adolescencia me alejé de Dios, no dejé de ir a la iglesia pero era como la moneda perdida: extraviada en mi propia casa.

Antes de terminar mi educación media superior ya había decidido la carrera que estudiaría pero no sabía dónde. Tenía dos opciones: estudiar en una universidad del gobierno o ir a la Universidad de Montemorelos, pero esta última opción era casi un sueño porque mis padres no tenían solvencia económica para cubrir los gastos. Oré hasta que un día mis padres me dijeron que harían lo posible para enviarme a estudiar a la universidad adventista, y desde ahí pude ver la mano de Dios actuar en mi favor.

Durante cuatro años tuve que trabajar, en vacaciones de colportora y durante el curso regular en la universidad. Mi vida cambió completamente, allí fue donde me encontré con Cristo Jesús. El ambiente cristiano de la universidad me ayudó a renovar mi vida espiritual; dedicaba tiempo a estudiar la Biblia y a orar cada día. Pronto mi relación con Dios empezó a robustecerse. Para mí fueron momentos determinantes que marcaron el rumbo de toda mi vida.

Los planes de Dios para nosotros son mejores que los nuestros. Además, ahí conocí a quien ahora es mi esposo: compartimos las mismas creencias, disfrutamos de un hogar cristiano y servimos a Dios. Animo a los padres para que hagan el esfuerzo de enviar a sus hijos a las escuelas cristianas. Al final se verán los resultados. Sus hijos tendrán oportunidades únicas para ser más consagrados y dedicados al servicio de Dios.

Señor, bendice a las abuelitas que llevan a sus nietos a la iglesia cada sábado, porque hacen un gran trabajo con ellos al sembrar esa semillita que en un futuro germinará y dará su fruto. Y por medio de sus nietos, el Espíritu Santo tocará el corazón de sus hijos.

Rebeca Sánchez de Arrieta

¿Cuáles son nuestras acciones de gratitud?

Entren por sus puertas con acción de gracias; vengan a sus atrios con himnos de alabanza (Salmos 100: 4).

«ABUELITA, le quiero dar gracias a Jesús por todos los regalitos que me dio». Esta expresión ha sido una de las más hermosas que le he escuchado a mi nieta de tres años de edad. Ahí donde estábamos, en el carro, le dije: «Bueno, vamos a orar». Y con sus palabritas inocentes y llenas de agradecimiento y felicidad le oró a Dios. Esta iniciativa le nació por el ejemplo que le dimos. En una ocasión terminamos de entregarnos los regalos navideños entre la familia y mi padre dijo: «Bueno, vamos a darle gracias a Dios por sus bondades, demos gracias por la convivencia que pudimos tener como familia». Entonces todos formamos un círculo, nos abrazamos y oramos.

Este tipo de ejemplos son los que debemos dar a nuestros hijos. Ellos son por naturaleza imitadores de lo que ven. Entonces permitamos que vean en nosotras un ejemplo digno de seguir. Una actitud que observo en jóvenes y niños es que no tienen dentro de sus hábitos pronunciar la palabra «gracias». Les cuesta trabajo pronunciarla posiblemente porque no la escuchan en casa o son muy orgullosos.

Cuando obsequiamos algo y no nos agradecen nos sentimos mal. La gratitud es un principio bíblico muy importante. Por ejemplo, 1 Timoteo 2: 1 nos anima a ser agradecidas: «Así que recomiendo, ante todo, que se hagan plegarias, oraciones, súplicas y acciones de gracias por todos». ¿Cómo se sentirá nuestro Padre celestial ante nuestra constante ingratitud? A veces actuamos como que si fuera su obligación proveernos de todo. Eso sí, ante la mejor incomodidad estamos listas para elevar una voz de protesta.

La gratitud a Dios es un tipo de sacrificio que hoy podemos ofrecer al Señor. Alábalo en las buenas y en las malas, por medio del canto, de la oración, de las ofrendas, del diezmo. La adoración y la gratitud van de la mano y reconfortan la vida de todos los creyentes. Vayamos a nuestros templos con actitud de agradecimiento, eso permitirá que gocemos más nuestra relación con Dios. El Señor nos ayude a ser más agradecidas.

Elizabeth Suárez de Aragón

367

Gracias, Señor

Uno de ellos, al verse ya sano, regresó alabando a Dios a grandes voces
(S. Lucas17: 15).

EL AGRADECIMIENTO es una parte fundamental en la vida del ser humano. En muchas ocasiones, la gratitud que tenemos hacia una persona es tan grande que no tenemos palabras para expresar todo nuestro sentir. Un «gracias» se queda corto. A la mayoría nos gusta que nos agradezcan algún favor o un hecho representativo que hayamos realizado. A Dios también le gusta que le agradezcamos por sus misericordias, que son nuevas cada mañana (Lm. 3: 23).

La Biblia dice que un grupo de leprosos acudió a Jesús en busca de sanidad (S. Lc. 17: 11). Seguramente suplicaron con todo su corazón al Salvador, y tal vez uno que otro prometió hasta lo inimaginable. Jesús era su única esperanza. La sociedad los había rechazado y condenado a vivir en los sitios destinados a los enfermos terminales. Pero ahora se abría una puerta de oportunidad para ellos. Jesús escuchó su petición y los sanó. ¡No lo podían creer! ¡Ahora estaban limpios! Pronto podrían regresar con sus familias y reintegrarse a la sociedad. Todo era alegría y felicidad. Así que en cuanto pudieron se pusieron en camino para reorganizar sus vidas.

Hasta aquí todo estaba bien, ¿pero se acordaron de darle las gracias a Jesús? La Biblia dice que solamente uno de ellos regresó para agradecer y glorificar a Dios. Jesús le preguntó: «¿Dónde están los otros nueve?» Lo más interesante fue que el leproso agradecido era un samaritano, es decir, ni siquiera tenía un conocimiento claro de Dios como los otros que eran judíos.

Tal vez nosotras estamos tan seguras de la misericordia de Dios y de su amor que no dedicamos tiempo para agradecerle por todo lo que nos da. Personas que no cuentan con el conocimiento del evangelio muchas veces expresan su gratitud constantemente de todo lo que reciben de Dios. Si agradeciéramos también a nuestros semejantes por cada acción gentil que tienen para con nosotras, sería más fácil olvidar las ofensas que muchas veces son menores que los favores que nos hacen. El agradecimiento transforma nuestro corazón y permite que el Espíritu Santo more en nuestras vidas.

Elisa Valenzuela De la Peña

Entierra tus quejas

Yo, en cambio, te ofreceré sacrificios y cánticos de gratitud.
Cumpliré las promesas que te hice. ¡La salvación viene del Señor! (Jonás 2: 9).

HABÍA UNA VEZ una madre que siempre se quejaba de que su hijo arruinaba demasiados zapatos. Un par de zapatos apenas le duraba un mes. Un día se quejaba con otra madre y le decía:

—No puedo aguantar ya a este muchacho; me hace gastar mucho dinero en zapatos.

—Dale gracias a Dios de que tu hijo arruina zapatos —le respondió la dama.

—Y el tuyo, ¿cuántos destruye al año?

—Mi hijo no puede caminar, es paralítico para toda la vida —le respondió con voz entrecortada.

¿Cómo te sientes cuando a menudo escuchas esa monótona conversación quejumbrosa de alguien con quien te relacionas? ¿Verdad que molesta? Yo conviví con ese tipo de personas quejumbrosas en el colegio donde estudié. Una compañera de dormitorio y de clase se la pasaba con la queja en la lengua. Fue tanto el fastidio que nos ocasionaba que un día nos pusimos de acuerdo con las otras compañeras para hacerle ver el problema y ayudarla. No pasó mucho tiempo hasta que aprendió la lección. No fue fácil para ella quitarse ese mal hábito, pero al final del año nos agradeció por haberla ayudado.

No vale la pena quejarse a cada momento hasta de las insignificancias de la vida. Recordemos que lo que hablamos se queda grabado en nuestra mente, y de tanto repetirlo llegamos a creer que es verdad. Es así como una mentira adquiere legitimidad en la vida de una quejumbrosa. Entonces comienza a vivir en un mundo catastrófico, fatal e infortunado que ella misma ha fabricado. El nivel de los sollozos aumenta cuando se encuentran con otras gemidoras que disfrutan contando sus desgracias a los demás. Busquemos sabiduría en la Palabra de Dios y alabemos sus beneficios y bendiciones recibidas. Mejor demos gracias por todo lo que él nos da.

Isabel Zemleduch de Alvarado

GRATITUD

Un corazón lleno de gratitud

¿Por qué voy a inquietarme? ¿Por qué me voy a angustiar?
En Dios pondré mi esperanza y todavía lo alabaré.
¡Él es mi Salvador y mi Dios! (Salmos 42: 5).

UN CORAZÓN agradecido no es aquel que solamente reconoce a Dios en tiempos de bonanza y prosperidad. La verdadera gratitud se ve cuando te sobrevienen situaciones adversas que no esperabas, y en medio de ellas ves el amor de tu Padre celestial. ¡Qué fácil es dar gracias al cielo mientras la vida te sonríe! ¡Y qué difícil encontrar a Dios cuando las tormentas de la vida arrecian contra ti!

¡Alabado sea Dios! Él está allí para protegernos y escuchar su dulce voz; para hacernos entender que, entre lo malo, escogió lo menos dañino para desarrollar nuestra confianza en su amor y sabiduría, para comprender que en su sapiencia misteriosa, entre gritos de dolor, permite situaciones inexplicables para evitar males mayores. ¡Alabo, Señor, tu grande amor! Te alabo Señor porque aunque las fuerzas ya no den más, aunque el cansancio invada el cuerpo, muestras tu gloria al acomodarte en cada corazón sufriente. Provees la fortaleza para vivir cada día y el gozo de ver un mañana glorioso. Gracias por tu Espíritu Consolador, ¡cómo ha trabajado conmigo y con todos los que sufren! Si hay que esperar más en este mundo, lo haremos confiando en ti, no importa el tiempo que pase. Permite que permanezcamos fieles.

¿Acaso no agradeceremos tan inefable amor por todo este mundo que apenas se acuerda de ti? Gracias porque tienes un tiempo para todo y renuevas cada día el corazón de tus hijos. Mi buen Dios, gracias porque cada día puedo ver tus misericordias y todavía soy hija tuya, poseedora de tu amor y heredera de tu reino.

Lorena P. de Fernández

El gozo de la gratitud

Te ofreceré un sacrificio de gratitud e invocaré, Señor, tu nombre (Salmos 116: 17).

¿CÓMO DAR GRACIAS en medio de la aflicción? Solamente cuando nos acercamos a Dios podemos ver que, aun en medio de los momentos difíciles, él actúa a nuestro favor y su misericordia se renueva cada mañana. En su presencia cultivamos un corazón agradecido. Su amor es lo que nos ayuda a ver las cosas desde otra perspectiva. A pesar de las múltiples aflicciones, ¡cuántos prodigios ha realizado Dios en mi vida! Mi respuesta a su inmenso amor ha sido la confianza, la esperanza y la alabanza. No me puedo rendir ni esconder, ni tampoco desesperarme. No es lo que yo le diría a mi preciosa hija si fuera ella la que pasara por estas circunstancias. Seguramente, la animaría a confiar, a sonreír, a luchar y a no rendirse ante nada en el mundo.

Agradezco a Dios porque en medio de la tragedia intervino y logró salvar mis piernas, aunque lastimadas, pero completas. Gracias a Dios, mi cerebro no quedó herido ni mi nervio óptico traumado le alabo porque mi oído quedó intacto, rescató mis dos manos, el hígado, los pulmones, la columna vertebral. ¡Gracias Señor, por cuidar mis órganos vitales!

Gracias por amarme tanto. Sé que también tú celebras que yo te ame y que haya podido soportar tanto. Gracias porque soy tuya, y por nada ni por nadie te dejaré a un lado llorando por mí misma. Gracias, porque aunque mis dos niños preciosos se quedaron dormidos, hasta que tú me los devuelvas sanitos, hermosos, redimidos, tú eres mi fortaleza. Me gozo en tu ayuda y alabo que tu amor no tiene limites para conmigo. Gracias, por mostrarme tu gloria en medio de mi dolor. Simplemente, gracias Señor, por estar a mi lado y cuidarme como a la niña de tus ojos.

Guíame a tener un corazón lleno de amor y gratitud para ver en medio de las aflicciones las cosas hermosas que a diario haces por mí.

Lorena P. de Fernández

Motivos para agradecer

Antes que me llamen, yo les responderé; todavía estarán hablando cuando ya los habré escuchado (Isaías 65: 24).

¿TIENES MOTIVOS para agradecer hoy? ¡Seguro que sí! El Señor te ha dado la vida, te ha permitido conocerlo, tienes libertad y tiempo para leer su Palabra. ¡Cada día disfrutas sus bendiciones! ¿Y tus problemas físicos? ¿Y la gente que te molesta? ¿Los problemas económicos? ¿Los conflictos en el trabajo o el desempleo? ¿Las oraciones sin responder? ¿Acaso darías gracias a Dios por eso?

El libro *El escondite* narra la experiencia de dos hermanas holandesas que durante la invasión nazi a Holanda, en la Segunda Guerra Mundial, fueron llevadas a un campo de concentración. Corrie y Betsie vivían en condiciones infrahumanas junto con otras mujeres. Habían logrado, por intervención milagrosa del Señor, retener consigo una Biblia que leían por las noches a sus compañeras. La lectura les traía consuelo y esperanza en medio del sufrimiento. Un día leyeron el texto de hoy y enlistaron sus motivos de gratitud: estaban juntas, tenían una Biblia y podían compartirla. Betsie añadió a la lista las pulgas que las picaban constantemente; Corrie, no muy convencida, también agradeció.

Días después, Betsie llegó feliz a la barraca. Ahora sabía por qué podían tener sus reuniones devocionales nocturnas sin ser descubiertas: había escuchado cómo los soldados se peleaban entre sí porque ninguno quería inspeccionar el lugar donde ellas vivían. ¿La razón? ¡Estaba infestado de pulgas! «En la vida futura, se aclararán los misterios que aquí nos han preocupado y chasqueado. Veremos que las oraciones que nos parecían desatendidas y las esperanzas defraudadas figuraron entre nuestras mayores bendiciones [...]. Todos nuestros padecimientos y tristezas, todas nuestras tentaciones y pruebas, todas nuestras pesadumbres y congojas, todas nuestras privaciones y persecuciones, todo, en una palabra, contribuye a nuestro bien. Todos los acontecimientos y circunstancias obran con Dios para nuestro bien» (*El ministerio de curación*, pp. 376, 389).

Agradece a Dios hoy no solamente por lo bueno que te pasa, sino también por lo que no te agrada. A quienes aman a Dios, todo, inclusive lo que no parece bueno, les resulta bien.

Deysi Blé de Gil

Transmitir la fe

Con manos limpias e inocentes camino, Señor, en torno a tu altar, proclamando en voz alta tu alabanza y contando todas tus maravillas (Salmos 26: 6-7).

TUVE EL PRIVILEGIO de nacer en una familia cristiana, por la gracia de Dios soy la tercera generación de adventistas en casa, hija de un pionero en la obra en el sureste mexicano. De niña me deleitaba en escuchar las hazañas en las historias que nos contaba mi padre, quien desde los dieciséis años sintió un profundo llamado para dejar todo e irse a compartir el evangelio que había aprendido.

En la época en que había intolerancia religiosa en México y el gobierno restringía los cultos y la literatura religiosa, papá se enlistó valientemente en el colportaje. Viajó en ferrocarril, pequeñas barcazas, canoas, caballo, además, caminó grandes distancias para llevar la Palabra de Dios a las montañas, la selva y a la orilla de los ríos. Dios obró maravillas en su vida y lo libró de muchos peligros de muerte. Su amor por el evangelio lo llevó a estudiar en el seminario teológico y luego ser un ministro del evangelio para seguir compartiendo su pasión. Pero dado que veía tanta necesidad de atención médica, decidió estudiar medicina para llevar sanidad a pueblos remotos del país.

Su pasión por el evangelio y su congruencia en lo que creía nos enseñó a amar a Dios y a su iglesia, y a ver la vida en el contexto de la eternidad. Es un gozo para nosotros encontrar todavía en algunos pueblos, libros que él vendió y que sirvieron para la fundación de una iglesia local. Mi esposo y yo tenemos 18 años trabajando en la Universidad de Montemorelos y junto a nuestros hijos nos sentimos muy bendecidos por eso. Esperamos haber transmitido a los nuestros esta misma pasión y el verdadero sentido de la vida que nos liga a la eternidad.

Mi corazón se llena de gratitud por el ejemplo que recibimos de un padre cristiano para quien el servicio era su mayor pasión. «Dios hizo todo hermoso en su momento, y puso en la mente humana el sentido del tiempo, aun cuando el hombre no alcanza a comprender la obra que Dios realiza de principio a fin» (Ecl. 3: 11).

Haydée Martínez

GRATITUD

¿Solamente lo que me falta?

Ya he recibido todo lo que necesito y aún más (Filipenses 4: 18).

ESTABA A PUNTO de hacer el viaje más largo de mi vida. Viajaría de México a Rusia para estudiar mi maestría. Ya lo había planeado todo: estaría allá catorce meses, estudiando en el colegio adventista de Zaoksky. Así que fin llegó el día y me despedí de mi familia y amigos. Creía estar segura de llevar todo lo que necesitaría para vivir allá durante un poco más de un año: dos maletas grandes y mi computadora portátil. Por supuesto, estaba muy agradecida con Dios por darme esa oportunidad y estaba muy emocionada con la nueva aventura.

Llegué sin problemas a Moscú después de una breve escala. El problema surgió cuando al querer recoger mi equipaje me encontré con la sorpresa de que no había llegado. Era difícil comunicarse con el personal del aeropuerto debido al idioma, pero finalmente me confirmaron que mi equipaje se había extraviado. En ese momento comencé a pensar qué haría sin mis pertenencias. Le pedí al Señor que me ayudara a resolver el problema y mi petición fue que encontraran mi equipaje y me lo entregaran de inmediato. Llené todos los formularios necesarios en el aeropuerto y me fui a la escuela esperando recibir posteriormente noticias favorables.

Pasaron los días y las semanas y eso no sucedió. Después me confirmaron que todo se había perdido y que pagarían por el daño ocasionado. Durante todo este proceso surgieron las preguntas en mi mente: ¿Será que Dios me escucha? ¿Por qué permitiría que pasara algo que me traería tanta tristeza o me ocasionaría tantos problemas? Pero lo cierto es que Dios nos pide que confiemos en él, aunque no obtengamos la respuesta que esperábamos.

Algunas personas que se enteraron, me obsequiaron ropa, otras me ayudaron para que fuera a comprar lo que necesitaba y, para mi sorpresa, nunca me hizo falta nada de lo indispensable durante mi estancia en aquel lugar. Dios proporcionará lo que nos haga falta, no dice que nos dará cosas adicionales o para que despilfarremos; esto quizá sea para que nunca nos olvidemos que dependemos de él y así volvamos día a día pidiendo lo que nuestro corazón necesita. Agradece hoy a Dios porque, aunque no tengas lujos o cosas que puedas derrochar, te da lo que tu cuerpo y tu corazón necesitan para el día de hoy.

Mónica Yaneth Cota Inzunza

El mejor regalo

¡Que ofrezcan sacrificios de gratitud, y jubilosos proclamen sus obras! (Salmos 107: 22).

DICIEMBRE siempre ha sido mi mes favorito y especial. No solo porque yo nací en este mes. Aunque no sabemos bien la fecha del nacimiento de Jesús, celebramos su nacimiento en este hermoso mes. La época navideña también puede ser una época muy triste y deprimente para muchos. Algunos terminan un año más sin cumplir sus propósitos, otros en medio de una discusión familiar, unos más sin dinero.

Desde que tengo uso de razón, la época navideña siempre fue la más especial para mí y mi familia. Mi madre siempre hacía que todo luciera lindo con sus decoraciones auténticas. Preparaba ricos platillos para que disfrutáramos en familia y la casa siempre tenía un olor navideño. Finalmente llegaba el día y la hora esperada por todos cuando toda la familia era invitada para una deliciosa cena en la cual todos participábamos. Y agradecíamos a nuestro Dios por tan lindo regalo dado a la humanidad.

He notado que la época navideña en los últimos años en los Estados Unidos es muy comercializada. Las personas viajan de aquí para allá en búsqueda de ofertas para comprar regalos navideños y hasta se olvidan no solo de ser corteses o amables, sobre todo se olvidan que Jesús es el mejor regalo. Dios te ama tanto a ti y a mí que mandó a su único Hijo para que naciera en un pesebre, para estar con nosotros en esta tierra y salvarnos. Dios no tenía que hacer eso, ni Jesús aceptar, pero por el amor eterno que sienten hacia nosotros hicieron este sacrificio.

Por ese amor infinito que sienten hacia nosotros un día no muy lejano Jesús regresara por ti y por mí porque ya no quiere estar sin nosotros. Él quiere que vivamos juntos por la eternidad. Asimismo tú y yo podremos vivir una vida en abundancia junto al Rey de reyes y Señor de señores.

Patsy Violante

Él me ama

Él es mi Dios amoroso, mi amparo, mi más alto escondite
(Salmos 144: 2).

AQUEL VIERNES todo parecía indicar que Samuel, de nueve años, tenía un resfriado común. Sin embargo, a las dos de la mañana del domingo tuvimos que llevarlo de emergencia porque tenía dolores en las piernas. Dijeron que se debía a una infección en la garganta, pero a pesar del tratamiento la temperatura no cedía. Para el martes, casi no hablaba, estaba como sedado, no sabía quién era yo y tampoco recordaba el nombre de su padre y de sus hermanos. Temimos lo peor. Al cabo de unas horas de observación y de exámenes, su pediatra nos dijo que ya había llamado a un neurólogo.

No era meningitis, como mi esposo y yo habíamos pensado, pero era igualmente delicado: encefalitis. Ahora, lo que los médicos y nosotros esperábamos era que la encefalitis fuera viral y no bacteriana, ya que una bacteria es mucho más agresiva, difícil de erradicar y además deja secuelas. Desde el inicio de la enfermedad oramos; comencé a suplicar al Señor más que nunca por la salud de mi hijo. Posteriormente le imploraba por un milagro. Casi desde que llegamos al hospital llamé a mi madre para informarle lo sucedido y pedirle que orara por Samuel, y que les comunicara a todos los que conocía para que oraran también.

Mi esposo y yo queríamos que Samuel sanara completamente. Pero también sé que, en su infinita sabiduría, el Señor puede decidir algo diferente a nuestros deseos. Eso me aterraba. Para mí, lo peor que podía pasar no era que Samuel muriera, sino que quedara mal de sus facultades mentales o motoras; después de todo, era una posibilidad. Sin embargo, mi fe no derivaba de la manera como Dios contestara a mis súplicas. Confiaba en él y lo que le pedía era que si su voluntad era diferente a la mía, me ayudara a soportarlo.

Dios sanó a mi hijo. Una vez más me demostró que me amaba, que llevaba a mi niño en la palma de su mano. De la misma manera puede hacer contigo. No importa por lo que estés pasando, nunca olvides esto aun cuando su respuesta difiera de tus deseos. Dios, es un Dios de amor.

María Guadalupe Ávila de Villarreal

Confianza plena

No tengan miedo —les respondió Moisés—. Mantengan sus posiciones, que hoy mismo serán testigos de la salvación que el Señor realizará en favor de ustedes. A esos egipcios que hoy ven, ¡jamás volverán a verlos! (Éxodo 14: 13).

LA HISTORIA del pueblo de Israel encierra grandes lecciones para nuestro tiempo, porque nosotros también nos encontramos en un escabroso peregrinaje hacia la tierra prometida. El problema principal de Israel fue su falta de confianza en el Dios que los guiaba. En diversas ocasiones el pueblo reveló su incredulidad hacia los planes del cielo: no les gustaba la comida que el Señor les daba, no estaban de acuerdo con la ruta hacia Canaán, no aceptaban el liderazgo de Moisés y Aarón. Cada vez que surgía un inconveniente, elevaban su acostumbrado clamor: «¡Para qué nos sacaron de Egipto! ¡Allá vivíamos mejor! ¡Vamos a morir en este desierto!»

Hay ocasiones en las que parece que lo que Dios hace no tiene sentido, por ejemplo, cuando ordena a Moisés que el pueblo acampe frente al mar, y así coloca a sus hijos en un aparente callejón sin salida, como una presa fácil para el temerario faraón que se precipita sobre ellos. La historia registra que cuando los israelitas se vieron arrinconados, se atemorizaron muchísimo y empezaron a reclamar a Moisés, pero lo que no sabían era que Dios quería manifestar una vez más su gloria en el faraón y todo su ejército para que reconocieran que él es el Señor.

Cuando aparentemente nos encontramos sin salida en medio de los problemas, Dios ya tiene una solución para que podamos reconocer su poder y amor por nosotros. Recordemos el caso de Job, Dios permitió que el enemigo lo probara para glorificarse en él y mostrar la fidelidad de su hijo.

¿Cuál es tu actitud cuando enfrentas dificultades? Te quejas o reclamas como los israelitas, o exclamas como Moisés: «No tengan miedo [...]. Mantengan sus posiciones, que hoy mismo serán testigos de la salvación que el Señor realizará en favor de ustedes».

Hoy te invito a confiar plenamente en Dios, nadie hay quien te conozca tanto como él. Tranquilízate. Él sabe lo que hay en tu corazón. El Todopoderoso peleará por ti, nadie podrá perjudicarte, la mano del Señor te sostendrá y en los brazos del gran Rey descansarás.

Marylin Pérez de Roblero

Mira hacia arriba

***Muchas son, Señor mi Dios, las maravillas que tú has hecho.
No es posible enumerar tus bondades en favor nuestro
(Salmos 40: 5).***

DIOS SIEMPRE está al pendiente de sus hijos y derrama bendiciones sobre nosotros, aunque a veces no las percibamos claramente. Mi abuela y sus hijos eran personas de campo muy humildes. Ella siempre estaba preocupada porque no sabía si iba a tener el dinero suficiente cada semana para alimentar a sus hijos. Pero a ellos nunca les faltó comida. En la vereda que daba hasta su casa había muchos arbustos de un tipo de guayaba, que por lo general son árboles grandes pero esos eran pequeños, al alcance de los niños, que gustosos comían por el camino; también había unas frutas parecidas a la piña. Había unas frutas con sabor a mora que colgaban de las ramas y con facilidad se podían cortar. Además se daban unas jícamas enormes.

Un día que mi abuela oraba a Dios contándole sobre todas las necesidades y carencias que tenía su familia, oyó una voz que le dijo: «Mira hacia arriba». Parecía que le decían: «Alza tu vista, ¿no te das cuenta que tu Padre celestial ha estado al pendiente de ti? ¡Agradece a tu Padre porque siempre han tenido qué comer! Mira hacia arriba para que tus ojos vean las bendiciones que han recibido, los cuidados que Dios ha tenido hacia ti y los tuyos. Deja de ver tus carencias y alaba a tu Dios, quien vela por ti, quien te observa con dulce amor y ternura».

Mi abuela se levantó de sus rodillas y dio gracias a Dios por su forma tan peculiar de satisfacer sus necesidades ante sus ojos, lo cual no había percibido. Sus hijos nunca se enfermaron al comer todas esas frutas silvestres, hasta hoy creemos que fueron plantadas por un Padre lleno de amor.

¿Puedes mirar hacia arriba para que tus ojos se abran y vean las grandes bendiciones que Dios ha derramado sobre ti? Agradécele por su bondad infinita, porque a pesar de las dificultades, problemas y carencias que alguna vez hayas experimentado, él ha estado al cuidado de ti.

Edith Varela Sosa

378

¡Gracias, Señor!

Te damos gracias, oh Dios, te damos gracias e invocamos
tu nombre; ¡todos hablan de tus obras portentosas!
(Salmos 75: 1).

EN UNA OCASIÓN a un grupo de niños de primaria se les pidió que hicieran una lista de lo que pensaban eran las siete maravillas del mundo moderno. A pesar de ciertas diferencias, las siguientes fueron las que más votos recibieron:

1. Las pirámides de Egipto
2. El Taj Mahal
3. El Gran Cañón del Colorado
4. El Canal de Panamá
5. El Empire State
6. La Basílica de San Pedro
7. La Gran Muralla China

Mientras contaba los votos, la maestra notó que había una niña que no había terminado de escribir sus sugerencias. Así que le preguntó si tenía algún problema con su lista, a lo que la niña respondió: «Sí, un poquito. No puedo terminar de decidirme pues hay muchas». La maestra entonces le dijo: «Bueno, léenos lo que tienes hasta ahora y a lo mejor te podemos ayudar». La niña lo pensó un instante, pero luego leyó: «Yo pienso que las siete maravillas del mundo son: poder ver, poder oír, poder tocar, poder probar, poder sentir, poder reír y poder amar». El salón guardó un silencio total, al punto que si se hubiera caído un alfiler se hubiera escuchado.

Las cosas simples y ordinarias y que nosotros tomamos como parte de nuestras vidas, ¡son sencillamente maravillosas!

Un recordatorio muy respetuoso: las cosas más preciadas de la vida no se pueden construir con la mano ni se pueden comprar con dinero; todo es regalo de Dios, ¡alabado sea por ser nuestro Padre, por llamarnos sus hijos amados! Cuántas veces caemos en el error de quejarnos por todo, aun por las pequeñeces. Nos parece que todo lo malo solo a nosotras nos pasa, y olvidamos lo valioso de cada día, de vivir, de sentir, de soñar, simplemente de existir.

Te invito a que este día tengas en tu corazón esta oración: «Señor, hazme sensible a tus bondades, conforta mi ser con tu Espíritu para que pueda yo ver tus grandezas».

Rosalba Sáenz de Ortiz

No confíes en tus fuerzas

Muy débiles son sus esperanzas;
han puesto su confianza en una telaraña (Job 8: 14).

ME ENCONTRABA terminando mis estudios de preparatoria y los planes eran trabajar un año para conseguir recursos e ir a estudiar inglés. Yo sabía que conseguir un buen trabajo no era tan fácil, en ocasiones tomaba semanas o meses encontrarlo. Pero a pesar de eso fui a Dallas, EE. UU. Llegué a casa de unas primas. Pasaban los días y empecé a sentir nervios por la espera y la incertidumbre de lo que vendría. Cada día le pedía a Dios que me ayudara a encontrar un buen empleo.

Muy pronto llegué a olvidar que Dios tenía mi vida en sus manos, que él era mi Padre amante, que él estaba a mi lado en todo momento y que prometía estarlo durante toda mi vida. Todo esto me trajo mucho estrés, lágrimas y un profundo desánimo. Mis padres y otros familiares me decían: «No te preocupes, pronto vas a encontrar un trabajo, esto no es de la noche a la mañana; vas a ver que si esos son los planes de Dios, él te va a dar un buen trabajo». Fueron días en los que seguía enceguecida por mi necedad e imprudencia.

Pero a pesar de nuestra incredulidad, de apoyarnos en nuestras fuerzas y olvidarnos de él, en su infinito amor nos tolera y nos da más de lo que le pedimos. Por la gracia de Dios encontré un trabajo excelente, con una familia cariñosa, lo cual me dio los recursos necesarios para que fuera a estudiar y mucho más aún de lo que había imaginado. Fue entonces cuando comprendí que no debemos confiar en nuestras propias fuerzas, mucho menos en nuestra inteligencia, sino que debemos dejar que Dios cumpla su voluntad en nuestra vida.

Estoy segura que, al seguir la voluntad de Dios, encontrarás sorpresas que jamás habías imaginado, él las tiene preparadas para ti. En esta mañana te invito a que entregues tus planes en las manos de Dios, que confíes en él. El Señor actuará en el momento indicado y te dará mucho más de lo que tú deseas. Agradezco infinitamente a Dios por guiar y dirigir mi vida.

Rosalba Karina Ortiz Sáenz

Gratitud por la salud

Mi alma glorifica al Señor (S. Lucas 1: 46).

SI TUVIÉRAMOS que anotar todo lo que Dios nos ha dado la lista sería interminable. Pero quiero compartir unas razones por las que tengo un corazón agradecido a nuestro Dios. Estábamos llegando al final del curso escolar, la alegría de salir de vacaciones era incontenible. Tendríamos un campamento y de ahí un verano con varias actividades. La noticia nos consternó: el abuelo Faustino estaba grave. Salimos antes de lo planeado. Realmente se veía mal. Fue atendido por especialistas y durante casi tres meses estuvo en terapia intensiva. Las oraciones se elevaron a favor de él en muchas iglesias y hogares de hermanos. Yo lo hacía constantemente. Cada vez que mi papá volvía de visitarlo le preguntaba: «¿Cómo está el abuelo?» Estaba totalmente diferente, su vida era una lucha con la muerte. Lloré sin lograr contener las lágrimas. Seguimos orando: «¡Dios, sana a mi abuelito!»

El verano pasó y empecé un nuevo curso escolar. Una noticia más llegó al hogar: el abuelo Juan estaba enfermo y no sabían qué tenía. ¡No podía ser! Mis dos abuelitos enfermos. Me sentía muy lastimada. «Dios, has sido tan bueno con nosotros, por favor, no permitas que mis abuelitos sigan enfermos». Se acercaba el fin de año. El abuelito Faustino con casi seis meses postrado en cama y el abuelito Juan con tres semanas en el hospital. «¡Qué fin de año tan tiste!», le dije a mi mamá. ¡Cuántas sorpresas me esperaban.

Dios me permitió visitar a mis abuelos, interpretarles sus himnos favoritos en el violín; incluso algunos que nunca había tocado, pero que para ellos eran sus cánticos de esperanza. Disfruté mucho hacerlo. Fue un fin de año diferente: en mi corazón había una enorme gratitud. Dios me había contestado. Mis abuelos estaban bien, los dos en casa, ya no en el hospital. Por eso, tomo las palabras que María exclamara cuando el ángel del Señor se le apareció: «Mi alma glorifica al Señor y mi espíritu se regocija en Dios mi Salvador [...] porque el Poderoso ha hecho grandes cosas por mí. ¡Santo es su nombre! [...]. Hizo proezas con su brazo [...]. Acudió en ayuda de su siervo Israel y, cumpliendo con su promesa a nuestros padres, mostró su misericordia a Abraham y a su descendencia para siempre» (S. Lc. 1: 46, 49, 51 y 54).

Itzel De los Santos Aguirre

Gratitud

*¿Cómo puedo pagarle al Señor por tanta bondad
que me ha mostrado? (Salmos 116: 12).*

DIOS DESEA que nuestra alabanza ascienda a él señalada por nuestra propia individualidad. Estos preciosos reconocimientos para alabanza de la gloria de su gracia, cuando son apoyados por una vida semejante a la de Cristo, tienen un poder irresistible que obra para la salvación de las almas. Cuando los diez leprosos vinieron para ser sanados, les ordenó que fuesen y se mostrasen al sacerdote. En el camino quedaron limpios, pero uno solo volvió para darle gloria. Los otros siguieron su camino, olvidándose de Aquel que los había sanado. ¡Cuántos hay que hacen todavía lo mismo!

El Señor obra de continuo para beneficiar a la humanidad. Está siempre impartiendo sus bondades. Levanta a los enfermos de las camas donde languidecen, libra a los hombres de peligros que ellos no ven, envía a los ángeles celestiales para salvarlos de la calamidad, para protegerlos de «la pestilencia que ande en oscuridad» y de la «mortandad que en medio del día destruya» (Sal. 91: 6) pero sus corazones no quedan impresionados. Él dio toda la riqueza del cielo para redimirlos; y sin embargo, no piensan en su gran amor. Como el brezo del desierto, no saben cuándo viene el bien, y sus almas habitan en los lugares yermos.

Para nuestro beneficio debemos refrescar en nuestra mente todo don de Dios. Así se fortalece la fe para pedir y recibir siempre más. Hay para nosotros mayor estímulo en la menor bendición que recibimos de Dios, que en todos los relatos que podemos leer de la fe y experiencia ajenas. El alma que responda a la gracia de Dios será como un jardín regado. Su salud brotará rápidamente; su luz saldrá en la oscuridad, y la gloria del Señor le acompañará. Recordemos, pues, la bondad del Señor, y la multitud de sus tiernas misericordias. Como el pueblo de Israel, levantemos nuestras piedras de testimonio, e inscribamos sobre ellas la preciosa historia de lo que Dios ha hecho por nosotros. Y mientras repasemos su trato con nosotros en nuestra peregrinación, declaremos, con corazones conmovidos por la gratitud: «¿Qué pagaré a Jehová por todos sus beneficios para conmigo? Tomaré la copa de la salud, e invocaré el nombre de Jehová. Ahora pagaré mis votos a Jehová delante de todo su pueblo» (Sal. 116: 12-14) (*El Deseado de todas las gentes*, pp. 313 y 314).

Ellen G. White

Colaboradoras

Ada Sibia Landa Díaz es maestra de educación preescolar en la Ciudad de México. Tiene dos hijos. Le gusta leer, caminar y disfruta de estar con la familia.

Adaías de Ojeda es profesora de Música en la Universidad de Navojoa, México, donde vive con su esposo y sus cuatro hijos.

Addry Gómez

Adriana Castillo es maestra en la Escuela Normal de la Universidad de Montemorelos, México. Disfruta de caminar, leer y estar en su casa.

Alba de Collins se desempeña como Jefa de Relaciones Públicas y Desarrollo de la Universidad de Montemorelos, México. Está casada y tiene un hijo. Sus pasatiempos son caminar, leer, escuchar música y cantar.

Alba Leonor Santos es enfermera jubilada y reside en Guadalajara, México.

Amada Isabel Díaz de Delgado

Amanda Jeanette Alfaro Díaz es licenciada en Administración de Empresas en Guadalajara, México. Le gusta leer, escuchar música y disfrutar de la naturaleza.

Amarilis Johnson Rodríguez de Tom es oriunda de Guantánamo, Cuba. Actualmente reside en Houston, EE. UU., donde es asistente médico y trabaja con Ortopédicos Cirujanos.

Ana Laura Estrella radica en Montemorelos, México. Tiene un negocio de artesanías. Disfruta estar en su casa y convivir con la familia.

Ana Luz Alejo de Gómez actualmente radica en Chihuahua, México. Tiene dos hijos. Sus pasatiempos son leer y caminar.

Ana María Cadena V. es bióloga y posee una maestría en Sistemas Acuáticos. Es maestra de educación media superior en la Ciudad de México. Colabora en la revista *Expresión Joven* en los temas científicos.

Ana María Tello García es estudiante universitaria de Ciencias de la Comunicación. Le gusta convivir con sus amigos, escuchar música y participar en las actividades de la iglesia.

Anabel Ramos de De la Cruz se desempeña como maestra en Nogales, México. Le gusta cantar al lado de su esposo y hacer manualidades.

Ángela Guadalupe Millán Pérez es estudiante de la Escuela Normal en la Universidad de Montemorelos, México.

Angélica González de González

Angie V. Olmedo es estudiante de preparatoria en la Ciudad de México. Le gusta leer y participar de las actividades de la iglesia.

Annel G. Rosales Cavazos es estudiante de la licenciatura en Educación Primaria en la Universidad de Montemorelos, México.

Anónimo agradecemos a las personas que compartieron con nosotros su experiencia de forma anónima.

Araceli de Quetz escribe desde Catemaco, México. Es madre de tres hijas y maestra de educación media básica.

Araceli Martínez Coronado es nutrióloga y cursa la maestría en Ciencias de los Alimentos y Nutrición Humana en la Universidad La Salle. Reside en la Ciudad de México.

Aracely Ocaña trabaja en la Universidad de Montemorelos, México, como secretaria-recepcionista en la Facultad de Medicina.

Autor Desconocido

Beatriz Hernández de Paz es madre de tres hijos y trabaja como maestra en la Ciudad de México.

Blanca Dalila R. de Góngora radica en Monterrey, México. Es madre de dos hijos. Le gusta leer y hacer manualidades.

Blanca E. Ocampo García disfruta caminar, leer y la jardinería. Tiene una familia de cuatro hijas.

Blanca Rivera de Hernández vive en la Ciudad de México. Tiene tres hijas y disfruta mucho de su familia y de la iglesia.

Clara Lilia Campos Madrigal es maestra en la Escuela de Educación de la Universidad de Montemorelos, México.

Clarice Beltrán de Rodríguez radica en Ciudad del Maíz, México. En su tiempo libre le gusta acampar, nadar y servir en la iglesia.

Claudia Gabriela Hernández Salazar es nutrióloga y escribe para las revistas *Enfoque de nuestro tiempo* y *Expresión Joven*. Reside en la Ciudad de México.

Claudia Medina Ramírez vive en la Ciudad de México.

Conny Christian es originaria de Bluefields, Nicaragua. Es enfermera y le gusta tocar el piano y cocinar.

Cozby García de Dzul vive en la Ciudad de México. Disfruta leer, practicar el básquetbol y juegos de mesa con su familia.

Cristel Sánchez de López es licenciada en Educación Primaria. Le gusta leer, viajar y escuchar música. Reside en Chapala, México.

Cristina Valles de Quintero actualmente está retirada y vive en Montemorelos, Mexico.

Cruz López de Plascencia vive en Ciudad Obregón, México. Tiene una hija y disfruta su trabajo de repostería, leer y servir a la iglesia.

D. Rhode Suriano Suárez radica en Puerto Rico. Se desempeña como colaboradora en Radio Sol, una emisora adventista del séptimo día. Le agrada pasar tiempo con su familia y la naturaleza.

Dana Zulibeth Magaña Monzalvo es estudiante de la maestría en Conducción Instrumental en la Universidad Andrews, EE. UU. Dedica sus talentos a Dios tocando el piano en una congregación.

Deysi Blé de Gil trabaja en la Universidad de Montemorelos, México, donde vive con su esposo e hijos. Le gusta leer, conocer nuevas personas y lugares, y estar con su familia.

Diana Blé Fuentes escribe desde Monterrey, México. Es licenciada en Psicología Educativa.

Dina Núñez de León vive en Matehuala, México. Le gusta apoyar las actividades de su iglesia.

Dinorah Rivera se desempeña como directora asistente de Ministerio de la Mujer y Ministerio Infantil de la División Interamericana.

Doralí Santos de Hernández reside en San Luis Potosí, México. En su tiempo libre le gusta hacer ejercicio, leer y practicar la oración.

Dulce Nayeli Lozada Alcántara es maestra de música en una escuela de educación media superior en la Ciudad de México.

Edelmira Figueroa de Flores es maestra y tiene tres hijas. Disfruta de la cocina y las manualidades. Reside en Montemorelos, México.

Edith Varela Sosa labora en la Unión Mexicana del Norte como asistente de Presidencia. En su tiempo libre disfruta leer, hacer ejercicio, viajar y salir con sus amigos.

Einye Yuniva Villarreal Quintero es estudiante de la licenciatura en Biología en la Facultad de Ciencias de la Universidad Nacional Autónoma de México.

Elisa Valenzuela De la Peña es estudiante de la licenciatura en Educación Primaria de la Universidad de Montemorelos, México.

Elizabeth Aguirre radica en Chihuahua, México. Le gusta leer, escribir, cocinar y disfrutar tiempo con la familia.

Elizabeth Domínguez Hernández se desempeña como responsable del Departamento de Admisiones en la Universidad de Montemorelos, México. Le encanta leer y disfrutar de sus ratos libres con sus hijas.

Elizabeth Suárez de Aragón es directora de un colegio adventista en

Monterrey, México. Goza de la lectura y disfruta de su nieta.

Ellen G. White fue fundadora de la Iglesia Adventista del Séptimo Día y escritora de una gran cantidad de libros.

Elmy González de Flores vive en Montemorelos, México, y tiene dos hijos. En su tiempo libre le gusta leer, hacer manualidades y escuchar música.

Elsy Suhey Antonio Ordoñez es estudiante de Psicología Clínica en la Universidad de Montemorelos, México. Le gusta leer, cantar y nadar.

Emma Osuna Vda. de Castillo es profesora jubilada y radica en Montemorelos, México. Le gusta leer la Biblia, orar, cocinar e ir de compras.

Esmeralda L. Montes Casillas es estudiante de la licenciatura en Educación Primaria en la Universidad de Montemorelos, México.

Esperanza Ayala de Benavides vive en Loma Linda, EE. UU. Tiene cuatro hijos y ocho nietos. Le gusta leer y tejer en ratos libres.

Etelvina Ayala Vda. de Tello reside en la Ciudad de México y disfruta de la compañía de sus hijos y nietos.

Eva Yolanda De Santiago Licón vive en Delicias, México. Es licenciada de Educación Primaria.

Evelyn Omaña nació en San Juan, Puerto Rico. Es educadora de profesión. Es madre de tres varones y abuelita de cinco hermosos nietos. Le gusta leer y prepara recetas deliciosas y sencillas.

Fanny Velásquez Pinilla radica en Santander, Colombia. Le gusta hacer decoraciones para ocasiones especiales, trabajar con los niños, predicar y recitar.

Gabriela Carreño Calva es abogada y trabaja junto con su esposo en un despacho jurídico. Reside en la Ciudad de México.

Gladys Murrieta de King reside en Montemorelos, México. Tiene dos hijos y le gusta estar con su familia.

Gloria de Torres vive en Huatabampo, México. Tienen un pequeño hijo. Uno de sus pasatiempos favoritos es la oración intercesora.

Graciela Aguirre Tamayo es profesora de Educación Preescolar. Tiene dos hijos y dos nietos. Le gusta compartir su fe, cocinar, leer y caminar.

Graciela de Sapiens radica en Guadalajara, México. Tiene cuatro hijos y varios nietos. En su tiempo libre le gusta leer.

Gretel Barrera Fernández es estudiante de la escuela Normal de la Universidad de Montemorelos, México.

Gricelda Bustamante Echavarrí radica en Montemorelos, México. Se dedica al hogar y en su tiempo libre le gusta hacer ejercicio.

Haydée Martínez es contadora pública y actualmente se desempeña como directora de los Servicios de Alimentos de la Universidad de Montemorelos, México.

Helenah Corona de Flores vive en León, México, junto con su esposo. Le gusta la música, leer y practicar deportes.

Irais López de Monroy vive en Villahermosa, México. Disfruta de su esposo e hijos.

Irene Juárez de Roblero vive en Chihuahua, México. Sus pasatiempos favoritos son hacer manualidades, leer, caminar, escuchar música y viajar.

Irma Guízar de Pallás es arquitecta y vive en la Ciudad de México. Disfruta la compañía de su esposo e hijos.

Irma Nohemí Caamal O. es maestra de Jardín de niños.

Isabel Zemleduch de Alvarado es oriunda de Argentina, madre de tres hijos y feliz abuela de dos hermosos nietos. Ella disfruta escribir en sus ratos libres, organizar programas para la iglesia y leer.

Itzel De los Santos Aguirre es estudiante de preparatoria en Montemorelos, México. Disfruta mucho la música. Toca violín y desea prepararse para ser misionera.

Jennifer Britton de Miranda vive en Los Mochis, México. Le gusta bordar en listón, leer y pasar tiempo con su familia. Tiene dos niños.

Jessica G. Veloza Molina reside en Mc Allen, EE. UU. Disfruta de su esposo y la asistencia a la iglesia.

Joana Gómez de Ávila vive en Sonora, México. Su pasatiempo favorito es escuchar música.

Karina Osoria es contadora pública y trabaja en la Universidad de Navojoa, México. Es casada y tiene dos hijas. Disfruta mucho ir de compras y cocinar.

Kendy Cruz Grajales es estudiante de Odontología en la Universidad de Montemorelos, México. Disfruta hacer manualidades.

L. Arely Ángeles Ríos es maestra de educación primaria en la Ciudad de México. Le gusta viajar, leer y asistir a la iglesia.

Larissa Serrano es Sara Delgado y vive en Villahermosa, México. Está casada y tiene tres hijos quienes son su mayor alegría. Le gusta leer, cocinar y escuchar a las personas.

Leticia Aguirre de De los Santos es coordinadora del Departamento de SIEMA de la Unión Mexicana del Norte en Montemorelos, México. Le gusta dar clases de música, cocinar, leer y caminar, y disfruta de sus amistades.

Libny Raquel Bocanegra Velásquez radica en Aguascalientes, México. Está casada y tiene dos hijos. Le gusta hacer ejercicio, leer y cantar.

Lider Ruiz de Aguilar es enfermera y se desempeña como Asistente Administrativo en el Hospital La Carlota, en Montemorelos, México. Tiene tres hijos y cuatro nietos. Disfruta pasar tiempo con su familia.

Lila Sansores de Sosa es jubilada y radica en Montemorelos, México. Tiene una hija y tres nietos. Le gusta mucho la música, dar clases de piano y la cocina.

Lila Sosa Sansores es enfermera y tiene tres hijos. Vive en Montemorelos, México. Le gusta mucho cantar, dirige el coro en su iglesia y apoya a los clubes juveniles.

Lilia Gardea de Granados es maestra de primaria. Tiene dos hijos y disfruta cocinar, leer y escribir. Escribe desde Delicias, México.

Lilia Guízar de De la Fuente es médica en la Ciudad de México. Disfruta de leer, viajar y estar con su familia.

Lorena P. de Fernández reside en Montemorelos, México. Le gusta leer, escribir meditaciones, compartir con las personas.

Lourdes Cuadras de Alonso vive en Montemorelos, México. Trabaja como secretaria en la Unión Mexicana del Norte. En su tiempo libre le gusta caminar y leer.

Lourdes Lozano Gazga es médica y vive en Montemorelos, México. Trabaja en el Hospital La Carlota y es profesora en la escuela de Psicología Clínica, en la Universidad de Montemorelos.

Lucy S. Benítez está casada y es madre de cuatro jóvenes universitarios. Le encanta leer y escribir en su tiempo libre. Trabaja con el director de la obra hispana en la Asociación del Sur de California, EE. UU.

Lucy Sánchez de Escalante vive en la Ciudad de México y trabaja como secretaria en Gema Editores. Le gusta mucho trabajar con los niños y enseñarles de Jesús.

Lupita López Cervantes es enfermera en Ciudad Guzmán, México. Tiene un hijo y disfruta de la iglesia.

Luz Graciela Agundis Figueroa es diseñadora gráfica y publicista en La Paz, México. Trabaja por su cuenta y disfruta la lectura de la Biblia.

Luz María Figueroa Zambrano es médica en La Paz, México. Le gusta viajar, leer y enseñar temas de salud a la gente.

Mabel Aguirre de Twahirwa vive en McAllen, EE. UU. Tiene dos hijos.

Es licenciada en Nutrición. Le gusta cocinar, leer y hacer ejercicio.

Marbella Alvarado Díaz es estudiante la licenciatura en Educación Primaria en la Universidad de Montemorelos, México.

María de Jesús Arámburo radica en Culiacán, México. Es ama de casa, madre de tres hijos, y sus mayores aficiones son leer y hacer amistades.

María de Lourdes Pérez Moreno es contadora pública y reside en la Ciudad de México. Le gusta leer, viajar e ir a la iglesia.

María de Lourdes Solórzano Roldán es maestra de Lengua y Literatura Española en la Ciudad de México. Le gusta escuchar música, leer y escribir poesías.

María del Rosario Quintero es secretaria en una empresa ferretera en la Ciudad de México. Ama la naturaleza y la compañía de su familia.

María Elena Hernández de Molinari radica en Montemorelos, México, y su esposo es pastor jubilado.

María Elena Ortiz Rocha es maestra de educación primaria en Puebla, México.

María Félix Sánchez Bárcenas vive en Ciudad Mante, México. Es enfermera recién jubilada. Le gusta leer, escuchar música especial, admirar la naturaleza, tener nuevas amistades.

María Guadalupe Ávila de Villarreal vive en Monterrey, México. Tiene tres hijos y su pasatiempo favorito es la lectura.

María Guadalupe García Martínez trabaja con su esposo en un taller de calzado en Tuxpan, México. Le gusta tejer, costurar y leer.

María Luisa Monárrez de Armenta es docente universitaria en el área de matemáticas en la Universidad de Navojoa, México. Le gusta dar clases, practicar deporte y convivir con los jóvenes.

Marilú Elizabeth Velásquez de Rascón es directora de un colegio en Rancho Nuevo, México. Disfruta de su esposo e hijos.

Marlina Coral es un pseudónimo.

Martha Ayala de Castillo radica en Loma Linda, EE. UU. Le gusta ayudar en la iglesia, leer y escribir artículos.

Martha de Alpírez vive en Montemorelos, México. Está casada y tiene tres hijos. Le gusta viajar y disfruta de la lectura.

Mary Torres de Castellanos

Marylin Pérez de Roblero vive en Montemorelos, México. Disfruta de las actividades de la iglesia, cocinar, hacer deporte y escuchar música.

Meyling D. Cervantes Ordoñez es estudiante de la licenciatura en Educación Primaria en la Universidad de Montemorelos, México.

Mireya Olave de Murrieta vive en Hermosillo, México. Es profesora en la escuela Braulio Pérez Marcio y madre de dos niñas.

Miriam Alejandra Escobedo es estudiante de la licenciatura en Música en la Universidad de Montemorelos, México

Miriam Machado Dandeneau es médica y tiene dos hijos. Es originaria de Brasil. Su anhelo es alabar a Dios a través del canto.

Miriam Rodríguez de Partida vive en Hermosillo, México, donde apoya en el ministerio a su esposo.

Mónica Yaneth Cota Inzunza es maestra de música. Le gustan las actividades al aire libre y su sueño es interesar a niños y adultos en la belleza de la música.

Myriam Carrillo Parra vive en Navojoa, México, donde acompaña a su esposo en su ministerio a favor de la juventud. Tiene tres hijos.

Myrtle Penniecook es originaria de Costa Rica, y actualmente radica en las Filipinas. Tiene tres hijos y dos nietos. Es una persona muy espiritual, consagrada y atenta.

Nancy Eréndira Bazaldua Alcazar vive en Mc Allen, EE. UU. Tiene cuatro hijos y asiste a la Iglesia Central del Valle.

Natalia Castro de Espinosa vive en Montemorelos, México, y es directora de Ministerio de la Mujer e Infantil de la Unión Mexicana del Norte. Le encanta la naturaleza y pasar tiempo con su familia.

Nidia Santos Vidales es contadora pública y trabaja en la Secretaría de Hacienda y Crédito Público en Nuevo Laredo, México. Disfruta la naturaleza, la lectura y la compañía de su esposo.

Nidia Vidales de Santos es maestra de educación primaria y de música en Nuevo Laredo, México.

Noemí Gil de Barceló es directora de Ministerio de la Mujer en la Asociación de Sonora, México. Tiene dos hijos y le gusta leer y escribir.

Noemí Torres de Uribe es madre dos hijos y vive en Tototlán, México. Le gusta trabajar con niños.

Nora Ortega de Caamal vive en Guadalajara, México, y es maestra.

Olga Díaz de Alcázar vive en la Ciudad de México.

Oralia Ramírez Juárez es estudiante de la Escuela Normal de la Universidad de Montemorelos, México.

Patricia Quintos de Gómez

Patricia M. Hernández de Sánchez vive en Montemorelos, México.

Tiene tres hijos. Disfruta caminar y platicar con las personas.

Patricia Martínez de Ortega vive en Montemorelos, México. Tiene tres hijos y disfruta de su familia.

Patricia Velasco de Aguilar vive en Delicias, México. Sus hijas son su mayor tesoro y orgullo.

Patricia Parias de Montiel vive en Manzanillo, México. Le gusta mucho organizar actividades en el departamento de Ministerio de la Mujer.

Patsy Violante reside en Houston, EE. UU. Es madre de dos hijos y tiene su propia empresa donde trabaja junto con su esposo.

Rachel L. de Romero tiene dos hijos. Le gusta leer y predicar el evangelio a través de la enseñanza de la cocina vegetariana.

Raquel Coello Rivera es oriunda de San Pedro Sula, Honduras. Es psicóloga con una maestría en Relaciones Familiares. Disfruta mucho de sus hijos.

Raquel Córdova Pérez es estudiante de la escuela Normal de la Universidad de Montemorelos, México.

Raquel de Korniejczuk se desempeña como vicerrectora académica de la Universidad de Montemorelos, México. Dios la ha bendecido con tres hijos. Su pasatiempo favorito es leer, bordar y viajar.

Rebeca Ávila de Arizmendi es maestra de educación primaria y diseñadora gráfica. Escribe desde la Ciudad de México.

Rebeca Corona de Ávila es maestra de educación primaria en la Ciudad de México. Le gustan los niños, la lectura y la asistencia a la iglesia.

Rebeca Sánchez de Arrieta es nutrióloga. Le gusta elaborar manualidades, cocinar, escuchar música, leer e ir de compras. Vive en Ensenada, México.

Rebeca Zamora de Morales vive en la Ciudad de México. Es originaria de África y le gusta mucho cantar.

Reiko de Matsumoto es originaria de Japón y vive en Montemorelos, México. Es licenciada en Lengua y Literatura Japonesa.

Reyna Ibarra de Guevara es profesora en Navojoa, México. Tiene dos hijos. Le gusta la música cristiana, caminar por el campo, leer, exhortar y compartir la Palabra de Dios.

Rocío Barrera de Velásquez se desempeña como directora de una guardería en Montemorelos, México. En su tiempo libre le gusta mucho coser.

Rocío Díaz de Arévalo vive en la Ciudad de México. Disfruta de su hogar, del ministerio de su esposo, la lectura, la música y cocinar.

Rosa Isela Raga de Cabrera es licenciada en Enfermería. Trabaja en el Hospital Infantil de Hermosillo, México, donde vive al lado de su familia.

Rosalba Karina Ortiz Sáenz estudia la licenciatura en Enseñanza de Inglés en la Universidad de Montemorelos, México. Le gusta viajar, leer e ir de compras.

Rosalba Sáenz de Ortiz labora en la Unión Mexicana del Norte. Sus pasatiempos son cocinar, viajar y estar con su familia.

Rosario Castro de Hernández reside en Puebla, México. Se dedica a la docencia y al canto.

Roxana Valladares de Moreno radica en Montemorelos, México. Trabaja en el Conservatorio de Música. En su tiempo libre escribe, escucha música o camina.

Sahily Alcocer de García disfruta de viajar, las actividades de la iglesia, pasar tiempo con los amigos, escribir, leer y cantar.

Sandra Díaz Rayos es contadora pública y labora en la Unión Mexicana del Norte. Ama la música y goza de la compañía de su hija.

Sandy Muñoz de Cornelio tiene una niña. Le gusta leer y hacer deportes.

Sara Laura Ortiz de Murillo es maestra de canto y directora de coro en la Escuela de Música de la Universidad de Montemorelos, México.

Sara M. Solórzano Roldán vive en la Ciudad de México. Le gusta convivir con su familia y amigos, escuchar música, pasear, cantar y leer.

Silvia Castillo de Hinojosa radica en Monterrey, México. Es contadora pública y disfruta mucho de su familia.

Sofía Mora de De Lima vive en Xalapa, México

Sonia Elizabeth Martínez de González tiene tres hijos. Le gusta la cocina vegetariana.

Susana Limón de Reyna ha encontrado en la oración un ministerio maravilloso. Le gusta mucho leer.

Thelma Park de Reyna vive en Veracruz, México. Disfruta del servicio a la iglesia y de su familia.

Vanessa Alfaro Díaz es educadora en Guadalajara, México. Le gusta leer, escribir y escuchar música cristiana.

Veda Jiménez Casillas vive en El Grullo, México. Disfruta de las actividades de la iglesia y de su familia.

Verónica Bisuet trabaja como secretaria en Gema Editores, en la Ciudad de México. Disfruta de la compañía de su esposo e hijos.

Verónica De Santiago Licón vive en Delicias, México. Es dietista y maestra de preescolar.

Vicky Zamorano de Medrano vive en Monterrey, México. Su matrimonio ha sido bendecido con tres hijos. En su tiempo libre disfruta leer, escribir y coleccionar campanas.

Victoria Gómez Valencia vive en Hermosillo, México. tiene dos hijos y cuatro nietos.

Yaqueline Tello de Velázquez reside en Chetumal, México. Le gusta participar en actividades de liderazgo femenino. Es madre de dos niños.

Yullybet De los Santos Mena es estudiante de Enfermería en Southwestern Adventist University, EE. UU. Disfruta el servicio a los demás. Le gusta tener amigos, leer y cocinar.

Zobeida Ham Cuevas vive en Juan José Ríos, México. Es licenciada en Psicología. Trabaja administrando una Asociación Civil.

¡Nueve secretos de la Palabra de Dios que te harán una mejor persona!

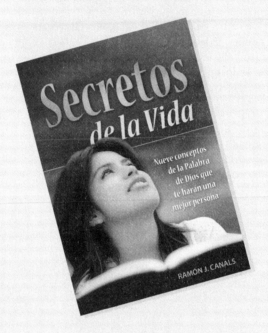

El mundo que nos rodea está lleno de secretos. Dios también tiene secretos, pero él no tiene interés en mantener oculto aquello que puede beneficiarnos. Inspiró a los escritores de la Biblia para que revelaran conceptos como la paciencia, el contentamiento, la gracia y otros, que pueden transformar nuestros pensamientos y actitudes. Léelo y compártelo con familiares y amigos.

Tapa blanda, 96 páginas
ISBN: 0816393370

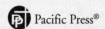 Pacific Press®

¿Qué te depara el futuro?

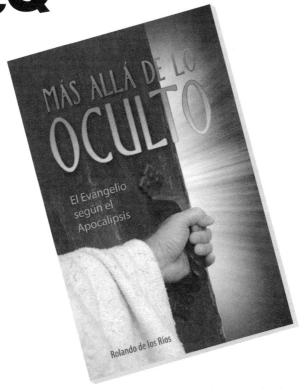

MÁS ALLÁ DE LO OCULTO

El Evangelio según el Apocalipsis

Rolando de los Ríos

La historia no puede prepararte para la incertidumbre de lo que ocurrirá, ni decirte qué será de ti, pero el libro de Apocalipsis presenta una perspectiva diferente. En *Más allá de lo oculto*, el lector podrá descubrir que hay algo más allá de los símbolos enigmáticos de la profecía: Nos encontramos cerca de la culminación de la historia, y todos somos actores en este increíble drama.

Tapa blanda, 192 páginas
ISBN: 0816393389

 Pacific Press®

ANHELOS DEL CIELO...

En este libro, Elena G. de White presenta las visiones más impresionantes y las declaraciones más descriptivas del cielo, el futuro hogar de los redimidos.

Además de las maravillosas escenas celestiales que han sido preparadas para todos los hijos de Dios, usted se verá cautivado con los detalles acerca de la vida en el cielo. Esta obra le permitirá afianzar su confianza en la venida de Jesús y le invitará a disfrutar anticipadamente el esplendor divino, mientras que se prepara activamente para aquel encuentro glorioso con nuestro Salvador.

Tapa dura, 192 páginas
ISBN: 081639332X

 Pacific Press®

Tres libros clásicos en un nuevo formato

Durante los últimos sesenta años, el Centro White ha producido preciosos libros devocionales con los escritos inspiradores de Elena G. de White. Ahora la Pacific Press vuelve a publicar tres de estos valiosos compendios para su edificación espiritual.

Nuestra elevada vocación fue publicada por primera vez como el libro devocional de 1962. Contiene material de los manuscritos y cartas de Elena de White que nunca había aparecido en libros publicados, y numerosos textos que nunca antes fueron traducidos al español. **ISBN: 0816393362.**

Maranata: El Señor viene es una colección de amonestaciones y consejos inspirados para aquellos que anhelan el pronto regreso de Jesús. Publicado por primera vez en 1976. **ISBN: 0816393346.**

A fin de conocerle expresa el mayor deseo del creyente. Aprenda de la rica vida devocional de la escritora más prolífica del adventismo. **ISBN: 0816393354.**

Pacific Press®

Comparta su fe con obras clásicas en formato económico

Lea y regale grandes clásicos de la pluma de Elena G. de White como *El Deseado de todas las gentes*, quizá la mejor biografía de Jesús; *El conflicto de los siglos*, una explicación de la historia fundamentada en la Biblia, y *El ministerio de curación*, una exposición de los principios bíblicos que sustentan el bienestar humano.

El Deseado de todas las gentes
ISBN: 081639329X

El gran conflicto ha terminado
ISBN: 0816393591

El ministerio de curación
ISBN: 0816395144

 Pacific Press®

NUEVOS MINI CENTINELAS

Nuevos folletos para compartir con familiares,
amigos y conocidos. Basados en artículos
de la revista misionera EL CENTINELA.

PROTEJA SU HOGAR
CONTRA EL DIVORCIO

Un matrimonio que anda bien significa una vida llena de esperanza, emociones y felicidad compartida con el cónyuge.

ISBN: 433300951

LA ESPERANZA DEL INMIGRANTE

Hay una patria mejor y no debemos pagar ninguna multa para entrar y permanecer allí.

ISBN: 433300952

EL MILAGRO DE LA ORACIÓN

Hay grandes bendiciones para quienes hacen de la oración un aliado en su vida diaria.

ISBN: 433300953

MI HIJO, ¿PANDILLERO?

Lo que usted puede hacer para evitar que su hijo sea seducido a integrarse a una pandilla.

ISBN: 433300954